Даниэла Стил

Версальская история

РОМАН

МОСКВА
ЭКСМО
2002

УДК 820(73)
ББК 84(7США)
С 80

Danielle STEEL
THE COTTAGE

Перевод с английского *В. Гришечкина*

Оформление художника *Е. Савченко*

Стил Д.

С 80   Версальская история: Роман / Пер. с англ. В. Гришечкина. — М.: Изд-во Эксмо, 2002. — 416 с.

ISBN 5-699-01414-4

Да, все действительно случилось в «Версале» — так называется роскошный особняк нестареющего и неотразимого Купера Уинслоу — голливудской звезды первой величины. В его жизни наступили не лучшие времена,
давно нет интересных ролей, а следовательно, и гонораров... Но Купер не
может и помыслить о том, чтобы расстаться с разорительным образом
жизни. Он привык обольщать, быть в центре событий. И события начинают
происходить самые невероятные...

УДК 820 (73)
ББК 84(7США)

Глава 1

Когда Эйб Бронстайн преодолел последний поворот казавшейся бесконечной подъездной аллеи, его на мгновение ослепил яркий свет солнца, отразившийся от мансардной крыши особняка. Одного взгляда на это величественное здание во французском стиле хватило бы, чтобы у неподготовленного человека захватило дух, но Эйб никогда не отличался впечатлительностью, к тому же он бывал здесь уже десятки раз. Для него особняк был в первую очередь весьма дорогим предметом недвижимости, и тот факт, что великолепное здание в продолжение нескольких десятилетий оставалось одной из легенд Голливуда, во много раз умножало его реальную стоимость. Внешне оно напоминало те дворцы, которые строили для себя в Ньюпорте легендарные Асторы и Вандербильды, и было выдержано в стиле французского шато восемнадцатого века. Каждая его архитектурная деталь отличалась изысканностью и изяществом и буквально дышала роскошью. Особняк возвели в 1918 году для звезды немого кино Веры Харпер, которая в годы Великой депрессии сумела не только сохранить свое состояние, но и приумножить его, несколько раз удачно побывав замужем. В этом особняке она прожила больше сорока лет, в нем и скончалась в 1959 году в весьма преклонном возрасте. Купер Уинслоу купил его год спустя через агентство по продаже недвижимости. У Веры Харпер не было ни детей, ни наследников, поэтому все имущество, включая особняк, она завещала католической церкви. Купер Уинслоу, чья карьера в те годы достигла своего пика, выложил за него астрономическую сумму, произведя настоящую сенсацию. Действительно, для двадцативосьмилетнего молодого человека, пусть и признанного одной из самых ярких звезд на голливудском небосклоне, подобный поступок был событием из ряда вон выходящим. Сам Куп, однако, считал иначе и был рад тому, что может поселиться в доме, полностью соответствующем его склонностям и вкусу.

Особняк, больше напоминавший дворец, стоял в самом сердце Бель-Эйр на участке площадью четырнадцать акров и был окружен парком и ухоженными садами. На участке были также теннисный корт и внушительных размеров плавательный бассейн, выложенный голубой и золотой плиткой. Сады и парк с несколькими фонтанами были разбиты по французскому образцу, и поэтому особняк вскоре прозвали «Голливудским Версалем» или просто «Версалем». И он вполне заслуживал такого названия. Дом был и внутри так же великолепен, как снаружи. Высокие сводчатые потолки комнат и залов были расписаны итальянскими и французскими мастерами; столовая и библиотека отделаны редкими породами дерева; что же касалось стенных панелей и паркета в гостиной, то они были вывезены из настоящего французского замка восемнадцатого столетия. И Купер Уинслоу стал достойным хозяином всей этой роскоши, ибо «Версаль» не только соответствовал его статусу суперзвезды, но и всем его привычкам и стилю жизни. Теперь Эйб Бронстайн был только рад, что Куп сумел приобрести особняк не в рассрочку, а выложил всю сумму сразу, и хотя с 1960 года он дважды брал под него крупные кредиты, закладные почти не уменьшили его стоимости. До сих пор «Версаль» оставался самым дорогим частным особняком во всем Бель-Эйр, хотя оценить его было довольно сложно по той простой причине, что подобного дома не было, наверное, во всей стране, исключая разве что ньюпортские особняки, да и те, скорее всего, стоили дешевле, так как на рынке недвижимости дома в Бель-Эйр всегда были на порядок дороже, чем в любом другом месте. Не имело практически никакого значения даже то обстоятельство, что «Версаль» Купера Уинслоу в последнее время несколько обветшал. Все равно это был очень дорогой дом, который стоял на самой дорогой в стране земле.

Выйдя из машины, Эйб увидел четырех садовников, двое из которых выпалывали траву возле большого фонтана, а двое работали на цветочной клумбе неподалеку. Эйб сразу же мысленно сделал заметку на память: сократить штат садовников вдвое. Куда бы ни падал его взгляд, всюду он видел цифры, долларовые купюры, счета, квитанции и с точностью до нескольких центов знал, во что обходится Купу содержание «Версаля». По любым стандартам сумма была непомерно высокой, что же касалось самого Эйба, то он считал ее просто безобразной. Оказывая бухгалтерские услуги нескольким голливудским знаменитостям, Эйб привык не ахать, не ужасаться и не падать в обморок, когда ему становилось известно, сколько та или иная звезда потратила на свой дом, на новый автомобиль, на меха и бриллиантовые ожерелья для очередной любовницы, однако Купер Уинслоу превзошел их всех, вместе взятых. В глубине души Эйб был уверен, что Куп тратит больше, чем принц Фарук. Вот уже без малого пятьдесят лет он швырял деньги направо и налево, хотя за последние два десятилетия не сыграл в кино ни одной сколько-нибудь значительной роли. В последние десять лет Куп и вовсе был вынужден исполнять лишь эпизодические роли с минимумом слов, за которые ему платили сравнительно мало, хотя и больше, чем любому другому не столь знаменитому актеру.

В свое время Куп сделал карьеру, играя ослепительных героев-любовников, он и с возрастом не изменил своему амплуа, продолжая воплощать на экране неотразимых, хотя и стареющих плейбоев и повес. Несомненно, ему удалось сохранить и прежний блеск, и шарм, но ролей для него становилось все меньше и меньше. И, поднимаясь на крыльцо и нажимая кнопку звонка, Эйб снова подумал о том, что у Купа вот уже два года не было ни одной приличной роли в кино. Правда, Куп утверждал, будто ежедневно встречается с директорами и продюсерами и обсуждает с ними различные предложения, однако никакого видимого результата это не приносило, и Эйб был намерен поговорить с Купом серьезно. Купу необходимо было самым решительным образом сократить свои расходы, так как на протяжении последних пяти лет он жил фактически в долг. Куперу нужно было вернуться к работе, и притом срочно. Что это будет за работа, Эйбу было все равно. Пусть снимается в рекламе ближайшей мясной лавки, мрачно рассуждал он, лишь бы зарабатывал хоть какие-то деньги.

Впрочем, даже это не решало всех проблем. В первую голову Куперу Уинслоу предстояло существенно сократить свои траты, рассчитать домашнюю прислугу и садовников, продать некоторые из своих автомобилей, перестать покупать эксклюзивную одежду и останавливаться в самых дорогих европейских отелях. В противном случае ему придется продать «Версаль», и, по совести говоря, Эйб предпочитал этот вариант любому другому, так как он позволял Куперу Уинслоу не только сразу решить все финансовые проблемы, но и сохранить значительные средства, чтобы не бедствовать до конца дней.

Наконец дверь отворилась, и на пороге показался дворецкий в светлой утренней ливрее. Увидев Эйба, он величественно кивнул в знак приветствия. Ливермор давно усвоил, что любой визит Бронстайна приводит хозяина в прескверное расположение духа. Чтобы справиться с хандрой, Куперу требовалась целая бутылка шампанского «Кристаль» и — иногда — баночка икры. И то и другое Ливермор предусмотрительно положил на лед в тот самый момент, когда секретарша Купера Лиз Салливан предупредила дворецкого, что Эйб Бронстайн приедет в двенадцать.

Лиз дожидалась Эйба в облицованной розовым деревом библиотеке и, едва заслышав звонок, вышла в центральный холл, чтобы встретить его. В библиотеке Лиз сидела с десяти утра, готовя для Эйба необходимые документы, и на душе у нее было неспокойно. Еще вчера вечером она пыталась предупредить Купа, о чем, по ее мнению, пойдет разговор, но тот был слишком занят, чтобы внимательно ее выслушать и что-то запомнить. Купер Уинслоу готовился к важному приему на самом высоком уровне, и ему необходимо было привести в порядок прическу, сделать массаж и немного вздремнуть, чтобы не зевать потом весь вечер. А утром Лиз его уже не застала. Куп встал необычно рано и сразу же уехал в «Беверли-Хиллз-отель», чтобы позавтракать с продюсером, предложившим обсудить его возможное участие в своем фильме. Впрочем, в том, что у Купа нашлось неотложное дело, Лиз ничего странного не видела; его всегда было очень трудно найти, когда в воздухе пахло неприятностями. Казалось, Куп наделен сверхъестественной способностью заранее чувствовать вещи, о которых предпочитал не слышать и не знать, и уклонялся от них с изяществом и ловкостью, которыми можно было восхищаться. Но на этот раз ему было не отвертеться, хотя Куп, возможно, об этом еще не догадывался. На этот раз он непременно должен был выслушать своего бухгалтера. В конце концов Лиз все-таки дозвонилась до него, Куп скрепя сердце пообещал вернуться домой к двенадцати. В данном случае это означало, что Куп появится не раньше двух или, в лучшем случае, половины второго.

— Добрый день, Эйб, рада вас видеть, — приветливо поздоровалась Лиз. Она была одета в белый джемпер и слаксы темно-оливкового цвета, которые не особенно ей шли, подчеркивая бедра, изрядно раздавшиеся за двадцать два года работы у Купа. Впрочем, ее лицо, обрамленное пушистыми белокурыми волосами, оставалось по-прежнему миловидным, а когда Куп нанимал ее, Лиз и вовсе выглядела как девушка с рекламы шампуня «Брек».

Между Купом и Лиз была любовь с первого взгляда, которая оставалась, впрочем, чисто платонической — во всяком случае, со стороны актера. В Лиз он ценил не столько внешность, сколько ее навыки отличной секретарши, а также ту материнскую заботу, которую она стала проявлять к боссу с самого начала своей службы у него. Тогда Куперу было уже под пятьдесят, но он был ее кумиром, и Лиз обожала и боготворила его. На протяжении всех двадцати двух лет она была тайно влюблена в Купера и посвятила себя преданному служению предмету своей страсти. Работая подчас по четырнадцать часов в день, Лиз не жалела сил, стараясь поддерживать дела патрона в идеальном порядке. Она старалась всегда быть под рукой на случай, если понадобится своему кумиру; неудивительно поэтому, что Лиз так и не обзавелась собственной семьей и детьми. Это была жертва, принесенная ею на алтарь безответной страсти, и Лиз до сих пор считала, что Куп этого заслуживает.

Иногда он заставлял ее тревожиться, и довольно сильно. В последние годы это происходило все чаще. Для Купа как будто вовсе не существовало такой вещи, как реальность; все проблемы он воспринимал как временное неудобство, как досадный и надоедливый пустяк, вроде жужжания москитов над головой, и стремился уклониться от их решения любой ценой. Он слышал только то, что хотел слышать, то есть обращал внимание лишь на те новости, которые были приятными. Все остальное он отсортировывал и отбрасывал задолго до того, как плохие известия достигали его ушей и успевали внедриться в сознание, — и по большей части это сходило ему с рук. Но только не сегодня. Сегодня Эйб специально приехал в «Версаль», чтобы открыть ему глаза на действительное положение дел вне зависимости от того, хочется этого Куперу или нет.

— Привет, Лиз. Куп дома? — сурово спросил Эйб. Он не очень любил иметь дело с Купером Уинслоу — слишком разными людьми они были.

— Еще нет, — ответила Лиз и, радушно улыбнувшись, провела бухгалтера в библиотеку. — Но он обещал быть с минуты на минуту, — добавила она, пригласив Эйба садиться. — Куп поехал на переговоры насчет главной роли.

— В чем? В мультфильме для детишек дошкольного возраста? — буркнул Эйб, и Лиз дипломатично промолчала. Она едва сдерживалась, когда о ее обожаемом патроне говорили в подобном тоне. В глазах Лиз Куп был непогрешим, хотя она и понимала причины раздражения и тревоги Эйба. Куп не слушал его советов, а между тем его финансовое положение с каждым годом все больше ухудшалось; в последние же двенадцать месяцев оно и вовсе стало катастрофическим. «Его нужно остановить!» — так сказал Эйб, когда накануне вечером Лиз разговаривала с ним по телефону. Сегодня он приехал к Купу, чтобы исполнить свое намерение, и был очень недоволен, что актера, как и всегда в подобных случаях, не оказалось дома. Впрочем, Куп опаздывал почти постоянно, опаздывал всюду и всегда, но он умел быть настолько обаятельным, что люди охотно прощали ему подобное поведение. Даже Эйб, хотя подчас и скрипел зубами от злости, еще ни разу не уехал, не дождавшись возвращения своего ветреного клиента.

— Не хотите ли выпить чего-нибудь, Эйб? — спросила Лиз, привычно разыгрывая роль хозяйки, которая извиняется перед гостем за необязательного хозяина. Ливермор стоял рядом с невозмутимым видом, который сохранял при любых, даже самых скандальных ситуациях. Правда, ходили слухи, будто один или два раза Куперу удалось-таки заставить своего дворецкого улыбнуться, но никто этого не видел, да и Лиз этому не верила — Ливермор был слишком хорошо вышколен, чтобы позволить себе такой faux pas[1], как улыбка.

— Нет, спасибо, — буркнул Эйб. Он старался сохранять непроницаемое выражение лица, но ему это плохо удавалось. Лиз, во всяком случае, ясно видела, как растет, грозя выплеснуться наружу, его раздражение.

— Тогда, может быть, чаю со льдом? — снова предложила она, стараясь хоть как-то отвлечь Эйба и успокоить его, прежде чем он встретится с Купом.

— Что ж, пожалуй, — сухо кивнул Эйб. — Как ты думаешь, на сколько он опоздает сегодня?

Часы показывали пять минут первого, и им обоим было совершенно ясно, что раньше чем через час или полтора Купа ждать нечего. Оба, впрочем, знали, что по прошествии этого срока он появится, вооруженный каким-нибудь правдоподобным объяснением, и станет улыбаться своей знаменитой чарующей улыбкой, от которой у женщин обычно появлялась приятная слабость в ногах. На Эйба, однако, эти улыбки давно уже не действовали.

— Думаю, что ненамного, — ответила Лиз. — Куп говорил — это только предварительная встреча. Продюсер собирался показать ему сценарий.

— Что за сценарий, хотел бы я знать?! Опять ему предложат какую-нибудь крошечную роль.

Самыми последними ролями, которые сыграл в кино Куп, были роли без слов; фактически он появлялся на экране только в качестве статиста, правда — очень живописного статиста. Особенно любили режиссеры сажать его с какой-нибудь красавицей в баре, куда по ходу действия заходил главный герой или героиня. Куп называл это «играть мебель». Иногда ему удавалось произнести одну или две фразы, но такое случалось редко. Для эпизодических ролей он был слишком известен, да и внешность у него была, что называется, фактурная. Куп снимался почти исключительно во фраке или в смокинге, а его бьющее через край обаяние привлекало к нему чересчур большое внимание. О дополнительных льготах в его контрактах в Голливуде до сих

---

[1] Faux pas — ложный шаг, промах *(фр.)*. *(Здесь и далее – прим. пер.)*

пор ходили легенды. Каким-то образом ему удавалось оставить за собой все костюмы для съемок, которые шились по специальному заказу его любимыми портными в Париже, Лондоне и Милане. Но этого ему было мало, и, к огромному неудовольствию Эйба, Куп продолжал приобретать изысканную одежду, а также хрусталь, антиквариат и дорогие картины во всех местах, где ему случалось бывать. Счета за эти покупки, включая «Роллс-Ройс» последней модели, регулярно оказывались на столе Эйба, едва не доводя бухгалтера до нервного срыва. Недавно он узнал, что Куп, так сказать, «положил глаз» на эксклюзивную модель «Бентли Азур» с откидным верхом и турбоприводом стоимостью в полмиллиона долларов, и был готов немедленно позвонить ему, чтобы обругать последними словами. С точки зрения Купа, однако, эта машина была прекрасным дополнением к уже стоявшим в его гараже двум «Роллс-Ройсам» (один седан, второй — с откидным верхом) и лимузину «Бентли» ручной сборки. Костюмы и машины были для него не роскошью, а предметами первой необходимости. Куп совершенно искренне считал, что не может без них обойтись, и до сегодняшнего дня Эйб ничего не мог с ним поделать.

В библиотеку вошел слуга с двумя стаканами охлажденного чая на подносе (Ливермор незаметно исчез минуты две назад). Он не успел еще покинуть комнату, как Эйб, нахмурившись еще больше, обратился к Лиз.

— Купу придется рассчитать прислугу. И я хочу, чтобы он сделал это сегодня же, — сказал он, и слуга с беспокойством покосился на бухгалтера.

Перехватив этот взгляд, Лиз поспешила улыбнуться, чтобы успокоить молодого человека. Это была ее обязанность: успокаивать, умиротворять слуг и кредиторов — и платить по счетам. Правда, прислуге она всегда старалась заплатить в первую очередь, и все же несколько раз Лиз не смогла вовремя достать деньги и вынуждена была задержать зарплату на месяц или два. Прислуга, впрочем, никогда не выказывала недовольства. Сама Лиз не получала содержания уже полгода, так как вся ее зарплата уходила на затыкание дыр в бюджете хозяина, но она не особенно переживала по этому поводу, хотя каждый раз ей было нелегко объяснить жениху, который у нее наконец появился, почему она столько времени работает на Купа бесплатно. Лиз знала, что возьмет свое, когда Куп снимется в рекламе или, возможно, сыграет эпизодическую роль в новом фильме, к тому же она могла позволить себе быть терпеливой, так как, в отличие от своего босса, сумела отложить кое-что на черный день. Тратить деньги ей было некогда и не на что, так как у Купа она жила фактически на всем готовом и могла экономить, да и патрон был неизменно щедр к ней.

— Может, не стоит так спешить? — спросила Лиз, не скрывая беспокойства. — Слуги тяжело это воспримут. Может быть, уменьшать количество работников постепенно?

— Куперу нечем им платить, Лиз, и ты это знаешь, — возразил ей Эйб. — У него нет денег. Я мог бы посоветовать ему продать машины и дом. За машины он много не выручит, но особняк... Если продать «Версаль», мы сможем выкупить обе закладные, заплатить все долги, и даже после этого у него останется достаточно денег, чтобы купить роскошные апартаменты в Беверли-Хиллз и до конца дней своих жить припеваючи. Он снова будет состоятельным человеком, Лиз.

Купа уже давно нельзя было назвать состоятельным, но Лиз знала, что продать «Версаль» для него было немыслимо. Дом стал частью его самого, как рука или нога. Или как сердце. На протяжении четырех с лишним десятилетий «Версаль» оставался неотъемлемой составляющей его личности, и Куп скорее бы умер, чем расстался с ним. Да и машины — она знала — он вряд ли захочет продать. Лиз, во всяком случае, не могла себе представить Купа за рулем какого-то другого автомобиля, кроме «Роллс-Ройса» или «Бентли», — слишком уж он сжился с образом, который создавал на протяжении всей своей карьеры в кино.

И в конечном итоге этот образ стал его главенствующим «я», подменив собой того Купера Уинслоу, которым он явился на свет. Во многом благодаря этому блестящему образу большинство людей даже не подозревали, что знаменитый Куп Уинслоу вот уже много лет находится в стесненных финансовых обстоятельствах. Они были склонны считать, что он просто небрежно относится к своей бухгалтерии и забывает оплачивать счета. Несколько лет назад у него едва не возникли неприятности с Налоговым управлением, и Лиз пришлось позаботиться о том, чтобы все деньги, которые Куп получил за съемки на одной из европейских студий, были незамедлительно перечислены в фискальные органы. Благодаря этому ей удалось на время снять все проблемы с налогами, однако в последнее время положение снова осложнилось. Сам Куп утверждал, что ему нужна только одна звездная роль, чтобы рассчитаться со всеми долгами, и Лиз неоднократно повторяла эти слова Эйбу. Она всегда оправдывала, выгораживала, защищала своего патрона от недоброжелателей (читай — кредиторов), однако с каждым годом делать это ей становилось все труднее из-за безответственного поведения самого Купа. Для него как будто вовсе не существовало никаких финансовых проблем, и в этом — как прекрасно знали Эйб и Лиз — был весь Купер Уинслоу.

Но теперь Эйб был сыт этими играми по горло.

— Купу семьдесят лет, — сказал он. — Вот уже почти два года он не снимается, а последняя крупная роль в кино у него была в пятьдесят — двадцать лет назад. Разумеется, если Куп начнет активнее сниматься в рекламе, его положение улучшится, но, честно говоря, ненамного. На рекламе много не заработаешь... во всяком случае, столько, сколько ему необходимо. И я больше не собираюсь мириться с тем, как легкомысленно он относится к своему положению. Если в самое ближайшее время Куп не предпримет каких-то решительных шагов, он окажется в тюрьме.

Почти год Лиз оплачивала кредитные карточки с помощью других кредитных карточек; Эйб об этом пронюхал и был возмущен. Были и другие счета, которые остались неоплаченными. И Лиз прекрасно об этом знала, однако у нее не укладывалось в голове, что Куп действительно может в конце концов угодить за решетку.

Был почти час дня, когда Лиз, вызвав звонком Ливермора, попросила принести мистеру Бронстайну пару сандвичей и томатный сок. Сам мистер Бронстайн выглядел к этому времени так, словно вот-вот начнет изрыгать дым, пепел и раскаленную лаву. Он был очень зол на Купа, и только преданность своему делу удерживала его на месте. Эйб был исполнен решимости довести до конца дело, ради которого он сюда приехал, вне зависимости от того, будет

Куп помогать ему или нет. Удивляло его только одно: как могла Лиз терпеть своего безответственного патрона столько лет? Старый бухгалтер всегда подозревал, что между Купом и его секретаршей существуют или существовали в прошлом интимные отношения, и был бы очень удивлен, если бы кто-то сказал ему, что это не так. Куп был слишком умен, чтобы спать со своей секретаршей, да и Лиз не позволила бы себе ничего подобного. Она обожала босса много лет, но не собиралась ложиться с ним в постель, да и Куп, высоко ценя их добрые дружеские отношения, никогда не просил ее ни о чем подобном. Прежде всего он был джентльменом; дружба и преданность были для него понятиями почти святыми, и Куп никогда не путал дружбу с сексом.

В половине второго Эйб доел последний сандвич и допил сок. К счастью, к этому моменту Лиз удалось втянуть его в разговор о последней игре «Доджерс» — любимой команды Эйба. Она знала, что старый бухгалтер страстно любит бейсбол, и воспользовалась этим обстоятельством, чтобы хоть немного отвлечь его от финансовых прегрешений Купера Уинслоу. И это ей удалось. Лиз обладала особым даром общаться с людьми. Эйб почти забыл о времени, и лишь быстрый наклон головы Лиз, прислушивавшейся к хрусту гравия на подъездной дорожке, заставил его замолчать.

— Что?..

— Вот, кажется, и Куп. — И Лиз улыбнулась Эйбу с таким видом, словно возвещала о прибытии царственной особы.

И в чем-то она была права. Куп хотя и приехал один, зато он сидел за рулем кремово-белого «Бентли Азур» с откидным верхом, который продавец любезно одолжил ему на несколько недель. Это была великолепная машина, и она очень шла Купу. Впрочем, и без машины им невозможно было не залюбоваться. Куп без преувеличения был потрясающе красивым мужчиной. У него были тонкие, словно точеные черты лица, правильный подбородок с мужественной ямочкой, ярко-голубые глаза, гладкая светлая кожа и чистый лоб. Седые волосы были уложены в аккуратную прическу, которая не растрепалась, даже несмотря на открытый верх «Бентли». Это, однако, нисколько не удивило Лиз, поскольку Купер — и не только в ее глазах — всегда был эталоном, совершенством, образцом, сравняться с которым не в силах был никто. Мужественный, элегантный, подтянутый, он в то же самое время был наделен несравненным чувством внутренней свободы, которое отличало его от живых манекенов, пытавшихся ему подражать. Куп редко выходил из себя и почти никогда не волновался. В каждом его движении чувствовался врожденный аристократизм, который он отточил и развил, превратив в высокое искусство. Родом Купер Уинслоу был из старинной нью-йоркской семьи, которая могла похвастаться разветвленным генеалогическим древом — и почти полным отсутствием денег, так что, когда он начинал свою карьеру, ничего, кроме имени, у него не было. Всего, что он достиг в жизни, Купер Уинслоу добился своим трудом и талантом.

В пору расцвета своей популярности он переиграл чуть ли не всех богатых аристократов и был чем-то вроде современного Кэри Гранта с внешностью Гари Купера. Ни разу в жизни Куп не представлял на экране вульгарного нувориша, негодяя или человека с сомнительной репутацией; в списке его ролей были только положительные герои и первые любовники, безупречно одетые и с ослепительной внешностью. Но больше всего импонировал зрительницам его взгляд — мягкий, добрый, чуть задумчивый, романтический. Ни на экране, ни в жизни Куп не был жестоким или мелочным. Женщины, с которыми он когда-либо встречался, продолжали обожать его даже после того, как он расставался с ними, насытив, как он выражался, свое эстетическое чувство. Ни одна из его прежних любовниц никогда не отзывалась о нем плохо, а были их десятки, если не сотни. Им было приятно проводить с ним время, так как Куп обладал талантом придавать самым банальным вещам блеск и неповторимую элегантность. В Голливуде не было, наверное, ни одной сколько-нибудь заметной звезды женского пола, которая не прошла бы через его постель.

Но, несмотря на это, Куп до сих пор оставался холостяком. Прожив семьдесят лет, он сумел избежать уз Гименея и втайне даже гордился этим. Впрочем, на семьдесят он не выглядел. Куп всегда следил за собой, занимался с личным тренером в тренажерном зале «Версаля», не переедал, избегал прямых солнечных лучей, и ему нельзя было дать больше пятидесяти пяти. А сейчас, когда он вышел из великолепной машины в светлом блейзере, серых свободных брюках и безупречной голубой рубашке, он выглядел еще моложе. Эта одежда только подчеркивала, какие у него широкие плечи, узкая талия и длинные ноги. В Купе было шесть футов и четыре дюйма, и этим он также отличался от большинства современных голливудских идолов, которые почти все были низкорослыми коротышками.

Оглянувшись, Куп приветливо улыбнулся, сверкнув ослепительно белыми зубами, и помахал садовникам; при этом любая женщина непременно заметила бы, какие красивые у него руки. Казалось, в нем нет ни одного изъяна, а его обаяние действовало на расстоянии не менее ста миль. Словно живой магнит, Куп притягивал в равной степени и мужчин, и женщин, и лишь немногие его знакомые — Эйб Бронстайн в том числе — оставались невосприимчивы к его чарам.

Ливермор тоже давно заметил приближение машины хозяина и поспешил в холл, чтобы открыть перед Купом дверь.

— Добрый день, сэр, мистер Уинслоу, — чопорно приветствовал он Купа.

— Привет, Ливермор, — беспечно отозвался Куп. — Что-то ты сегодня мрачный. Кто-нибудь умер?

Он всегда поддразнивал своего чрезмерно серьезного дворецкого, стараясь заставить его если не рассмеяться, то хотя бы улыбнуться. Для него это было чем-то вроде спорта, задачи, над которой он не уставал биться, пытаясь отыскать решение. Впрочем, Куп был доволен своим дворецким, искренне восхищаясь его достоинством, неизменной выдержкой, рассудительностью и умом. Ливермор поступил к нему на работу пять лет назад, и Куп не раз признавался Лиз, что именно о таком дворецком он мечтал всю жизнь. Ливермор придавал особняку особый шик и стиль. Кроме того, дворецкий умело заботился о гардеробе Купа, что тоже было непросто.

— Нет, сэр. Мистер Бронстайн и мисс Салливан ждут

вас в библиотеке, сэр, — сообщил дворецкий. — Они только что закончили ленч.

Ливермор не сказал хозяину, что бухгалтер ждет его с самого полудня. Он всегда избегал лишних слов, к тому же Купу, скорее всего, было все равно. Он считал, что, коль скоро Эйб Бронстайн на него работает, он может и подождать — за это ему и деньги платят. Тем не менее, входя в библиотеку, Куп улыбнулся бухгалтеру самой широкой и обезоруживающей улыбкой, которая, впрочем, пришла к нему естественно и без особого труда. Эйб, однако, давно не попадался на такие простые уловки; глядя на Купа, он только вздохнул. Купер Уинслоу танцевал под собственную музыку, и до сих пор Эйб ничего не мог с этим поделать.

— Надеюсь, тебя хорошо накормили, Эйб? — спросил Купер с таким видом, словно он не опоздал на два часа, а напротив — приехал на несколько минут раньше назначенного срока. Это был его стиль; он всегда старался застать собеседника врасплох, ошеломить, очаровать и в конце концов заставить забыть обо всех мелких (крупных он не признавал) недоразумениях вроде двухчасового опоздания. Эйб, однако, не попался и на эту удочку и не мешкая перешел к делу.

— Я приехал сюда, чтобы поговорить о твоем финансовом положении, Куп, — сказал он серьезно. — Нам нужно многое обсудить и принять несколько важных решений.

— Не имею ничего против, — ослепительно улыбнулся Купер и, с размаха усевшись на диван, вытянул перед собой длинные ноги. Он был абсолютно уверен, что в течение нескольких секунд Ливермор подаст ему бокал шампанского, которое поможет ему пережить визит бухгалтера относительно спокойно, и не ошибся. Дворецкий бесшумно вырос рядом, держа в руках серебряный поднос с высоким бокалом «Кристаля». В подвале особняка хранилось несколько дюжин бутылок этого благословенного напитка, так как Куп всегда пил только «Кристаль», выдержанный и охлажденный по всем правилам. Там же, в винном погребе, который был таким же легендарным, как и изысканный вкус его владельца, хранилась и коллекция редких вин, главным сокровищем которой служили несколько бутылок «Прадо» 1817 года.

— Давай начнем с того, что дадим Лиз прибавку к жалованью. Я давно собирался это сделать, — добавил он и улыбнулся Лиз, а она почувствовала, как от жалости у нее сжалось сердце. Как и у Эйба, у нее тоже была припасена для босса неприятная новость, которую она вот уже целую неделю не решалась ему сообщить.

— Сначала послушай, что я тебе скажу, — возразил Эйб. — Я намерен рассчитать всех твоих слуг прямо сегодня. Что скажешь?

Куп расхохотался. Ливермор, в лице которого не дрогнул ни один мускул, с достоинством поклонился хозяину и вышел.

— Ты с ума сошел!.. — Куп отпил глоток шампанского и поставил бокал на мраморный столик. — И как только такое могло прийти тебе в голову? Рассчитать моих слуг! Может, лучше распять их? Или расстрелять?

— Я говорю совершенно серьезно! Им *придется* уйти. Мы только недавно полностью расплатились с ними, ведь твоя домашняя прислуга не получала зарплату почти три месяца. В будущем месяце платить им уже нечем. Иными словами, ты не можешь позволить себе содержать такой многочисленный штат, Куп. — В голосе бухгалтера неожиданно прозвучали жалобные ноты, словно он знал: ничто из того, что он может сказать, не заставит Купа воспринимать его слова серьезно. Каждый раз, когда Эйб разговаривал с ним о делах, у него появлялось ощущение, будто его слова лишь впустую сотрясают воздух. Купер не слышал его — просто не желал слышать.

— Я сегодня же вручу им уведомление об увольнении, — сказал Эйб, постаравшись придать своему голосу как можно больше твердости. — И дам им две недели на поиски нового места. Тебе я оставляю только одну горничную.

— Великолепно! — воскликнул Куп с саркастическим видом. — А кто будет отпаривать и чистить мои костюмы? Кстати, какую из горничных ты решил мне оставить? — У Купа было три горничных, повар и официант, который прислуживал за столом. Ливермор, дворецкий. Восемь садовников. Водитель, который работал на полставки, так как Куп предпочитал водить свои машины сам и вызывал шофера только для самых торжественных случаев. Он всегда считал: чтобы содержать в порядке такое большое поместье, необходим и большой штат. В глубине души Куп признавал, что мог бы обойтись и гораздо меньшим количеством работников, но ему льстило, что его обслуживает такой штат прислуги. А Куп никогда не упускал случая потешить свое самолюбие.

— Мы оставили Палому Вальдес. Она обходится дешевле всего, — практично сказал Эйб.

— Палома... Палома... — пробормотал Куп и, нахмурившись, вопросительно посмотрел на Лиз. — Это которая же?.. — Он никак не мог вспомнить горничную с таким именем. Двух его горничных-француженок звали Джоанна и Луиза, и он хорошо их знал, но вот Палома... Это имя было ему абсолютно незнакомо.

— Палома из Сальвадора. Я наняла ее в позапрошлом месяце, — напомнила Лиз. — Мне казалось, она тебе понравилась.

Лиз разговаривала с ним как с ребенком, и Куп несколько смутился.

— Я был уверен, что ее зовут Мария, — сказал он. — Во всяком случае, я обращался к ней именно так, а она меня не поправила. — Он перевел взгляд на Эйба. — Но ведь это же смешно! — добавил он. — Одна горничная на весь дом! Она не справится!

— У тебя нет выбора, — без обиняков заявил бухгалтер. — Тебе придется уволить всю прислугу, продать автомобили, а главное — ничего не покупать. Абсолютно ничего, Куп, в буквальном смысле слова! Ни машин, ни новых костюмов, ни картин, ни даже новых носков. Только в этом случае ты, возможно, сумеешь выбраться из лужи, в которую сам себя посадил. Мне бы хотелось, конечно, чтобы ты продал «Версаль» — это решило бы все твои проблемы, — но ведь ты на это не пойдешь. Остается одно: сдать флигель и, возможно, часть дома тоже. Только так ты сможешь заработать какие-то деньги на покрытие самых неотложных долгов. Лиз говорила мне, что ты практически не пользуешься гостевым крылом. Сдай его! Я уверен, мы сумеем получить за него неплохую ренту и за флигель у въездных ворот тоже. Тебе ведь они все равно не нужны.

Этот ход Эйб придумал, зная, что Куп наотрез откажется продавать дом. Он, однако, был уверен, что это только временная мера и что в конце концов продажи «Версаля» не избежать, если только не произойдет чуда. А в чудеса старый бухгалтер не верил.

— А вдруг ко мне приедут гости? — возразил Куп. — Куда я их поселю? Нет, Эйб, то, что ты предлагаешь, просто смешно. Может быть, мне лучше самому переселиться в дом у ворот, а здесь открыть пансион? Сдать гостевое крыло — что за бредовая идея!

У Купа был такой вид, что сразу было ясно: он не собирается уступать, и Эйб смерил своего клиента мрачным взглядом.

— Боюсь, ты не понимаешь, в каком положении оказался, — сказал он негромко, но так жестко, что Купер сразу насторожился. — Поверь мне: если ты не послушаешься моего совета, то не пройдет и двух месяцев, как тебе придется выставить «Версаль» на продажу. Ты почти банкрот, Куп! Пойми это наконец!

— Это просто временные трудности, Эйб, уверяю тебя! — горячо возразил Купер. — Все, что мне нужно, это хорошая роль в хорошем фильме, и я снова буду на коне. Кстати, сегодня мне принесли превосходный сценарий, — добавил он и довольно улыбнулся.

— И что за роль ты там будешь играть? — требовательно спросил бухгалтер. Уже не в первый раз Куперу предлагали «превосходный сценарий», но каждый раз дело кончалось «пшиком».

— Я еще не знаю, — ответил актер, несколько смутившись. — Продюсер говорил — он обязательно хочет ввести меня в фильм. Сценарист напишет роль специально для меня, а значит, она будет такой, как я захочу.

— Похоже, ты опять появишься в одном-двух эпизодах продолжительностью не больше трех минут каждый, — сказал Эйб, не скрывая своего разочарования, и Лиз страдальчески сморщилась. Она терпеть не могла, когда кто-то был жесток с Купом. А реальность всегда оказывалась для него слишком жестокой — именно поэтому он старался не слышать того, что ему не нравилось. Когда мир поворачивался к нему своей неприятной стороной, Куп просто отгораживался от него. Он хотел, чтобы его жизнь всегда была спо-

койной и приятной, и на протяжении многих лет такой
она и была. Вполне естественно, что теперь ему было трудно смириться с мыслью, что он больше не в состоянии оплачивать все свои прихоти. Сколько Лиз его знала, Куп никогда не колебался, приобретая новую машину, заказывая с
полдюжины дорогих костюмов или покупая подружке
бриллиантовое колье. Он был выгодным клиентом — престиж был для представителей известных фирм важнее
денег, — ведь сам Купер Уинслоу будет носить, водить, использовать их товар, славя их марку. Что же касалось оп-
латы, то они не спешили, полагая, что рано или поздно
Куп с ними расплатится. И в большинстве случаев так и
происходило, главным образом благодаря Лиз, ухитряв-
шейся выкраивать из скромного бюджета патрона необходимые средства для покрытия счетов.

— Послушай, Эйб, неужели нельзя немного подождать?
Ведь ты прекрасно понимаешь, что одна большая роль решит все проблемы. Мы снова будем купаться в деньгах.
Я уверен, что уже к концу следующей недели смогу получить десять миллионов, может, даже пятнадцать. — Куп
продолжал жить в мире несбыточных мечтаний и не осознавал этого.

Эйб оставался непреклонен.

— Если тебе повезет, Куп, ты получишь миллион, не
больше. Пятьсот тысяч — цифра более реальная. Я лично
уверен, что больше двухсот тысяч тебе не заплатят. Ты больше не сможешь грести деньги лопатой, Куп, это печальный
факт, и тебе давно пора его признать. — Эйб не сказал, что
Купер Уинслоу практически вышел в тираж, что его
слава — лишь отражение былого и что его карьера близит-
ся к закату. Даже он знал, что можно, а что нельзя говорить такому человеку, как Куп. Вместе с тем истина, на которую Куп упрямо закрывал глаза, состояла в том, что
одна-две сотни тысяч за коммерческую рекламу были сегодня его потолком. Несмотря на свою импозантную внешность, он уже слишком стар, чтобы играть первых любов-
ников. Те дни остались в далеком прошлом.

— На то, что тебе вдруг повезет и ты заработаешь кучу
денег за одну роль, рассчитывать не стоит, — продолжал
Эйб. — Если ты скажешь своему агенту, что хочешь рабо-

тать, он подберет тебе рекламу — по пятьдесят тысяч за ролик, может быть, по сто тысяч, если рекламируемый продукт будет достаточно дорогим. И тебе придется постоянно этим заниматься, потому что иначе... Пойми, Куп, мы не можем просто сидеть и ждать, когда тебе подвернется что-то достаточно денежное. Возможно, рано или поздно так и будет, но до тех пор тебе придется затянуть пояс. Прекрати швырять деньги на ветер, сократи штат прислуги до минимума, сдай внаем флигель и гостевое крыло, и тогда, быть может, нам удастся хотя бы на время стабилизировать ситуацию. Пока же ты катишься в пропасть, и, если ты не начнешь экономить, уже через пару месяцев тебе придется выставить «Версаль» на продажу. Я уверен, что ты должен сделать это сейчас, чтобы решить все проблемы разом, но Лиз, мне кажется, считает, что тебе трудно будет с ним расстаться.

— Продать мой «Версаль»?! — Куп расхохотался. — И после этого ты утверждаешь, что ты не сумасшедший? Я прожил здесь уже больше сорока лет и, как ни мелодраматично это звучит, собираюсь умереть в этих стенах.

— Если ты будешь и дальше тратить деньги направо и налево, — мрачно заметил Эйб, — то твоему намерению умереть в этих стенах не суждено сбыться. Я говорил тебе об этом два года назад и повторяю сейчас. Ты должен что-то сделать, иначе твой дом пойдет с молотка, и в его стенах умрет кто-то другой. А ты умрешь под забором, как бездомный бродяга. Или в номере второразрядной гостиницы.

— Да-да, я помню: ты действительно говорил что-то подобное два года назад, но я-то еще здесь, не так ли? Я не разорился, не попал в тюрьму, не... Похоже, Эйб, тебе пора принимать таблетки для поднятия настроения, а то ты глядишь на вещи слишком уж мрачно... — Куп часто шутил, что Эйб Бронстайн выглядит как гробовщик, да и одевается так же. Конечно, он никогда не говорил этого вслух, во всяком случае, не при Эйбе. Подобные вещи всегда раздражали Купа, но он не хотел смущать Эйба обидными замечаниями.

— Вы серьезно насчет прислуги? — повторил он, поглядев сначала на Эйба, потом на Лиз, и секретарша утвердительно кивнула.

— Боюсь, Эйб совершенно прав, — сказала она. — Ты тратишь огромные деньги на зарплату прислуге, а положение таково, что... Я надеюсь, впрочем, что это только временно; пройдет сколько-то месяцев, и ты снова начнешь зарабатывать большие деньги. Тогда ты снова сможешь нанять горничных, садовников, повара... — Лиз всегда старалась подбодрить Купа, подать ему надежду. Ей страшно было даже подумать о том, что может случиться, если он вдруг лишится иллюзий, которые составляли основу его жизни.

— Но скажите же мне, как может горничная, да еще из Сальвадора, справиться со всем хозяйством одна?! — воскликнул Куп, на лице которого появилось потрясенное выражение. Предложение Эйба по-прежнему казалось ему абсурдным.

— Ей не придется справляться со всем хозяйством, если ты сдашь часть дома, — резонно заметил Эйб. — Это решает по крайней мере одну проблему.

— Подумай сам, Куп, — вмешалась Лиз, — ты не пользовался гостевым крылом почти два года, а флигель закрыт уже три года. — Она говорила таким голосом, каким матери уговаривают своих малышей расстаться со старыми игрушками или доесть кашу. — Ты и не заметишь, что там кто-то живет!

— Но я вовсе не хочу, чтобы там кто-то жил! — возразил Купер. — Почему я должен пускать в свой дом посторонних людей?

— Потому что ты хочешь сохранить «Версаль» — вот почему, — ответил Эйб. — В противном случае можешь с ним распрощаться. Я не шучу, Куп!

— Ладно, я подумаю, — уклончиво ответил Куп. Все, что до сих пор говорили Лиз и Эйб, он не воспринимал всерьез. Интересно, размышлял Куп, что за жизнь у него будет, если старый скупердяй действительно уволит всех слуг? Кто будет гладить ему рубашки, чистить костюмы, убираться, ухаживать за садом, готовить?

— А что, готовить себе завтраки, обеды и ужины я теперь должен сам? — язвительно осведомился он.

— Судя по твоим кредитным карточкам, — холодно парировал Эйб, — ты слишком часто обедаешь и ужинаешь в ресторанах, чтобы этот вопрос действительно имел для тебя существенное значение. Ты и не заметишь, что у тебя больше нет повара. То же касается и остальных. Ну а насчет уборки... Раз в месяц можно вызывать людей из бюро добрых услуг.

— Прекрасно! Может быть, лучше сразу обратиться в ближайшую тюрьму — пусть время от времени присылают нам команду заключенных. Это обойдется еще дешевле, Эйб! — В глазах Купа вспыхнул шутливый огонек, и старый бухгалтер в отчаянии воздел руки.

— С тобой просто невозможно иметь дело! — воскликнул он. — Ты совершенно не слушаешь, что тебе говорят. Положение отчаянное, Куп, я обязан принять меры. Я уже подписал чеки для слуг. Выходное пособие для всего штата составило кругленькую сумму, но это, к счастью, последняя трата.

— Я свяжусь с риелторским агентством в понедельник, — тихо добавила Лиз. Ей ужасно не хотелось еще больше расстраивать Купа, но выхода не было. Не могла же она сдать флигель и гостевое крыло без его ведома! В глубине души Лиз, впрочем, считала, что Эйбу пришла в голову очень неплохая идея. Куп редко пользовался гостевым крылом, а про флигель у ворот он вообще не вспоминал уже лет пять. Между тем оба были прекрасно обставлены и могли приносить действительно неплохие деньги. Возможно, если Куп сдаст их, он в конце концов сумеет выкарабкаться, к тому же у него просто не было выхода, поскольку расстаться с домом было выше его сил.

— Ну хорошо, хорошо, — неожиданно согласился Купер. Очевидно, он наконец воспринял вещи реально. — Можете сдать флигель и гостевое крыло, только смотрите, чтобы в моем доме не поселился какой-нибудь маньяк-убийца. Кроме этого, у меня есть еще условие: никаких детей и собак. И вообще я хочу, чтобы моими арендаторами были женщины, привлекательные женщины, желательно — не старше двадцати восьми. Отсматривать кандидаток я буду сам... — Он ухмыльнулся, но Лиз поняла, что Куп почти согласен. Она была рада, что он не стал упрямиться, но про себя решила — нужно постараться поскорее найти жильцов, пока он не передумал.

— У тебя все? — спросил Куп у Эйба и поднялся, давая

понять, что на сегодня с него хватит. В самом деле, у него давно не было подобных столкновений с реальностью, и он был сыт по горло. Лиз видела — ее патрону очень хочется, чтобы бухгалтер поскорее убрался. Эйб, по-видимому, тоже решил, что перегибать палку не стоит.

— На сегодня все, — ответил он и тоже встал. — Постарайся не забыть мои слова, Куп. Обещай, что не будешь ничего покупать!

— Обещаю и даже клянусь. Буду ходить в дырявых носках и белье, лишь бы твоя душенька была довольна!

На это Эйб ничего не ответил, молча подошел к Ливермору и вручил ему конверты, которые предварительно достал из кейса, и попросил раздать их слугам. Всем им, не исключая самого дворецкого, предстояло искать себе новые места.

— Какой упрямый старикашка, — с улыбкой сказал Куп, когда Эйб вышел. — Должно быть, у него было трудное детство. Готов спорить: отец драл его ремнем за малейшую провинность, и он вымещал зло на мухах, обрывая им крылья. Бедный, бедный старина Эйб! Как жаль, что он холост и у него нет никого, кто выбросил бы эти его ужасные костюмы!

— Он желает тебе только добра, Куп, — вступилась Лиз. — Я понимаю — разговор был нелегкий, но положение действительно угрожающее. Ты не волнуйся. В оставшиеся две недели я постараюсь как следует подготовить Палому. Быть может, Ливермор даже успеет научить ее следить за твоими костюмами.

— Меня просто в дрожь бросает, когда я думаю о том, что с ними теперь будет! Предупреди ее, по крайней мере, что мужские костюмы нельзя стирать в стиральных машинах и кипятить их тоже нельзя. Впрочем, вряд ли от ваших этих действий будет толк... — Куп обиженно фыркнул. — Как думаешь, не податься ли мне в комические актеры? Впрочем, в костюмах, за которыми следит Палома Вальдес, меня не возьмут даже клоуном в бродячий цирк! — Он перевел дух и добавил почти спокойно: — А может, оно и к лучшему... Одно могу сказать: теперь, когда в «Версале» останемся только ты, я и Палома, здесь будет гораздо тише и... — Он осекся, заметив выражение глаз Лиз. — Что случилось? Неужели этот старый мухомор уволил и тебя?!

В его голосе прорвались нотки самой настоящей паники, и Лиз в который уже раз почувствовала, как от жалости ее сердце буквально рвется на части. Ей потребовалось время, прежде чем она нашла в себе силы ответить.

— Нет, меня он не уволил, но... Я ухожу сама. Мне... Я должна... — Она произнесла эти слова еле слышно. О том, что она решила уволиться, Лиз сообщила Эйбу еще накануне, и только поэтому он не уволил ее вместе с остальной прислугой.

— Почему?! — изумился Куп. — Почему ты должна уйти? И что, скажи на милость, я буду без тебя делать?! Не говори глупости, Лиз. Уж лучше я продам «Версаль», чем останусь без тебя. Да я сам готов мыть здесь полы, лишь бы ты осталась!

— Это не поможет. — Лиз судорожно сглотнула, почувствовав подкативший к горлу комок. — Даже если бы у тебя были деньги, я бы все равно ушла. Дело в том, что я... Я выхожу замуж, Куп.

— Что-о?.. Выходишь замуж? За кого? Надеюсь, не за того кривоногого зубного врача из Сан-Диего?

Этой истории было уже лет пять, но Куп, подобно многим беспечным людям, не замечал бега времени. Как, впрочем, и многого другого. Но он не мог представить себя без Лиз, и ему даже не приходило в голову, что она может выйти замуж. Сейчас ей было пятьдесят два, и Купу порой казалось, что Лиз была с ним всегда — и всегда будет. Для него она давно перестала быть секретаршей и превратилась почти что в члена семьи.

По щекам Лиз покатились слезы.

— Нет. Мой муж... будущий муж работает биржевым маклером в Сан-Франциско.

— И когда... когда он у тебя появился?

— Примерно три года назад. Тогда я не думала, что мы поженимся, но... В прошлом году я тебе про него рассказывала. Мне казалось — мы так и будем встречаться время от времени, но в этом году он решил удалиться от дел. Он хочет, чтобы я поехала с ним путешествовать. У него есть дети, но они давно выросли, и он сказал мне: сейчас или никогда. Вот я и подумала, что не должна упускать такой шанс, потому что другого у меня, наверное, уже не будет.

— А сколько ему лет? — спросил Купер, все еще не в силах оправиться от потрясения. Это была самая скверная новость за весь день, который и без того нельзя было назвать удачным.

— Ему пятьдесят девять, и он довольно хорошо обеспечен. У него квартира в Лондоне и очень милый дом в Сан-Франциско. Но он продал его и купил для нас квартиру на Ноб-хилл.

— В Сан-Франциско? — переспросил Купер. — Да ты там ноги протянешь от скуки. Или — того хуже — погибнешь во время землетрясения. Поверь, Лиз, тебе там не понравится! — У Купера даже голова закружилась. Кажется, Лиз и вправду его бросает... Но как он сумеет обойтись без нее? Кто будет вести его дела?!

— Может быть, ты и прав, — всхлипнула Лиз, не в силах сдержать слезы. — Но я подумала, что хотя бы разок мне необходимо побывать замужем, чтобы потом... в старости, я могла сказать себе: я ничем не хуже других. Ты... ты можешь звонить мне в любое время, когда захочешь.

— А кто будет организовывать мои встречи, следить за расписанием и разговаривать с агентом? Ведь не Палома же!..

— Твой агент сказал, что он сделает для тебя все, что в его силах. А Эйб будет следить за бухгалтерией и заниматься прочими финансовыми вопросами. Он сказал, что возьмет эту функцию целиком на себя. Так что мне фактически будет нечего делать.

Лиз немного лукавила, стараясь как-то успокоить Купа. На самом деле ее обязанности были гораздо шире. Так, например, она вела телефонные переговоры с многочисленными подружками Купа и сообщала его пресс-атташе свежую информацию о его частной жизни — по большей части о том, с кем Куп встречается в данный отрезок времени. Теперь Куп вынужден был разбираться с телефонными звонками сам, что было для него делом совершенно новым. Лиз понимала, что худо-бедно он с ним справится, и все равно у нее было такое чувство, будто она предала его.

— Ты действительно любишь этого парня или просто боишься остаться старой девой? — спросил напрямик Куп.

Ему даже не приходило в голову, что Лиз все еще может хотеть выйти замуж. Она никогда не заговаривала с ним об этом, а он в свою очередь никогда не расспрашивал о ее личной жизни. Лишь изредка в разговоре с ним Лиз вскользь упоминала какое-то мужское имя, да и, по правде говоря, на свидания, встречи, ухаживания у нее практически не было времени. Она была настолько занята делами Купа, организовывая для него встречи и поездки, заказывая билеты, бронируя номера в отелях, оплачивая неотложные счета и договариваясь о продлении кредита, что ее встречи с мужчиной, за которого Лиз теперь собиралась замуж, можно было пересчитать по пальцам. Именно поэтому ее жених в конце концов не выдержал и поставил вопрос ребром: или — или. Сам он считал Купера Уинслоу самовлюбленным старым эгоистом и мечтал вырвать Лиз из его лап.

— Мне кажется — люблю. Его зовут Тед Фортинбрасс, он неплохой человек и очень добр ко мне. Он говорит, что хочет заботиться обо мне, к тому же у него две очаровательные дочери.

— Сколько им? Не могу представить тебя в роли матери семейства, пусть оно и досталось тебе готовеньким.

— О, они давно взрослые. — Лиз уже говорила ему об этом, но Куп по обыкновению пропустил ее слова мимо ушей. — Одной девятнадцать, а другой уже двадцать три. Они действительно мне нравятся, и, кажется, я тоже им понравилась. Их мать умерла, когда они были совсем крошками, и Теду пришлось самому их воспитывать. И знаешь, у него получилось! Его старшая дочь работает в Нью-Йорке, а младшая заканчивает подготовительные курсы при медицинском колледже в Стэнфорде.

— Не могу поверить! — простонал Куп. Он совершенно забыл и о том, что ему предстоит несколько месяцев жестокой экономии, и о том, что ему придется сдать внаем флигель и гостевое крыло, чтобы поправить свои дела. Все померкло перед перспективой потери Лиз.

— И когда ты выходишь замуж? Дата уже назначена?

— Ровно через две недели, как только закончу свои дела здесь, — ответила Лиз и снова расплакалась. Ей самой начинало казаться, что она совершает кошмарную ошибку.

— Может быть, ты хотела бы отпраздновать свадьбу здесь, в «Версале»? — неожиданно предложил Куп.

— Нет, мы решили собраться в доме друзей Теда в На-пе, — сквозь слезы ответила Лиз.

— Это звучит ужасно! — совершенно искренне заметил Куп. — Значит, у тебя будет скромная по числу гостей свадь-ба? Сколько человек вы собираетесь пригласить?

— Немного. Будут только его дочери и еще две супру-жеские пары — друзья Теда. Если бы мы устраивали что-то более грандиозное, я бы непременно пригласила тебя, Куп.

Горькая правда заключалась в том, что Лиз было про-сто некогда продумать и организовать собственную свадь-бу. Все ее свободное время уходило на заботы о Купе. А Тед не хотел больше ждать. Он знал, что, если они отложат свадьбу, Лиз никогда не уйдет от своего босса.

— И когда ты это решила?

Лиз слабо улыбнулась:

— Неделю назад.

Именно в прошлый уикенд Тед неожиданно приехал в Лос-Анджелес, чтобы заставить ее принять окончательное решение. И в конце концо, Лиз уступила. Оказалось кстати и то обстоятельство, что как раз в это время Эйб решил уволить всю прислугу, и Лиз поняла, что другого удобного случая может не представиться. По сути дела, увольняясь, она делала Купу большое одолжение, так как платить ей он тоже не мог, однако Лиз понимала, что им обоим будет очень нелегко расстаться друг с другом. Куп был таким бес-помощным, таким доверчивым, к тому же за прошедшие двадцать два года Лиз успела его избаловать. Она постоян-но беспокоилась о нем, опекала, оберегала от неприятнос-тей, насколько это было в ее силах. Она уже сейчас знала, что после переезда в Сан-Франциско еще долго будет не спать по ночам, будет думать о нем и тревожиться, как тре-вожится мать о своем ребенке. И в каком-то смысле Куп действительно заменил ей детей, которых у Лиз никогда не было и которых она перестала хотеть много лет назад.

Когда Лиз уходила, Куп все еще выглядел растерянным, так что ей пришлось в последний раз ответить на телефон-ный звонок. Звонила Памела, его теперешняя подружка. Ей было двадцать два года, и она была слишком молода даже по стандартам Купа, который принципиально не имел дела с женщинами старше тридцати. Памела была моделью, но мечтала сниматься в кино и стать знаменитой актрисой. Купер познакомился с ней на фотосессии, когда снимался для какого-то шикарного журнала. Редакционный совет нанял дюжину моделей, которые должны были с обожанием глядеть на Купа, а Памела оказалась из них самой красивой. Они встречались уже почти месяц, и девушка была совершенно очарована Купом, хотя он и годился ей в дедушки — по крайней мере, по возрасту. Сегодня Куп собирался вести Памелу в «Плющ», и Лиз напомнила ему заехать за девушкой в половине восьмого.

Потом Куп крепко обнял Лиз на прощание и наполовину в шутку, наполовину всерьез пригласил возвращаться к нему, как только ей надоест быть замужней дамой. В глубине души он надеялся, что очень скоро так и произойдет. Теряя Лиз, он как будто терял одновременно и очень близкого человека, и лучшего друга.

Садясь в машину, Лиз не сдержалась и расплакалась. Она искренне любила Теда, но не представляла себе жизни без Купера. За годы, что она проработала у него, Куп стал для нее всем: лучшим другом, братом, сыном, ее героем. Она почти обожествляла его, и ей потребовалась вся ее сила, все мужество и решимость, чтобы сначала согласиться на брак с Тедом, а потом еще и сообщить об этом Купу. Из-за этого Лиз целую неделю почти не спала, и все сегодняшнее утро — пока она ждала возвращения Купа — ее не покидало ощущение, что она вот-вот потеряет сознание. Лиз была даже благодарна Эйбу, который немного отвлек ее от мрачных мыслей.

Лиз была так расстроена, что, выезжая из ворот особняка, едва не врезалась в двигавшийся по улице автомобиль. Только теперь она осознала, насколько сильно подействовало на нее расставание с Купом. Уйти от него было равнозначно тому, чтобы покинуть монастырь — или заново родиться на свет. Что ж, оставалось только надеяться, что она приняла правильное решение и никогда не пожалеет об этом.

Когда Лиз ушла, Куп вернулся в библиотеку, налил себе еще один бокал шампанского и сделал хороший глоток. Все еще держа бокал в руке, он медленно поднялся по лестнице на второй этаж и направился к своей спальне. В коридоре ему встретилась миниатюрная женщина в белой униформе горничной. Спереди на платье красовалось большое красное пятно — не то кетчуп, не то суп с помидорами. Черные волосы горничной были заплетены в длинную косу, достававшую почти до талии, глаза прятались за темными очками. Горничная пылесосила ковровую дорожку и что-то напевала себе под нос.

— Это ты — Палома? — с любопытством осведомился Куп. Он был совершенно уверен, что видит девушку в первый раз. Впрочем, он тут же подумал, что лучше бы он вообще ее не видел. На ногах горничной он увидел пушистые тапочки «под леопарда» и поморщился.

— Да, мистар Инслу? — В том, как она держалась, было что-то очень независимое и гордое. Горничная и не подумала снять очки; она лишь повернулась к нему, и Куп, не видя ее глаз, не мог понять, как она выглядит. Он даже не мог сказать, сколько ей лет; в конце концов он решил, что Паломе, скорее всего, далеко за тридцать.

— Моя фамилия произносится «Уинслоу», — поправил он. — Я вижу, с вами стряслась какая-то неприятность? — И Куп указал на пятно, которое имело такую форму, словно кто-то швырнул в Палому куском пиццы.

— У нас на обед быть эспагетти, мистар Инслу. Я уронить ложку на форма, а запасная у меня нет. Здесь нет.

— Вкусные, должно быть, были спагетти, — заметил Куп, обходя застывшую на дороге горничную. Он все еще думал о Лиз, но теперь к этим мыслям прибавились и другие заботы. Интересно, что будет с его вещами, если эта Палома возьмется за ними ухаживать? И с домом? Что будет с ним самим?

Куп тихо отворил дверь спальни, вошел и закрыл ее за собой. Палома, провожавшая его взглядом, шумно вздохнула и закатила глаза. Сегодня Куп впервые заговорил с ней, однако, если судить по тому немногому, что она о нем знала, он был человеком не особенно приятным. Паломе, во всяком случае, он ни капельки не нравился. Этот семидесятилетний самовлюбленный донжуан встречался с девушками, которые годились ему во внучки, и был эгоистом до мозга костей. Его обаяние совсем не трогало Палому, поэтому она считала, что и любовницы Купа ищут в нем только корысти. Нет, положительно он ей не нравился.

Придя к такому выводу, Палома еще раз вздохнула и продолжила пылесосить ковер. Как и Куп, она была не особенно рада тому обстоятельству, что после увольнения всей прислуги они останутся в доме практически вдвоем. Но делать было нечего; только ее не уволил этот старый морщинистый гусак — бухгалтер Купа, и Палома не собиралась с ним спорить. В Сан-Сальвадоре у нее осталось слишком много родственников, в том числе — больная мать, которых Паломе приходилось содержать, и поэтому деньги ей были очень нужны, даже если это означало, что ей придется обслуживать таких типов, как этот мистер Шишка-На-Ровном-Месте.

Глава 2

Марк Фридмен подписывал последние бумаги, которые подал ему риелтор, и чувствовал, как сердце его сжимается от боли. Дом, его дом, с которым он только что расстался, был в продаже каких-нибудь тринадцать дней — даже меньше, чем две недели. За него дали очень хорошую цену, но Марка это не радовало. Оглядывая голые стены и пустые комнаты, в которых он и его семья прожили десять счастливых лет, он снова переживал крушение всех надежд.

Сначала он хотел оставить дом за собой, но Дженнет велела ему продать его, как только она переедет в Нью-Йорк. Именно тогда Марк понял: что бы Дженнет ни говорила, она уже никогда не вернется к нему. О том, что она от него уходит, Дженнет объявила всего за две недели до своего отъезда, а буквально вчера ее адвокат позвонил адвокату Марка, чтобы обсудить условия развода. За какой-то месяц вся его жизнь обратилась в прах, в ничто, и он остался один на обломках былого счастья. Даже обломков было всего ничего. Детей Дженнет забрала с собой, мебель Марк тоже отдал ей, и сейчас вещи были уже на пути в Нью-Йорк, а теперь у него не стало и дома. Сам Марк жил в отеле неподалеку от своего офиса и каждый раз, просыпаясь по утрам, жалел, что не умер во сне. В данной ситуации это было для него, наверное, самым лучшим выходом.

Марку недавно исполнилось сорок два, и он был высоким, подтянутым, светловолосым и голубоглазым мужчиной. Он всегда считал себя счастливым человеком; во всяком случае, Марк был убежден, что в семейной жизни у него все в порядке. Они с Дженнет были женаты уже шестнадцать лет, и за все это время между ними не возникало никаких трений, никаких разногласий, кроме самых пустячных, каких не избегает, наверное, ни одна супружеская пара. Познакомились они в Йеле и сразу после окончания университета поженились. Вскоре Дженнет забеременела и в первую годовщину их свадьбы родила Джессику, которой сейчас было уже пятнадцать. Два года спустя на свет появился Джейсон. Первые шесть лет семейной жизни они провели в Нью-Йорке, но десять лет назад руководство крупной юридической фирмы, в которой Марк был адвокатом по налоговому праву, направило его на работу в свой новый филиал в Лос-Анджелесе. Чтобы освоиться на новом месте, им всем понадобилось какое-то время, но в конце концов в Калифорнии им понравилось.

Дом в Беверли-Хиллз Марк купил еще до того, как Дженнет и дети переехали из Нью-Йорка. Для них это было самое подходящее жилище: просторное, с большим садом и бассейном. И вот теперь дом перешел в чужие руки. Пара, которая купила его, ожидала тройню и хотела переселиться на новое место как можно скорее, и Марк, в последний раз обходя пустые, словно осиротевшие комнаты, не мог не думать о том, что их жизнь только начинается, в то время как его жизнь теперь кончена, хотя ему до сих пор не верилось в то, что с ним произошло.

Всего месяц назад Марк был счастливым человеком, довольным своей жизнью. У него была красавица-жена, в которой он души не чаял, двое прекрасных детей, любимая работа, чудный, уютный дом. Денежных проблем перед ними никогда не стояло — Марк хорошо зарабатывал, к тому же и он, и Дженнет были из довольно состоятельных семей. Никаких неприятностей с ними никогда не случалось — насколько он мог припомнить, самым скверным, что омрачило их безмятежное существование, была автомобильная авария, когда пьяный мотоциклист помял крыло новенького, только что купленного «Мерседеса», который он даже не успел застраховать. Безоблачное счастье длилось полных шестнадцать лет, и вот месяц назад все кончилось. Дженнет ушла; теперь его семья жила далеко от него, в Нью-Йорке, и Марка ожидала тревожащая его процедура развода.

Задумчиво коснувшись отставших обоев в коридоре, Марк заглянул в пустую столовую и снова подумал о счастливых годах, которые они провели вместе. С его точки зрения, их брак был настолько близок к идеалу, насколько это вообще возможно, и он не понимал, какой злой дух внезапно вселился в Дженнет. Ведь и сама она признавала, что была счастлива с ним. Была... Что же с ней случилось?

— Я не знаю, что со мной... — чуть не плача, сказала Дженнет сразу после того, как объявила ему о своем уходе. — Может быть, мне просто было скучно... Мне иногда кажется, что я совершила ошибку, когда не вернулась на работу после рождения Джейсона. Если бы я занималась делом, вместо того чтобы торчать дома, тогда, быть может, все было бы иначе...

Но это объяснение не удовлетворило Марка. Он все равно не мог понять, почему Дженнет променяла его на другого мужчину. Когда она сказала, что любит врача из Нью-Йорка, он сразу подумал, чем врач лучше адвоката по налогам, — и не нашел ответа.

Как узнал Марк, все началось полтора года назад, когда тяжело заболела мать Дженнет. Сердечный приступ, опоясывающий лишай и в конце концов инсульт... Семь месяцев, пока Дженнет ездила из Лос-Анджелеса в Нью-Йорк и обратно, казались ему бесконечными. Между тем мать Дженнет переходила из одного медицинского учреждения в другое, но состояние ее только ухудшалось. В довершение всего у отца Дженнет начало развиваться старческое слабоумие, и он тоже требовал заботы. В первый раз Дженнет провела в Нью-Йорке полтора месяца, и Марку пришлось взять на себя все заботы о детях. Но он не жаловался, во-первых, потому, что любил Джейсона и Джессику, а во-вторых, потому, что Дженнет звонила ему из Нью-Йорка по три-четыре раза на дню. Конечно, тогда он ничего не подозревал, да и любовь Дженнет вспыхнула не сразу. Как она объяснила, сначала она пыталась сопротивляться чувству, которое вызвал в ее сердце Эдам Джойс, лечащий врач матери. Он был отличным парнем, сказала Дженнет, прекрасно относился к матери, был добр к ней и подбадривал обеих. Однажды вышло так, что они вместе поужинали; тогда-то все и началось.

Дженнет была влюблена в Эдама уже год, и, как она сама признавалась, для нее это было сущим мучением. Ее сердце буквально разрывалось на части. Сначала Дженнет казалось, что это простое увлечение, которое быстро пройдет, но оно не проходило. Она уверяла Марка, что несколько раз пыталась порвать с Эдамом, но ничего не выходило. С каждым часом, проведенным вместе, они все больше привязывались друг к другу. Это было как наваждение, от которого невозможно избавиться. Один раз у Дженнет вырвалось, что Эдам действовал на нее как наркотик, но когда Марк предложил ей сходить вместе к психотерапевту или в специальную семейную консультацию для супружеских пар, она отказалась. Тогда, месяц назад, она уже все решила, но ни слова не сказала Марку, щадя его. Дженнет только попросила отпустить ее в Нью-Йорк; по ее словам, она хотела попробовать и посмотреть, что у них с Эдамом выйдет. Но для того чтобы ей ничто не мешало, она хотела хотя бы на время быть свободной от брачных обязательств, и они договорились расстаться. Но как только Дженнет переехала в Нью-Йорк, она потребовала развода. Она также просила его продать дом и отдать ей половину денег, чтобы купить приличную квартиру в Нью-Йорке для себя и детей. И для Эдама, мысленно закончил за нее Марк, хотя о нем не было сказано ни слова.

Размышляя обо всем этом, он незаметно для себя оказался в их бывшей спальне и теперь стоял неподвижно, в упор глядя на то место, где стояла когда-то их кровать, и не видя ничего. Еще никогда в жизни Марк не чувствовал себя таким одиноким и потерянным. Все, во что он верил, на что надеялся и о чем мечтал, перестало существовать. И хуже всего было сознание того, что он ничем не заслужил подобного несчастья. Во всяком случае, как Марк ни старался, он не мог припомнить за собой никакой вины. Быть может, он слишком много работал и не слишком часто водил Дженнет ужинать в ресторан, но им было хорошо и дома, к тому же она никогда не жаловалась, не упрекала его в том, что он уделяет ей мало внимания.

День, когда Дженнет сказала, что уходит от него, стал для Марка худшим в его жизни. Он знал, что будет помнить его еще очень долго, как и день, когда они сказали детям, что решили расстаться. Джейсон и Джессика были уже достаточно взрослыми и желали знать, будут ли родители разводиться, и Марк честно сказал, что не знает. Только сейчас он понял, что Дженнет уже тогда все решила, все обдумала. Просто тогда она не хотела ничего говорить ни ему, ни детям.

Как и следовало ожидать, новость вызвала бурные слезы. Неожиданным для Марка было то, что сначала Джессика, а за ней и Джейсон обвинили во всем его. Для них происходящее было еще более бессмысленным, чем для него. В свои пятнадцать и тринадцать дети просто не могли постичь, почему папа и мама хотят разойтись. Сам Марк понимал, почему Дженнет уходит от него; другое дело, заслуживал он этого или нет. Но для Джессики и Джейсона это была тайна за семью печатями. Они ни разу не видели, чтобы их родители ссорились или хотя бы спорили, и они действительно жили в полном согласии. Даже когда им не удавалось договориться насчет того, какие игрушки повесить на елку под Рождество, они сохраняли доброжелательный тон и никогда не повышали друг на друга голос. Дженнет не отличалась ни злопамятностью, ни повышенной раздражительностью, а Марк от природы был добрым, покладистым человеком, и жить с ним было легко и просто.

Возможно, дело как раз в этом, вдруг подумал Марк. Быть может, Дженнет было слишком скучно — скучно именно с ним. Возможно, по сравнению с Эдамом он казался ей занудой. Нью-йоркский эскулап был старше Марка на шесть лет, но, если верить Дженнет, вел значительно более интересную жизнь. В Нью-Йорке у него была обширная практика, он постоянно встречался с самыми знаменитыми людьми, плавал на собственной яхте, которая стояла в частном доке на Лонг-Айленде, к тому же в прошлом он шесть лет работал в Корпусе мира и объездил почти весь свет. У него было много друзей, которые постоянно затевали праздники, пикники, розыгрыши, походы, и это разнообразие не могло не ошеломить Дженнет. Кроме того, Эдам — по словам Дженнет — очень любил детей. Он уже был женат, но его жена не могла иметь детей, а брать ребенка из приюта они не хотели. В конце концов они развелись, и теперь Эдам был без ума от Джессики и Джейсона. Больше того: он мечтал завести с Дженнет и собственных детей, но об этом ни Марку, ни детям Дженнет не сказала ни слова. Джессика и Джейсон вообще не знали о том, что у матери есть друг. Дженнет собиралась познакомить их с Эдамом, когда они немного обживутся в Нью-Йорке, но Марк подозревал, что она просто хочет скрыть от детей подлинную причину их разрыва.

По сравнению с Эдамом Джойсом Марк действительно был куда как скучнее, и он сам это понимал. Он любил свою работу, с удовольствием занимался планировкой налоговых платежей и поиском оптимальных способов их уменьшения, но это были не те темы, которые можно было обсуждать с Дженнет. В свое время она хотела заниматься уголовным правом или защитой прав детей, и налоговое законодательство было для нее предметом довольно скучным. Несколько раз в месяц они играли в теннис, изредка бывали в кино, гуляли с детьми в парке, обедали с друзьями и знакомыми, и, пока на горизонте не появился Эдам, такая жизнь вполне устраивала обоих.

Но теперь все изменилось. И моральные терзания, которые Марк теперь испытывал, причиняли ему почти физическую боль. Марку казалось, что кто-то напихал ему под кожу битого стекла, которое при каждом движении врезается в мышцы и сухожилия. По совету своего врача, которого Марк попросил выписать самое сильное снотворное, он даже начал ходить к психологу, однако пять сеансов психотерапии нисколько ему не помогли, и он по-прежнему мог уснуть, только приняв горсть успокаивающих таблеток. Жизнь превратилась в самый настоящий ад. Марк тосковал по Дженнет, по детям, по прошлому, которое — он знал — никогда не вернется. И продажа дома только обострила его чувства. Теперь ничто больше не связывало Марка с тем, что когда-то было ему дорого.

— Вы закончили, Марк? — негромко спросил риелтор, заглядывая в спальню.

— Да, конечно, — отозвался он, медленно приходя в себя. В последний раз окинув взглядом комнату, Марк качнул головой, словно прощаясь с прошлым, и быстро вышел из дома. Риелтор запер двери и опустил ключи в карман. Деньги за дом поступили на счет Марка еще утром, и он уже дал распоряжение банку, чтобы половина была переведена Дженнет в Нью-Йорк. Оставшаяся сумма была достаточно велика, но Марка это не радовало. Его вообще больше ничего не радовало.

— Не хотите ли, чтобы я подыскал вам что-нибудь? — с надеждой спросил риелтор. — У нас в агентстве есть несколько очень милых домиков, есть один симпатичный особнячок в Хэнкок-парке. Если желаете квартиру, то и здесь у нас отличный выбор. — Для торговцев недвижимостью февраль всегда был одним из лучших месяцев в году. Полоса праздников была позади, до весны было рукой подать, и на рынке появлялись просто превосходные варианты. Правда, и стоили они недешево, но риелтор знал, что с деньгами, которые Марк получил от продажи дома, он может позволить себе приобрести довольно приличное жилье. Кроме того, у него была хорошо оплачиваемая работа, так что деньги не были для него проблемой. Чего, впрочем, нельзя было сказать обо всем остальном.

— Мне неплохо и в отеле, — отозвался Марк тусклым голосом и, еще раз поблагодарив риелтора, сел в свой «Мерседес». Агент провел сделку профессионально быстро, и Марк почти жалел, что никакие обстоятельства не помешали продать дом в столь короткий срок. Он не чувствовал себя готовым к тому, чтобы начинать жить заново, с чистого листа. Каждый шаг, каждое активное действие давались ему с неимоверным трудом. Лучше стоять на месте, чем двигаться вперед, разрывая последнюю связь с прошлым, — примерно так рассуждал Марк, и внезапно ему пришло в голову, что на эту тему ему стоит поговорить со своим новым психотерапевтом. Это был его хлеб, к тому же психотерапевт казался Марку славным парнем, однако он не был уверен, что дополнительные сеансы ему помогут. Быть может, проблему бессонницы в конце концов удастся решить, но как быть с остальным? Ведь о чем бы они ни разговаривали во время сеансов (он — лежа на кушетке, врач — за столом, спиной к нему), ему не вернуть Дженнет и детей, а без них сама жизнь теряла для Марка всякую ценность. Впрочем, жизнь была ему не нужна. Ему нужна была семья, но теперь Дженнет принадлежала другому, и Марк со страхом думал о том, что и детям Эдам может понравиться и они постепенно забудут его.

И эта мысль пугала его больше всего.

От своего бывшего дома Марк, не заезжая в отель, поехал прямо на работу. В час пополудни он уже продиктовал несколько писем и просмотрел несколько текущих отчетов. На обед он не пошел. Всякий аппетит у него давно пропал, и за последний месяц он потерял почти десять фунтов веса. Костюмы болтались на нем, как на вешалке, но Марк почти не обращал на это внимания. Все его силы уходили на то, чтобы сосредоточиться на работе и не думать ни о чем другом.

Думал он по ночам. Стоило ему оказаться в своем номере в отеле, как все происшедшее наваливалось на него снова, и Марк словно наяву слышал жестокие слова Дженнет, вспоминал слезы детей. Он звонил им в Нью-Йорк почти каждый день и обещал приехать к ним через пару недель. На пасхальные каникулы Марк собирался съездить с детьми на Карибы; кроме того, ему хотелось, чтобы на лето они приехали к нему в Лос-Анджелес, но теперь им негде было бы жить. И думать об этом ему тоже было горько и страшно.

Вечером того же дня — на рабочем совещании — Марк столкнулся с Эйбом Бронстайном. Увидев своего старого друга, бухгалтер был потрясен. У Марка был такой вид, словно он болен какой-то неизлечимой болезнью, которая к тому же быстро прогрессирует. Обычно он выглядел даже несколько моложе своих лет и отличался атлетическим телосложением, но сейчас на него нельзя было смотреть без жалости. Вместо привлекательного, жизнерадостного мужчины Эйб видел перед собой живой труп.

— С тобой все в порядке? — участливо спросил Эйб, когда совещание закончилось.

— Думаю, да. Во всяком случае, я здоров, — ответил Марк, но его голос звучал глухо, лицо было землисто-серым, а под глазами набухли мешки, как будто он много пил. Это было настолько не похоже на него, что Эйб встревожился еще больше.

— Я было подумал, что ты болен, — сказал он, продолжая внимательно разглядывать Марка. — Похудел, осунулся... Много работаешь?

— Да нет, как обычно, — сухо ответил Марк и тут же выбранил себя за черствость. Несомненно, беспокойство Эйба было совершенно искренним, к тому же ему единственному (если не считать психоаналитика) Марк мог бы рассказать о своем несчастье. На то, чтобы разговаривать об уходе Дженнет с кем-то еще, ему просто не хватало душевных сил. Помимо всего прочего, это было просто унизительно, к тому же Марк боялся, что кто-то может подумать — он скверно обращался со своей женой и вынудил ее порвать с ним. Вместе с тем ему хотелось выговориться, и он буквально разрывался между желанием поплакаться кому-то в жилетку и стремлением скрыть происшедшее во что бы то ни стало.

— Дженнет уехала, — сказал Марк, когда они с Эйбом выходили из зала заседаний. Половину того, что говорилось на совещании, он попросту не слышал, и это тоже не укрылось от внимания старого бухгалтера. Со стороны казалось, будто тело Марка существует само по себе, в то время как душа витает где-то в другом месте, и так оно и было в действительности. Тем не менее, Эйб понял его не сразу.

— Куда? В путешествие? — озадаченно переспросил он.

— Нет. Насовсем, — ответил Марк мрачно. Привычная боль тотчас полоснула по сердцу, и вместе с тем выговориться было ему просто необходимо.

— Мы расстались две недели назад, — продолжал он. — Дженнет уехала с детьми в Нью-Йорк, а я только что продал наш дом. Теперь она требует развода.

— Вот это новость! — изумился Эйб. — Слушай, старина, мне очень жаль! — Ему и в самом деле было жаль Марка —

бедняга выглядел совершенно раздавленным. Но Эйб успокоил себя тем, что Марк еще молод, его жизнь на этом не кончается, пройдет время, боль утихнет... У него еще может быть и семья, и дети.

— Я тебе сочувствую, — добавил он искренне. — Я просто не знал... — Эйб действительно ничего не слышал, хотя у него было очень много дел с фирмой, в которой работал Марк. Впрочем, при встречах они обычно разговаривали о своих клиентах, о налоговом законодательстве и других деловых вопросах, а отнюдь не о личных делах.

— Я никому не говорил... — Марк покачал головой. — И ты не говори. Я... не хочу...

Эйб с пониманием кивнул.

— Где же ты теперь живешь?

— В отеле неподалеку. — Марк назвал улицу. — Вполне сносный отель, но если честно — мне все равно.

Эйб сочувственно покивал.

— Может, пообедаем вместе? — предложил он. Эйб собирался домой — смотреть матч «Доджерс» против «Ред Сокс», но у Марка был такой вид, что он может вот-вот рухнуть от истощения. Кроме еды, ему, несомненно, нужна была и дружеская поддержка. Марк и сам это понимал, но идти куда-то ему не хотелось. Закрыв вопрос с домом, он почувствовал себя еще хуже — гораздо хуже, чем ожидал. Подписывая акт передачи, Марк чувствовал себя так, словно перед ним его смертный приговор. И в каком-то смысле так оно и было.

— Нет, спасибо. — Марк выдавил из себя улыбку. — Может быть, в следующий раз.

— Я тебе позвоню. До встречи. — Эйб потрепал друга по плечу и ушел. Он не знал, кто виноват в разводе, но ему было очевидно, что Марк потрясен, разбит, уничтожен. Не было никаких сомнений, что у него нет ни любовницы, ни подружки. Должно быть, у Дженнет появился кто-нибудь, решил Эйб. Жена Марка была очень хороша собой, все мужчины на нее заглядывались, но он не помнил, чтобы она с кем-то кокетничала. Дженнет и Марк выглядели идеальной американской парой — оба высокие, световолосые, загорелые, голубоглазые; такими же голубоглазыми и здоровыми выглядели и их дети. Тот, кто знал Фридменов недостаточно хорошо или не знал совсем, могли решить, что они родом откуда-то со Среднего Запада, но это было не так. Марк и Дженнет выросли в Нью-Йорке и жили в нескольких кварталах друг от друга, но познакомились только в Йельской школе права[1], куда поступили она — после Вассара, он — после Брауна[2]. Эйбу их брак всегда казался очень крепким, но, как видно, он ошибался.

Марк задержался на работе до восьми часов, бесцельно перебирая бумаги на столе, и только потом поехал в отель. По дороге он собирался перехватить в кафе пару сандвичей, но есть ему по-прежнему не хотелось, и Марк ограничился тем, что выпил чашку скверного кофе. Он обещал своему лечащему врачу и психотерапевту, что будет питаться нормально, и сейчас вспомнил об этом обещании. Завтра он попытается проглотить хотя бы что-нибудь, но не сейчас. Сейчас ему хотелось только одного: лечь в постель и включить телевизор. Может быть, ему даже удастся заснуть.

Когда он поднялся в номер, в гостиной надрывался телефон. Звонила Джессика. У нее в школе был хороший день — она получила высший балл за устный опрос, но в целом нью-йоркская школа ей не нравилась. Что касалось Джейсона, то он возненавидел новую школу лютой ненавистью с самого первого дня. Разговаривая с дочерью, Марк сразу вспомнил об этом и с тревогой подумал, что его детям никак не удается приспособиться к новому окружению, хотя для этого, казалось, были все условия. Джейсона, к примеру, сразу же включили в школьную команду по футболу, а Джессику — в сборную округа по хоккею на траве, однако оба продолжали в один голос утверждать, что «в Нью-Йорке все сплошь дегенераты и подонки». Кроме всего прочего, Джессика, не зная истинных причин развода родителей, продолжала дуться на Марка.

Он не стал говорить дочери, что продал их дом. Марк пообещал, что постарается приехать в Нью-Йорк в ближай-

---

[1] Йельская школа права — одно из лучших высших учебных заведений в США.

[2] Вассарский колледж и университет Брауна— престижные высшие учебные заведения в США.

шем будущем, и передал привет Дженнет и Джейсону. Положив трубку, он так и остался сидеть на кровати в костюме и галстуке и лишь тупо смотрел на экран телевизора. Передавали какое-то развлекательное шоу, но Марк ничего не видел. Слезы медленно катились по его лицу, а сердце сжималось от тоски и обиды.

Глава 3

Джимми О'Коннор был высоким, мускулистым, крепким молодым мужчиной с мощной грудью и налитыми бицепсами. Он до сих пор отлично играл в теннис и гольф, а в студенческие годы (учился Джимми в Гарварде) был членом сборной университета по хоккею с шайбой. После аспирантуры Джимми защитил диссертацию на звание магистра психологии при Калифорнийском университете Лос-Анджелеса, одновременно работая на добровольных началах в Уоттсе — самом криминогенном районе города. Год назад он вернулся на работу в социальную службу, чтобы подготовить материалы для докторской диссертации по социологии, да так там и остался. К тридцати трем годам у него было практически все, что только может пожелать человек: жена, друзья, интересная и перспективная работа, и все же он продолжал выкраивать время для спорта, организовав футбольную и софтбольную команды для детей, с которыми работал.

Его обязанности социального работника заключались в том, что он помещал сирот в приюты, работал с родителями, которые избивали своих детей, насиловали, морили голодом. Зачастую это означало, что Джимми забирал подвергшихся жестокому обращению детей в тот же приют или договаривался с их родственниками, а материалы на родителей передавал в суд.

Работа его была небезопасной и требовала полной самоотдачи, даже самоотречения. Однажды в него в упор стрелял из дробовика отец мальчика, которого Джимми должен был по решению суда передать органам опеки, но, к счастью, патрон дал осечку. Не раз Джимми доставлял в приемные отделения больниц детей с переломами, ушибами, ожогами и ножевыми ранениями, а иногда даже приводил их к себе домой, пока социальная служба подыскивала для малыша подходящий приют. Коллеги говорили, что у него сердце из чистого золота, но Джимми только отшучивался, утверждая, что только круглый идиот или самоубийца может ходить по улицам Уоттса, имея при себе золотые вещи.

Внешне Джимми был типичным ирландцем-брюнетом. У него были иссиня-черные волосы, светлая кожа, большие темно-карие глаза и чувственный рот. Его улыбка буквально сбивала женщин с ног, и однажды жертвой этой улыбки пала Маргарет Монэгэн.

Они оба были из Бостона. Джимми и Маргарет вместе учились в Гарварде, вместе приехали на Западное побережье после окончания университета. Сойдясь еще на первом курсе, они поженились всего шесть лет назад, причем главной причиной, почему они официально оформили свой союз, было желание доказать родителям, что они давно взрослые, самостоятельные люди. До свадьбы (собственно говоря, никакой свадьбы не было, они просто отправились однажды в мэрию и зарегистрировались) оба утверждали, что брак — это пережиток прошлого и что им он совсем не нужен, однако впоследствии и Джимми, и Маргарет не раз признавались друг другу, что им очень нравится быть мужем и женой.

Маргарет была на год моложе Джимми, но он был твердо убежден, что женщины умнее ему еще никогда не приходилось встречать. Другой такой, как она, не было в целом свете. Маргарет тоже была магистром философии и всерьез задумывалась о докторской степени. Как и Джимми, она работала с детьми самых бедных районов Лос-Анджелеса и не раз говорила, что хотела бы усыновить не меньше дюжины малышей-сирот, вместо того чтобы заводить собственных. В ответ Джимми только смеялся, не зная, что сказать; он был единственным сыном своих родителей, в то время как Маргарет была старшим ребенком в семье, где, кроме нее, было еще восемь детей. Ее отец и мать жили в Бостоне, но родились они в Ирландии, в графстве Корк, и до сих пор говорили с грубым ирландским акцентом, который Маргарет мастерски копировала. Предки

Джимми перебрались из Ирландии в Штаты четыре поколения назад; он приходился дальним родственником семейству Кеннеди, и Маргарет, узнав об этом, безжалостно и изобретательно дразнила мужа, называя его не иначе как «Мистер Кеннеди Самый Младший», «Джимми-Джон» и «Джон Кеннеди Двадцать Восьмая Вода на Киселе». Впрочем, о его родстве с могущественным политическим кланом она никому не рассказывала — ей просто нравилось, как она выражалась, «таскать тигра за хвост».

Предметами шуток Маргарет было не только это действительно весьма отдаленное родство с Кеннеди. Она готова была шутить и смеяться над чем угодно и над кем угодно, и Джимми это очень нравилось. Остроумная, насмешливая, очаровательная, дерзкая до непочтительности, отважная, с огненно-рыжими волосами, зелеными глазами и миллионом веснушек, Маргарет была женщиной его мечты и его единственной любовью. В ней не было ровным счетом ничего, что бы ему не нравилось, за исключением, быть может, одного: Маргарет терпеть не могла готовить и не желала этому учиться. Джимми с самого начала пришлось взять на себя приготовление завтраков, обедов и ужинов, и со временем он стал вполне приличным поваром, чем втайне гордился.

Он как раз укладывал в коробки кастрюли, сковородки и прочую кухонную утварь, когда звякнул дверной звонок и в квартиру зашел управляющий домом. С самого порога он подал голос, чтобы Джимми знал, кто пришел. Управляющему нужно было показать квартиру, и они заранее договорились, что Джимми оставит дверь открытой.

Их с Маргарет квартира располагалась в доме на Венисбич неподалеку от океанского побережья и была маленькой, но очень уютной; Маргарет к тому же нравился район. Венис-бич был тихим, почти курортным местечком, где все ездили на роликах даже по делам и было рукой подать до пляжа. Но жить здесь дальше Джимми больше не мог. О том, что квартира освобождается, он известил управляющего неделю назад. Съехать он собирался в конце месяца. Куда?.. Этого Джимми пока не знал. Куда-нибудь, лишь бы не оставаться здесь.

Управляющий привел с собой молодую пару — юношу и

девушку, которые сказали, что собираются пожениться. На обоих были джинсы, одинаковые футболки и сандалии. Джимми они показались совсем юными. Им было по двадцать с небольшим, они только что окончили колледж и приехали на Западное побережье со Среднего Запада. В Лос-Анджелесе им очень нравилось, а квартира привела их в полный восторг. Они только и говорили о том, какой замечательный район Венис-бич и как славно они заживут в новом доме.

Управляющий представил молодых людей Джимми. Он молча пожал протянутые руки и снова стал паковать вещи, предоставив им осматривать квартиру самостоятельно. Она была совсем небольшой, но в очень хорошем состоянии. Небольшая солнечная гостиная, спальня, где едва умещалась двуспальная кровать, ванная комната, в которую с трудом могли втиснуться двое, и кухня — вот, собственно, и все. Но Джимми и Маргарет этого было достаточно. «Есть где лежать и где сидеть, — говорила она, — а на роликах можно покататься и на улице». Была и еще одна причина, по которой они довольствовались столь скромным жилищем. Половину квартирной платы — довольно солидной для такой маленькой площади — Маргарет вносила из собственных весьма скудных средств. На что-то большее у нее просто не было денег, и как ни убеждал ее Джимми, что он может позволить себе платить и за нее, Маргарет не соглашалась. Для нее это был вопрос принципа. С самого начала совместной жизни они уговорились, что станут делить все расходы пополам, и Маргарет ни разу не отступила от этого правила.

«Я не желаю быть содержанкой, Джимми О'Коннор!» — не раз заявляла она, старательно копируя провинциальный ирландский акцент собственных родителей, и ее огненно-рыжие кудряшки воинственно подпрыгивали. Джимми обожал ее волосы, он страстно хотел иметь от нее детей, чтобы его всегда окружали такие же огненно-рыжие головы, как у Маргарет. В последние полгода они уже вполне серьезно задумывались о том, чтобы действительно завести малыша, но Маргарет все никак не могла решить, чего же ей больше хочется — усыновить несколько сирот, чтобы дать им шанс в жизни, или завести собственного ребенка.

«Как насчет шесть на шесть? — бывало поддразнивал ее Джимми. — Шестеро наших, шестеро приемных?»

Впрочем, он шутил лишь наполовину, и, поняв это, Маргарет однажды совершенно серьезно заявила ему, что она, так уж и быть, позволит ему содержать дюжину малышей, раз она сама не может себе этого позволить. Финансовый вопрос был действительно больным для нее, однако довольно часто они вместе мечтали о пяти или даже шести малышах.

— У вас газовая плита? — с улыбкой спросила девушка, заглядывая в кухню. Она была довольно мила, и Джимми кивнул, боясь показаться грубым. — Это отлично! Обожаю готовить!

Джимми мог бы ответить, что тоже любит готовить, но снова промолчал, не желая вступать с новыми жильцами в праздный разговор. Он продолжал молча укладывать посуду в картонные коробки, и через пять минут хлопок входной двери подсказал ему, что все ушли. Еще какое-то время с лестничной площадки доносились приглушенные голоса, потом стихли и они, и Джимми невольно задумался, снимет эта парочка квартиру или нет. Впрочем, особого значения это не имело. Рано или поздно жильцы найдутся. Район действительно был хороший, дом содержался очень прилично, а из окон открывался великолепный вид на пляж. На том, чтобы из окон было видно океан, настояла Маргарет, хотя из-за этого квартира и стоила чуть не вдвое дороже. Нет никакого смысла жить в Венис-бич, чтобы видеть из окон чужие задворки, сказала она и подмигнула.

Маргарет вообще частенько использовала ирландское просторечие, которым владела в совершенстве. И ничего удивительного в этом не было — она выросла среди людей, которые говорили именно на этом языке, и нормальный литературный английский ей пришлось осваивать самостоятельно — сначала в школе, потом в колледже. Что касалось Джимми, то ему это только нравилось. Порой в ресторане они вечер напролет дурачились, разыгрывая коренных ирландцев и вводя в заблуждение посетителей и официантов. Это было тем более легко, что Маргарет владела и гэльским. Кроме того, она сносно говорила по-французски и мечтала выучить китайский, чтобы работать с детьми иммигрантов в лос-анджелесском Чайна-тауне. Когда Джимми спрашивал, зачем ей понадобилось еще и разговаривать по-китайски с маленькими китайчатами, Маргарет отвечала, что они тоже люди и нуждаются в добром слове, сказанном на родном языке, ничуть не меньше, чем в социальном пособии.

Между тем в подъезде двое новых жильцов и управляющий говорили о Джимми. Молодые люди уже решили, что снимут эту квартиру, но им было любопытно, отчего старый жилец решил съехать.

— Он какой-то мрачный, — заметила девушка. — Может, он болен?..

— Вовсе нет, — ответил управляющий. Джимми и Маргарет всегда ему нравились, к тому же он опасался, что новые жильцы откажутся от квартиры, боясь заразиться. — Просто у него случилось несчастье. — Он немного помялся, не зная, должен ли он сказать этим людям правду, но потом решил, что они все равно все узнают от соседей. Весь дом любил О'Конноров и жалел, что Джимми уезжает, но управляющему казалось — он его понимает. На его месте он, наверное, поступил бы так же.

— Так что же случилось? — снова спросила девушка. — Мистер О'Коннор даже не стал разговаривать с нами. Я подумала — он сделал что-то нехорошее, и вы его выселили.

— Вовсе нет! — возмутился управляющий. — У Джимми... семейные неприятности. Его жена...

— Неужели они разошлись?! — перебила девушка, не скрывая своего облегчения. Джимми произвел на нее не самое приятное впечатление, и теперь она была рада, что ошиблась.

— Нет. — Управляющий покачал головой. — Она умерла месяц тому назад от опухоли мозга. Мы все были просто в шоке. У нее начались сильные головные боли, но сначала все думали, что это просто мигрень. Три месяца назад Маргарет наконец положили в больницу и провели компьютерную томографию и другие исследования, и сразу обнаружили опухоль в мозгу. Врачи хотели оперировать ее, но опухоль была уже слишком большой и затронула практически весь мозг. Два месяца назад Маргарет умерла, и, сказать по совести, я думал, что Джимми умрет тоже. Ни разу в жизни не видел, чтобы люди так любили друг друга. Они почти не разлучались и постоянно смеялись, шутили и подначивали друг друга. И вот на прошлой неделе Джимми сказал, что хотел бы съехать. Жаль, он такой славный парень, но Джимми говорит — ему слишком тяжело оставаться здесь. — В глазах управляющего заблестели слезы, и молодые люди переглянулись.

— Какой ужас! — воскликнула девушка. Она, конечно, заметила в квартире множество фотографий Джимми и красивой рыжеволосой женщины. Даже на снимках было видно, как сильно они любят друг друга и как они счастливы вместе.

— Должно быть, — вставил молодой человек, — мистеру О'Коннору нелегко пришлось. Для него это страшная потеря.

Управляющий кивнул:

— Да, разумеется, хотя должен вам сказать, Маргарет держалась очень мужественно. Чуть не до самого последнего дня они гуляли утром и вечером, Джимми для нее готовил, сидел с ней по ночам, а однажды вынес на руках на берег. Он очень любил Маргарет, и я боюсь, что ему понадобится очень, очень много времени, чтобы смириться со своей потерей. Если, конечно, это вообще возможно.

И управляющий, известный среди жильцов некоторой грубоватостью манер и отсутствием сентиментальности, вытер скатившуюся на щеку слезу и поспешно вышел из подъезда на улицу. Молодые люди последовали за ним. Попрощавшись, они сели в машину и вернулись к себе в отель и до самого вечера вспоминали об этой истории. На следующий день они позвонили сказать, что берут квартиру, и управляющий, поднявшись к квартире Джимми, подсунул под дверь уведомление о том, что через три недели он обязан освободить квартиру.

Глядя на этот листок, Джимми не верил своим глазам. Это было то, чего он хотел; больше того — он знал, что должен уехать, чтобы не сойти с ума, однако только сейчас ему пришло в голову, что ехать-то ему и некуда. А самое странное заключалось в том, что это его абсолютно не волновало. Если бы было можно, он бы спал прямо на улице — в палатке или спальном мешке. Может быть, неожиданно подумал Джимми, именно так люди и становятся бездомными. Они теряют дорогих, любимых людей, и им становится все равно, где жить и как. И жить ли вообще. Когда Маргарет умерла, Джимми был опасно близок к тому, чтобы покончить с собой. Он был готов просто войти в океан и идти, идти, идти, пока соленая вода не хлынет в легкие, гася сознание и стирая воспоминания. В тот день, когда Маргарет не стало, он просидел на берегу несколько часов, глядя на набегающие волны, и сухо, по-деловому размышлял о том, как ему следует действовать, чтобы добиться желаемого быстро и наверняка. И когда он уже собрался встать с нагретого солнцем ракушечника и сделать первый шаг, он вдруг словно наяву услышал голос Маргарет.

Ошибиться Джимми не мог — ее голос был таким родным! Он ясно различал даже ирландский акцент. Маргарет была в ярости. Она называла его бабой, тряпкой, паршивым слизняком и другими словами. «Не смей! — сказала она ему. — Иначе мы не увидимся даже там, где теперь обретаюсь я».

Лишь поздним вечером Джимми вернулся домой. Всю ночь он просидел на диване в их маленькой гостиной, неотрывно глядя в окно. Джимми почти не плакал, но когда на следующий день он по привычке взглянул в зеркало, то не узнал себя. Он не поседел, но лицо его осунулось и почернело, а глаза были тусклыми, словно из них ушла вся жизнь, ушла душа.

Вечером второго дня из Бостона прилетели его и ее родные, и началась подготовка к похоронам. Маргарет несколько раз говорила Джимми, что хотела бы остаться с ним в Калифорнии, да и сам он хотел того же, поэтому о том, чтобы везти тело в Бостон, не могло быть и речи.

Потом родственники разъехались по домам, и Джимми снова остался один. Конечно, родители, братья и сестры Маргарет были убиты горем, но вряд ли кому из них было так плохо, как Джимми. Никто из них даже не представлял, как много Маргарет для него значила и что он потерял. Вся его жизнь была заполнена ею одной, и Джимми был совершенно уверен, что никогда не сможет любить другую женщину так, как он любил Маргарет. Быть может, он и вовсе окажется не способен полюбить. Сама мысль о том, что в его жизни может появиться другая женщина, каза-

лась ему безумной. Разве может кто-нибудь хотя бы сравниться с Маргарет?! У кого отыщутся такие же страсть и
огонь, жизнелюбие и юмор? Маргарет была самой мужественной женщиной из всех, кого Джимми когда-либо знал.
Она не боялась умирать — смерть она приняла легко, как
принимала все, что посылала им судьба. Это он едва владел
собой и умолял бога пощадить ее, это он рыдал, не зная,
куда деваться от отчаяния и ужаса, а она подбадривала и
утешала его, хотя уже лежала на смертном одре. Нет, другой такой, как она, просто не может быть, думал Джимми.
Сама мысль о том, что Маргарет уйдет, а он будет жить
дальше, казалась ему невыносимой.

Но, вопреки собственным ожиданиям, Джимми не
умер. Во всяком случае, его физическая оболочка продолжала существовать, хотя все внутри его было опалено
горем. Исполнился уже месяц с тех пор, как Маргарет не
стало, а он никак не мог решить, что ему делать со своей
жизнью. Все эти недели, дни, часы он жил по привычке,
машинально, не ожидая от будущего ничего отрадного или
светлого и думая лишь о днях прошедших и невозврати-
мых.

Через неделю после смерти Маргарет Джимми вернулся на работу, потому что пребывание в четырех стенах
стало для него невыносимым, но большого облегчения ему
это не принесло. Коллеги обращались с ним как с треснув-
шей вазой, и их сочувствие чаще приносило ему новую
боль. Да и сама работа не особенно ладилась, хотя Джимми
и старался изо всех сил, понимая, что дети нисколько не
виноваты в его несчастье. Но он ничего не мог с собой поделать. Радость, энтузиазм, увлеченность — все ушло. Вместе с Маргарет исчезло самое главное, и теперь Джимми почти не болел за свое дело, подчиняясь хорошо знакомой
рутине и профессиональным инстинктам, которые успел
выработать за прошедшие годы. Со смертью жены жизнь
Джимми потеряла смысл, и все остальное стало для него
неважным.

Решение съехать с квартиры далось Джимми нелегко.
Какая-то частичка его сердца хотела бы остаться здесь навсегда, чтобы по-прежнему дышать тем же воздухом, прика-
саться к вещам, к каким прикасалась она, но уж слишком

тяжело было ложиться вечером одному и просыпаться с мыслью, что он никогда больше ее не увидит. В конце концов Джимми все-таки решил съехать, надеясь, что это даст ему хоть какое-то облегчение. Куда он поедет, Джимми не знал. Ему было все равно. Раскрыв газету, он позвонил в первое же попавшееся на глаза агентство недвижимости, но все агенты оказались в разъезде, и его попросили оставить свой номер телефона. Положив трубку, Джимми решил собирать вещи дальше, но стоило ему открыть шкаф, где висели платья Маргарет, как голова у него закружилась, а воздух с шумом вырвался из легких, словно от удара кулаком. Чтобы не упасть, Джимми машинально схватился за дверцу и долго стоял неподвижно, со всхлипом втягивая воздух сквозь стиснутые зубы. Запах ее духов щекотал ему ноздри и тревожил больную память, и вскоре Джимми начало казаться, будто Маргарет — живая Маргарет — стоит у него за спиной, совсем рядом, и что достаточно только протянуть руку...

— И что мне теперь делать? — пробормотал он вслух, чувствуя, как жгут глаза готовые пролиться слезы. — Что мне теперь делать, Мэгги?..

— Жить, Джимми, жить, — раздался у него в голове ее явственный голос. — Не сдавайся, живи, и когда-нибудь мы непременно увидимся.

— Но почему когда-нибудь, почему не сейчас?..

Впрочем, он знал ответ. Уступить, уйти из жизни сейчас было бы трусостью, и Маргарет, его мужественная Маргарет, никогда бы ему этого не простила. Сама она никогда не сдавалась, даже когда до конца осталось совсем немного. До самого последнего дня Маргарет красила губы и ресницы, мыла голову и надевала платья, которые нравились ему больше всего.

И такого же мужества она требовала от него.

— Но я не хочу! — вырвалось у него. — Не хочу без тебя! Не могу!

— Не распускай нюни, мистер Джон Кеннеди Двадцать Восьмая Вода на Киселе, — слышался ее голос, и Джимми, услышав ее неподражаемый ирландский акцент, улыбнулся сквозь слезы.

— О'кей, Мэгги, о'кей, — пробормотал он, одно за другим снимая ее платья с вешалок и укладывая их в коробку так аккуратно, словно ожидал, что когда-нибудь она вернется за ними.

Глава 4

Лиз снова приехала в «Версаль» в воскресенье, чтобы встретиться с риелтором и договориться о сдаче внаем гостевого крыла и флигеля. Она решила ковать железо, пока горячо, вернее — пока Куп не передумал. Деньги нужны были ему как воздух, и Лиз решила, что, пока она еще может, она должна сделать для Купа все, что только в ее силах.

Встреча была назначена на одиннадцать, но, когда Лиз и риелтор подъехали к особняку, Купа уже не было. Он повез Памелу завтракать в «Беверли-Хиллз-отель». Лиз знала, что завтра Куп собирается отправиться со своей пассией на Родео-драйв — улицу, где располагались фешенебельные магазины и бутики. О том, как может отразиться эта поездка на бюджете Купа, Лиз старалась не думать.

Отговаривать Купа она даже не пыталась. Лиз заранее знала: он скажет, что Памела — роскошная женщина, но ей совершенно нечего надеть. Куп обожал баловать своих подружек, и это ему удавалось. Он покупал им наряды и драгоценности, не считаясь ни с расходами, ни с тем, что при виде счета Эйба Бронстайна может хватить удар. Лиз знала, что Куп непременно повезет двадцатидвухлетнюю модель в магазины Теодора, Валентино, Диора и Ферре, и непременно — к Фреду Сигалу, и истратит на подарки не меньше пятидесяти тысяч, особенно если ему вдруг приглянется какая-нибудь безделушка, выставленная в витринах салона Ван-Клифа или Картье. Что до Памелы, мрачно подумала Лиз, ей и в голову не придет отказаться от подарков. С какой стати, ведь это сбывались мечты простой девчонки из Оклахомы — мечты, ради которых она и оставила отцовскую ферму и перебралась в Лос-Анджелес.

— Признаться, — сказал риелтор, молодой человек лет двадцати двух, — я удивлен, что мистер Уинслоу решил пустить жильцов. Во флигель еще куда ни шло, но в жилое крыло... — Они как раз вошли в дом и приступили к осмотру, и Лиз с вполне объяснимой неприязнью подумала, что риелтор пытается выудить у нее какие-то подробности личной жизни звезды, чтобы потом передать их своим друзьям и коллегам и, может быть, будущим жильцам. Увы, избежать подобных вопросов было, скорее всего, нельзя, и Лиз знала, что отвечать на них придется. Она хотела сдать для Купа эти комнаты и не могла позволить себе гордо отмалчиваться, хотя бы это и означало, что она отдаст обожаемого патрона на растерзание досужим сплетникам, которые бывали особенно безжалостны к большим знаменитостям.

— В гостевом крыле есть отдельный вход, так что жильцы вряд ли столкнутся здесь с мистером Уинслоу, — сухо ответила она. — Кроме того, он много путешествует, и бо́льшую часть времени его здесь просто не будет. Ну а жильцы — это дополнительная страховка против воров и вандалов. Если станет известно, что на территории поместья постоянно кто-то живет... В общем, вы меня понимаете.

Риелтор озадаченно наклонил голову. Об этом он не подумал. В словах Лиз был здравый смысл, однако молодой человек подозревал, что за подобным решением стоит что-то еще. Ему было известно, что Купер Уинслоу уже давно не снимался в главных ролях — риелтор, во всяком случае, не мог припомнить ни одной его большой роли последних лет, — так что похоже было, что за творческим кризисом наступил кризис финансовый. Вместе с тем Куп оставался звездой самой первой величины, живой легендой Голливуда и по-прежнему производил фурор в любом месте, где бы он ни появился. И риелтор живо сообразил, что это обстоятельство, пожалуй, поможет ему сдать гостевое крыло и флигель довольно быстро и за приличную цену. Жить в одном доме со звездой было более чем престижно, да и само поместье оказалось поистине уникальным. Другого такого не было во всей стране, может быть, даже во всем мире. По мнению риелтора, снять здесь комнаты было равнозначно тому, чтобы поселиться в Тадж-Махале, Лувре, Вестминстерском аббатстве. А если жильцам посчастливится, они могут даже увидеть живую звезду в бассейне или на теннисном корте.

«Об этом обязательно надо написать в рекламе», — подумал риелтор.

Внутри гостевое крыло выглядело более чем пристойно, хотя в первые минуты Лиз и пожалела, что не велела слугам здесь прибраться. Здесь были такие же высокие потолки с росписью, элегантные французские окна с двойными стеклами выходили на каменную террасу, окаймленную аккуратно подстриженными кустами живой изгороди, в тени которых стояли мраморные скамьи, приобретенные Купером в Италии много лет назад. В гостиной стояла антикварная французская мебель ручной работы; рядом помещался небольшой кабинет, также обставленный с изяществом и роскошью. Небольшая лестница вела на второй этаж, где находилась одна большая спальня и гардеробная с таким количеством стенных шкафов, что в них можно было блуждать, как в пещерах. Нормальному человеку столько шкафов было, конечно, ни к чему, но для Купа такая гардеробная была бы даже мала.

Напротив гостиной на первом этаже располагались две меньшие спальни, обитые английским вощеным ситцем с затейливым цветочным орнаментом, и кухня с большим обеденным столом, которая, как сказал риелтор, напомнила ему кухни в провансальском деревенском стиле. Столовой в гостевом крыле не было, но Лиз сказала, что жильцы могут обедать как в гостиной, так и на кухне, где было очень уютно благодаря изразцовой печке-голландке и камину.

— И сколько мистер Уинслоу хочет за все это? — спросил риелтор, стараясь скрыть волнение. Он еще никогда не видел столь роскошных апартаментов. Не исключено, что их снимет какая-нибудь знаменитость — например, приехавшая в Лос-Анджелес на съемки кинозвезда или гастролирующий певец. Тот факт, что комнаты были полностью обставлены, было еще одним важным преимуществом. Легкая уборка, свежие цветы в вазах, и гостевое крыло станет совершенно неотразимым.

— А сколько вы предложите? — спросила Лиз, которую вопрос риелтора застал врасплох. Она давно не сталкивалась с вопросами найма и сдачи недвижимости и потому чувствовала себя не очень уверенно. Сама она жила все в той же скромной квартирке, которую сняла для себя двадцать два года назад.

— Думаю, десять тысяч в месяц я могу гарантировать, — ответил риелтор задумчиво. — Может быть, немного больше. При удаче рента может составить двенадцать, пятнадцать тысяч, но такого варианта придется ждать несколько месяцев. Но десять тысяч — это более чем реально.

— Хорошо, пусть будет десять, — быстро согласилась Лиз. Вместе с платой за флигель, подумала она, Куп будет получать ежемесячно достаточно большую сумму, которая позволит ему начать выплачивать долги, если, конечно, Эйбу удастся отнять у него кредитные карточки. Лиз всерьез опасалась, что после того, как она уедет, за Купом некому будет присматривать, и он может совершить какое-нибудь новое безрассудство, которое всерьез ухудшит его положение. Правда, и когда Лиз была рядом, Куп не особенно ограничивал свои траты, но она, по крайней мере, сдерживала его безрассудные порывы.

Закончив осмотр гостевого крыла, Лиз и риелтор сели в машину и поехали к северной границе поместья, чтобы осмотреть флигель, утопавший в зелени разросшегося сада. Флигель, хотя и именовался официально домом привратника, стоял в глубине сада и был похож скорее на небольшую усадьбу, чем на служебную постройку. Двухэтажный, сложенный из белого камня и заросший с северной стороны плющом, он всегда напоминал Лиз классический английский коттедж. Во всем его облике было что-то сказочное, и риелтор невольно ахнул, увидев проглядывающий из-за деревьев белый фасад.

Внутренняя отделка и обстановка флигеля так же были изящными и дорогими, однако, в отличие от гостевого крыла, поражавшего галльской роскошью, здесь царил суровый англосаксонский стиль.

— Боже мой! Это же настоящее чудо! — воскликнул риелтор, не в силах сдержать свои эмоции. — Я такого еще никогда не видел и даже не думал, что где-то может быть такая красота.

Немного постояв среди кустов роз, высаженных перед дверями, они поднялись на широкое деревянное крыльцо и вошли в дом. Комнаты здесь были, конечно, меньше, чем в главном здании, а потолки — ниже, однако благодаря точно соблюденным архитектурным пропорциям они не создавали ощущения тесноты и даже казались просторнее, чем были на самом деле. Мебель здесь была массивной, основательной, а перед большим камином в гостиной стоял длинный кожаный диван. В кухне висели на стенах медные сковороды, ковши, турки с изогнутыми чеканными ручками и прочая утварь. Две спальни были обиты полосатым тиком и обставлены мебелью в стиле Георга III, собиранием которой Куп увлекался лет пятнадцать назад. Во всех комнатах на полу лежали вязаные коврики, в буфете красного дерева в гостиной тускло поблескивало столовое серебро и фарфоровый сервиз девятнадцатого века на двенадцать персон.

Иными словами, это был настоящий английский сельский дом, словно силою волшебства перенесенный с Британских островов в Бель-Эйр. Он находился даже ближе к корту, чем главный дом, но дальше от бассейна, расположенного почти прямо перед гостевым крылом, однако Лиз это не казалось недостатком.

Риелтор, похоже, был полностью с ней согласен.

— Превосходный дом! — сказал он. — Для того, кто понимает, конечно. Я бы и сам не отказался пожить в таком.

— Мне тоже всегда этого хотелось, — призналась Лиз. Однажды она спросила Купа, нельзя ли ей пожить во флигеле хотя бы недельку, и он ответил согласием, однако она так и не собралась исполнить свое желание. — Кстати, как и в гостевом крыле, здесь есть несколько комплектов постельного белья и посуда.

— Мне кажется, что и за флигель мне удастся получить десять тысяч в месяц, — задумчиво проговорил риелтор. — Возможно, даже больше. Дом, правда, небольшой, но уж очень уютный. В нем есть шарм и стиль. — Благодаря своим размерам и обстановке гостевое крыло выглядело, конечно, намного роскошнее, зато во флигеле было уютнее. И, как они уже говорили, для знатока английского классического стиля флигель был самой настоящей находкой. Оставалось только найти такого знатока, но риелтор был уверен, что сумеет оформить сделку в течение месяца.

— Я хотел бы приехать сюда в начале будущей недели и

сделать несколько фотографий гостевого крыла и флигеля, — сказал он. — Если за неделю я ничего не найду, тогда придется подключить моих коллег, но это только в крайнем случае. Я хочу сам найти для мистера Уинслоу подходящих жильцов.

— Да, — кивнула Лиз. — Для Купа очень важно, чтобы жильцы были подходящими.

— Кстати, — спохватился риелтор, — может быть, у мистера Уинслоу есть какие-то дополнительные условия? Если да — сообщите мне, чтобы я мог их учесть. — И он достал блокнот, в который уже записал все данные о гостевом крыле и флигеле, о количестве и расположении комнат в них, а также другие необходимые сведения.

— Честно говоря, Куп не в восторге от детей, к тому же ему бы не хотелось, чтобы что-то из обстановки было испорчено, — сказала Лиз. — Не уверена насчет собак и других домашних животных, но, полагаю, это тоже нежелательно. Никаких других условий у него нет. — О желании Купа, чтобы во флигеле и гостевом крыле жили красивые молодые женщины, Лиз, естественно, упоминать не стала.

— Насчет детей не могу ничего обещать, — покачал головой риелтор. — Разумеется, мы постараемся учесть пожелание мистера Уинслоу, но поймите и нас: мы не можем отказывать семьям с детьми, в противном случае наше агентство подвергнется санкциям за дискриминацию. Что касается возможного ущерба собственности мистера Уинслоу, то я уверен — этого удастся избежать. Согласитесь, что позволить себе такие... апартаменты могут только состоятельные люди, которые знают, что такое приличия. — «Если не считать рок-звезд», — подумал он про себя. У риелтора уже были неприятности с этим контингентом, отличавшимся непредсказуемостью, отсутствием манер и пристрастием к наркотикам и алкоголю.

Вскоре риелтор откланялся, и Лиз поехала к себе домой, предварительно проверив, все ли в порядке в главном доме. Прислуга все еще пребывала в некотором шоке после вчерашнего уведомления об увольнении, однако потрясение было не особенно глубоким: учитывая постоянные задержки зарплаты, все они ожидали чего-то подобного. Ливермор, к примеру, уже нашел новое место. Когда Лиз спросила, как его дела, он ответил, что будет работать в Монте-Карло у одного арабского принца, который в течение нескольких месяцев пытался сманить его у Купа. Получив расчет, Ливермор тотчас позвонил в Европу и принял это предложение. Лиз даже показалось, что дворецкий не особенно расстроен тем, что ему пришлось уйти; впрочем, если он и был огорчен, то, по обыкновению, никак этого не показывал. В следующие выходные Ливермор уже должен был лететь в Париж, а оттуда — на юг Франции, и Лиз подумала, что для Купа это будет настоящим ударом.

Примерно через час после отъезда Лиз появились Куп и Памела. После завтрака они долго сидели у бассейна «Беверли-Хиллз-отеля», болтая о всякой ерунде с друзьями и знакомыми Купа. Памела просто не могла поверить своему счастью. Оказаться в подобном обществе было пределом ее мечтаний. Когда они наконец вернулись в «Версаль», она буквально задыхалась от восторга и едва могла говорить. Впрочем, этого от нее и не требовалось. Через полчаса Памела и Куп уже лежали в постели, а рядом охлаждались в серебряном ведерке две бутылки «Кристаля».

Часов в пять повар подал им в спальню обед. Они посмотрели по видео два старых фильма с участием Купа, а затем он отвез ее домой, так как рано утром ему нужно было ехать к парикмахеру и к специалисту по иглоукалыванию. Кроме того, спать Куп всегда предпочитал один — красивая девушка в его постели могла только помешать полноценному ночному отдыху, и он старался соблюдать это правило неукоснительно.

К утру следующего дня риелтор уже приготовил две папки с подробным описанием сдаваемых внаем объектов. Придя на работу, он сел на телефон и обзвонил нескольких клиентов, которые искали для себя что-нибудь необычное. Взглянуть на флигель изъявили желание сразу трое одиноких мужчин; что касалось гостевого крыла, то им заинтересовалась молодая супружеская пара. Супруги недавно переехали в Лос-Анджелес, но купленный ими дом нуждался в ремонте и перестройке, что должно было занять как минимум год.

Не успел риелтор положить трубку, как телефон зазвонил снова. Это был Джимми. Он объяснил, что ищет жилье.

Где — не имело для него значения; главное, сказал он, дом или квартира должны быть небольшими, чтобы не тратить слишком много времени на уборку, и с приличной кухней. В последнее время Джимми почти ничего не ел, обходясь бутербродами и растворимым кофе, однако он был уверен, что рано или поздно снова начнет готовить для себя сам. Как и спорт, готовка была для него чем-то вроде хобби, она успокаивала, отвлекала от проблем, а это было именно то, в чем Джимми больше всего сейчас нуждался.

Наличие обстановки его не особенно волновало. У них с Маргарет была вся необходимая мебель, но она им не особенно нравилась, поэтому Джимми с равным успехом мог как воспользоваться ею, так и оставить в платном хранилище. Последний вариант, впрочем, казался Джимми более предпочтительным, так как он не хотел, чтобы вещи постоянно напоминали ему о потере. Нет, думал он, если уж переезжать на новое место, пусть и мебель там будет новой — так ему будет легче, гораздо легче. Единственное, с чем он не в силах был расстаться, это с фотографиями Маргарет, на которых они были запечатлены вместе. Все остальные принадлежавшие ей вещи он убрал в коробки и сдал на хранение, чтобы не натыкаться на них каждый день.

Риелтор спросил у Джимми, есть ли у него какие-то пожелания относительно места, но он ответил отрицательно. Голливуд, Беверли-Хиллз, Лос-Анджелес, Малибу — ему было все едино. Джимми едва не сказал, что ему хотелось бы жить неподалеку от океанского побережья, но вовремя сообразил, что и это будет напоминать ему о Маргарет. Все, буквально все причиняло ему боль теперь, и Джимми сомневался, что ему удастся найти такой дом, который бы не навевал, а напротив — отвлекал его от мрачных мыслей.

Он ничего не сказал о желаемой цене, и риелтор решил рискнуть. Описывая флигель, он не пожалел красок, и, немного поколебавшись, Джимми сказал, что хотел бы на него взглянуть. Они договорились о встрече на пять часов вечера, и риелтор спросил, в какой части города работает Джимми.

— В Уоттсе, — отозвался Джимми. Для него в этом не

было ничего необычного, но риелтор немедленно насторожился.

— Ага, понятно... — протянул он, не зная, что сказать. Вдруг, подумалось ему, этот Джимми О'Коннор — афроамериканец? Спросить об этом он, разумеется, не мог, однако не исключено было, что Джимми не может позволить себе платить по десять тысяч долларов в месяц.

— У вас есть какие-нибудь пожелания по цене? — осторожно спросил он.

— Я надеюсь, цена будет разумной, — рассеянно пробормотал Джимми. Он уже опаздывал на работу и думал только о предстоящей встрече с супружеской парой, которая собиралась усыновить двух четырехлетних близнецов. Но риелтор уже сомневался, что Джимми — подходящий клиент. Тот, кто работал в Уоттсе, вряд ли мог позволить себе снять флигель Купера Уинслоу. Когда же в пять часов они встретились у северных ворот «Версаля», он понял, что его опасения подтвердились.

Джимми приехал на встречу в побитой «Хонде Сивик», которую купил по настоянию Маргарет сразу после переезда в Лос-Анджелес. Сам Джимми предпочел бы машину подороже, но напрасно он объяснял жене, что в Калифорнии встречают не по одежке, а по тому, какая у тебя машина. В конце концов она все же настояла на своем. По ее мнению, социальные работники не имели права ездить на дорогих машинах, даже если могли себе это позволить.

А Джимми мог себе позволить не только классную машину, но и многое другое. Он происходил из очень состоятельной семьи, однако они с Маргарет очень редко говорили об этом даже между собой. «Если ты будешь козырять передо мной своим богатством, — заявила она ему однажды, — я с тобой разведусь и найду кого-нибудь, кто не будет каждый день тыкать меня носом в свои миллионы». Джимми вовсе не собирался тыкать ее носом — он только хотел, чтобы у его жены было все самое лучшее (поводом для разговора послужила купленная им для Маргарет стереосистема класса «хай-энд»), но с тех пор старательно обходил опасную тему. Никто из их друзей даже не догадывался о том, сколько у него денег.

Одежда Джимми была под стать машине. На нем были

потертые джинсы с прорванным коленом и бахромой внизу, застиранная футболка с эмблемой Гарварда, которую он носил уже лет десять, и рабочие ботинки из толстой кожи. Ходить в них было жарковато, но в домах, где Джимми приходилось бывать по работе, водились крысы, и он не хотел, чтобы его укусили. Он был бы похож на чернорабочего, если бы не лицо — чисто выбритое, умное, интеллигентное. Кроме того, Джимми недавно подстригся, и, глядя на него, риелтор окончательно запутался.

— Могу я узнать, чем вы занимаетесь, мистер О'Коннор? — спросил он, отпирая дверь флигеля. Риелтор уже показывал его сегодня, но первый из претендентов сказал, что он слишком мал. Второму показалось, что флигель стоит слишком уж уединенно, третьему же и вовсе нужна была квартира. Таким образом, сдать дом в первый же день риелтору не удалось, а на Джимми надежд было мало. Вряд ли, размышлял риелтор, этот парень может позволить себе платить десять «кусков» в месяц, однако показать дом он был обязан.

А у Джимми едва не захватило дух от восторга. Он даже остановился на дорожке между розовых кустов и, слегка приоткрыв рот, смотрел на дом во все глаза. Флигель был очень похож на ирландский коттедж, какие он видел во время их с Маргарет поездок в Ирландию. Оказавшись в гостиной, Джимми почувствовал себя так, будто в мгновение ока перенесся в Ирландию или в Новую Англию. Для одинокого холостяка это было идеальное жилище. В размерах комнат, в обстановке, в самом воздухе дома было что-то надежное, обстоятельное, немного консервативное, чисто мужское. Даже кухня, куда Джимми заглянул в первую очередь, была такой, как надо, — функциональной, удобной, без всяких женских штучек.

Спальню Джимми осмотрел почти равнодушно, зная, что здесь он будет только спать, а точнее, проваливаться в сон. Зато ему очень нравилось, что в доме очень легко можно было вообразить, будто живешь не в огромном мегаполисе, а где-нибудь в глухой сельской местности или даже в лесу. В отличие от клиента, осматривавшего коттедж утром, Джимми предпочитал уединение, благотворно действовавшее на его исстрадавшуюся душу.

— Я — социальный работник, — ответил Джимми, и риелтор помрачнел еще больше. На зарплату социального работника Джимми мог арендовать разве что крыльцо от флигеля. Тем не менее риелтор счел необходимым сохранить хорошую мину при плохой игре.

— А ваша жена приедет взглянуть на дом? — спросил риелтор, разглядывая гарвардскую фуфайку Джимми и гадая, действительно ли этот парень учился в этом престижном университете или просто купил ее в магазине Армии спасения.

— Нет. Она... — начал Джимми и осекся. — Я буду жить один, — добавил он. Ему было очень трудно сказать о себе — «вдовец». Это слово казалось ему слишком холодным, не отражавшим того, что он на самом деле чувствовал и что пережил. Сказать «я холостяк» Джимми тоже не мог, потому что не чувствовал себя таковым. «Не женат» было бы неправдой. Он до сих пор чувствовал себя мужем Маргарет, и, будь у него обручальное кольцо, он бы носил его. Но Маргарет не подарила ему кольца, а то, что он преподнес ей, было похоронено вместе с нею.

— Мне нравится этот дом, — сказал Джимми, еще раз пройдясь по всем комнатам и заглянув во все шкафы. Единственное, что его смущало, это то, что флигель находился на территории богатого поместья и явно стоил достаточно дорого, но он подумал, что, если к нему зайдет кто-то из товарищей и коллег по работе, он всегда может сказать, будто нанялся по совместительству сторожем или садовником. Джимми привык скрывать свое богатство, и обычно ему не составляло труда выдумать какую-то историю, способную снять все недоуменные вопросы. Он понимал, что такой дом ему, строго говоря, не нужен, но флигель ему нравился, и — самое главное — Джимми был уверен, что он понравился бы Маргарет. Дом был как раз в ее вкусе, хотя жить здесь она ни за что бы не согласилась, так как ей было не по карману выплачивать ни половину, ни даже треть назначенной ренты.

При мысли об этом Джимми невольно улыбнулся и пообещал риелтору позвонить завтра.

— Мне бы хотелось немного подумать, — сказал он, садясь в свою облезлую «Хонду», и риелтор с горечью подумал о зря потраченном времени. Он был уверен, что Джимми сказал это, только чтобы сохранить лицо. Судя по его машине, одежде и роду занятий, у него не было и быть не могло таких денег. Впрочем, Джимми показался ему довольно приятным человеком, и риелтор старался держаться с ним как можно любезнее. Из опыта своего и своих коллег он знал, что первое впечатление не всегда самое верное. Бывали случаи, когда форменные оборванцы оказывались наследниками громадных состояний.

По пути домой Джимми думал о доме, где только что побывал. Он был достаточно уютным и казался подходящим убежищем, где можно было укрыться от суеты. Еще он думал о том, как хорошо было бы поселиться там с Маргарет, и боялся, что подобные мысли могут лишить его желанного покоя. Джимми, однако, достаточно хорошо знал жизнь, чтобы понимать: никогда нельзя знать заранее, что будет лучше, а что хуже, пока не попробуешь. Кроме того, от себя ведь не скроешься, не убежишь, так что не стоит и пытаться. Все равно его тоска последует за ним, куда бы он ни направился, где бы ни жил.

Вернувшись домой, Джимми продолжил укладывать вещи, чтобы чем-то занять себя. Квартира была уже практически пуста, и, упаковав последнюю коробку, Джимми заварил себе суп из пакетика и сел с тарелкой у окна.

Суп он так и не доел. Выбросив остатки еды, он лег на диване в гостиной, но ему не спалось. Джимми долго лежал без сна, думая о Маргарет и о том, что бы она ему посоветовала. Когда-то он хотел снять квартиру прямо в Уоттсе, что было бы удобнее с чисто практической точки зрения (опасностей, сопряженных с жизнью в таком беспокойном районе, Джимми не боялся), потом решил, что поселится где-нибудь в Лос-Анджелесе, но теперь он не мог отделаться от мыслей о флигеле. Утопавший в зелени дом совершенно очаровал его. Он был ему вполне по средствам, и Джимми спросил себя, может ли он хоть раз в жизни позволить себе подобное чудачество? Кроме того, история о том, что он якобы нанялся работать в саду за пониженную ренту, начинала нравиться ему самому. Он был уверен, что Маргарет оценила бы эту его выдумку, как оценила бы уютную гостиную с камином и просторную спальню, под окнами которой цвели и благоухали крупные калифорнийские розы.

В восемь утра, едва проснувшись, Джимми сразу позвонил риелтору на его сотовый телефон и сказал, что согласен. И, говоря это, он почти улыбнулся. Насколько Джимми помнил, за последние несколько недель это был фактически первый раз, когда ему захотелось улыбаться, но он ничего не мог с собой поделать. Дом настолько ему понравился, что он начал бояться, как бы его кто-нибудь не перехватил.

— Вы согласны? — переспросил риелтор, не сумев скрыть своего удивления. Быть может, подумалось ему, этот парень просто не понял, когда он назвал ему цену? Но ведь это десять тысяч долларов в месяц, мистер О'Коннор. Это большие деньги. Вы уверены, что готовы платить столько? — Риелтору не хватило духа спросить, есть ли у Джимми дети или домашние животные. Ему уже начинало казаться, что сдать флигель будет труднее, чем он думал. У дома была своя индивидуальность, свой характер, и случайный человек вряд ли решился бы снять его за десять тысяч в месяц.

— Деньги у меня есть, — успокоил его Джимми. — Только вот что... Я хотел бы забронировать дом, пока идет оформление договора. Что для этого нужно сделать — внести наличные или достаточно чека?

— Пока ничего не нужно делать, мистер О'Коннор. Сначала мы должны навести справки... Рутинная проверка, не больше. — Проверкой кредитоспособности клиента риелтор должен был заняться в любом случае.

— Но мне бы не хотелось упустить этот чудный домик, — взволнованно сказал Джимми. Все его безразличие к жизни вдруг куда-то пропало. Он уже заметил, что в последние дни стал больше беспокоиться о вещах, на которые еще недавно не обратил бы внимания. Тревожиться, волноваться, переживать — это была прерогатива Маргарет, теперь же ему приходилось все решать самому.

— Не волнуйтесь, я придержу его для вас. В конце концов, вы первый высказали желание его снять.

— И сколько времени займет эта ваша проверка?

— Около трех дней, возможно, больше. В последнее

время банки проводят проверку кредитоспособности особенно тщательно.

— Давайте сделаем вот как, — решительно перебил Джимми. — Позвоните в мой банк. — Он продиктовал риелтору телефон и фамилию управляющего отделом клиентского обслуживания «Бэнк оф Америка». — Я уверен — мистер Джефферсон поможет проделать все необходимое побыстрее. — Обычно Джимми не козырял своим знакомством с управляющим, но он был одним из самых крупных вкладчиков банка и не сомневался, что, если старина Джейк вмешается, проверка будет проведена в мгновение ока. Джейку Джефферсону не нужно было лезть в бухгалтерские книги, чтобы сказать, что счета Джимми О'Коннора в полном порядке.

— Я так и сделаю, — пообещал риелтор. — Вы не дадите мне номер телефона, по которому я мог бы застать вас в течение дня?

Джимми дал ему номер своего служебного кабинета и предупредил, что, если его вдруг не окажется на месте, он может оставить голосовое сообщение.

— Но до обеда я буду на месте, — закончил он. Его ждали целые горы бумаг, с которыми предстояло разбираться, и Джимми знал, что проторчит в офисе не один час.

Уже в десять часов риелтор ему перезвонил. Как и предполагал Джимми, проверка его кредитоспособности заняла считаные минуты. Стоило риелтору назвать фамилию О'Коннор, как ему ответили, что счета в полном порядке. Управляющий клиентского отдела был не вправе называть конкретные цифры, однако он заверил, что мистер О'Коннор является одним из самых крупных частных вкладчиков «Бэнк оф Америка». На самом деле, если бы Джимми захотел, он мог бы купить весь «Версаль» вместе с флигелем и парком, но управляющий не стал говорить об этом риелтору.

— Он что, собрался покупать дом? — с интересом спросил Джейк Джефферсон. Он надеялся, что это так, хотя и не сказал этого вслух. После постигшего Джимми несчастья это могло бы быть первым признаком того, что в нем снова проснулся интерес к жизни.

— Нет, он только арендует небольшой, но очень дорогой коттедж в Бель-Эйр, — пояснил риелтор. Он по-прежнему допускал, что его, возможно, неправильно поняли, поэтому повторил: — Месячная плата составляет десять тысяч долларов, причем рента за первый и последний месяцы взимается единовременно, так как из них выплачиваются комиссионные агентства. Кроме того, мистеру О'Коннору придется заплатить страховой взнос в размере двадцати пяти тысяч долларов.

И снова управляющий заверил его, что для Джимми это сущие пустяки. Такой ответ настолько заинтриговал риелтора, что он не сдержал любопытства и спросил:

— Да кто же он такой, этот ваш клиент? Арабский шейх инкогнито?

— Он именно тот, за кого себя выдает — Джеймс Томас О'Коннор, — был ответ. — Один из самых крупных наших клиентов.

Риэлтор понял, что хватил через край.

— Поймите мое беспокойство, — начал он неуверенно. — Мистер О'Коннор сказал, что он социальный работник. Всем известно, что эта работа хотя и считается общественно значимой, не слишком высоко оплачивается и... такая высокая плата...

— Можно только пожалеть, что таких людей, как Джимми О'Коннор, слишком мало. Могу я вам еще чем-нибудь помочь?

— Будьте добры, пришлите мне по факсу гарантийное письмо.

— Вы получите его в ближайшие полчаса. Выписать вам чек от его имени, или Джимми сделает это сам?

— Я у него спрошу, — ответил риелтор. До него только что дошло, что он все-таки сдал флигель, и он поспешил перезвонить Джимми, чтобы сообщить ему новость.

— Вы можете получить ключи в любое время, — сказал он, и Джимми пообещал, что заедет в агентство после обеда и привезет чек. Он, впрочем, предупредил, что переедет во флигель только через пару недель, после того как отделается от своей старой квартиры. На самом деле Джимми готов был перебраться во флигель хоть завтра, но ему вдруг захотелось еще немного пожить там, где им с Маргарет было так хорошо. Впрочем, он тут же подумал, что особого значения это не имеет. Ведь, куда бы он ни поехал, Маргарет будет в его сердце всегда.

— Надеюсь, вам будет хорошо в этом доме, мистер О'Коннор, — искренне сказал риелтор, у которого гора с плеч свалилась. — Это действительно отличный дом. А если вам повезет, вы близко познакомитесь с самим мистером Уинслоу.

Кладя трубку, Джимми неожиданно для себя рассмеялся. Что сказала бы Маргарет, если бы узнала, что они будут снимать флигель у прославленной кинозвезды? Да она бы потешалась над ним день и ночь, уличая его в тщеславии и преклонении перед дутыми авторитетами, но Джимми все же казалось — он имеет право хотя бы на одно маленькое безумство. И где-то в глубине души он знал, что Маргарет не только поддержала бы это решение, но и была бы рада за него.

Глава 5

В понедельник Марк снова приехал на работу после бессонной ночи. Не успел он сесть в кресло, как телефон на столе зазвонил. Это был Эйб Бронстайн.

— Я звоню, чтобы еще раз сказать тебе, что мне очень жаль, — с сочувствием сказал он. Вчера Эйб весь вечер думал о Марке и его несчастье, и ему вдруг пришло в голову, что его другу может понадобиться новая квартира. В самом деле, не мог же он жить в отеле вечно.

— Слушай, — добавил Эйб, — у меня тут появилась одна безумная идея. Я не знаю, что именно тебе нужно в смысле жилья, но... Один из моих клиентов, Купер Уинслоу, сдает гостевое крыло своего городского особняка. По секрету могу сказать, что у него сейчас очень сложно с деньгами и ему не под силу содержать в порядке весь дом, а дом у него просто шикарный. Может быть, ты слышал, его еще называют «Голливудским Версалем». Он еще сдает флигель у ворот, но, думаю, он тебе не подойдет. Впрочем, ты сам это решишь. Я уверен, они еще не сданы. Не хочешь, случайно, взглянуть?.. Это действительно отличное место; жить там даже лучше, чем в кантри-клубе[1].

— Я еще не думал о переезде, — честно признался Марк, хотя в том, чтобы поселиться в поместье Купера Уинслоу, что-то было. В конце концов, если дети когда-нибудь приедут к нему, им должно там понравиться.

— Если хочешь, — продолжал Эйб, — я заеду за тобой в обеденный перерыв, и мы вместе съездим в «Версаль». В любом случае ты ничего не потеряешь — на эту красоту стоит взглянуть хотя бы раз в жизни. Четырнадцать акров садов и парков, бассейн, теннисный корт — и все это в самом центре города, в Бель-Эйр. Ну что, согласен?

— Что ж, звучит заманчиво. — Марк не хотел обижать друга отказом, но он еще не был готов к тому, чтобы подыскивать новое жилье, хотя бы и в доме самого Купера Уинслоу. И все же после некоторых колебаний он решил, что поедет хотя бы из-за детей.

— Отлично! — обрадовался Эйб. — Я буду у тебя в половине первого, но сначала договорюсь с риелтором, чтобы он нас встретил. Должен предупредить: рента довольно высокая, но ты можешь себе это позволить. — Он улыбнулся про себя. Ему было прекрасно известно, что Марк был одним из самых высокооплачиваемых сотрудников фирмы, в которой не только работал, но и владел крупным пакетом акций, приносивших ему хорошую прибыль. Подавляющее большинство людей считало налоговое законодательство прескучной штукой, и где-то это действительно было так, но Марк любил свою работу, он много знал и отличался недюжинными способностями, что и помогло ему добиться столь высокого положения. Он, однако, никогда не бахвалился своими доходами, никогда не выставлял их напоказ. Единственной роскошью, которую он себе позволял, был «Мерседес» последней модели; во всем остальном он был человеком достаточно непритязательным и скромным.

Положив трубку, Марк почти забыл о разговоре с другом. Ему казалось, что гостевое крыло особняка вряд ли ему понравится, и он готов был ехать смотреть его, только

[1] К а н т р и - к л у б — загородный клуб для избранных с теннисными кортами, плавательными бассейнами и т. п.

чтобы не огорчать Эйба, который проявил к нему такое искреннее участие. Кроме того, Марк не знал, что ему делать в обеденный перерыв. Кусок по-прежнему не лез ему в горло; ел он только по вечерам, да и то только потому, что понимал: если он не заставит себя проглотить сандвич-другой, то может упасть в голодный обморок прямо на улице.

Эйб приехал в офис Марка точно в назначенное время и сообщил, что риелтор будет ждать их в усадьбе через пятнадцать минут. По дороге туда друзья говорили о новых поправках к налоговому законодательству, которые были настолько противоречивыми, что могли иметь двоякое толкование. Марк так увлекся, что забыл, куда и зачем они едут, и был очень удивлен, когда машина затормозила у главных ворот поместья. Эйб знал код на память; отперев ворота, он повез друга по подъездной дорожке мимо ухоженных садов, деревьев и цветочных клумб.

«Версаль» неожиданно для самого Марка произвел на него сильное впечатление. Он был настолько красив, что при виде его Марк едва не расхохотался — настолько нелепой показалась ему мысль о том, что он будет жить здесь рядом с Купером Уинслоу. В таком дворце, считал он, может жить только какая-нибудь знаменитость. Ему и в голову не пришло, что в области налогового законодательства он тоже был своего рода звездой.

— Боже мой! — воскликнул Марк. — Вот это роскошь! Неужели все это принадлежит одному человеку? — Не веря своим глазам, он разглядывал мраморные колонны, резное мраморное крыльцо и фонтан, напомнивший ему фонтан на площади Согласия в Париже.

— Сейчас ты спросишь, какой налог он платит, — рассмеялся Эйб и прищурился. — Этот особняк был выстроен больше восьмидесяти лет назад для Веры Харпер, если помнишь такую. Куп купил его сорок лет назад, и, должен сказать откровенно, он ежегодно обходится ему в целое состояние.

— Могу себе представить, — кивнул Марк. — Должно быть, у него много слуг?

— Сейчас его штат составляет двадцать человек, но через неделю-полторы останется одна горничная и два приходящих садовника. Всех остальных я рассчитал. Куп называет мою политику «политикой выжженной земли», но иначе я не могу. Кстати, я пытаюсь заставить его продать свои машины, так что, если тебе нужен «Роллс-Ройс» или «Бентли», обращайся, я могу это устроить. — Эйб снова рассмеялся. — Куп — неплохой парень, но слишком уж избалованный. Должен признать, впрочем, что он и дом как нельзя лучше подходят друг другу. Без «Версаля» это будет уже не тот Купер Уинслоу, и наоборот. К сожалению, бороться за то, чтобы Куп остался хозяином собственного поместья, приходится мне одному. На данный момент между нами существует что-то вроде договора о вооруженном нейтралитете, если ты понимаешь, что я хочу сказать.

Марк кивнул. Он совсем не знал Купера Уинслоу, зато он знал Эйба и понимал, что актер и бухгалтер отличаются, как небо и земля. Трезвый, практичный до мозга костей, приземленный, расчетливый, Эйб не отличался элегантностью и не знал, что такое стиль, однако доброты, сострадания в сердце старого бухгалтера было куда больше, чем можно было судить по его виду и манерам. Именно из жалости он помогал Куперу сохранить «Версаль», именно из сострадания он повез Марка смотреть гостевое крыло, надеясь, что сумеет хоть как-то отвлечь своего молодого друга от грустных мыслей. Сам Эйб никогда не бывал в сдаваемой части дома, но Лиз кое-что рассказывала ему, и он не сомневался, что там так же красиво, как и в апартаментах Купа.

Эйб был совершенно прав, предполагая, что гостевое крыло приведет Марка в восторг. Когда риелтор впустил их, Марк даже ненадолго остановился и присвистнул. Задрав голову, он рассматривал высокие расписные потолки, ахал при виде высоких французских окон, восторгался старинной позолоченной мебелью. Ему казалось, он очутился в старинном французском замке-дворце, где жил какой-то граф или маркиз. Только кухня показалась ему недостаточно современной, но, как правильно заметил риелтор, она была уютной и теплой, да и готовить Марк все равно не собирался.

Главная спальня поразила его своим великолепием, и, хотя сам Марк никогда бы не выбрал в качестве обоев голубой атлас, он должен был признать, что этот цвет сообщал комнате почти царственное величие. К тому же, напомнил себе Марк, он ведь не собирается жить здесь всегда. Пока же он будет размышлять о том, что делать со своей жизнью дальше, голубые обои будут отвлекать его от мрачных мыслей. Парк ему тоже очень понравился, и Марк подумал, что для детей он подойдет идеально. В последнее время он несколько раз задумывался о том, чтобы снова переехать в Нью-Йорк и поселиться там поближе к ним, но ему не хотелось мешать личной жизни Дженнет, к тому же в Лос-Анджелесе у него было слишком много клиентов, которые на него надеялись. То, что ему вдруг подвернулось такое предложение, он считал настоящей удачей. Марк был уверен, что жить здесь ему будет все же легче, чем в отеле, где он ночами напролет вынужден был прислушиваться к хлопанью дверей и шуму спускаемой воды.

— Ты прав, это действительно замечательная квартира! — со слабой улыбкой сказал он Эйбу и еще раз огляделся по сторонам. Марку и в голову не приходило, что кто-то может жить в такой роскоши. Его собственный дом тоже был обставлен далеко не бедно, но гостевое крыло больше походило на декорацию к какому-то фильму из жизни сильных мира сего. Что ж, подумал он, жить здесь будет как минимум интересно. К тому же Марку казалось, что когда дети приедут навестить его в Лос-Анджелесе, им здесь будет лучше, чем где бы то ни было. Теннисный корт, бассейн, барбекю в парке — что еще нужно молодежи?

— Спасибо, что привез меня сюда, — сказал он, благодарно пожимая Эйбу руку.

— Я просто подумал, что тебе стоит на это взглянуть, — несколько смутился тот. — Ведь не можешь же ты постоянно жить в отеле.

Марк кивнул. Он думал о том, что отдал всю мебель Дженнет, и то, что гостевое крыло сдавалось вместе с обстановкой, оказалось весьма кстати.

— И сколько стоит вся эта красота? — спросил он риелтора.

— Десять тысяч долларов в месяц, — не моргнув глазом ответил тот. — И многие готовы платить еще больше, лишь бы оказаться здесь. Дом мистера Уинслоу уникален во многих отношениях; то же самое, естественно, относится и к гостевому крылу. Уверяю вас, ничего подобного вы не найдете нигде. Вам представилась уникальная возможность поселиться на территории этого единственного в своем роде городского поместья — нет, не поместья, а дворца...

— А как насчет флигеля у ворот? — прервал Эйб поток риелторского красноречия.

— Я уже сдал его одному очень приятному молодому человеку, — отозвался тот. — И надо вам сказать, что это предложение пробыло на рынке всего несколько часов. Как видите, вам представилась неповторимая...

— В самом деле? — снова перебил риелтора Эйб. — И кто же снял флигель?.. Наверное, кто-нибудь известный? — Он был уверен, что услышит знакомую фамилию, но ошибся.

— Отнюдь нет. Мистер О'Коннор — социальный работник, — с достоинством отвечал риелтор, и седые брови Эйба удивленно поползли вверх.

— И он... готов платить такие деньги? — осторожно поинтересовался он. В качестве личного бухгалтера Купа Эйб был кровно заинтересован в том, чтобы у его работодателя не было никаких осложнений с жильцами.

— По-видимому, да, — ответил риелтор. — Я связывался с управляющим клиентского отдела «Бэнк оф Америка», и он сказал, что кредитоспособность мистера О'Коннора не вызывает сомнений. Оказывается, он — один из самых крупных вкладчиков банка. Через десять минут после моего разговора с управляющим банк прислал по факсу гарантийное письмо, и в тот же день мистер О'Коннор лично привез мне чек на сорок пять тысяч. В ближайшие дни он переедет сюда со старой квартиры на Венис-бич.

— Любопытно. — Эйб покачал головой и снова повернулся к Марку, который с интересом заглядывал в стенные шкафы. На его взгляд, их было здесь слишком много, но он подумал, что никто не заставляет его использовать их все. Гораздо больше, чем шкафам, он обрадовался двум маленьким спальням на первом этаже. Если Джейсон и Джессика действительно приедут, им будет очень удобно здесь.

Продолжая оглядываться по сторонам, Марк думал о названной риелтором сумме. Деньги, бесспорно, были не маленькие, но он мог себе это позволить. Другой вопрос, стоит ли тратить столько на простую прихоть, или лучше найти что-нибудь не такое шикарное, но по более приемлемой цене? Марк знал, что если он согласится, то это будет его первым безумным поступком за всю жизнь, но, может быть, ему пора было сделать что-то безумное? Дженнет такой поступок совершила. Она ушла от него — просто встала и ушла к другому. Он же собирался всего-навсего снять квартиру, правда — очень дорогую, но зато ему будет приятно здесь жить. Не исключено, что здесь он снова станет нормально спать, есть, плавать в бассейне и даже играть в теннис, если, конечно, найдет подходящего партнера. О том, чтобы пригласить на гейм-другой Купера Уинслоу, и речи быть не могло, но ведь сказал же риелтор, что сдал флигель какому-то молодому человеку...

— Он часто здесь появляется? — спросил Марк, имея в виду Купа.

— Мистер Уинслоу много путешествует, именно поэтому он и решил пустить жильцов, — повторил риелтор то, что слышал от Лиз. — И ему бы хотелось, чтобы во время его отсутствия в поместье оставался еще кто-то, кроме прислуги.

Марк кивнул и посмотрел на Эйба, который заговорщически ему подмигнул. Бухгалтер сразу понял, от кого исходит эта версия. Верная Лиз не могла позволить, чтобы хоть кто-то догадался, что ее патрон едва сводит концы с концами. Именно поэтому она не сказала риелтору, что очень скоро в поместье не останется вообще никакой прислуги, кроме единственной горничной.

— Что ж, это понятно, — проговорил Марк с самым серьезным видом и в свою очередь подмигнул Эйбу, чтобы показать, что он не забыл ничего из того, что тот говорил ему о финансовом положении суперзвезды. Они часто обменивались подобной конфиденциальной информацией, это был их хлеб, но дальше эти сведения никогда не уходили.

— Скажите, мистер Фридмен, вы женаты? — спросил тем временем риелтор. Он хотел только убедиться, что у Марка нет десяти детей, что, впрочем, казалось весьма маловероятным. Ведь его привез сюда личный бухгалтер Купа, следовательно, его можно было проверять не особенно тщательно, что существенно упрощало дело.

Услышав этот невинный вопрос, Марк вздрогнул, как от удара хлыстом.

— Я... нет, то есть... Мы расстались, — выговорил наконец он и едва не поперхнулся — так тяжело дались ему эти слова.

— А ваши дети живут с вами?

— Нет, они живут в Нью-Йорке, с... с матерью, — сказал Марк, чувствуя, как колотится его сердце, буквально разрывается от боли. — Вероятно, я буду ездить к ним, чтобы повидаться... — добавил он через силу. — Они могут приезжать ко мне только во время каникул, а ведь вы знаете детей... в любом возрасте они предпочитают друзей родителям. Я буду счастлив, если они побывают у меня хотя бы один раз за весь год.

Лицо его сделалось печальным, но риелтор вздохнул с облегчением. Он помнил предупреждение Лиз, что Куп недолюбливает детей. Если не считать этого, Марк казался ему идеальным жильцом: одинокий, хорошо воспитанный, обеспеченный джентльмен, который вряд ли станет устраивать у бассейна шумные оргии с женщинами и кокаином. А дети... дети, может быть, еще и не приедут.

— Я согласен! — внезапно объявил Марк, и Эйб, вздрогнув от неожиданности, поглядел на друга. Но лицо Марка светилось улыбкой. Глядя на него, даже риелтор улыбнулся; впрочем, у него-то были все основания радоваться. Всего за два дня он сумел сдать и флигель, и гостевое крыло за очень приличную цену. Больше десяти тысяч он назначить так и не решился, да и Лиз говорила ему, что Куп будет очень доволен, если его собственность будет приносить ему двадцать тысяч долларов в месяц.

А Марк продолжал улыбаться. Теперь ему уже не терпелось поскорее выписаться из отеля и перебраться сюда. Риелтор сказал, что он может въехать дня через три — после того, как выпишет чек, а слуги приведут в порядок комнаты.

— Хорошо, — согласился Марк, с трудом сдерживая нетерпение. — Я въеду в конце недели.

Потом он пожал риелтору руку и, крепко обняв Эйба, поблагодарил его за то, что он подумал о нем и привез посмотреть «Версаль».

— Я рад, что из этого что-то вышло, — улыбнулся бухгалтер. — Но все сложилось даже лучше, чем я рассчитывал. — Он был почти уверен, что Марк будет долго раздумывать и в конце концов откажется, но в «Версаль», как видно, просто нельзя было не влюбиться.

— Наверное, это самый безумный поступок за всю мою жизнь, — признался Марк, когда они с Эйбом ехали назад. — Но человек, наверное, должен иногда совершать безумства.

Для него это было новое, почти безумное решение. Марк всегда старался поступать взвешенно, обдуманно, рационально; теперь же ему казалось, что именно поэтому он и потерял Дженнет. Должно быть, по сравнению с другими мужчинами он выглядел самым настоящим занудой, и в конце концов она не выдержала.

— Спасибо, Эйб, — снова поблагодарил он старого бухгалтера. — Мне действительно очень понравилась новая квартира, и я думаю — дети будут от нее в восторге. Боюсь только, что, если я проживу здесь целый год, я привыкну к роскоши и не захочу никуда уезжать. И мистеру Уинслоу придется выкидывать меня с полицией.

— Я думаю, подобная перемена обстановки пойдет тебе только на пользу, — отозвался Эйб. — Во всяком случае, я на это надеюсь.

Вечером Марк позвонил в Нью-Йорк и рассказал Джессике и Джейсону об апартаментах, которые он снял в гостевом крыле у самого Купера Уинслоу.

— А кто это? — удивленно спросил Джейсон.

— Мне кажется, это такой очень старый актер, который снимался в кино, когда папа был маленький, — объяснила Джессика, которая взяла трубку второго аппарата.

— Ты совершенно права, — подтвердил Марк. — Но это не главное. Главное, что дом действительно великолепен. Вокруг настоящий парк с теннисным кортом и бассейном, и у нас будет отдельный вход. Если бы видели, какие там комнаты, вы бы сразу влюбились в эту новую квартиру. Я уверен — когда вы приедете, вам здесь понравится.

— Я скучаю по нашему дому, — мрачно сказал Джейсон.

— А мне очень не нравится в новой школе, — пожаловалась Джессика. — Здесь все девчонки такие злючки, а мальчишки — просто дегенераты.

— Потерпите немного. Быть может, на самом деле все не так уж плохо, — дипломатично сказал Марк. Это не он ушел из семьи, не он перевез детей в Нью-Йорк, но обвинять в чем-то Дженнет ему не хотелось. Марк считал, что, какие бы чувства он ни питал к своей бывшей жене, ему следует держать их при себе. Их отношения детей не касались. — Чтобы привыкнуть к новой школе, нужно время, — добавил он. — К тому же я скоро приеду, и мы обо всем поговорим.

Марк уже решил, что полетит в Нью-Йорк в последний уикенд февраля. В марте у детей начинались каникулы, и он давно решил, что они поедут вместе на Карибы и, может быть, даже возьмут напрокат небольшую яхту. Это, считал Марк, поможет детям развеяться, да и ему не мешало бы ненадолго вырваться из каждодневной рутины.

— Как там мама? — спросил он.

— Хорошо, только ее часто не бывает дома, — сердито сказал Джейсон. Ни он, ни сестра ни словом не обмолвились об Эдаме, и Марк догадался, что Дженнет еще не познакомила их со своим любовником. Очевидно, она ждала, пока дети немного придут в себя после бурных событий последних четырех недель. По любым меркам это был очень небольшой срок, но Марку он показался вечностью.

— Зачем ты переехал, разве нельзя было жить в нашем старом доме? — спросила Джессика, и Марк объяснил, что он только на днях его продал. Эта новость сразила обоих. Сначала Джесс и Джейсон потрясенно молчали, потом начали плакать. На том разговор и закончился, и, вешая трубку, Марк с горечью подумал, что еще ни разу их многочисленные телефонные переговоры не принесли облегчения ни ему, ни детям.

Интересно, задумался Марк, как она представит детям своего любовника? Скорее всего, ей придется сказать, что они только недавно познакомились. И пройдет довольно много времени — быть может, годы, — прежде чем дети узнают подлинные причины развода родителей. А до тех пор, пока это не произойдет, они будут винить во всем его одного. Думать об этом ему было грустно, но Марк был бессилен что-либо изменить. Ведь не мог же он заявить детям, что их мать бросила его ради другого мужчины. Правда, если смотреть со стороны, все выглядело именно так, однако Марк считал, что, во-первых, приличия необходимо соблюдать при любых обстоятельствах, а во-вторых, он и сам чувствовал себя виноватым. Быть может, если бы он не был таким скучным, заурядным человеком, Дженнет не оставила бы его.

Но больше всего Марк боялся, что, когда дети наконец познакомятся с Эдамом, он понравится им так же сильно, как и их матери. Они, разумеется, были не настолько малы, чтобы звать папой постороннего мужчину, однако на стороне Эдама был так называемый фактор присутствия. Если он поселится вместе с Дженнет и детьми, им волей-неволей придется общаться с ним гораздо чаще, чем с родным отцом, который живет от них в трех тысячах миль и может приезжать только изредка.

Но прошло сколько-то времени, и Марк приободрился. Не так страшен Эдам, как его малюют, рассудил он; быть может, со временем все уладится. И с этой мыслью он позвонил в службу расселения отеля и сообщил, что освободит номер к воскресенью. Ему очень нравилась его новая «берлога», как он мысленно окрестил гостевое крыло «Версаля», и Марк с нетерпением ждал переезда. С тех пор как Дженнет ушла от него, это было, наверное, первое радостное событие в его жизни. Весь последний месяц Марк жил словно в густом тумане, и вот сквозь него проглянул робкий лучик надежды. Во всяком случае, теперь он готов к переменам.

И прежде чем лечь спать, Марк спустился в «Макдоналдс» и съел два гамбургера. Впервые за много недель он почувствовал себя по-настоящему голодным.

В пятницу вечером Марк пораньше ушел с работы и уложил в чемоданы всю свою одежду. В субботу утром он был уже у ворот поместья. Риелтор передал ему ключи и сообщил секретный код, запирающий ворота. Открыв их, Марк не спеша поехал по подъездной дорожке к дому.

Когда он вошел в гостевое крыло, то сразу заметил, какая здесь царит чистота. Дорожки и ковры были тщательно вычищены, мебель сияла блеском, кровать была застелена свежими простынями. Здесь было так уютно, что у Марка даже появилось ощущение, будто после долгого путешествия он вернулся домой.

Распаковав вещи, он отправился пройтись. Марк немного погулял по парку, потом вышел за ворота и, купив в супермаркете все необходимое, приготовил себе поесть. После обеда он переоделся и отправился к бассейну, чтобы немного позагорать. Он был в отличном настроении, когда часа в три пополудни решил позвонить детям.

В Нью-Йорке был поздний вечер субботы, на улице валил снег, и Джессика и Джейсон не знали, куда деваться от скуки. Сидеть дома взаперти им надоело. Дженнет снова куда-то ушла (встретиться с друзьями, как она объяснила детям), и они остались в квартире одни. Джессика решила принять ванну, и Джейсон сказал, что ему совершенно нечего делать. Он скучал по отцу, по их старому дому, по своим прежним друзьям и старой школе. Нью-Йорк ему по-прежнему не нравился. Джейсон даже сказал, что «этот город его душит», и Марк понял, что сын начитался популярной литературы, чего раньше за ним не замечалось.

— Не унывай, сынок, — сказал ему Марк. — Через пару недель я приеду, и мы что-нибудь придумаем. Ты играл на этой неделе в футбол?

Он изо всех сил старался отвлечь сына, но Джейсон продолжал жаловаться.

— Сейчас никто не играет в футбол, потому что в Нью-Йорке идет этот дурацкий снег, — заявил он. Джейсон был настоящим калифорнийцем, он жил в Лос-Анджелесе с трех лет и не представлял себе ни снега, ни холодов. Ему казалось дикостью, что, прежде чем выйти на улицу, людям приходится надевать свитер, напяливать куртку и теплую шапку. Больше всего на свете он хотел вернуться в Калифорнию, которую считал своим домом и лучшим местом на Земле.

Они поболтали еще немного, потом Марк передал привет Джессике и положил трубку. Заглянув в кухню, он уточнил, где что лежит, и решил посмотреть видео. На кассете, которую он наугад снял с полки, был записан фильм, в котором у Купера была небольшая роль. Выглядел он очень импозантно, и Марк невольно подумал, удастся ли ему познакомиться с Купером поближе. Когда днем он возвращался из магазина, по подъездной дорожке проехал «Роллс-Ройс» с открытым верхом, но Марк был слишком далеко от автомобиля и сумел разглядеть только седовласого мужчину за рулем и очаровательную девушку рядом с ним.

Если это Куп, подумал Марк, то он, по всей видимости, ведет весьма интересную и разнообразную жизнь. Сам Марк за шестнадцать лет супружеской жизни ни разу не изменил Дженнет, и даже теперь ему было трудно представить, как он будет встречаться с другими женщинами. Да ему и не хотелось ни с кем встречаться. Единственное, о чем Марк мог думать более или менее спокойно, это о детях, так что на данный момент в его жизни не было места для другой женщины. То есть в жизни-то, может быть, и было, но не в сердце.

В эту первую ночь в новой квартире Марк спал крепким и спокойным сном. Ему приснилось, что дети живут с ним, и он проснулся отдохнувшим. Такой вариант дальнейшего устройства жизни казался Марку идеальным, так как он понимал, что, переехав в гостевое крыло особняка, он лишь сменил гостиничный номер на роскошные апартаменты. И Марк дал себе слово, что постарается что-нибудь придумать.

С мыслями о детях и о том, что он увидится с ними через две недели, Марк отправился на кухню, чтобы приготовить себе завтрак, и с удивлением обнаружил, что плита не работает. Мысленно он пообещал себе, что в ближайшие дни сообщит об этом риелтору, однако по большому счету ему было все равно. Марку достаточно было апельсинового сока и тостов. Он вообще не собирался готовить; другое дело, когда приедут дети, ему придется кормить их как следует.

А в это время Куп на хозяйской половине дома столкнулся со сходными проблемами. Его повар нашел себе новое место и уехал; еще раньше улетел в Европу Ливермор. Обе горничные были выходными, на следующей неделе они тоже переходили на новые места. Слуга, исполнявший обязанности официанта, уже работал у какого-то телеведущего. Палома взяла выходной, так что готовить ему завтрак пришлось Памеле, что она и сделала, накинув на голое тело одну из его рубашек. Памела утверждала, что в кухне она — Копперфильд и Гудини, вместе взятые, и, глядя на твердую, как резиновый коврик, яичницу и пережаренный бекон, которые она подала ему прямо в постель, Куп готов был поверить, что Памела получила еду путем сложных магических преобразований.

— Ты у меня умница, — сказал Куп, опасливо косясь на еду. — А что, разве ты не нашла подноса?

— Какого подноса, дорогой? — проворковала Памела, растягивая слова на оклахомский манер. Она так гордилась собой, что напрочь забыла подать не только поднос, но прибор и салфетки. Пока она ходила за ними, Куп осторожно поковырял яичницу ногтем. Она оказалась не только жесткой, но и холодной (приготовив ее, Памела минут двадцать болтала с подружкой по телефону), и Куп решил, что он, пожалуй, все-таки не голоден.

Очевидно, понял он, кулинария не является сильной стороной Памелы. Если она и была в чем-то настоящей волшебницей, так это в сексе. Жаль только, что с ней совершенно невозможно было разговаривать. Памела могла говорить часами только об одном предмете — о себе самой: о своих чýдных волосах, о макияже, увлажняющих кремах, белье, о размерах собственного бюста и последней фотосессии, в которой ей довелось принять участие. Интересы ее этим и ограничивались, но Купу она нравилась отнюдь не широким кругозором и умением вести содержательную беседу. Ему было приятно ласкать ее — вот и все. В молодых девушках Куп находил нечто, что воодушевляло его, бодрило, придавало дополнительные силы. И надо сказать, что он умел им нравиться, несмотря на свой возраст. Куп был с ними галантен, обходителен, весел и щедр, что открывало ему путь к абсолютному большинству сердец. Памелу он возил по магазинам и бутикам чуть ли не каждый день, и она не раз признавалась, что еще никогда ее жизнь не была такой интересной. То, что Купер годился ей в дедушки, Памелу нисколько не смущало. Главное, с ним она полностью обновила свой гардероб, получила в подарок бриллиантовые сережки и бриллиантовый браслет и была совершенно уверена, что никто не умеет жить с таким размахом, как знаменитый Купер Уинслоу.

Пока Памела ходила за апельсиновым соком, Куп спустил яичницу в унитаз. Девушка ничего не заподозрила и была очень горда тем, что он съел ее стряпню. После того как Памела тоже поела, они с Купом снова легли в постель и провели там несколько часов. Уже ближе к вечеру Куп повез ее ужинать в «Купол» — после «Спаго» это было ее любимое место. Памеле очень нравилось, когда посетители глазели на них и, узнавая Купа, гадали, кто эта юная красавица, которую держит под руку знаменитый мистер Уинслоу. Мужчины завидовали Купу, что касалось женщин, то они, как правило, лишь удивленно приподнимали брови, но Памела все равно была в восторге.

После ужина Куп отвез Памелу домой. Ему было хорошо с ней — даже лучше, чем с другими, но впереди у него была напряженная неделя. Во-первых, Куп снимался в рекламе автомобилей, за что ему был обещан щедрый гонорар. Во-вторых, это была последняя неделя Лиз у него на службе.

Ложась вечером спать, Куп был почти счастлив, что рядом с ним в постели никого нет. Памела неплохо развлекала его, но Куп знал, что удовольствием — даже таким изысканным, какое доставляла ему Пэмми, — злоупотреблять не стоит. В конце концов, она была молода и могла без всякого ущерба для себя не спать несколько ночей подряд, чего нельзя было сказать о нем. Куп очень хорошо знал, где проходит граница, которую ему лучше не переходить. Чтобы восстановить силы, ему необходим был крепкий, здоровый сон. Уже в десять часов Куп погасил свет и спал как убитый до того самого момента, когда вошедшая в спальню Палома отдернула занавески и подняла жалюзи и в глаза ему ударило яркое солнце. Вздрогнув, Куп резко сел на кровати и уставился на горничную.

— Кто ты? Что ты здесь делаешь? — Он никак не мог сообразить, с чего это незнакомая девица ворвалась к нему в комнату и разбудила его. Хорошо еще, что вчера вечером он надел пижаму, хотя имел обыкновение спать голым. Хорош бы он был сейчас!

— Что тебе здесь нужно? — снова спросил Куп, немного приходя в себя.

— Мисс Лиз велеть разбудить вас в восемь, — ответила Палома, дерзко глядя на него. Сегодня на ней было аккуратное платье с кружевным крахмальным передничком, темные очки, украшенные россыпью фальшивых бриллиантов, и ярко-красные туфли на высоком каблуке. Она в таком наряде походила на медсестру, и Куп страдальчески сморщился. Палома ему активно не нравилась. Впрочем, он тоже не вызывал у нее теплых чувств, это было видно невооруженным глазом.

— Неужели ты не знаешь, что, прежде чем войти, надо стучаться? — спросил Куп и, закрыв глаза, снова упал на подушки. Когда Палома разбудила его, ему снилось что-то очень забавное... кажется, про Веру Харпер, и он был не прочь досмотреть сон до конца.

— Я стучаться, но вы не ответить — вот я и войти. А теперь вставайте — мисс Лиз говорить, вам надо работа.

— Благодарю, ты очень любезна, — пробормотал Куп, не открывая глаз. — Слушай... как тебя... Палома, будь добра, приготовь мне завтрак. — Насколько ему было известно, в доме не осталось ни одного человека, кто мог бы это сделать на профессиональном уровне. — Я хочу омлет и тосты. И кофе. И апельсиновый сок.

Выходя из комнаты, Палома пробормотала себе под нос что-то неодобрительное, и Куп не сдержал разочарованного стона. Ему вдруг стало совершенно ясно, что Палома почему-то невзлюбила его. Ну почему, почему Эйб решил оставить именно ее? Ведь с первого взгляда видно: ей бы за свиньями ухаживать, а не за... (Тут Куп невольно засмеялся.) Впрочем, понятно почему... Маленькая сальвадорка обходилась чуть ли не вдвое дешевле, чем породистые француженки, за спинами которых к тому же стоял профсоюз. Палома тоже состояла в профсоюзе, но Куп сомневался, что она станет скандалить и качать права, даже если ей придется работать сверхурочно. Другое дело, что она вообще умеет делать?.. Он по-прежнему боялся доверять ей свои лучшие костюмы стоимостью от пяти до восьми тысяч долларов каждый — уж лучше ходить в джинсах и ковбойке, как Ковбой-Мальборо, чем рисковать штучными произведениями Валентино и Росси.

Впрочем, когда Куп вышел из душа, поднос с завтраком уже стоял возле его кровати. Омлет, вопреки ожиданиям, оказался вполне съедобным, хотя Куп и узнал его не сразу. Омлет Палома приготовила на свой лад — по-крестьянски, и Куп хотел сказать ей, что просил нечто совсем другое, однако блюдо оказалось настолько вкусным, что Куп сам не заметил, как съел все.

Через полчаса он был уже готов к выходу. Как всегда, безупречно причесанный, одетый в элегантный блейзер, серые слаксы, голубую рубашку и темно-синий галстук «Эрмес», он сел в свой любимый «Роллс» и укатил. Следом за ним проехал по подъездной дорожке торопившийся на работу Марк. Глядя на открытую дорогую машину, он гадал, куда мог отправиться Купер Уинслоу в такую рань, и не мог придумать ничего подходящего. Марк был уверен, что актеры, в особенности — знаменитые, ведут исключительно ночную жизнь, и в восемь утра Куп должен был ехать в «Версаль», а не из него.

У ворот они встретили Лиз, которая помахала обоим. Ей все еще не верилось, что это ее последняя неделя у Купа.

Глава 6

Эти последние дни имели для Лиз горько-сладкий привкус. Еще никогда Куп не был так внимателен к ней и так щедр. Он подарил Лиз кольцо с бриллиантом, которое, как он уверял, принадлежало еще его матери, но к подобным заявлениям с его стороны Лиз всегда относилась скептически. Но чьим бы ни было это кольцо, оно было очень красивым и очень ей понравилось, и Лиз пообещала, что будет носить его, не снимая.

В пятницу вечером Куп повел ее в «Спаго». Это был прощальный ужин, и Лиз позволила себе выпить немного больше обычного. Должно быть, поэтому она расчувствовалась и всплакнула. Лиз знала, что ей будет очень не хватать Купа, однако в глубине души она уже смирилась с неизбежным расставанием, утешаясь тем, что поступает правильно.

Поздно вечером Куп отвез ее домой и вернулся к себе, где его уже ждала очередная подружка. Памела уехала на съемки в Милан, и ее место заняла Шарлен, с которой Куп встретился во время работы над рекламным роликом автомобильной фирмы. Шарлен была наделена сногсшибательной внешностью, и Куп обратил на нее внимание почти сразу, хотя, по его понятиям, она была старовата — ей было двадцать девять. Этот недостаток, впрочем, полностью искупался тем обстоятельством, что такого тела, как у нее, Куп не видел уже лет пять. Немного поразмыслив, он решил, что Шарлен достойна находиться среди его трофеев, и пригласил ее к себе.

У Шарлен были огромные груди (настоящие, как она утверждала) и такая тонкая талия, что ее, казалось, можно было обхватить пальцами одной руки. Смуглая кожа, длинные черные волосы и зеленые, как у кошки, чуть раскосые глаза (ее бабушка по отцу была японкой) делали ее облик экзотическим, запоминающимся, но и безупречно красивым. Чуть ли не впервые в жизни Куп поймал себя на том, что ему трудно оторвать взгляд от ее лица.

Но и Куп сумел очаровать Шарлен своей непринужденностью, изысканными манерами и безупречной внешностью. Общаясь с ней, Куп с радостью обнаружил, что она намного умнее Памелы. Пока они снимались, Шарлен успела рассказать ему, что она два года жила в Париже — занималась модельным бизнесом и одновременно училась в Сорбонне. Выросла она в Бразилии, и это тоже наложило свой отпечаток на ее манеры и характер. Неистовая, страстная натура (такой, во всяком случае, она ему показалась), Шарлен легла с ним в постель уже на второй день знакомства. В постели она была неподражаема и сумела скрасить Купу скучную рутину съемок. Завороженный ее сексуальными талантами, Куп пригласил ее в «Версаль» на уикенд, и Шарлен с готовностью согласилась.

Когда после ужина с Лиз Куп вернулся домой, Шарлен уже лежала в постели, и он, недолго думая, присоединился к ней, изменив своим правилам. Куп ни на секунду не пожалел об этом. Они провели весьма насыщенную ночь, в субботу поехали обедать в Санта-Барбару, а ужинать вернулись в «Л'Оранжери». Общество Шарлен с каждым часом нравилось Купу все больше и больше (он уже решил, что непременно свозит ее в «Отель дю Кап», где принято загорать без лифчика), и он начал задумываться о том, как бы ему сбыть с рук Памелу. Шарлен была для него гораздо более интересным партнером, и не только в сексуальном плане. Разговаривая с ней, Куп даже готов был признать, что возраст далеко не всегда портит женщину.

Шарлен все еще была у него, когда в понедельник утром вышла на работу Палома. Куп попросил ее подать им завтрак в постель, но когда Палома наконец принесла подносы, лицо ее выражало крайнюю степень неодобрения. Она почти швырнула им завтрак и, смерив Купа уничтожающим взглядом, вышла за дверь, стуча по паркету каблучками своих экстравагантных ярко-красных туфель.

— Похоже, я ей не понравилась, — заметила Шарлен, когда дверь за Паломой закрылась. — Мне кажется, она не одобряет наше поведение.

— Не обращай внимания, дорогая. Палома по уши в меня влюблена, вот и ревнует. Не удивлюсь, если она подложит бомбу в мой «Роллс-Ройс», — пошутил Куп и попытался вонзить вилку в яичницу, но это удалось ему не сразу. По консистенции яйца напоминали успевший затвердеть бетон, к тому же они были так щедро посыпаны красным перцем, что Куп едва не поперхнулся, а Шарлен чихнула.

— Похоже, Палома решила меня отравить, — разочарованно протянул Куп, рассчитывавший получить вкуснейшую яичницу по-крестьянски, какой Палома потчевала его на прошлой неделе. Похоже, этот раунд остался за горничной, но Куп решил, что серьезно поговорит с Паломой при первой же возможности.

Возможность представилась ему только после обеда, когда Шарлен наконец уехала.

— Интересный сегодня был завтрак, Палома, — сказал Куп, зайдя в кухню, где Палома чистила столовое серебро. — Вот только с перцем ты перестаралась. А что ты добавила в яйца — цемент или клей для обоев? Чтобы разрезать их, мне понадобилась электрическая пила!

— Не понимать, о чем вы, — покачала головой Палома, полируя ножи кусочком замши. Она снова была в солнечных очках, которые, несомненно, ей очень нравились. Как и красные туфли. Интересно, подумал Куп, можно ли призвать ее к дисциплине, или эта задача невыполнима в принципе? Если верно последнее, то он просто уволит ее.

— Вам не понравиться моя яичница? — с самым невинным видом осведомилась Палома, и Куп оскалился:

— Ты меня прекрасно поняла, Палома. Смотри, чтобы это больше не повторялось, иначе...

— Между прочим, сегодня утром вам звонила из Италии мисс Памела. Это было без четверти восемь, — небрежно заявила Палома, и у Купа отвисла челюсть. Ее акцент куда-то пропал, речь стала правильной, как у коренной американки.

— Ч-что ты сказала? — переспросил он.

— Я сказать, мисс Памела звонить вам Италия восемь часов утром, — повторила Палома, награждая его ангельской улыбкой. Она дразнила его, и Куп почувствовал, что краснеет.

— Но ведь... Минуту назад ты говорила совершенно правильно! — воскликнул он. — Что все это значит?! Зачем ты притворяешься? — Куп разозлился, и Палома на секунду смутилась, но тотчас выражение ее лица снова стало дерзким.

— А чего бы вы хотели? В первые два месяца, что я у вас работала, вы звали меня то Марией, то Мэри, хотя мисс Лиз представила меня вам как положено. Неужели так трудно запомнить имя человека, пусть даже этот человек всего-навсего горничная? — В ее манере произносить отдельные согласные слышался легкий сальвадорский акцент, но во всем остальном речь Паломы была такой же правильной, как у него, и Купер смутился на мгновение.

— Должно быть, я в тот момент, гм-м... думал о чем-то важном и не расслышал, — извинился он и тут же улыбнулся самой очаровательной улыбкой, на какую только был способен. Палома ловко провела его, притворившись полуграмотной иммигранткой, не способной связать по-английски и двух слов. Что ж, она, несомненно, умна, подумал он. Кроме того, она, кажется, умеет отлично готовить...

— Кем ты была у себя в Сальвадоре, Палома? — спросил он, неожиданно почувствовав к горничной живой интерес. Палома едва не вывела его из себя, он рассердился и... неожиданно увидел в ней человека, личность. Единственное, чего Куп пока не знал, так это того, нравится ему это или нет. Для начала он только хотел утолить свое любопытство.

— Я была медицинской сестрой, — ответила Палома, складывая ножи в ящик. Чистить серебро было нелегко; обычно этим занимался Ливермор, и теперь Паломе не хватало дворецкого едва ли не больше, чем Купу.

— Жаль. — Куп криво улыбнулся. — Было бы лучше, если бы ты оказалась портнихой или кем-то в этом роде — тогда бы ты смогла как следует заботиться о моих костюмах. Ну а в услугах медсестры я, слава богу, пока не нуждаюсь.

— Горничная здесь зарабатывать больше, чем врач Сальвадор. — Палома снова заговорила на ломаном английском. Ей явно нравилось его дразнить. — А у вас слишком много одежда.

— Это весьма ценное замечание, я постараюсь его учесть, — холодно сказал Куп. — Кстати об одежде... — Он покосился на ее красные туфли, но почел за благо промолчать. — Почему ты не сказала мне, что Памела звонила? — спросил он. Куп уже решил, что Шарлен интересует его больше, но не в его правилах было бросать любовниц просто так — без объяснений и видимых причин. Расставаясь с очередной пассией, он всегда старался сохранить с ней добрые, дружеские отношения и проявлял подчас такую щедрость, что они охотно прощали ему измену. Куп был уверен, что и Памела не будет сердиться на него слишком долго.

— Потому что, когда она звонила, в вашей постели была другая, мистер Уинслоу, — отчеканила Палома. — Как ее там...

— Ее зовут Шарлен, — подсказал Куп, и горничная кивнула:

— Да, Шарлен.

— Что ж, спасибо, Палома. — Куп решил прекратить разговор, пока горничная не сказала ему еще какой-нибудь дерзости, и поспешно вышел из кухни. Палома никогда ничего не записывала и сообщала ему о звонках, только когда ей самой этого хотелось. Куп не был уверен, хочет ли он, чтобы так продолжалось и дальше, но сомневался, что ему удастся что-нибудь сделать. Впрочем, при всей своей дерзости и независимости Палома, похоже, прекрасно разобралась, чьи звонки для него важны, а чьи — не очень, и он почти не волновался, что не поговорит с кем-то нужным. Другое дело — сама Палома. С каждым днем она интересовала его все больше и больше.

Между тем Палома успела познакомиться с Марком и даже предложила стирать для него, когда он пожаловался, что стиральная машина в гостевом крыле не в порядке. Кроме плиты и стиральной машины, не работала еще и кофеварка, и Палома разрешила Марку пользоваться хозяйской кухней, заверив его, что Куп никогда туда не заходит, а предпочитает завтракать в постели. Она даже дала ему ключ от двери, через которую можно было пройти в кухню из гостевого крыла, чтобы Марк мог пользоваться кофеваркой и в ее отсутствие. Это было довольно удобно, но Марк тем не менее составил список всех обнаруженных им неполадок и отправил риелтору. Тот обещал, что все будет исправлено в самое ближайшее время, но Лиз уже уволилась, а кроме нее, заняться этими проблемами было некому. Не Купу же, в самом деле, звонить в ремонтную службу и просить прислать мастеров!

Впрочем, спешить Марку было некуда. Одежду он сдавал в чистку, белье и полотенца стирала Палома, а кофе по субботам и воскресеньям он мог готовить в кофеварке Купа. Вместо плиты Марк с успехом использовал микроволновку. Плита могла ему понадобиться, только когда к нему приедут дети, но он был уверен, что до этого момента она будет приведена в порядок, даже если ему придется заняться этим самому. Так Марк и сказал риелтору, и тот снова пообещал решить этот вопрос в ближайшее время, но застать Купа дома оказалось практически невозможно. Он в эти дни снимался в рекламе жевательной резинки, что раньше не могло присниться ему и в кошмарном сне. И сейчас Куп едва не отказался, но контракт был очень выгодным, и агент в конце концов уговорил его согласиться. В последнее время Куп вообще проявлял большую активность, но, кроме рекламы, других предложений ему, увы, не поступало. Его агент из кожи вон лез, чтобы достать Купу сколько-нибудь заметную роль, но все было тщетно. Куп хотел играть только романтических героев, но для этого он был уже староват, а представлять на экране в лучшем случае отца, а в худшем — деда главного героя (что ни говори, это все же была роль второго плана) он был психологически не готов. Между тем за всю историю Голливуда не было случая, чтобы главным героем кассового фильма стал семидесятилетний плейбой.

Всю последующую неделю Шарлен бывала в «Версале» почти каждую ночь. Она тоже хотела получить приличную роль, но ее успехи были гораздо скромнее, чем у Купа. Шарлен была никому не известна, а весь ее актерский опыт сводился к съемкам в двух откровенно порнографических фильмах, упоминать о которых ей не советовал даже ее агент. Уже несколько раз она просила Купа помочь ей получить хорошую роль, и он пообещал поговорить со знакомыми продюсерами, однако исполнять свое обещание не торопился. У Шарлен было великолепное тело, и она превосходно смотрелась в белье, которое рекламировала по заказу домов моды с Седьмой авеню, но Куп не был уверен, что она способна по-настоящему играть. Шарлен уверяла его, что в Париже она пользовалась успехом и как фотомодель, но за все время их знакомства так ни разу и не показала ему свое портфолио. Нельзя было сказать, впрочем, что Шарлен была совершенно бесталанной; напротив, таланты у нее были, но Купу больше нравилось, когда она проявляла их в его постели.

Между тем с каждым днем Шарлен увлекала его все больше и больше, и Куп только вздохнул с облегчением, когда вернувшаяся из Милана Памела сообщила ему, что у нее роман с фотографом, с которым она работала. Проблема, таким образом, решилась сама собой, на что Куп втайне рассчитывал с самого начала. В мире, в котором он вращался, бурные романы, кратковременные связи и легкие расставания были в порядке вещей, и только когда Куп встречался со знаменитой актрисой или известной моделью, он позволял себе намекнуть прессе на возможную помолвку и даже свадьбу, что, впрочем, было лишь отработанным рекламным ходом. Ни на Памеле, ни на Шарлен, ни на ком бы то ни было Куп жениться никогда и не собирался. Все его романы были лишь способом приятно провести время и доставить удовольствие партнерше, что он и делал. Уже дважды Куп возил Шарлен по магазинам и бутикам. Результатом этих импровизированных шоп-туров явился нелицеприятный разговор с Эйбом, так как подарки, которые он сделал своей подружке, «съели» оба чека, полученные им от жильцов, практически без остатка. В ответ на упреки своего бухгалтера, который специально позвонил ему по телефону, чтобы напомнить о необходимости строжайшей экономии, Куп заявил, что «Шарлен этого заслуживает».

— Я ведь предупреждал тебя, Куп, если так будет продолжаться и дальше, — жестко сказал Эйб, — тебе придется продать «Версаль». Ты этого хочешь? И вообще, Куп, хватит тебе возиться с никому не известными актрисами и нищими моделями. Тебе нужно найти богатую вдовушку и жениться на ней. Я говорю совершенно серьезно!

В ответ Куп рассмеялся и сказал, что подумает, хотя на самом деле не собирался предпринимать ничего подобного. Всю жизнь он играл, играл и на экране, и в жизни, и это его вполне устраивало. Даже теперь он не видел причин, по которым он был бы должен изменить своим склонностям и привычкам.

В последний уикенд февраля Марк, как и планировал, уехал в Нью-Йорк, чтобы повидаться с детьми. Накануне он рассказал о них Паломе, когда та пришла убраться в гостевом крыле. Паломе стало настолько жаль Марка, что она наотрез отказалась брать деньги за уборку, но Марк настоял на своем. Еще раньше Палома узнала, что жена ушла от него к другому мужчине, и стала оставлять для него в кухне свежие фрукты и время от времени пекла тортильи. Палома с удовольствием слушала рассказы Марка о детях. Ей было очевидно, что Марк от них без ума и готов на любое самопожертвование, лишь бы им было хорошо. Как они выглядят, Палома тоже хорошо представляла: чуть не в каждой комнате гостевого крыла стояли и висели фотографии, на которых дети были сняты с Марком или отдельно. Было также несколько фотографий Дженнет, из чего Палома заключила, что Марк все еще любит свою бывшую жену.

Она не ошиблась. Это действительно было так, и все же визит в Нью-Йорк дался Марку очень нелегко. С тех пор, как он в последний раз виделся с детьми — а это было еще в Лос-Анджелесе, — прошло уже больше месяца, однако Дженнет считала, что Марк должен был дать им больше времени, чтобы освоиться на новом месте. Встретила она его холодно, почти враждебно, но Марк догадался — Дженнет ужасно нервничает. Она до сих пор ничего не сказала детям о существовании Эдама и теперь боялась, что Марк может проговориться. Эдам со своей стороны тоже донимал ее вопросами, когда же наконец она познакомит его с детьми и они смогут жить вместе. Дженнет обещала, что это будет скоро, но продолжала откладывать решительный момент. Ей не хотелось, чтобы дети догадались — это она виновата в том, что им пришлось переехать в Нью-Йорк. Кроме того, Дженнет боялась, что Эдам не понравится детям или что они не примут его, храня верность отцу. Вот почему, когда Марк встретился с ней, Дженнет держалась сковранно, напряженно, и видно было, что она места себе не находит. У Джейсона и Джессики тоже был не особенно счастливый вид, но они, по крайней мере, были искренне рады приезду отца.

На время его визита в Нью-Йорк дети поселились вместе с ним в «Плазе». Марк водил их в театр и в кино; в субботу утром он повез Джессику по магазинам, а вечером они долго гуляли в Центральном парке под дождем, стараясь разобраться в ситуации. Не успел он оглянуться, как настал вечер воскресенья; Марку пора было возвращаться в Лос-Анджелес, а между тем он чувствовал, что ему так и не удалось восстановить с детьми прежние доверительные отношения. Джессика и Джейсон продолжали недоумевать, почему их семья — некогда такая дружная и счастливая — вдруг развалилась, а Марк не мог открыть им правду, да и роль «приходящего папы» была ему внове. В результате весь обратный перелет он чувствовал себя подавленным и несколько раз задумывался, не будет ли лучше для всех, если он переселится в Нью-Йорк поближе к детям.

Эти мысли не оставляли его всю неделю, и даже в следующие выходные, выйдя позагорать к бассейну, Марк все еще думал над своей, как ему казалось, неразрешимой проблемой. От мрачных раздумий его отвлек фургон-пикап, въехавший в главные ворота и свернувший на дорожку, ведущую к флигелю. «Ага, вот и новый жилец», — понял Марк и, встав с шезлонга, отправился вслед за машиной.

Когда он подошел к флигелю, Джимми уже выгружал из

фургона коробки и ящики. Марк поздоровался и предложил ему свою помощь.

Несколько смутившись, Джимми ответил, что будет очень рад. Бо́льшую часть мебели и других вещей он сдал на долгосрочное хранение, оставив себе только фотографии в рамках, некогда завоеванные им кубки и призы, спортивное снаряжение, одежду, коллекцию магнитофонных записей и компакт-дисков, а также все музыкальное оборудование. И все равно коробок набралась целая гора, и даже вдвоем с Марком они разгружали фургон почти два часа и совсем выбились из сил. К тому моменту, когда работа была закончена, они уже познакомились, и Джимми пригласил Марка к себе выпить пива, на что тот с радостью согласился.

— Сколько коробок, и все такие тяжелые! — заметил Марк, потягивая пиво из высокого бокала с эмблемой, видимо, какого-то яхт-клуба. Бокал принадлежал Купу и был из драгоценного венецианского стекла, а то, что Марк принял за эмблему яхт-клуба, было на самом деле гербом одного из родовитых итальянских семейств. — Что у тебя там — гантели или коллекция шаров для кеглей?

В ответ Джимми пожал плечами и улыбнулся:

— Будь я проклят, если знаю! До этого мы жили в небольшой двухкомнатной квартирке на Венис-бич, а перед переездом большую часть вещей я отправил на хранение. Мне казалось — буду переезжать с одним-двумя чемоданами, но барахла набралось на целую машину.

Оказалось, все его книги, бумаги, бесчисленные компакт-диски прекрасно поместились в шкафах и чуланах, которых во флигеле было великое множество. Но прежде чем раскладывать вещи по местам, Джимми открыл самую большую коробку с фотографиями и, достав оттуда портрет Маргарет, поставил на каминную полку и долго стоял перед ним, глядя на любимое лицо. Это был один из самых любимых его снимков: на нем Маргарет была запечатлена на берегу озера в Ирландии, она только что поймала крупную рыбу, и ее лицо сияло счастьем и торжеством. Огненно-рыжие волосы Маргарет были собраны на макушке, глаза задорно блестели, и выглядела она не больше чем на шестнадцать лет. На самом же деле снимок был сделан всего за год до ее болезни, когда они в последний раз ездили в Ирландию, но Джимми казалось — с тех пор прошла целая вечность.

Он обернулся и наткнулся на взгляд Марка, который пристально за ним наблюдал.

— Красивая женщина, — сказал Марк. — Твоя подружка?

Джимми отрицательно покачал головой. Ему потребовалось сделать над собой немалое усилие, чтобы ответить, но в конце концов он проговорил негромко:

— Моя жена.

— Прости меня, ради бога! Как давно это случилось? — спросил он, решив, что Джимми и его жена расстались — совсем как он с Дженнет.

— Завтра вечером исполнится ровно семь недель, — ответил Джимми тихо. В глазах его заблестели слезы, которые он тщетно старался сдержать. Джимми еще никогда и ни с кем не говорил о смерти Маргарет, но он знал, что рано или поздно этого не избежать, к тому же Марк произвел на него хорошее впечатление. К тому же Джимми надеялся, что, живя по соседству, они в конце концов подружатся.

— А мы с Дженнет расстались полтора месяца назад, — мрачно сообщил Марк. — Она ушла от меня к... к другому мужчине. Теперь она живет в Нью-Йорке вместе с детьми. На прошлой неделе я их навещал, но... Мне их очень не хватает.

— Мне очень жаль, — с сочувствием выговорил Джимми. Он ясно видел в глазах Марка затаенную боль, которая могла сравниться разве только с его собственными страданиями. — Дети-то большие?

— Джейсону — тринадцать, а Джессике — пятнадцать. У меня отличные дети, Джимми, и они ненавидят Нью-Йорк. Если уж Дженнет суждено было полюбить другого, я бы предпочел, чтобы это оказался кто-то из местных. Тогда мне и детям было бы намного легче. Впрочем, они пока не знают, что у их матери кто-то появился. А у тебя есть дети?

— Нет. Мы с Маргарет только собирались завести малыша, но... не успели, — объяснил Джимми и сам удивился своей откровенности. Казалось, их с Марком объединяет что-то невидимое, но прочное и глубокое. Это была, несомненно, сходная боль сердец, острое чувство неожиданной потери и горя. Жизнь обошлась сурово с обоими, и поэтому подсознательно их потянуло друг к другу, как только они поделились пережитым.

— Что ж, может, это и к лучшему, — заметил Марк. — Мне кажется, в семьях, где есть дети, развод часто оборачивается трагедией, хотя, возможно, я ошибаюсь. — Он беспомощно пожал плечами, и Джимми внезапно понял, о чем думает его новый товарищ.

— Мы не развелись, — сказал он глухо.

— Тогда, может быть, еще не все потеряно и вы снова поладите, — с оптимизмом проговорил Марк. Он, впрочем, в этом сомневался — такой исход в его глазах был бы равнозначен чуду, но, как бы то ни было, он желал этого чуда для Джимми. Но, бросив на него быстрый взгляд, он заметил в его глазах такую боль, что у него мороз пробежал по коже.

— Маргарет умерла, — глухо сказал Джимми.

— О господи!.. Извини меня, я не хотел... Я думал... Что с ней случилось? Автомобильная авария? — Он бросил взгляд на фотографию на каминной полке. Марку не верилось, что этой прекрасной и юной женщины, которая, смеясь, держит в руках серебристую рыбину, уже нет в живых. Это казалось ему невероятным, невозможным, и он подумал, что Джимми, должно быть, совершенно раздавлен этой потерей.

— Нет. Опухоль мозга. У Маргарет начались сильные головные боли... Она обратилась к врачам, но было уже поздно — они ничего не смогли сделать. Через два месяца ее не стало... — Джимми помолчал и добавил: — Обычно я не говорю об этом, но сегодня... Я уверен, ей бы очень понравился этот дом. Родители Маргарет были из Ирландии, из графства Корк, и она тоже была ирландкой до мозга костей. Такие дома можно встретить только там.

Сердце Марка разрывалось от жалости к Джимми. Но единственное, что он мог, это сочувствовать ему, поэтому Марк не стал тратить время впустую и помог Джимми разложить вещи по местам, оттащил на второй этаж с полдюжины тяжелых коробок. Некоторое время они почти не разговаривали, но к тому времени, когда все ящики были расставлены по комнатам и открыты, Джимми вполне овладел собой.

— Спасибо тебе за помощь, — сказал он, пожимая Марку руку. — Не знаю, сколько бы я возился один. Этот переезд... Знаешь, я до сих пор хожу как в тумане. У нас с Маргарет была отличная квартира, но мне было слишком тяжело там оставаться, вот я и решил перебраться на другое место. А тут подвернулся этот домик. Сто́ит он, конечно, недешево, но, мне кажется, я правильно сделал, что переехал именно сюда. Понимаешь, это... — Он не договорил, но Марк его отлично понял. Новое место, не связанное с горькими воспоминаниями, должно было подействовать благотворно на израненную душу Джимми.

— Я и сам никак не могу опомниться после своего переезда, — сказал он, отчасти чтобы утешить Джимми. — Мне пришлось продать наш старый дом, чтобы отдать половину денег Дженнет. Сам я переселился в отель поближе к работе, и в первое время меня это устраивало. Я не обращал внимания на все те звуки, которые преследуют человека по ночам даже в очень хорошем отеле. Мне было все равно, но... Я давно знаком с одним человеком, он — личный бухгалтер нашего хозяина, Купера Уинслоу; он-то и предложил мне снять гостевое крыло в его усадьбе. Сначала я не хотел никуда переезжать, но стоило мне увидеть «Версаль», как я просто влюбился в него. Кроме того, я подумал, что, если дети приедут ко мне на каникулы, им будет здесь очень хорошо. И вот я здесь, и пока я очень доволен. Это все равно что жить в парке. Главное, теперь я сплю как ребенок, хотя в отеле я, бывало, не смыкал глаз до самой зари. Будет желание — заходи посмотреть, как я устроился — в моей квартире все совсем не так, как у тебя, но мне нравится. Надеюсь, моим ребятам понравится тоже. — Марк думал об этом почти постоянно с тех пор, как на прошлой неделе побывал в Нью-Йорке и понял, что дети так и не смирились с новыми обстоятельствами. Джессика постоянно ссорилась с матерью и даже грозилась уйти из дома. Джейсон, напротив, стал угрюмым, неразговорчивым и замкнулся в себе. Да и сама Дженнет была не в лучшей форме. Над ней постоянно довлело сознание того, что она разбила, поломала жизни близких ей людей, а новая счастливая жизнь никак не налаживается. И никто не мог сказать, чем все это закончится.

— Сейчас мне надо срочно принять душ, — сказал Джимми и улыбнулся Марку. — Я обязательно зайду к тебе, когда ты будешь дома. Кстати, ты играешь в теннис? Если хочешь, мы могли бы после обеда сыграть. — Он не брал в руки ракетку с тех пор, как умерла Маргарет, но сейчас Джимми чувствовал необходимость сделать что-то для Марка.

— Было бы неплохо, — согласился Марк, которому идея Джимми пришлась по душе. — Правда, я еще не был на корте. До сих пор я ходил только в бассейн, он здесь совсем рядом. Когда я переехал сюда, решил, что каждый вечер после работы буду проплывать метров пятьсот — говорят, это полезно для сна, но все как-то не было времени.

— А ты встречал Купа? — с неожиданным для него самого интересом спросил Джимми, и Марк отметил про себя, что к его новому знакомому начинает возвращаться интерес к жизни. — Я имею в виду — лицом к лицу. Что он за человек? Он такой же, как на экране, или другой?

— Увы, я ни разу с ним не разговаривал, да и видел его только мельком, когда он въезжал или выезжал из поместья. И каждый раз с ним была какая-нибудь сногсшибательная красотка, очевидно — из моделей или молодых актрис. Мистер Уинслоу знает толк в удовольствиях.

Джимми ухмыльнулся:

— Он уже лет пятьдесят состоит в плейбоях. Я думаю, он всю жизнь и занимался тем, что поддерживал этот имидж. Насколько я знаю, Куп не снимался уже лет пятнадцать, возможно, даже больше.

— Мне кажется, в последнее время дела его не слишком хороши, именно поэтому он решил пустить жильцов, — заметил Марк. — Как бы там ни было, нам с тобой повезло.

— Я так и подумал, — кивнул Джимми. — Флигель — ладно, но зачем бы ему понадобилось сдавать часть дома, если бы он не нуждался в деньгах? А содержать такой особняк стоит, наверное, очень недешево.

— Его бухгалтер, мой знакомый, с которым я работаю, рассчитал недавно всю прислугу. Быть может, мы с тобой доживем до того дня, когда знаменитый мистер Уинслоу сам начнет пропалывать клумбы и подстригать живые изгороди, — сказал Марк, и они оба рассмеялись.

Минут через пятнадцать Марк попрощался с Джимми и вернулся к себе. Он был рад новому знакомству, а работа, которую Джимми вел в Уоттсе, произвела на него большое впечатление. И конечно, ему было жаль и его, и его жену. Постигшее Джимми несчастье было еще более страшным, чем его собственные неприятности — у него-то никто не умер, к тому же у них с Дженнет были дети, тогда как его новый друг остался совершенно один.

Через час Джимми зашел за Марком. Он выглядел свежим и бодрым. На нем были короткие шорты и майка, а под мышкой Джимми держал теннисную ракетку и банку с мячами. Комнаты, в которых жил Марк, поразили его своей роскошью. Квартира в гостевом крыле была совсем не похожа на флигель с его простой обстановкой, но Джимми тут же подумал, что жить здесь он бы, наверное, не захотел. Квартира в гостевом крыле была совсем не в его вкусе; впрочем, Марк, скорее всего, был прав, когда утверждал, что его детям здесь понравится. Много свободного места и бассейн под боком — это было именно то, что так нравится подросткам.

— А Куп не возражал против того, что с тобой будут жить дети? — спросил Джимми.

— Нет, а что? — удивился Марк. — Я сказал риелтору, что они сейчас в Нью-Йорке и что если они и приедут, то только на каникулы.

— Со слов риелтора я знаю, что Куп недолюбливает детей. Впрочем, я понимаю — он, наверное, боится за мебель, обои и посуду. — Джимми улыбнулся. — Но я, к примеру, только рад, что флигель сдавался вместе с обстановкой. Наша прежняя мебель вряд ли бы была здесь уместной, поэтому я и отправил ее на хранение. Если уж приходится начинать все сначала, то делать это лучше с чистого листа, чтобы ничто не напоминало о... о прошлом, не так ли?

— Я отдал Дженнет все, кроме своей одежды. Мне казалось, что детям будет легче освоиться в Нью-Йорке, если их будут окружать привычные вещи. Поэтому я рад, что гостевое крыло полностью обставлено — в противном случае мне пришлось бы покупать новую мебель. А это, сам понимаешь, дело долгое, да оно и не для... одинокого мужчины. Уж лучше жить в отеле, на всем готовом. Должно быть, отчасти поэтому я и ухватился за предложение Эйба. Я приехал сюда с двумя чемоданами, развесил костюмы на вешалки — и готово! Я — дома.

— Да, — согласился Джимми. — Ты прав. Я, наверное, тоже не стал бы снимать квартиру без мебели.

Они отправились на корт, но он их разочаровал. Покрытие оказалось слишком жестким и не очень ровным, поэтому они просто немного погоняли мяч и отправились в бассейн. Джимми загорал, Марк проплыл метров четыреста и присоединился к нему. Некоторое время они нежились на солнце, лениво переговариваясь, потом Джимми собрался возвращаться к себе во флигель. Но прежде чем уйти, он пригласил Марка на ужин. Среди кухонной утвари он обнаружил все необходимое для барбекю и решил справить новоселье, зажарив на углях несколько бифштексов, которые по привычке купил для двоих.

— Согласен, — кивнул Марк. — В таком случае за мной вино.

Через два часа он был уже у флигеля с бутылкой очень приличного каберне. Сидя на террасе, они разговаривали о жизни, спорте, работе, о детях Марка и о малыше, которого Джимми хотелось бы иметь. Только о женах не было сказано ни слова — эта тема причиняла обоим слишком сильную боль. Марк признался, что не испытывает никакого желания снова встречаться с женщинами, а Джимми ответил, что и он, наверное, никогда не сможет смотреть на женщин и не вспоминать Маргарет. Во всяком случае, в данный момент он думал и чувствовал именно так, хотя ему и было ясно — для тридцатитрехлетнего мужчины это очень непростое решение. В конце концов оба решили, что самое разумное в их положении — плыть по течению, а там видно будет.

Потом они заговорили о Купе — о том, что он собой представляет как личность. Джимми предположил, что, если человек слишком долго придерживается принятого в Голливуде образа жизни, его восприятие действительности в конце концов серьезно искажается или, по крайней мере, претерпевает значительные изменения. Эта теория показалась обоим довольно правдоподобной, к тому же она подтверждалась фактами из биографии Купера, которые оба знали по сенсационным статьям в газетах.

Пока Джимми и Марк сидели на веранде, Куп лежал в постели с Шарлен. Она была весьма разносторонне одаренной в сексуальном плане, и с ней Куп проделывал такие штуки, о которых не помышлял уже многие годы. С Шарлен он чувствовал себя молодым и полным сил, и это ему очень нравилось. Она в свою очередь вела себя с ним то как ласковый котенок, то как тигрица, которую необходимо было укрощать и покорять, поэтому бо́льшую часть вечера и ночи Куп был весьма занят. Лишь утром он ненадолго задремал. Шарлен тем временем спустилась в кухню, чтобы приготовить ему завтрак. Она собиралась удивить Купа изысканным угощением, а потом снова заняться с ним любовью.

Шарлен стояла в кухне в одних трусиках и в сабо на высокой платформе, когда щелкнул замок на двери черного хода. Обернувшись через плечо, Шарлен увидела Марка. Он был в одном белье, его светлые волосы были всклокочены со сна, в глазах застыло недоумение.

— Привет. Меня зовут Шарлен, — сказала девушка без малейшего смущения. Она даже не сделала попытки прикрыться, просто стояла перед ним с таким видом, словно на ней было вечернее платье и туфли на шпильках. Ее лицо выражало лишь легкое недоумение (Куп сказал ей, что вся прислуга, кроме одной горничной, отправлена им в отпуск), но Марк ничего не заметил, так как смотрел главным образом на высокую пышную грудь, трусики и длинные-предлинные ноги. Ему потребовалась почти минута, чтобы прийти в себя и вспомнить о приличиях.

— Простите, ради бога, — пробормотал он смущенно. — Палома говорила — Куп никогда не пользуется кухней по выходным. А моя кофеварка сломалась... Вот Палома и дала мне ключ, чтобы я мог...

В ответ Шарлен дружелюбно кивнула:

— Понятно! Если хотите, я сварю вам чашечку кофе, пока Куп спит, — сказала она непринужденно, и Марк решил, что перед ним, вероятно, одна из тех молодых актрис или моделей, которых Куп так любил приглашать в гости.

Всего пару недель назад он видел его с блондинкой, а Шарлен была брюнеткой, но Марк тут же подумал, что его это не касается. Куп мог менять подружек хоть каждую ночь, если ему это нравилось.

— Нет, спасибо, но... Я, пожалуй, пойду. Извините, что я так... ворвался, — пробормотал он, почти помимо своей воли опуская взгляд. Марк очень хотел не смотреть на ее груди, но это оказалось невероятно трудно, благо что они соблазнительно покачивались перед ним.

— Ничего страшного, — успокоила его Шарлен, которую, казалось, нисколько не смущала собственная нагота. Положение было настолько комичным, что не будь Марк так растерян, он бы непременно рассмеялся.

Пока он приходил в себя, Шарлен сварила большую чашку кофе и протянула ему.

— Вы — один из жильцов Купа, да? — спросила она самым светским тоном, пока Марк, прижимая чашку к груди, осторожно пятился к двери.

— Да, — кивнул он. Интересно, за кого она его приняла? За грабителя? За постороннего, который зашел с улицы посмотреть, как живут знаменитости? — Знаете, — поспешно добавил Марк, — мне кажется, будет лучше, если вы ничего не скажете Купу. Я больше вас не побеспокою. Завтра же я куплю новую кофеварку и буду готовить кофе сам. — Впрочем, он тут же пожалел о своих словах: Шарлен была потрясающе красивой девчонкой, и Марк хотел бы взглянуть на нее еще разок.

— Не волнуйтесь, я ничего ему не скажу. — Шарлен достала из холодильника пакет с апельсиновым соком и налила в стоявший на подносе стакан. — Хотите сока? — спросила она Марка, который наконец достиг выхода.

— Нет, благодарю вас. Спасибо за кофе, Ша... Шарлен. — И Марк поспешно закрыл за собой дверь. Заперев ее за собой, он перевел дух и вдруг улыбнулся во весь рот. Ему казалось, он только что видел очень яркий и соблазнительный сон. Сама ситуация, впрочем, напоминала эпизод из плохого кино, однако Марк не мог не отдать должного великолепной фигуре и роскошным волосам Шарлен. Она как будто околдовала его — во всяком случае, он до сих пор видел перед собой чувственные изгибы ее тела, хотя и уговаривал себя, что не должен об этом думать.

Все еще посмеиваясь над собой, Марк стал одеваться. Ему не терпелось рассказать Джимми о своем утреннем приключении. Залпом проглотив кофе, он вышел из гостевого крыла и зашагал к флигелю.

Джимми сидел на веранде, пил кофе и читал газету. Увидев на дорожке Марка, он улыбнулся и приветственно махнул рукой.

— Как дела? — спросил он.

— Ни за что не догадаешься, где я сегодня пил кофе и с кем! — выпалил Марк, забыв поздороваться.

— Конечно, не догадаюсь, — кивнул Джимми. — Но если судить по выражению твоего лица, твой завтрак прошел в приятной обстановке. Ты похож на кота, нализавшегося сметаны.

— Так оно и есть, — со смехом согласился Марк и рассказал другу о сломанной кофеварке, о том, как Палома дала ему ключи от хозяйской кухни, о том, как сегодня утром он отправился туда и наткнулся на Шарлен, которая стояла перед ним в чем мать родила.

— Похоже, мое появление ее ни капли не смутило, — заявил Марк. — Шарлен держалась так, словно все происходящее для нее — в порядке вещей. Она даже приготовила мне кофе!

— Тебе повезло, — заметил Джимми и тоже улыбнулся. — Я раньше думал — подобные вещи случаются только в кино или в телепостановках.

— Еще как повезло, — согласился с ним Марк. — Представляешь, что было бы, если бы я наткнулся на самого Купа! Пожалуй, он бы меня выставил к чертовой матери.

— Ну, я думаю, до этого бы не дошло, — возразил Джимми и фыркнул, представив себе Марка в одном белье и обнаженную красотку, подающую ему кофе.

— Она предложила мне и апельсиновый сок, — хвастался Марк. — Но я решил, что лучше не рисковать и не задерживаться в кухне.

— Апельсинового сока у меня нет, могу предложить тебе только еще одну чашечку кофе, — сказал Джимми. — Правда, я, наверное, не сумею подать его тебе так, как эта твоя новая знакомая, зато к кофе у меня есть сливки и ром.

— С удовольствием выпью кофе с ромом — мне нужно привести в порядок нервную систему, — со смехом ответил Марк. Они вели себя как двое подростков, сбежавших с уроков, однако их отношения были куда глубже, чем просто приятельскими, хотя они и познакомились только вчера. Сходные обстоятельства жизни связали их быстрее и крепче, чем годы обычного общения. В том, что они оказались соседями, оба видели перст судьбы. У каждого были свои друзья, свой круг общения, но в последнее время оба замкнулись в себе, избегали даже самым искренним образом высказанного сочувствия. Это была инстинктивная самоизоляция тяжело раненного зверя, который прячется в нору, чтобы в одиночестве зализывать раны, и им обоим очень повезло, что в своем несчастье каждый нашел себе товарища. Друг с другом и Марку, и Джимми было куда легче, чем с теми людьми, которых они знали, когда еще были женаты. И хотя боль еще даже не начинала затихать, подсознательно оба были рады тому, что у них появилась возможность начать жизнь заново.

После кофе Марк вернулся в гостевое крыло. Он захватил с работы кое-какие документы и теперь хотел с ними поработать. Но после обеда они с Джимми снова встретились возле бассейна. Марк успел съездить в ближайший магазин и купить новую кофеварку; что касалось Джимми, то он все утро распаковывал оставшиеся вещи и раскладывал их по шкафам. Он расставил на видных местах фотографии Маргарет. Как ни странно, Джимми было не так одиноко, когда он постоянно видел ее лицо; фотографии угнетали его гораздо меньше, чем вещи, которыми Маргарет пользовалась когда-то, поэтому-то он и сдал их на хранение. Кроме того, несколько раз по ночам он просыпался с ужасной мыслью, что не помнит ее лица; теперь же ему было достаточно бросить взгляд на фотографию, чтобы немного успокоиться.

— Ну, как работа? — спросил Джимми у Марка, лениво вытянувшись в полосатом шезлонге. — Все сделал или оставил на завтра?

— Да, сделал почти все, — улыбнулся Марк. — И еще я

купил новую кофеварку. Завтра утром надо будет вернуть Паломе ключи от черного хода. Надеюсь, у нее не будет никаких неприятностей. Сам я туда больше не пойду! — Он представил себе Шарлен и снова улыбнулся.

— Чего-то подобного следовало ожидать, — заметил Джимми, имея в виду Купа. — Сегодня ты столкнулся с голой девицей в кухне, а завтра с полдюжины обнаженных красоток будут плескаться в бассейне, когда ты явишься сюда загорать. Что ты будешь делать тогда?

— Пойду на корт, — кротко сказал Марк и покачал головой. — Разумеется, ты прав — Куп ведет себя так, как он привык; возможно, он не может иначе, и я был к этому готов. К чему я оказался не готов, это к тому, что мне придется наблюдать за его проказами из первого ряда партера.

— По-моему, занятие не хуже прочих, — заметил Джимми.

Они просидели у бассейна еще полчаса, неспешно болтая о самых разных вещах. Вдруг позади них негромко скрипнула калитка забора, которым был обнесен бассейн. Обернувшись, оба увидели высокого мужчину с густыми седыми волосами, в облегающих джинсах, крахмальной голубой сорочке и мягких кожаных туфлях из крокодиловой кожи. Выглядел он безупречно, и оба приятеля невольно подтянулись, словно подростки, которых директор школы застал за каким-то неподобающим занятием. Впрочем, пользоваться бассейном им было разрешено по договору, и Куп, увидев их из окна, спустился вниз только затем, чтобы познакомиться со своими жильцами.

— Прошу вас, сидите! — Куп поднял обе руки успокаивающим жестом и ослепительно улыбнулся. — Я хотел только поприветствовать моих гостей.

Услышав слово «гости», Джимми и Марк переглянулись. Если они и были гостями, то весьма прибыльными — с каждого из них Куп получал по десять тысяч долларов в месяц.

— Мы ведь еще не знакомы, — продолжал тем временем актер. — Меня зовут Купер Уинслоу, для друзей просто Куп. — Он пожал руки сначала Марку, потом — Джимми. — Итак, кто из вас живет во флигеле, а кто — в доме? Откуда вы? Чем вы занимаетесь? Были ли вы знакомы между собой раньше?

Судя по этим вопросам, они были интересны Купу не меньше, чем он — им, к тому же Куп улыбался так радушно и приветливо, что друзья почувствовали себя совершенно свободно и непринужденно.

— Я — Марк Фридмен и живу в гостевом крыле, — представился Марк. — Я юрист из Лос-Анджелеса. Мы с Джимми познакомились только вчера, когда он переехал.

— А мое имя — Джимми О'Коннор, — сказал Джимми. — Я социальный работник и живу у вас во флигеле. — Он не привык тушеваться, да и радушие Купа развеяло первоначальную неловкость, но в глубине души оба чувствовали себя будто на экзамене. Это, впрочем, не мешало им незаметно разглядывать знаменитого актера, и в конце концов оба пришли к выводу — все, что говорилось о Купере Уинслоу, было чистой правдой. Природный шарм, умение с первых слов очаровать собеседника, энергичные жесты, простая, но элегантная одежда, подтянутая фигура, правильные черты лица и безупречная прическа — на все это просто невозможно было не обратить внимания и не оценить по достоинству. Выглядел он просто превосходно, и если бы им пришлось гадать, оба не дали бы Купу и шестидесяти, хотя ему и исполнилось семьдесят. Неудивительно, что и мужчины, и женщины были от него без ума. Для многих Купер стал воплощением голливудского стиля, который он поддерживал, несмотря на перипетии своей актерской службы.

Опустившись в свободное кресло, Куп величественно улыбнулся Марку и Джимми.

— Надеюсь, — сказал он, — вы хорошо устроились в своих, э-э-э... новых квартирах?

— Да, разумеется, нам там очень удобно, — поспешил ответить Марк, молясь про себя, чтобы Шарлен не рассказала Купу об их утренней встрече. Он боялся, что она все-таки проболталась и Куп пришел сюда специально, чтобы сделать ему выговор.

— Это замечательный дом, — добавил он льстиво, стараясь не вспоминать об обворожительной женщине в почти невидимых трусиках, которая готовила ему кофе. Джимми в свою очередь понял, о чем думает приятель, и лукаво ему подмигнул.

— Мне тоже всегда нравился мой «Версаль», — сказал Куп, слегка наклонив свою породистую голову. — Заходите как-нибудь ко мне, я покажу вам дом, а потом мы вместе поужинаем, — добавил он, но тут же вспомнил, что у него нет больше ни повара, ни дворецкого, ни даже слуги, который умел бы подавать на стол. Теперь, если Куп хотел пригласить кого-то к обеду, ему необходимо было заказывать обед и нанимать обслугу из ресторана, а ему почему-то казалось, что Эйб этого не одобрит. Паломе же он не особенно доверял; Куп уже убедился, что готовить она умеет, однако, если его гости ей не понравятся, она засыплет все блюда перцем, а потом будет уверять, что «мы в Сальвадор все так кушать». Для него самого оставалось загадкой, почему он мирится с подобным положением, почему не уволит Палому и не возьмет на ее место кого-то более покладистого. Вероятно, ее упрямство и независимость вызывали в нем если не симпатию, то что-то вроде уважения. Иначе Куп просто не мог объяснить, почему он терпит в своем доме эту своевольную девчонку, которая к тому же позволяет себе не одобрять людей, с которыми он общается.

— Откуда вы приехали в Лос-Анджелес? — спросил он, решив переменить тему.

— Я из Бостона, — первым ответил Джимми. — В Лос-Анджелесе я живу восемь лет, и мне здесь очень нравится.

— А я приехал сюда из Нью-Йорка, — сказал Марк. По привычке он чуть не добавил «с женой и детьми», но вовремя прикусил язык. Ему не хотелось объяснять, как вышло, что он остался один, — это было бы унизительно, к тому же Купа это, скорее всего, не интересовало.

— Вы оба приняли правильное решение, — кивнул Куп. — Я тоже родом с Восточного побережья, но давно уже не выношу тамошний климат, в особенности зимы. Нет, что ни говори, а жизнь в Лос-Анджелесе гораздо приятнее.

— В особенности — в таком дворце, как ваш, — с восхищением заметил Джимми. Куп с каждой минутой нравился ему все больше, и вовсе не потому что он, знаменитость, вот так запросто болтал с ними — людьми, занимающими в жизни куда более скромное положение. Было в нем что-то естественно подкупающее. Даже восхищение, которое Джимми и Марк и не думали скрывать, он воспринимал как нечто само собой разумеющееся, и это тоже располагало к нему обоих приятелей. Он как будто отлично знал, что красив и обаятелен, но ничуть не ставил себе это в заслугу. Внешность, стиль и шарм были его рабочими инструментами, с помощью которых Куп на протяжении полувека зарабатывал себе на жизнь.

— Что ж, надеюсь, вам обоим будет здесь хорошо. А если возникнут какие-то трудности — дайте мне знать, — сказал Куп, и Джимми посмотрел на Марка, ожидая, что тот пожалуется на неработающую плиту и кофеварку, но Марк промолчал. Он уже решил, что починит их сам и вычтет стоимость ремонта из арендной платы за следующий месяц. Упоминать о кофейной проблеме он по-прежнему не хотел, боясь, что Шарлен вопреки своему обещанию все же рассказала Купу об утреннем инциденте.

Купер еще немного поболтал с жильцами, потом, одарив их одной из своих самых ослепительных улыбок, попрощался с ними и ушел. Марк и Джимми долго смотрели ему вслед, потом переглянулись.

— Вот это да!.. — выпалил Марк. — В его годы — и так выглядеть! Боюсь, что мне с ним не равняться — к семидесяти годам я буду горбатым, плешивым старикашкой в толстенных очках и с палочкой. Если я вообще доживу до семидесяти... — Еще никогда в жизни мужчина не производил на него столь сильного впечатления. Такого красавца, каким Купер Уинслоу оказался вблизи, а не на экране, ему еще не приходилось встречать. Джимми, впрочем, не разделял восторгов друга.

— Все это так, но есть один вопрос, — сказал он, покачивая головой. — Есть там внутри сердце, или все это — просто эффектная внешность, актерское мастерство и отличный портной?

— А если этого достаточно? — философски заметил Марк, думая о Дженнет. Ему казалось — она никогда бы не ушла от такого обаятельного, красивого и остроумного мужчины, как Купер Уинслоу. Рядом с ним Марк чувствовал себя совершенным ничтожеством — во всяком случае, все время, пока Куп сидел с ними у бассейна, он ожесточенно боролся с острейшим комплексом неполноценности.

— Нет, недостаточно, — решительно возразил Джимми. — Ведь все, что бросается в глаза, — это просто привлекательная оболочка, скорлупа, поза. Он говорит красивые слова, но они ничего не значат. Пустые речи и эффектная внешность — вот и весь Купер Уинслоу. Взгляни хотя бы на женщин, с которыми он имеет дело, точнее, которые имеют дело с ним. Сам подумай, какая женщина нужна будет тебе лет через тридцать — скудоумная сексуальная красотка или человек, с которым можно серьезно и искренне поговорить на любую тему?

— Могу я немного подумать над твоими словами? — смиренно осведомился Марк, и оба рассмеялись.

— О'кей, о'кей, — согласился Джимми. — Я ничего не имею против секса, но что потом? Секс сегодня, секс завтра, через тридцать лет — тоже секс! Этак и с ума сойти недолго! Нет, я за разнообразие. У жизни слишком много сторон, граней, чтобы ее можно было свести лишь к плотским удовольствиям и постели.

Маргарет и была такой, многосторонней, многогранной, бесконечно интересной и неисчерпаемой личностью. Именно личностью! Образованная, жизнерадостная, умная, веселая, сексуальная, она воплощала в себе все, что Джимми было интересно в жизни, и он никогда бы не променял ее ни на одну из красоток Купера Уинслоу. Да и Марк, скорее всего, реагировал на Шарлен на чисто физиологическом уровне, в то время как для жизни ему нужна была такая женщина, как Дженнет. И все же даже Джимми не мог не признать, что, по крайней мере, со стороны Куп выглядел как человек, который обеспечил себя всем необходимым и теперь доволен и счастлив.

— Красотку в трусиках Куп может оставить себе, — сказал Джимми. — Будь у меня выбор, я бы предпочел туфли из крокодиловой кожи. Такие, как у него. Превосходная пара!

— Хорошо, бери себе туфли, а я возьму женщину, — ухмыльнулся Марк. — Слава богу, Шарлен не проболталась, что видела меня у него на кухне.

— Я догадался, что ты только об этом и думал, пока Куп сидел с нами, — рассмеялся Джимми. Марк нравился ему все больше и больше. Он был вполне приличным человеком, придерживавшимся той же шкалы ценностей, что и сам Джимми. Кроме того, с ним было очень легко общаться, и Джимми был рад, что они не только встретились, но и подружились.

— Итак, позади основной пункт нашей программы — знакомство с настоящей кинозвездой, — подвел итог Джимми. — Надеюсь, ты не особенно разочарован.

— Почему это я должен быть разочарован? — удивился Марк.

— Потому что ты небось считал, что актеры, особенно знаменитые, это высшие существа, сотканные из тончайших атмосферных флюидов, а наш мистер Уинслоу — определенно человек из плоти и крови. Хотел бы я знать, кто гладит ему рубашки — уж не та ли длинноногая цыпочка? Мои рубашки, к примеру, до сих пор выглядят так, словно их корова жевала. Маргарет принципиально их не гладила; она говорила — это противоречит ее религиозным убеждениям. — Маргарет была ревностной католичкой и к тому же убежденной феминисткой. Когда Джимми в первый раз попросил ее постирать и погладить рубашку, она чуть не ударила его подвернувшимся под руку утюгом.

— Я ношу свое барахло в химчистку. Это совсем недалеко, — поделился своим житейским опытом Марк. — Но если говорить откровенно, то во всем, что касается домашнего хозяйства, я полный профан. Например, на прошлой неделе я обнаружил, что у меня нет свежих сорочек, пришлось купить полдюжины новых. Что касается постельного белья и уборки, то я договорился с Паломой — я ей плачу, а она прибирается в комнатах и стирает белье. По-моему, ей нужны деньги, так что, если ты ее попросишь, она не откажется убираться и у тебя. Вообще Палома мне симпатична, — неожиданно добавил Марк. Палома действительно была очень добра к нему; она казалась не только умелой и сноровистой, но и достаточно умной женщиной, хорошо знающей жизнь и не боящейся высказывать свое мнение. Каждый раз, когда Марк рассказывал ей о своих детях, она старалась успокоить его, и он был бесконечно благодарен ей за это.

— Ну, уборка меня не пугает, — улыбнулся Джимми. — Видел бы ты, как я управляюсь с пылесосом и чисткой ванны. Видишь ли, Маргарет терпеть не могла убираться, поэтому все необходимое я делал сам, для меня это дело привычное.

Марк не решился спросить, чем ж, в таком случае занималась Маргарет. С точки зрения Джимми, который был от нее без ума, она, несомненно, состояла из одних только достоинств. Но когда впоследствии Джимми упомянул, что они познакомились в Гарварде, Марк понял — Маргарет действительно была женщиной незаурядной и талантливой.

— А мы с Дженнет встретились в школе права, — сказал он. — Но она, к сожалению, так и не работала по специальности. Вскоре после того, как мы поженились, Дженнет забеременела в первый раз, а потом ей пришлось заниматься домом и детьми.

— Именно поэтому у нас с Маргарет так долго не было детей, — грустно сказал Джимми. — Она, бедняжка, буквально разрывалась между карьерой и желанием завести ребенка. В вопросе материнства Маргарет была настоящей ирландкой — она считала, что матери должны сидеть дома и воспитывать детей, пока они не вырастут, и не соглашалась ни на какие полумеры вроде детских садов, приходящих нянь, пансионов. Я знал, что так или иначе этот вопрос утрясется, поэтому я особенно не волновался, но... — Чего он не знал, это того, какая беда случится с Маргарет.

Почувствовав, что разговор опять принимает серьезный оборот, Марк и Джимми по обоюдному молчаливому согласию сменили тему и еще немного поговорили о Купе. Было уже около шести вечера, когда Джимми направился к себе. Сегодня к нему должны были приехать двое коллег, которых он собирался угостить ужином. Джимми приглашал и Марка, но тот тактично отказался, сославшись на то, что ему нужно еще немного поработать. На самом деле он не пошел к Джимми из суеверного страха, что слишком частое общение способно разрушить их отношения, которые начали складываться так удачно. Кроме того, ему хотелось еще раз проштудировать новое налоговое уложение. Как бы там ни было, приятели разошлись по квартирам, уверенные, что воскресный день прошел совсем неплохо. За сегодня они не только лучше узнали друг друга, но и познакомились с самим Купером Уинслоу, и он их, к счастью, не разочаровал. Куп и в самом деле был тем, кем его считали — живой голливудской легендой со всеми характерными для этого высокого титула недостатками и достоинствами.

И пока Джимми шагал по тропинке ко флигелю, Марк поднялся на крыльцо гостевого крыла. Отворяя дверь, он снова представил себе ослепительную красотку в крошечных трусиках и улыбнулся. Ну и счастливец же этот Купер Уинслоу, подумал Марк, оценивающе глядя на себя в зеркало.

Глава 7

Лиз позвонила Куперу в понедельник, на следующий день после того, как он познакомился с Джимми и Марком. Куп был очень рад ее звонку. Лиз была замужем уже целую неделю, но даже в разгар своего медового месяца она продолжала беспокоиться о боссе.

— Ты где? — спросил Куп, и в его голосе прозвучали ревнивые нотки. Он никак не мог привыкнуть к тому, что Лиз не приходит к нему с докладом каждое утро, и мысль о том, что она променяла работу у него на объятия какого-то мужчины, не особенно льстила его самолюбию. Впрочем, против самой Лиз Куп ничего не имел. «Во всем виноват этот брокер из Фриско, черт бы его драл!» — думал он каждый раз, когда сталкивался с проблемой, которая никак не давалась ему и которую Лиз решила бы за несколько секунд.

— На Гавайях, — ответила Лиз с гордостью. Всюду, где требовалось назвать свое полное имя — в отелях, в аэропорту, фирме по прокату автомобилей, — она пользовалась своей новой фамилией, и хотя зваться Лизбет Теодор Фортинбрасс было непривычно и странно, ей это нравилось. Теперь она даже жалела, что не вышла замуж за Теда раньше. Дело было не только в новом имени — замужество принесло ей множество новых и приятных ощущений, и всю неделю она жила словно в прекрасном сне.

— Гавайи, фи! Как скучно!.. — поддразнил ее Куп. — Другое дело — отправиться с экспедицией на Юкатан или в дебри Амазонки. Знаешь что, бросай-ка ты этого своего брокера и возвращайся ко мне. Развод я тебе устрою.

— Не смей так говорить!.. — в притворном ужасе воскликнула Лиз. — Я теперь добропорядочная, замужняя дама! — О том, что когда-нибудь она все-таки выйдет замуж, Лиз уже почти и не мечтала, и появление Теда было для нее даром небес.

— Ах, Лиз, Лиз, я готов в тебе разочароваться. Мне казалось, у тебя есть и характер, и воля. Что же с тобой случилось? Мы с тобой были последними бастионами безбрачия. Теперь я остался совсем один!

— Может быть, тебе тоже стоит подумать о том, чтобы жениться? Поверь, это совсем не страшно, даже наоборот... — Лиз рассмеялась. — Кроме того, женатые мужчины платят меньше налогов — так сказал Тед. Подумай над этим!

Лиз очень нравилось быть замужем, к тому же она была уверена, что вышла за хорошего человека. Тед был очень предупредителен и мил, и Куп не мог не порадоваться за Лиз, хотя и продолжал считать, что по большому счету она его подвела.

— Вот и Эйб говорит то же самое... Ну, что мне следует жениться, — ответил Куп. — Он сказал, что я должен найти богатую вдовушку и окрутить ее. Представляешь, какие вещи мне приходится выслушивать от человека, которому я же плачу деньги?

— Не такая уж это плохая идея, — поддела его Лиз. Она, как ни старалась, не могла представить Купа женатым мужчиной. Он слишком привык к холостяцкой жизни и получал от нее огромное наслаждение, так с чего бы ему захотелось надевать себе на шею брачный хомут? Да и вряд ли бы он удовольствовался одной женщиной; чтобы не заскучать, Куперу необходим был целый гарем.

— Идея, может быть, и неплохая, но осуществить ее было бы затруднительно. Я не встречал по-настоящему богатых женщин уже лет сорок. Просто не представляю, где они прячутся!.. Кроме того, я всегда предпочитал их дочерей. — Сказать «внучек» было бы правильнее, но ни Лиз, ни сам Куп к подобной точности не стремились — за годы самого тесного общения они привыкли понимать друг друга вообще без слов. Кроме того, в свое время Куп встречался и с юными наследницами, и со вдовами миллионеров (тоже, впрочем, далеко не старыми), однако этот опыт нисколько его не изменил, и он по-прежнему предпочитал подающих надежды актрис и топ-моделей. Лиз не могла обвинить его в том, будто он идет по пути наименьшего сопротивления, так как доподлинно знала: в жизни патрона была и индийская принцесса, и дочери саудовских нефтяных магнатов, однако все они довольно быстро надоедали Купу, и тогда он бросал их, погнавшись за новой красотой и новыми, еще более волнующими ощущениями, которые, казалось, поджидали буквально за каждым углом, приняв облик очередной «Мисс Латинская Америка» или даже «Мисс Вселенная». Лиз подозревала, что Куп не успокоится и будет стараться заглянуть за новый поворот, даже если доживет до ста лет. Быть свободным ему очень нравилось, а выбрать между личной свободой и «Версалем» он был не способен. Нет, Куп вполне верил Эйбу и Лиз, когда они говорили о его финансовых проблемах, — верил и даже воспринимал их всерьез, но... ничего не предпринимал. Кажется, он был твердо убежден, что все неприятности исчезнут сами собой, как тает легкое облачко в жарком июльском небе.

— Я просто хотела убедиться, что у тебя все в порядке, — сказала Лиз. Ей действительно очень не хватало Купа. За двадцать с лишним лет, что она у него проработала, она очень привязалась к нему и продолжала любить даже теперь, когда у нее появились свои дела, свои заботы.

— Как там Палома, справляется?

— О, другой такой горничной в целом свете не сыщешь! — убежденно ответил Куп. — Она делает на завтрак резиновые омлеты, тоннами кладет во все блюда красный перец и превратила мои любимые шерстяные носки в детские пинетки. Кроме того, у нее отвратительный вкус: Палома просто обожает ярко-красные туфли на высоком каблуке и солнечные очки с фальшивыми бриллиантами. Впрочем, мне они уже почти нравятся. Короче говоря, Лиз, это настоящее сокровище. Интересно было узнать, где ты ее откопала?

Палома действительно нередко раздражала его, но вместе с тем Куп находил их противостояние довольно забавным.

— Она очень неплохая женщина, Куп, — сказала Лиз виноватым тоном. — И если Палома вдруг ошибется, ты должен ее поправить. Вот увидишь, она быстро научится. Беда в том, что она работала с другими горничными всего месяц и не успела изучить твои вкусы и требования. Жаль, Ливермор ушел — он бы ее вышколил.

— Я уверен — Ливермор держал бы ее в подвале в кандалах, — проворчал Куп. — И я порой думаю, что именно так мне и следует поступить. Кстати, Лиз, вчера я разговаривал с моими гостями...

— С какими гостями? — удивилась Лиз. О гостях она слышала впервые.

— Ну, с теми, которые живут один во флигеле у северных ворот, а другой — в гостевом крыле...

— Ах, с этими гостями!.. Теперь понимаю. Ну и как они тебе?

— Довольно приличные люди. Я бы даже сказал — респектабельные. Один из них — юрист, кажется по налогам, а второй — социальный работник, совсем молодой парень; впрочем, он учился в Гарварде. Они оба хорошо воспитаны, и я согласен терпеть их присутствие сколь угодно долго, если только они не начнут швырять в бассейн окурки и бутылки из-под пива. К счастью, они оба не курят, и вообще — они мало похожи на наркоманов, арабских террористов и закоренелых преступников. Кажется, с гостями мне повезло.

— Да, — поддержала его Лиз. — Риелтор уверял меня, что они оба — милые, хорошие люди.

— Дай бог, чтобы он не ошибся. Я не склонен спешить с выводами, но пока никаких проблем я не вижу, — напыщенно сказал Куп, и у Лиз немного отлегло от сердца. Она очень волновалась, сумеет ли ее патрон поладить с жильцами.

— Кстати, — неожиданно спросил Куп, — зачем ты мне звонишь? Я хотел сказать — неужели у тебя нет других, более приятных занятий? Насколько я понимаю, как раз сейчас ты должна заниматься сексом где-нибудь на пляже с этим твоим водопроводчиком!

— Он не водопроводчик, он — биржевой маклер, — рассмеялась Лиз. — Тед сейчас занят — он играет в гольф с одним из своих клиентов.

— Позор! — возмутился Куп. — Притащить на Гавайи

клиента, да еще в свой медовый месяц! Это плохой знак, Лиз. Мой тебе совет: разведись с ним немедленно. — Куп шутил, и Лиз была очень рада слышать его веселый голос.

— Тед встретился с клиентом уже здесь, — со смехом ответила она. — Так что все в порядке, можешь не волноваться. Через неделю мы вернемся домой, и я тебе позвоню. А пока — веди себя хорошо и не покупай слишком много бриллиантовых колье, иначе Эйба хватит удар.

— И поделом ему, — с чувством сказал Куп. — Знаешь, бо́льшего зануды я, пожалуй, еще не встречал. Назло ему возьму и пошлю тебе бриллиантовое ожерелье — ты, по крайней мере, этого заслуживаешь.

— Не стоит, Куп, — поспешно возразила Лиз. — Ведь у меня есть твое кольцо, я ношу его каждый день, и оно мне очень нравится. Ну ладно, пока. Будь паинькой, договорились?

— Не волнуйся, Лиз. Спасибо за звонок. — Куп произнес эти слова искренне. Он скучал по Лиз, хотя и не признавался себе в этом. С тех пор как она ушла от него, он чувствовал себя так, словно его корабль лишился не только опытного рулевого, но и руля и, неуправляемый, стрелой несется навстречу неведомым опасностям. Как он сумеет обойтись без нее, Куп не представлял. Лиз одна заменяла ему целый секретариат, и, только лишившись ее, он понял, что потерял.

Куп снова вспомнил о Лиз, когда, открыв свою записную книжку, увидел сделанную ее четким почерком запись о том, что сегодня его ждут на приеме у четы Шварц. Шварцы вот уже два десятилетия были центром общества, вокруг которого вращалась вся голливудская светская жизнь. Арнольд Шварц был известным продюсером, а его жена Луиза — актрисой средней руки; впрочем, в пятидесятых она была в большой моде. Идти к ним на прием ему не хотелось; Куп предпочел бы провести вечер в постели с Шарлен, но он знал, что, если его не будет, Шварцы обидятся, а взять ее с собой он не мог. Для общества, куда он отправлялся, она была чересчур непосредственна и экстравагантна. Забавляться с ней Куп мог сколько угодно, но появляться в публичном месте не стоило.

Все женщины делились для Купа на несколько категорий. Шарлен, например, принадлежала к так называемым «девушкам для домашнего пользования» и не годилась для выходов в свет. Да, она была красива, но, как деликатно выражался Куп, «пользовалась широкой неизвестностью». Иными словами, она была в буквальном смысле никем и ничем, но и это было бы полбеды, если бы у нее было хотя бы крошечное актерское дарование. В этом случае Куп мог бы помочь ей, «подсадить на первую ступеньку», для чего как раз и нужно было выводить Шарлен в свет как можно чаще. Увы, Куп уже убедился, что карьера порноактрисы — это ее потолок. На большее Шарлен была просто не способна.

На официальные церемонии, премьеры и приемы «по случаю» Куп и вовсе ходил только с известными моделями и знаменитыми киноактрисами. Это было нужно для рекламы, ибо пресса обожала новейшие сплетни из жизни звезд. На фуршетах, вечеринках с коктейлями и прочих полуофициальных мероприятиях он мог позволить себе появиться с кем-то из восходящих «звездочек» кино или подиума, во-первых, потому, что это ему нравилось, а во-вторых, потому что Куп чувствовал необходимость поддерживать свой образ и репутацию нестареющего донжуана. Но к Шварцам он предпочитал ходить один. У них всегда собиралось много интересных людей, и Куп никогда не знал заранее, кого он может там встретить. Поэтому, чисто с практической точки зрения, ему было гораздо удобнее быть одному, чем с кем-либо, да и Шварцы предпочитали принимать его «без довеска», как однажды прямолинейно выразился Арнольд в дружеской беседе.

Руководствуясь этими соображениями, Куп позвонил Шарлен и предупредил, что сегодня вечером будет очень занят и не сможет с ней встретиться. Шарлен, однако, не особенно огорчилась. По ее словам, она все равно собиралась заняться стиркой и привести в порядок ноги, да и выспаться как следует ей бы тоже не помешало. Это последнее утверждение было явной ложью, поскольку Купер был абсолютно убежден: в чем в чем, а в сне Шарлен точно не нуждается. Они провели вместе уже несколько довольно бурных ночей, но, несмотря на это, Шарлен оставалась бодрой и свежей, словно ей все было нипочем. Сам же Куп по утрам теперь чувствовал себя не лучшим образом, хотя и старался этого никогда не показывать.

После разговора с Шарлен Куп отправился в ресторан, где у него была назначена встреча с продюсером. Затем последовали сеанс массажа и маникюр. Вернувшись домой, Куп немного вздремнул, а проснувшись — выпил бокал шампанского и начал одеваться. В восемь часов вечера он уже садился в «Бентли», за рулем которого — как и всегда в подобных важных случаях — сидел наемный шофер.

— Добрый вечер, мистер Уинслоу. Вы выглядите просто превосходно, — сказал шофер, улыбаясь Купу. Он возил его уже несколько лет, как, впрочем, и других знаменитостей, и зарабатывал на этом хорошие деньги. Куп, правда, предпочитал водить свои машины сам, но если уж он пользовался услугами шофера, то платил щедро.

— Спасибо, приятель, — отозвался Куп. — Ты, я погляжу, тоже в отличной форме. А теперь — едем. Я чувствую, сегодняшний вечер будет удачным.

Когда Куп приехал в огромный особняк Шварцев на Бруклин-драйв, здесь уже собралось больше сотни гостей. Они стояли и сидели в большом зале для приемов, пили шампанское и говорили комплименты хозяйке. Луиза Шварц выглядела очень стильно в темно-синем вечернем платье и сапфировом ожерелье, которое сверкало и переливалось при каждом её движении. Вокруг нее толпилась неизменная свита: экс-президенты и экс-первые леди, видные политики, кинопромышленники, продюсеры, режиссеры, юристы и известные адвокаты, актеры и актрисы. Все они часто снимались и были достаточно популярны, но ни один из них не был так знаменит, как Куп. Стоило ему появиться в зале, как его тотчас окружила толпа поклонников и поклонниц. Кто-то просил автограф, кто-то пытался договориться о протекции, но большинство просто хотело высказать ему свое восхищение.

Через час, заполненный светской болтовней, гостей пригласили в обеденный зал. Там Куп оказался за одним столом с другим известным актером — своим ровесником, двумя знаменитыми сценаристами, известным голливудским агентом и директором одной из крупнейших киностудий. Студия планировала снимать картину, главная роль в которой прекрасно подходила Купу, и он решил поговорить с директором после ужина.

По правую руку от Купа восседала одна из стареющих голливудских светских львиц, чьи приемы тщились конкурировать с вечеринками у Шварцев, но оставались лишь их бледным подобием. Слева от него сидела молодая женщина, которая была Купу незнакома. У нее были тонкие, аристократические черты лица, большие карие глаза, матовая светлая кожа и черные шелковистые волосы, собранные на затылке в низкий пучок, как у балерин с картин Дега.

— Приятный вечер, — сказал Куп, обращаясь к соседке слева. Он заметил, что она гибка и грациозна, и решил, что она, возможно, в самом деле танцует. Когда официанты начали подавать первое блюдо, Куп спросил ее об этом, но она в ответ рассмеялась. Как она сказала, еще никто не задавал ей подобного вопроса, и она была польщена подобным предположением. Молодая женщина знала, с кем разговаривает; ее же имя Куп прочел на карточке, стоявшей рядом с прибором. Ее звали Александра Мэдисон, но это имя ничего ему не говорило.

— На самом деле я резидент[1], — сказала она, но для Купа это был пустой звук.

— Какой разведки? — спросил он с улыбкой. — Надеюсь, не русской? — Александра была совсем не похожа на девушек, с какими он обычно имел дело. Красивая, ничуть не жеманная, она держала себя с ним уверенно, как с равным. Еще он заметил, что у нее красивые руки, но ногти были подстрижены коротко, и на них не было никакого лака — даже прозрачного. На Александре было белое атласное платье, подчеркивавшее стройную фигуру, да и лицо у нее было свежее и молодое.

— Я резидент в больнице, — объяснила она. — Я — врач.

— Как интересно! — воскликнул Куп. — И какова ваша специализация? Дело в том, что мне срочно нужен геронтолог...

---

[1] Резидент — ординатор, прикомандированный к профильной больнице для специализации и живущий на ее территории или поблизости.

И он засмеялся собственной шутке, Александра тоже улыбнулась.

— Боюсь, я ничем не могу быть вам полезной, если только у вас нет детей. Я — врач-педиатр. Неонатолог, если быть точной.

— Ужасно люблю детей, особенно жареных, — сказал Куп и снова широко улыбнулся, демонстрируя превосходные зубы. — В сыром, естественном виде я их не перевариваю. Это просто маленькие чудовища!

— Я не верю, что вы такой кровожадный, — покачала головой Александра и рассмеялась.

— Честное благородное слово! — Куп театральным жестом прижал руку к груди. — Я терпеть не могу детей, и они платят мне той же монетой. Должно быть, они чувствуют, что, будь моя воля, я бы держал их в клетках до совершеннолетия. Я начинаю любить детей только после того, как они превращаются во взрослых; особенно это касается молодых девушек.

Говоря так, Куп нисколько не кривил душой. Детей он не любил и... побаивался. Всю свою жизнь он старался не иметь никаких дел с женщинами, у которых были дети. Дети все усложняли, и Куп мог припомнить по крайней мере несколько вечеров, которые были безнадежно испорчены только из-за того, что чей-то ребенок захворал. Нет, решил он в конце концов, если уж имеешь возможность выбирать, лучше общаться с женщинами, у которых нет детей. Такие женщины никогда не торопятся домой, чтобы отпустить приходящую няню, не звонят через каждые пятнадцать минут, если их ребенок заболел, не хвастаются успехами своего чада в школе или в детском саду и так далее и тому подобное. Куп отчасти именно поэтому и предпочитал молоденьких женщин. Те, что были старше тридцати, как правило, оказывались мамашами, обремененными тысячью забот, которые не имели никакого отношения к нему, Куперу Уинслоу.

— Очень жаль, что вы детский врач, — вздохнул он. — Я бы предпочел, чтобы вы были укротительницей тигров или балериной. Вам бы это очень пошло. Подумайте об этом как следует, Александра, — ведь вы еще молоды, и вам не поздно сменить профессию.

Болтать с ним было забавно, к тому же Куп произвел на Александру очень приятное впечатление. Да и она, по его словам, очень ему понравилась, несмотря даже на неудачный выбор профессии и строгую прическу.

— Что ж, обещаю подумать, — кротко сказала Александра. — Что бы вы сказали, если бы я переквалифицировалась в ветеринары?

— Ни в коем случае! — горячо возразил Куп. — Собак я тоже не люблю, они топчут клумбы. Кроме того, они разносят шерсть по всему дому, рычат и кусаются. К тому же от них пахнет псиной. Иными словами, собаки едва ли не хуже детей. Нет, мисс Александра, нужно придумать для вас нечто такое... эдакое... Как бы вы посмотрели, если бы я предложил вам стать актрисой? У вас есть для этого все данные — по крайней мере внешние.

— Не думаю, что из этого что-нибудь выйдет, — сказала Александра, пока официант накладывал ей на блины русскую икру. — Когда-то в школе я участвовала в любительском спектакле и с треском провалилась. Ведь актерство — это не профессия, а призвание, разве не так? — И она посмотрела на него долгим внимательным взглядом.

Куп кивнул в ответ. Ему вдруг стало удивительно хорошо. Приемы у Шварцев всегда отличались приятной, дружеской атмосферой, но сейчас к этому прибавилось нечто большее, и Куп догадывался, что это может быть. Эта молодая женщина, сидевшая рядом с ним, держалась так непринужденно и открыто, что у него стало тепло на душе. Глядя на нее, Куп гадал, кто она такая и откуда здесь взялась. На сборища у Шварцев обычно не приглашали врачей, если только они не были светилами в своей области, но Александра, по всей видимости, не испытывала ни малейшего смущения от того, что оказалась в избранном обществе. Напротив, она чувствовала себя совершенно свободно, словно вся ее жизнь прошла на банкетах и приемах, подобных этому. Это бросалось в глаза практически сразу, хотя платье Александры было довольно простого покроя, а из украшений она не надела ничего, кроме нитки жемчуга и сережек с мелкими бриллиантами. Несмотря на это, Куп почему-то был уверен, что она хорошо обеспечена. Похоже, за ней стояли деньги, большие деньги, но как, на чем простой врач мог сколотить себе состояние?

— Возможно, вы правы, — ответил он на ее вопрос, про себя отметив такт, с которым она перевела разговор на него самого. Александра была, бесспорно, умна, и это тоже ему понравилось. — Но я никогда не думал о своем ремесле как о призвании. Оно мне просто нравилось.

— И поэтому вы стали актером?

— Именно поэтому, — не моргнув глазом ответил Куп. — Представлять других людей очень интересно. Кроме того, где еще я мог бы щеголять в фирменных шмотках да еще получать за это немалые деньги? Это гораздо приятнее, чем ваша работа. У себя в больнице вы целый день ходите в белом халате со стетоскопом на груди и прячете за спиной шприц, и все равно при вашем появлении дети начинают плакать и так и норовят, э-э-э... стошнить прямо вам на колени.

— Отчасти вы правы, — согласилась Александра. — К счастью, дети, с которыми я работаю, слишком малы, чтобы причинить столько беспокойства. Я работаю с новорожденными младенцами в отделении интенсивной терапии.

— Какая гадость! — Куп скорчил брезгливую гримасу. — Они, должно быть, размером не больше мыши, и все такие уродливые и мокрые! Что ж, вам не позавидуешь! — Он широко улыбнулся, и продюсер напротив посмотрел на него с восхищением и завистью. Когда Куп пытался произвести на женщину приятное впечатление, на это стоило посмотреть; в искусстве обольщения он достиг такого мастерства, о каком другим мужчинам оставалось только мечтать. Впрочем, Александра оказалась для него достойной соперницей. Она была умна, сообразительна, обладала быстрой реакцией и не собиралась позволять Купу смутить себя.

— Чем еще вы занимаетесь? — продолжал расспрашивать ее Куп.

— С восемнадцати лет я вожу собственный самолет, люблю серфинг и скалолазание. Несколько раз я прыгала с парашютом, но моя мама так за меня переживала, что я обещала ей больше этого не делать. Разумеется, я играю в теннис, гольф и катаюсь на горных лыжах. Когда-то я пробовала себя в мотогонках на льду, но отец был против, и я решила его не волновать. А еще я год работала в Кении сестрой милосердия — это было перед самым поступлением в медицинский колледж.

— У вас ярко выраженные суицидальные наклонности, — заметил Куп. — Слава богу, что у вас такие разумные родители. Вы с ними часто видитесь?

— Только в самых крайних случаях, — честно ответила Александра, и Куп поразился ее выдержке и силе духа. С каждой минутой Александра восхищала его все больше и больше.

— А где они живут? — спросил он с искренним интересом.

— Зимой — в Палм-Бич, а на лето они перебираются в Ньюпорт и ведут там скучную, однообразную жизнь. Мне это совсем не нравится, поэтому папа и мама считают меня чем-то вроде революционерки.

— Вы замужем? — снова поинтересовался Куп. Он уже заметил, что Александра не носит обручального кольца, и хотя это ничего не значило, Куп почти не рассчитывал на положительный ответ. Он знал, что она свободна — на эти вещи у него было особое чутье.

— Нет, — ответила Александра, немного поколебавшись, а потом добавила: — Хотя я чуть было не вышла за одного молодого человека. — Обычно она старалась не распространяться на эту тему, но с Купом было так легко и просто, что Александре захотелось быть с ним откровенной.

— Вот как? Что же случилось?

Тонкие черты лица девушки застыли на мгновение, и хотя она продолжала улыбаться, в глазах появилось выражение обиды и горя.

— Мой жених бросил меня у алтаря. Он сбежал из-под венца в буквальном смысле слова.

— Какой паршивец! — воскликнул Куп. — Терпеть не могу людей, которые позволяют себе подобные вещи. А вы? — Он уже жалел, что задал этот вопрос, и теперь старался любой ценой отвлечь Александру от грустной темы. Куп видел, что собственная откровенность причинила ей боль, и его уважение к этой молодой женщине выросло еще больше.

— Надеюсь, — добавил он в порыве чувств, — ваш жених упадет в яму со змеями или попадет в реку с крокодилами. Мне кажется, он этого заслуживает.

— Это с ним и произошло, — кивнула Александра и, заметив удивленное выражение на лице Купа, уточнила: — Фигурально выражаясь, он действительно упал в яму со змеями — дело в том, что он женился на моей родной сестре.

Это была не самая подходящая тема для первого знакомства, но Александра была уверена, что больше никогда не встретится с Купом, поэтому и была с ним так откровенна.

— Как это пошло! — поморщился Куп. — И после этого вы продолжаете общаться?

— Только когда нет другого выхода, — коротко ответила Александра. — Именно тогда я и уехала в Кению. Это был очень интересный год, и я всегда буду его помнить. — Она подавала ему знак, что больше не хочет говорить о своем неудавшемся замужестве, и Куп понял это. И без того она говорила с ним откровеннее, чем обычно разговаривают с посторонними людьми, и Куп восхищался ее отвагой и мужеством. Стараясь отвлечь Александру от грустных воспоминаний, он стал рассказывать ей о своем последнем африканском сафари, которое обернулось для него множеством неудобств, моральных и физических страданий. В качестве почетного гостя его как-то пригласили в национальный заповедник, но вместо того, чтобы ублажать Купа, проводники начали пугать его бесчисленными опасностями, ночевки устраивали в палатках с москитным пологом и торжественно вручили тяжеленное ружье для охоты на буйволов. Тогда Куп действительно расклеился и страдал по-настоящему, но теперь его рассказ звучал так забавно, что Александра несколько раз принималась весело смеяться.

Сидя за столом, они прекрасно проводили время и едва обращали внимание на своих ближайших соседей. Куп очень огорчился, когда ужин подошел к концу и Александра встала, чтобы поговорить с приятелями, которых заметила за дальним столом. На самом деле это были друзья ее родителей, но не подойти к ним было бы невежливо, поэтому ей пришлось извиниться перед Купом и сказать, что она была очень рада познакомиться с таким интересным человеком. Александра говорила совершенно искренне. Встреча с Купом сделала этот вечер у Шварцев ярким событием в ее жизни.

— У меня не так много свободного времени, чтобы бывать на светских раутах, — сказала Александра. — Я и здесь-то оказалась только потому, что миссис Шварц знакома с моей матерью; она меня и пригласила. По чистой случайности сегодняшний вечер был у меня свободным, и я рада, что не осталась дома. — С этими словами она крепко пожала Купу руку и ушла, а уже через секунду рядом с ним оказалась Луиза Шварц.

— Берегись, Куп! — шутливо сказала она. — Александра совсем не так проста, как кажется. А если ты надумаешь закрутить с ней роман, ее папаша тебя просто прибьет.

— Он что, главарь мафии? — удивился Куп. — Мне показалось, что Александра — вполне респектабельная юная леди.

— Именно поэтому он тебя и убьет, просто по стенке размажет. Ее отец — Артур Мэдисон.

Это имя было хорошо известно не только Купу, но и всей стране. Артур Мэдисон был стальным королем, главой огромной финансово-промышленной империи и обладателем крупнейшего в мире состояния. А его дочь работала врачом-педиатром в заурядной клинике. Это было весьма необычно, но Куп не успел подумать, что здесь не так. В его ушах настойчивым рефреном звучали слова Эйба Бронстайна: «Найди себе богатую вдовушку, и все твои проблемы будут решены». А Александра была не просто богата — она была одной из самых богатых женщин в стране, возможно — в мире, и вместе с тем она была проста, естественна и умна. Больше того, у нее были индивидуальность и мужество, и не заинтересоваться такой девушкой было просто невозможно. Она олицетворяла собой ходячий вызов всем инстинктам Купа, поэтому на протяжении всего вечера он наблюдал за ней — за тем, как она ведет себя, как разговаривает с другими людьми. Снова они столкнулись лицом к лицу, когда прием подошел к концу и гости стали разъезжаться. Куп специально рассчитал время таким образом, чтобы оказаться на крыльце одновременно с Александрой. Указав на ожидавший его «Бентли», он спросил небрежно:

— Хотите, я подвезу вас?

Его голос звучал совсем по-дружески, да он и сам был воплощением доброжелательности. Куп попытался определить возраст Александры. Должно быть, ей лет тридцать; таким образом, он был на четыре десятилетия старше. Но это ни в малой степени не смущало Купа: он не выглядел на свой возраст, да и чувствовал он себя намного моложе. Конечно, огромное состояние придавало дополнительный шарм Александре. Но интерес Купа был вызван отнюдь не этим. Она нравилась ему сама по себе. Александра — Алекс — была независима, самостоятельна и не производила впечатления человека, который позволит играть с собой как с вещью. Если ее рассказ правдив, то однажды она обожглась, и Куп понимал, что теперь Александра будет очень осторожна. Что касалось ее, а точнее отцовского, состояния, то это обстоятельство лишь добавляло остроты и азарта сюжету, который начал складываться в голове Купа, однако сейчас не деньги были для него главным. Александра понравилась ему сразу. А после разговора с ней его интерес стал еще острее. Как ни удивительно, но она привлекла его в первую очередь как личность, и личность незаурядная, а красота, богатство были лишь приятным гарниром к главному блюду.

— Спасибо, но я почти на машине, — вежливо ответила Александра, улыбнувшись ему. Как раз в этот момент один из служителей подкатил к крыльцу на крошечном «Фольксвагене», и Александра снова улыбнулась.

— В скромности вам не откажешь, — заметил Куп, растерянно разглядывая изрядно побитый и поцарапанный драндулет. — Может быть, вы арабская принцесса инкогнито?

— Да нет, не в этом дело! — воскликнула Александра, явно наслаждаясь его замешательством. — Просто я терпеть не могу тратить деньги на автомобили. Машина должна ездить, больше ничего от нее не требуется. Впрочем, я редко куда езжу. Почти все время я работаю, а до квартиры проще дойти пешком.

— Ну конечно, для вас главное — эти мышата! — проговорил Куп и комично сморщился. — Может быть, подумаете о том, чтобы переквалифицироваться в косметологи? Очень выгодный бизнес, особенно здесь, в Голливуде.

— Я хотела, но, увы, не смогла сдать экзамены, — мгновенно парировала она. — Я не очень ловко управляюсь с иглой и ножницами.

— Что ж, рад был познакомиться с вами, Александра, — проговорил Куп, глядя на нее неотразимыми голубыми глазами и поглаживая потрясающий подбородок с соблазнительной ямочкой.

— Зовите меня просто Алекс, — ответила она. — Я тоже была рада познакомиться с вами, мистер Уинслоу.

— Если вы будете называть меня мистер Уинслоу, я стану величать вас доктор Мэдисон. Что вы на это скажете?

— Скажу, что Алекс звучит гораздо лучше. — В последний раз улыбнувшись Купу, она села в свой помятый рыдван. Алекс, как видно, нисколько не беспокоило то обстоятельство, что на прием к Шварцам она приехала в такой потрепанной машине.

— Спокойной ночи!

И, махнув ему рукой на прощание, Алекс отъехала.

— Спокойной ночи, доктор! — крикнул ей вслед Куп. — Примите на ночь два аспирина, а завтра утром позвоните мне — я знаю отличное лекарство от похмелья.

Алекс услышала и рассмеялась, и Куп, садясь на заднее сиденье «Бентли», улыбнулся тоже. Он уже решил, что завтра утром непременно пошлет Луизе Шварц огромный букет цветов. Куп был рад, что не взял с собой сегодня Шарлен. Он провел прекрасный вечер в обществе Алекс Мэдисон, которая затмила всех женщин, с которыми он был знаком до сих пор.

«Хотел бы я знать, — подумал Куп, откидываясь на спинку сиденья, — что из этого выйдет?»

Глава 8

На следующее после приема утро Куп отправил Луизе Шварц огромную корзину голубых лилий и приложил благодарственную записку. Он также собирался позвонить ее секретарю и узнать номер телефона Алекс Мэдисон, но решил, что позвонит прямо в больницу и попытается разыскать ее самостоятельно.

Дозвонившись до больницы, он попросил соединить его с отделением неонатальной интенсивной терапии. Дежурная сестра долго справлялась со списком резидентов, прежде чем продиктовала Купу номер пейджера Алекс. По ее словам, врач Мэдисон была на дежурстве, но к телефону подойти не могла. Куп сразу же позвонил на пейджер и был разочарован, когда спустя час Алекс все еще ему не перезвонила.

Два дня спустя Куп собирался отправиться на вручение премии «Золотой глобус»[1]. Его пригласили на эту церемонию по установившейся традиции, хотя вот уже двадцать лет он не номинировался ни на одну из престижных кинематографических наград. И тем не менее Куп все еще оставался звездой первой величины и одним своим присутствием способен был придать любому событию блеск и значимость.

На церемонию вручения премии Куп должен был идти с Ритой Вейверли — одной из известнейших кинозвезд последних трех десятилетий. Бывать с ней на подобных мероприятиях Куп очень любил, так как их совместное появление неизменно приводило прессу в состояние искреннего экстаза. Когда-то между ними существовала и романтическая связь, которая то вспыхивала, то угасала, и на этом основании в свое время его пресс-атташе пустил слух, будто Куп и Рита собираются пожениться. Тогда Рита была очень недовольна, однако со временем гнев ее угас, а добрые отношения сохранились и по сей день. В то, что они могут составить счастливую супружескую пару, никто уже давно не верил — слишком уж часто их видели вместе. И все же Куп всегда был рад, когда ему представлялась возможность появиться на публике с Ритой. Несмотря на возраст (ее пресс-секретарь утверждал, что Рите сорок девять, но Куп знал, что ей уже стукнуло пятьдесят семь), она оставалась удивительно красивой женщиной, и рядом с ней Куп смотрелся даже эффектнее, чем обычно.

---

[1] Премия «Золотой глобус» присуждается прессой за лучшие работы в кино и на телевидении.

Куп заехал за Ритой в ее особняк на Беверли-Хиллз. Меньше чем через три минуты после того, как он подъехал, Рита вышла к нему в белом атласном платье с глубоким вырезом. Платье плотно облегало ее тело, которое в последние годы не только было регулярно истязаемо голоданием по китайской системе, но и подверглось всем мыслимым видам хирургического вмешательства, кроме разве удаления простаты и пересадки сердца. Впрочем, невозможно было не признать, что пластические хирурги, которые кромсали, подтягивали, перекраивали ее плоть, добились сногсшибательного успеха. Рита выглядела очень сексапильно и молодо; ее красоту дополняло бриллиантовое ожерелье стоимостью в три миллиона долларов, которое весьма уютно чувствовало себя в глубокой впадинке между пышными грудями, так же увеличенными и подтянутыми с помощью умелого хирургического вмешательства. В руках Рита держала белоснежное норковое манто, которое казалось невесомым, будто облако. Как и Куп, она была живым воплощением Голливуда, его славного прошлого и настоящего. Вместе они составляли идеальную пару, и, увидев их, журналисты пришли в настоящее неистовство — как, впрочем, и всегда.

— Куп! Сюда! Взгляните сюда! Рита!.. Куп!!! — кричали фоторепортеры, ловя удачный кадр. Охотники за автографами протягивали к ним свои блокноты. Тысячи фотовспышек слепили глаза, и Куп и Рита улыбались, поворачиваясь то направо, то налево. Этого вечера хватило бы, чтобы питать их тщеславие на протяжении последующих десяти лет, но оба слишком привыкли к известности и славе, чтобы всерьез задумываться о таком пустяке, как снимки во всех газетах, специальные репортажи, съемки для телевидения и прочее. Для кого-то это было в новинку, но они жили этим уже много лет и, наверное, уже не могли существовать иначе.

— Что вы думаете о номинантах этого года? — этот вопрос им задавали через каждые пять шагов, и Куп, не задумываясь, отвечал:

— Прекрасная работа! Очень впечатляет! Лет десять тому назад такое невозможно было и представить. Чудесно! У меня просто нет слов!

Из-за этих неизбежных задержек им потребовалось около получаса, чтобы добраться до своего места за небольшим столиком. Первым номером в программе значился небольшой банкет, и только после этого должна была начаться сама церемония, которую транслировали сразу семь крупнейших телевизионных каналов. Но хотя съемка еще не началась, корреспондентов в зале было уже предостаточно, и Куп держал себя с Ритой дружески любезно. Он придвинул ей кресло, взял у нее норковое манто, подал бокал с шампанским и улыбнулся своей знаменитой улыбкой.

— Я почти жалею, что не вышла за тебя замуж, — поддразнила его Рита, хотя обоим было совершенно ясно, что, хотя они и друзья, все эти знаки внимания делаются исключительно ради шоу, в котором все они были актерами, даже когда не работали для большого экрана. Их репутация была такова, что малейшего намека на романтические отношения было бы достаточно, чтобы вновь — как когда-то — сделать обоих сенсацией дня. Между тем истина, не известная никому, кроме их двоих, заключалась в том, что они никогда не были близки. Лишь однажды Куп ради эксперимента поцеловал Риту, однако она оказалась слишком эгоцентрична, чтобы он мог терпеть ее возле себя достаточно долго. То же самое, впрочем, было справедливо и в отношении его самого, поэтому с тех пор их отношения оставались сугубо платоническими. И Куп, и Рита были достаточно умны и осторожны, чтобы ввязываться в заранее обреченный проект.

Как только началась трансляция, телевизионные камеры сразу нашли в зале Купа и Риту и дали крупный план.

— Вот это да!.. — воскликнул Марк, всем телом подаваясь к телевизору. Они с Джимми сидели на веранде флигеля, пили пиво и, за неимением ничего лучшего, смотрели трансляцию церемонии вручения «Золотого глобуса». Они даже заключили шуточное пари, увидят они Купа или нет, но ни один из них не ожидал, что его будет так много. Камеры задерживались на нем и его спутнице до неприличия долго, словно это он был главным номинантом премии и единственным виновником сегодняшнего торжества.

— Ты видел, а? — Марк показал на экран, и Джимми не сдержал улыбки.

— Господи Иисусе, а ведь наш хозяин, похоже, действительно шишка на ровном месте. Он знаком, наверное, со всеми знаменитостями Голливуда. Кто это с ним? Рита Вейверли? Для своих ста пятидесяти с хвостиком она выглядит просто отлично... — Но, несмотря на свой шутливый тон, даже Джимми был потрясен. Он к тому же припомнил, что Маргарет очень любила смотреть репортажи с вручения премий «Оскар», «Золотой глобус», «Грэми», «Эмми» и прочих и могла назвать по именам всех кинозвезд, которые попадали в кадр. Впрочем, Купера Уинслоу и Риту Вейверли не узнал бы, наверное, только слепой.

— А какое у нее платье! — мечтательно заметил Марк, когда камера переместилась в сторону. — Вот где настоящий шик, Джимми. Ну признайся, когда в последний раз твоего квартирного хозяина показывали по национальному телевидению?

— Помнится, когда я жил в Бостоне, у меня был такой случай, — признался Джимми. — Человек, у которого я снимал квартиру, попался на какой-то серьезной уголовщине. Ему дали пожизненное заключение, и его физиономия пару раз мелькнула в вечерних и утренних новостях. Кажется, он торговал крэком.

Услышав это заявление, Марк рассмеялся и откупорил еще пару бутылок. За последние дни они сдружились еще больше, и оба благословляли судьбу за этот счастливый случай. Это неожиданное соседство было даром судьбы, и их встреча произошла в нужный момент, когда в жизни каждого из них произошли разрушительные перемены. И они спешили заполнить образовавшуюся пустоту мужской дружбой, долгими разговорами. Воспоминания о прошлом были все еще слишком свежи в их душах, чтобы им хотелось встречаться с женщинами, и ни один из них еще не был к этому готов. Поэтому-то они и коротали вечера то за бутылочкой пива, то за бифштексами, которые Джимми приноровился жарить на мангале на лужайке перед флигелем.

Появление Купа на экране заметно подогрело их интерес к церемонии. Оба они придвинулись ближе к телевизору, а Джимми открыл пакет поп-корна, который только что достал из микроволновки.

— Я начинаю чувствовать себя персонажем из «Странной пары»[1], — сказал Джимми, протягивая пакет с поп-корном Марку. На экране как раз шло представление номинантов на премию в категории «Лучшая музыка к драматическим произведениям», и Марк, негромко насвистывавший какую-то песенку из популярного телесериала, с улыбкой поднял голову.

— Я тоже, — ответил он, — но пока, надо сказать, это меня вполне устраивает. Когда-нибудь я попрошу у нашего хозяина его телефонную книгу и устрою домашний просмотр тем крошкам, которые, прости за каламбур, упали с его стола, но это будет еще не скоро.

Что думает по этому поводу Джимми, Марк спрашивать не стал. Они еще не говорили откровенно об этом, но Марк был уверен: его друг дал что-то вроде пожизненного обета безбрачия. Джимми даже мысленно не мог вообразить себя с другой женщиной; для него это означало бы предать память Маргарет.

В этот вечер Алекс Мэдисон дежурила в больнице. Ей необходимо было отработать выходной, который она провела у Шварцев. Теоретически она должна была выйти на дежурство в понедельник, но поменялась сменами со своим коллегой-врачом, который в этот день встречался с девушкой своей мечты.

После нескольких часов напряженной работы Алекс ненадолго вышла в комнату ожидания, чтобы поговорить с родителями ребенка, доставленного в отделение интенсивной терапии еще утром. Состояние малыша несколько стабилизировалось, он уснул, и Алекс хотелось обрадовать его мать и отца. Но в комнате ожидания было пусто — очевидно, родители ребенка вышли в ближайшее кафе перекусить. Алекс решила немного их подождать, и тут ее взгляд упал на экран работавшего телевизора, транслировавшего церемонию вручения «Золотого глобуса». Увидев на экране

[1] «С т р а н н а я п а р а» — пьеса, кинофильм и телевизионный сериал о двух мужчинах, вместе снимающих квартиру. Феликс — аккуратен и чистоплотен, а Оскар — лентяй и неряха.

Купа крупным планом, Алекс невольно вздрогнула и воскликнула:

— А ведь я его знаю!

Куп выглядел очень представительно в черной фрачной паре, крахмальной сорочке с плоеной грудью и галстуке-бабочке. Вот Куп склонился к сидевшей рядом с ним Рите Вейверли и галантным жестом подал ей бокал шампанского. Это движение сразу напомнило Алекс прием у Шварцев; точно так же Куп подавал шампанское и ей, и было это всего два дня назад!

Рита Вейверли выглядела потрясающе, и Алекс, не замечая, что говорит вслух, пробормотала:

— Интересно, сколько пластических операций она перенесла?

Она сказала это вовсе не из зависти. Просто ей странно было думать, как далек тот мир, который Алекс видела на экране, от жизни, реальной жизни, которую вела она. День за днем Алекс спасала жизни только что родившихся младенцев и утешала родителей, чьи крошки балансировали на грани жизни. А у таких, как Куп и Рита Вейверли, только и забот было, что красоваться перед камерами и объективами фотоаппаратов, блистать на вечеринках и приемах, носить меха, бриллианты и вечерние туалеты. Сама Алекс почти никогда не пользовалась косметикой, а ее привычной одеждой был светло-зеленый костюм с большими буквами НИТ на груди и спине. В таком виде ей вряд ли светило когда-нибудь появиться на обложке «Лайфа», «Джи-Кью» и других подобных изданий, но она об этом нисколько не жалела. Алекс сделала свой выбор и была им довольна. Она любила свою работу. Никогда и ни за что не вернулась бы она в утонченный, рафинированный, насквозь двуличный и лживый мир, в котором до сих пор жили ее родители. Пожалуй, иногда думала она, ей даже повезло, что она не вышла замуж за Картера. Женившись на ее сестре, он вошел в высшее общество и очень быстро превратился в самоуверенного сноба, как две капли воды похожего на тех мужчин, которых Алекс презирала всю свою жизнь. Но ведь и Куп принадлежит к этому же так называемому «высшему обществу», подумала она, но тут же решительно тряхнула головой. Нет, он совсем не такой. Он не денежный мешок, у которого перед глазами не люди, а только доллары и центы. Куп — кинозвезда, знаменитость, и у него есть все основания выглядеть и вести себя не так, как все. Отличаться от абсолютного большинства — это была его работа. Но себя Алекс никогда не считала ни выше, ни лучше окружающих ее людей.

И, дождавшись, пока камера переключится на других участников церемонии, Алекс вернулась в свой привычный и знакомый мир кислородных палаток, инкубаторов, искусственных почек, компрессоров, мониторов и других умных машин, которые помогали спасать хрупкие человеческие жизни. Ее тут же вызвали к младенцу, который по неизвестным причинам начал задыхаться, и Алекс совершенно забыла и о Купе, и о «Золотом глобусе». На свой пейджер она даже не взглянула — Алекс была слишком занята, чтобы интересоваться чем-то, кроме своих непосредственных обязанностей.

Появление Купа на телевизионном экране, доставившее столько приятных минут Марку, Джимми и — в какой-то степени — Алекс, совершенно расстроило Шарлен. Сидя перед телевизором, она скрежетала зубами от бессильной ярости, и, окажись у нее под рукой какой-нибудь тяжелый предмет, она не преминула бы запустить им в экран. Два дня назад Куп не взял ее к Шварцам, заявив, что его пригласили исключительно для мебели. Он уверял, что она умрет со скуки, если поедет с ним, но Шарлен уже догадалась — он всегда говорил подобные вещи, когда хотел отправиться куда-то один. То же самое вышло и с премией «Золотой глобус», но на этот раз Куп определенно обманул ее. Ведь она своими глазами видела, как он любезничал с этой развалиной Ритой Вейверли, в то время как для Шарлен появление на столь важном мероприятии в обществе Купа могло стать счастливым билетом. Не ее забота, что самому Купу это не давало в профессиональном отношении ровным счетом ничего. О нем Шарлен думала в последнюю очередь. Главным для нее была собственная обида и злость на Купа, который провел ее как последнюю дешевку.

— Стерва! — выругалась она, глядя на экран, где опять появилась Рита Вейверли. — Ей, наверное, уже за сто, а туда же!.. — Как и Алекс, Шарлен разговаривала вслух сама с собой или, точнее, с появившимися на экране людьми. Но это было далеко не все, что она хотела бы сказать Купу. Когда он улыбнулся и, наклонившись вперед, прошептал что-то Рите на ухо, Шарлен разразилась площадной бранью и не переставала ругаться до тех пор, пока камера не переключилась на другую звезду.

В ярости она несколько раз позвонила Купу на сотовый телефон, но он не отвечал, и Шарлен оставила ему с пол-дюжины сообщений, одно ядовитее другого. Только в два часа пополуночи Куп наконец соизволил ответить на вызов.

— Где, черт побери, тебя носит? — Шарлен была на грани истерики.

— И тебе также доброго вечера, детка, — невозмутимо ответил Куп. — Что, собственно, случилось?

— Ничего, — яростно выпалила Шарлен. — Ты где?

Прежде чем ответить, Куп протяжно вздохнул. Он прекрасно понимал, из-за чего разгорелся сыр-бор, понимал, что этого и следовало ожидать. Но даже за миллион долларов Куп не мог бы взять ее с собой на церемонию вручения «Золотого глобуса». Их отношения не были настолько серьезными, чтобы он решился их афишировать, к тому же появление на публике в обществе Риты Вейверли могло быть полезным для него. С Шарлен Купу было хорошо, но он предпочитал наслаждаться ее прелестями в собственном доме при закрытых дверях. С какой стати он должен демонстрировать своих любовниц кому ни попадя? Жаль, конечно, что она увидела его по телевизору, да еще с Ритой, но тут уж ничего не попишешь.

— Рита с тобой? — ехидно осведомилась Шарлен, и Куп самодовольно улыбнулся. Похоже, эта девчонка всерьез вошла в роль ревнивой жены. Что ж, в таком случае она сама роет себе могилу. Подобные допросы с пристрастием всегда пробуждали в нем желание немедленно расстаться со слишком требовательной любовницей и двигаться дальше, благо выбор у него всегда был большой. Как бы ни была красива Шарлен, ее время подошло к концу, и ей придется с этим смириться. Не настолько же она глупа, чтобы рассчитывать, что он на ней женится?

— Конечно, нет, — ответил Куп спокойно. — С чего ты взяла, что она со мной?

— Я видела вас по телевизору. У тебя был такой вид, словно ты готов трахнуть ее прямо на столе, перед всеми этими камерами.

— Не надо пошлости, детка, — проговорил Куп, демонстрируя поистине ангельское терпение. Шарлен действительно напомнила ему ребенка, который вот-вот затопает ножками, пытаясь настоять на своем. Эта ситуация была для него не нова. В подобных случаях Куп всегда старался тихонечко исчезнуть... или топнуть ногой первым. Впрочем, этот последний вариант сейчас не годился. Будет гораздо лучше, рассудил Куп, если они тихо и мирно расстанутся, по возможности — навсегда.

— По правде говоря, там было ужасно скучно, — проговорил Куп и шумно зевнул. — Как, впрочем, и всегда, но что поделаешь, дорогая, это моя работа.

— И все-таки где она? — продолжала допытываться Шарлен. Она выпила почти полторы бутылки вина и теперь была на взводе. Весь вечер и добрую половину ночи она просидела дома, стараясь дозвониться до него, но Куп выключил сотовый телефон, чтобы он не трезвонил во время церемонии, и включил его, только когда вернулся домой.

— Кто? — совершенно непритворно удивился Куп. Ему было трудно следить за ходом мыслей Шарлен, которые перескакивали с одного предмета на другой, словно белки. Пьяные белки, мысленно уточнил он. Голос Шарлен звучал нетвердо, и в нем все чаще проскальзывали истерические нотки.

— Рита — вот кто! — взвизгнула Шарлен.

— Откуда я знаю! Должно быть, у себя в особняке, в постели. Знаешь, детка, я очень устал, и мне тоже нужно поспать. Завтра мне предстоит съемка в рекламном ролике, и я хотел бы...

— Ничего тебе не нужно. Ты прекрасно знаешь, что, если бы я была с тобой, мы бы не спали всю ночь!

— Да, ты абсолютно права, — улыбнулся Куп. — И именно по этой причине ты сейчас не со мной. Нам обоим необходимо выспаться.

— Послушай, Куп, хочешь, я приеду к тебе прямо сейчас? — проговорила Шарлен заплетающимся языком. Вторая бутылка продолжала стоять прямо перед ней, и на протяжении всего разговора она то и дело прихлебывала вино прямо из горлышка.

— Я устал, Шарлен, — терпеливо ответил Куп. — Да и ты, мне кажется, тоже не в лучшей форме. Может, поговорим обо всем завтра? — В его голосе послышались недовольные нотки.

— И все равно я приеду!

— Нет, ты не приедешь, — с неожиданной твердостью возразил он. — Не делай глупостей, Шарлен.

— Нет приеду! И перелезу через твои дурацкие ворота! Это для меня раз плюнуть!

— Тебя задержит полиция, а я уверен, что ты этого не хочешь. Ложись-ка лучше спать, детка, а завтра мы обо всем поговорим, — сказал Куп, стараясь говорить как можно убедительнее. Он хорошо знал: бесполезно выяснять отношения с женщиной, когда она пьяна и взвинчена.

— Поговорим о чем? О том, как ты изменил мне с Ритой Вейверли? — переспросила Шарлен.

— Мои дела тебя совершенно не касаются, — возразил Куп, чувствуя, как и в нем начинает нарастать раздражение. — К тому же слово «измена» подразумевает определенные обязательства с обеих сторон, а ведь мы ничего не обещали друг другу, не так ли? А теперь давай все-таки отложим наш разговор. Спокойной ночи, Шарлен, — решительно закончил он и дал отбой. Его телефон тотчас зазвонил снова, но он не стал отвечать, переадресовав вызов на «голосовую почту». Тогда Шарлен попробовала его домашний номер. Она звонила по нему на протяжении еще целого часа, и в конце концов Куп выключил аппарат. Он терпеть не мог женщин, которые считали его своей собственностью и пытались устраивать сцены. Пожалуй, решил он, поднимаясь в спальню, Шарлен пора исчезнуть из его жизни. Жаль, что с ним больше не было Лиз — она прекрасно умела улаживать подобные проблемы. Сам Куп плохо представлял, с какого конца следует подойти к этому деликатному вопросу. Если бы Шарлен была дорога ему и что-то для него значила, он бы послал ей бриллиантовый браслет или какую-нибудь другую симпатичную вещицу, но она пробыла с ним недостаточно долго, чтобы заслужить подобный подарок. Более того, такой жест с его стороны мог только поощрить ее к дальнейшим активным действиям, а этого нужно избежать во что бы то ни стало. Шарлен принадлежала к тому типу женщин, с которыми нужно прекращать отношения сразу, в противном случае отделаться от нее будет очень нелегко.

И все-таки жаль, думал Куп, засыпая, что Шарлен устроила ему сцену ревности. Если бы не это, он продержал бы ее рядом с собой еще некоторое время, но после сегодняшнего скандала она должна исчезнуть немедленно. Решено, больше он не будет иметь с ней никаких дел.

— Прощай, детка, — сонно пробормотал он, прислушиваясь, как надрывается оставленный им на первом этаже сотовый телефон. — Мы больше не увидимся.

На следующее утро, когда Палома принесла ему в спальню поднос с завтраком, Куп намекнул ей насчет Шарлен.

— Если девушка позвонит, — сказал он, — будь добра, скажи ей, что меня нет, понимаешь? Даже если я дома, скажи, что я уехал на съемки.

Палома, прищурившись, молча разглядывала его. За последнее время Куп научился видеть ее глаза даже сквозь солнечные очки, хотя в этом и не было особой необходимости. Лицо выдавало все, что она думала, а в каждом жесте сквозили неодобрение, презрение, сдерживаемая ярость. В разговоре с друзьями Палома называла Купа не иначе, как «этот грязный старикашка».

— Вы ее больше не любите? — спросила она наконец. Палома давно не разговаривала с ним на ломаном английском, но у нее в запасе было бесчисленное множество других трюков, с помощью которых она могла вывести его из состояния душевного равновесия. У Купа даже складывалось впечатление, что Палома проделывает это из спортивного интереса, просто для того, чтобы лишний раз его позлить.

— Дело не в этом, — терпеливо ответил он. — Просто наш маленький роман закончился. Понимаешь?

Это было унизительно. Ни Лиз, ни кому-то из его старых горничных Купу не приходилось объяснять, что он сделал и почему, но Палома, похоже, была исполнена решимости сражаться на стороне всех девушек, которых, как она считала, он «обидел». В ее лице весь слабый пол обрел решительную и бескомпромиссную защитницу.

— Роман?.. — презрительно уточнила Палома. — Вы хотите сказать, что больше с ней не спите?

Куп поморщился.

— Именно это я и хочу сказать, Палома. Так что, пожалуйста, не соединяй меня с ней и не зови меня к телефону. — Сказать яснее Куп просто не мог. Он не сомневался, что на сей раз Палома поняла его правильно, но меньше чем через полчаса она доложила, что ему звонят.

— Кто звонит? — рассеянно переспросил Куп. Он только что прикончил яйца «в мешочек», так густо посыпанные перцем, что во рту у него все горело, и читал новый сценарий, присланный одной из студий с утренней почтой, надеясь, что в нем найдется для него подходящая роль.

— Я не знаю. Похоже, чья-то секретарша, — пожала плечами Палома, и Куп взял трубку.

Это была Шарлен. Она истерически рыдала и утверждала, что они должны немедленно встретиться. Она даже сказала, что, если они не увидятся, у нее будет нервный срыв, и Купу потребовался почти час, чтобы ее успокоить. Одновременно он пытался втолковать Шарлен, что их отношения зашли в тупик и что им обоим будет только полезно, если некоторое время они не будут встречаться. Куп не сказал ей, что всю свою жизнь он старался избегать подобных осложнений и что видеться с ней снова он не собирается. Когда он наконец счел возможным положить трубку, Шарлен все еще плакала, хотя и не так бурно, но тут Куп ничего не мог поделать.

Закончив разговор, он — как был, в пижаме — отправился разыскивать Палому.

Разъяренный Куп нашел ее в гостиной, где она пылесосила ковер. На ней были новенькие ярко-красные пушистые тапочки и неизменные солнечные очки в ядовито-малиновой оправе. Как и следовало ожидать, они были украшены крупными фальшивыми бриллиантами. За шумом пылесоса Палома не слышала ни слова из того, что он ей говорил, и в конце концов Куп в бешенстве выдернул шнур из розетки. Пылесос в последний раз взвыл и затих, и Палома удивленно воззрилась на Купа, который стоял перед ней, уперев руки в бока, и зло смотрел на нее.

— Что случилось? — осведомилась Палома самым невинным тоном.

— Что ты себе позволяешь? — проорал Куп. — И не говори мне, что ты не знала, кто звонит! — Он очень редко выходил из себя, но Паломе одной из немногих удавалось разбудить в нем худшие свойства его характера. Сейчас Купу больше всего хотелось задушить ее, а заодно и Эйба, который уволил всех нормальных слуг и оставил его один на один с этой сальвадорской очковой гадюкой. Все теплые чувства, которые он начинал испытывать к Паломе, теперь исчезли. Она была для него врагом, и Куп не намерен был ее щадить.

— Нет, я не знала. А кто это был? Рита Вейверли? — Палома смотрела трансляцию «Золотого глобуса» с друзьями и не уставала рассказывать им, какая Куп на самом деле задница.

— Это была Шарлен, и ты прекрасно это знала, — отрезал Куп, сдерживаясь из последних сил. — Ты плохо поступила, Палома, этот разговор расстроил ее, да и меня тоже. Мне бы не хотелось, чтобы мой день начинался со звонков истеричных девчонок, которых необходимо утешать. Предупреждаю тебя: если Шарлен здесь появится и ты впустишь ее в дом, я вышвырну вас обеих, а потом позвоню в полицию и скажу, что вы вломились ко мне без приглашения.

— Не стоит так нервничать, мистер Уинслоу, — сказала Палома, смерив его презрительным взглядом.

— Я не нервничаю, Палома. Я очень сердит, я разъярен, я в бешенстве! Ведь я же ясно тебе сказал: я не желаю разговаривать с этой Шарлен!

— Извините, я забыла. А может, просто не поняла, что это она. Хорошо, я больше вообще не буду подходить к телефону. — Палома явно хотела, чтобы последнее слово осталось за ней. Кроме того, она была не прочь освободиться от одной из своих обязанностей по дому.

— Нет, ты будешь подходить к телефону, — с нажимом сказал Куп. — И если Шарлен снова позвонит, ты скажешь ей, что меня нет дома. Ясно?

Палома кивнула и, снова включив пылесос, с вызовом

посмотрела на него. Вызов и презрение получались у нее лучше всего.

— Вот и хорошо. Спасибо, — пробормотал Куп и шумно затопал по лестнице. Он снова попробовал сосредоточиться на сценарии, но это ему никак не удавалось. Шарлен обманула его ожидания и оказалась надоедливой и глупой истеричкой, такой же, как и многие другие, а Куп терпеть не мог женщин, которые не понимали, когда им указывали на дверь. Когда роман подходит к концу, считал Куп, женщина должна уйти быстро и легко, но Шарлен, по-видимому, еще на что-то рассчитывала.

Все еще кипя от гнева, Куп побрился, принял душ и начал одеваться. Сегодня он обедал в «Спаго» с одним режиссером, с которым работал много лет назад. Куп первым позвонил ему, прослышав, что тот собирается снимать новый фильм. Кто знает, рассуждал он, быть может, в этой картине найдется для него роль.

Эти соображения окончательно вытеснили из его мыслей Шарлен и все другие дела. Но по пути в ресторан Куп вдруг вспомнил, что Алекс ему так и не перезвонила, и решил еще раз связаться с ней. Он снова позвонил ей на пейджер и оставил номер своего сотового телефона, уверенный, что ответа придется ждать довольно долго.

К его огромному удивлению, Алекс перезвонила ему почти сразу. Не успел Куп положить аппарат на сиденье машины, как тот зазвонил.

— Алло? — сказал он измененным голосом на случай, если это звонит Шарлен.

— Это доктор Мэдисон, — сказала Алекс. — С кем я говорю? — Она не узнала ни номера телефона, ни его голоса, и Куп не сдержал улыбки.

— Это Куп, — сказал он. — Как поживаете, доктор?

Алекс удивилась его звонку, но вместе с тем чувствовала себя польщенной.

— Прекрасно! Видела вас вчера на церемонии вручения «Золотого глобуса», — сказала она и тут же подумала, что говорить об этом, наверное, глупо. Церемонию смотрело полстраны.

— Мне казалось, у тебя нет времени на такие глупости,

как телевизор. — Куп сам не заметил, как перешел с Алекс на «ты».

— Действительно нет. Но у нас в комнате ожидания стоит телевизор, который практически не выключается. Я как раз взглянула на экран, когда показывали тебя и Риту Вейверли. Вы оба выглядели просто великолепно! — У Алекс был совсем молодой голос, и говорила она с той же искренностью и прямотой, которые так понравились ему при первой встрече. В ней не было ничего наигранного или искусственного — только красота и живой, быстрый ум. «В отличие от Шарлен», — мрачно подумал Куп, но тут же решил, что сравнивать двух женщин было бы некорректно, хотя они и были примерно одного возраста. Рядом с Алекс Шарлен безнадежно проигрывала. На стороне Алекс было все: внешность, воспитание, образование, шарм. Шарлен принадлежала совсем к другому миру. Она совершала поступки, о которых такие женщины, как Алекс, даже никогда не задумывались. И все же, несмотря на эту бросающуюся в глаза разницу, в жизни Купа нашлось бы, наверное, место для женщин обоих типов, но только не теперь. Впоследствии — он знал — у него снова будут дюжины таких, как Шарлен и ей подобные, но сейчас Куп не мог даже смотреть на них, потому что познакомился с Алекс. Таких, как она, ему нечасто приходилось встречать, и нужно было быть круглым идиотом, чтобы не воспользоваться этим шансом.

— Вы звонили мне на днях? — спросила Алекс с некоторым сомнением. — У меня на пейджере появлялся незнакомый номер, но мне некогда было перезвонить. У нас было два сложных случая, и я совсем забегалась...

— Да, это был мой домашний номер, — подтвердил Куп.

— А я думала, кто-то из коллег опять разыскивает меня для консультации! — Алекс с облегчением рассмеялась. — Что ж, я рада, что это были вы!

— Я тоже рад, что я — это я, а не кто-то из твоих коллег. Как подумаю, что тебе каждый день приходится возиться с этими новорожденными, прямо в дрожь бросает! — На самом деле Куп относился к ее профессии с куда большим уважением, чем готов был признать. Его показной страх и брезгливость были частью игры, и Алекс это прекрасно понимала.

— Как прошла вчерашняя церемония? — спросила она. — Рита Вейверли действительно очень красива, Куп. А какова она в жизни? Она хороший человек?

Этот последний вопрос заставил Купа улыбнуться. Если бы он взялся описывать кому-то Риту Вейверли, он никогда бы не сказал про нее, что она — «хороший человек». Да и сама она, пожалуй, изумилась бы, если бы кто-нибудь назвал ее так. В Голливуде быть «хорошим человеком» никогда не считалось достоинством — во всяком случае, в жизненной гонке первый приз обычно доставался отъявленным стервам, беспринципным пройдохам и тупым бесчувственным задницам. Правда, о Рите нельзя было сказать, что она стерва. Купер, во всяком случае, предпочел бы выразиться деликатнее, например, сказал бы, что она «умеет кусаться».

— Я бы сказал, Рита — интересный человек, — уточнил Куп. — Интересный и приятный. Одним словом — кинозвезда, — закончил он дипломатично.

— Как и вы, Куп, — Алекс вернула мяч на его половину поля, и Куп рассмеялся.

— Туше! Кстати, что ты делаешь сегодня во второй половине дня? — Ему нравилось говорить с ней, и Куп вдруг захотел снова увидеть Алекс. Только бы не помешала эта ее дурацкая работа! Куп не был уверен, что у Алекс найдется свободное время, но он этого очень хотел.

— Сегодня я до шести работаю. Потом, если не произойдет ничего экстраординарного, поеду домой и буду отсыпаться. Вы и не представляете, какое это наслаждение — двенадцать часов сна! Завтра я выхожу на дежурство к восьми утра.

— Ты слишком много работаешь, — озабоченно сказал Куп. Он и в самом деле так полагал.

— Такова моя планида, — вздохнула Алекс. — Врачи-резиденты — это все равно что рабы. И все же мне кажется, что каждый настоящий врач должен пройти через это, чтобы четко представлять пределы своих возможностей.

— Все это, конечно, звучит очень благородно, — нетерпеливо перебил ее Куп. — Но я хотел бы знать, позволяют ли твои возможности поужинать со мной сегодня, или ты можешь заснуть прямо за столиком?

— Поужинать? С вами, Куп, и с Ритой Вейверли? — поддразнила его Алекс, но в ее словах не было ни капли той ревнивой злобы, которую Куп слышал в голосе Шарлен. В шутках Алекс не было двойного дна, одна лишь непосредственность и врожденная веселость, и это оказалось приятной новостью для Купа, который давно уже привык к тому, что его подружки ревнуют друг к другу и говорят о соперницах только гадости. Общение с Алекс было для Купа глотком свежего воздуха. Она была особенным, ни на кого не похожим человеком, к тому же она была дочерью Артура Мэдисона — человека слишком богатого, чтобы об этом можно было не думать.

— Если ты так хочешь, я могу пригласить и Риту, — нашелся Куп. — Но мне кажется, мы можем прекрасно провести время и вдвоем.

— Что ж, в принципе я согласна, — сказала Алекс. Ей, конечно же, было лестно, что Куп приглашает ее поужинать с ним, но ее честная натура взяла верх. — Но я не могу обещать, что не засну и не свалюсь со стула, — добавила она и рассмеялась, живо представив себе эту сцену.

— Спи на здоровье, — ответил Куп ей в тон. — Потом я расскажу тебе, что мы ели. Как тебе такой план?

— Боюсь, так в конце концов и получится, — вздохнула Алекс уже совершенно серьезно. — Знаете, Куп, чтобы не рисковать, давайте выберем заведение попроще и поужинаем пораньше, ладно? Я не спала уже больше двадцати часов, и надолго меня определенно не хватит.

Ее профессиональные принципы были вне его понимания, и все же Куп не мог не восхищаться ею.

— Выполнить оба твоих условия будет нелегко, но я постараюсь, — сказал он скромно. — Куда мне заехать за тобой и во сколько?

Куп не собирался отступать, и Алекс продиктовала ему свой адрес. Она жила на бульваре Уилшир в хорошем, но не роскошном доме, и Куп догадался, что если она и живет не только на свою резидентскую зарплату, то, во всяком случае, старается не добавлять к ней слишком много. Очевидно, Алекс не хотелось выделяться среди своих коллег-врачей, у которых не было отца-миллиардера.

— К семи часам я буду готова, — пообещала она. — Но я

действительно не хотела бы засиживаться где-то допоздна, Куп. Я не хочу, чтобы, когда завтра утром я приду на работу, у меня слипались глаза и тряслись руки. Я просто не могу себе этого позволить.

— Я понимаю, — сказал Куп. Такое решение нельзя было не уважать, хотя оно и ставило его в невыгодное положение. — Итак, в семь часов я заеду за тобой, и мы пойдем в ближайший «Макдоналдс», где нас очень быстро накормят простой и дешевой пищей.

— Договорились, — ответила Алекс, Купу даже показалось, что она улыбается в эту минуту. И он не ошибся — Алекс все еще не могла поверить, что сам Купер Уинслоу пригласил ее поужинать с ним. Никто из коллег, во всяком случае, ей бы точно не поверил.

Потом она вернулась к своей работе, а Куп вошел в «Спаго», где его уже ждал знакомый режиссер. Обед прошел в непринужденной дружеской обстановке, но никаких конкретных результатов не принес. Для Купа снова не было никакой роли.

В последнее время Куп все чаще чувствовал себя так, словно он оказался в каком-то вакууме. Он по-прежнему оставался живой легендой Голливуда, однако никаких серьезных предложений ему не поступало. От рекламы же Купу часто приходилось отказываться самому. Не мог же он в самом деле рекламировать мужское белье! Подобный шаг мог нанести непоправимый ущерб его образу, который он создавал и тщательно поддерживал на протяжении всей своей жизни.

Вместе с тем угрозы Эйба были достаточно свежи в его памяти. Куп всегда считал финансовые заботы чем-то не слишком возвышенным и чересчур прозаичным, однако сейчас даже ему было ясно: он должен обязательно достать денег. Как — ответить на этот вопрос он мог, даже если бы его разбудили среди ночи. Ему нужна была только одна заглавная роль в фильме с большим бюджетом, чтобы его имя вновь прогремело по всей стране. Не беда, что такого фильма все не было и не было. Куп не сомневался, что это только вопрос времени. Пока же он ждал своего звездного часа, он вполне мог обойтись эпизодическими ролями и съемками в рекламных роликах. Об Алекс Мэдисон — точнее, о ее деньгах — Куп серьезно не задумывался. Она просто нравилась ему — вот и все.

Куп подъехал к дому Алекс на бульваре Уилшир ровно в семь. Он хотел подняться к ней, но она сама вышла ему навстречу из подъезда прежде, чем он успел открыть дверь. Внешне дом, в котором она жила, выглядел достаточно респектабельно, хотя Куп и заметил кое-какие признаки упадка.

Уже в машине Алекс призналась, что ее квартира выглядит ужасно, и ей не хотелось, чтобы он к ней заходил.

— Почему ты не купишь нормальный дом? — спросил Куп, плавно трогая с места свой любимый «Роллс-Ройс». Он был уверен, что Алекс не испытывает недостатка в деньгах, хотя одевалась она скромно и не носила никаких дорогих украшений. Сегодня на ней были черные джинсы, черный свитер с высоким воротом и потертая кожаная куртка военного образца. Сам Куп был в серых слаксах, черном шерстяном пуловере и черных туфлях из крокодиловой кожи. Он выбрал этот наряд ради Алекс, догадавшись, что она постарается одеться как можно скромнее, чтобы не привлекать к себе и к нему слишком много внимания. По той же причине он решил повести ее в небольшой китайский ресторан, где у них почти не было шансов столкнуться с ребятами из прессы. И он не ошибся. Алекс, узнав о его плане, пришла в восторг и сказала, что это именно то, что ей хотелось.

— Мне не нужен дом, — ответила она на его вопрос. — Вся моя жизнь проходит в больнице, в квартире я только ночую, да и то не всегда. И еще я храню там грязные врачебные халаты. — Алекс улыбнулась. — Кроме того, я пока не знаю, где я буду работать после того, как кончится срок моего резидентства. Я была бы не прочь остаться в Лос-Анджелесе, но врач — особенно детский — должен работать не там, где ему хочется, а там, где он нужнее.

Алекс была уверена только в одном: куда бы ни забросила ее судьба, она ни за что не вернется в Палм-Бич под родительский кров. Этот этап ее жизни был пройден и завершен. К отцу и матери она ездила только по большим праздникам, причем ее визиты носили чисто формальный характер.

Они провели великолепный вечер. Сидя за столиком в самом неосвещенном углу маленького ресторанчика, они поедали вкуснейшие блюда китайской кухни и беспечно болтали о самых разных вещах — о путешествиях, интересах, разных странах — о Кении, об Индонезии, где Алекс побывала после школы, о Бали и Непале, куда она отправилась заниматься альпинизмом. Кроме этого, она рассказывала Купу о своих литературных пристрастиях, которые оказались на удивление серьезными. Ее музыкальный вкус показался Купу несколько экстравагантным, а знания Алекс по античности и архитектуре просто потрясли его. Интересовалась она и политикой, особенно ее влиянием на медицинские проблемы, и свободно цитировала последние законодательные акты, непосредственно касавшиеся ее профессиональной деятельности. Ничего подобного Куп не ожидал и, слушая ее, не раз думал, что с таким интересным человеком он сталкивается впервые в жизни. От женщин Куп никогда ничего особенного не ждал, но по части эрудиции Алекс перещеголяла большинство его знакомых мужчин. Ее суждения, даже беглые замечания были глубоки и интересны, и Куп невольно подумал, что ему придется много работать над собой, чтобы догнать Алекс. Но даже это ему нравилось, он словно снова стал молодым и увидел перед собой цель.

Набравшись храбрости, он спросил, сколько ей лет, и Алекс, нисколько не жеманясь и не кокетничая, сказала, что ей ровно тридцать, подтвердив его первоначальную догадку. Когда же Куп поинтересовался, сколько, по ее мнению, может быть лет ему, Алекс ответила, что, наверное, где-то под шестьдесят. Выглядел он намного моложе, но Алекс знала, что он был суперзвездой еще до ее рождения, и ее ответ был результатом простых математических вычислений. Она, несомненно, была бы очень удивлена, если бы Куп сказал, что ему недавно исполнилось семьдесят.

Алекс была, похоже, довольна проведенным вместе вечером. Она сама сказала ему об этом чуть позже, когда Куп вез ее домой. Он высадил ее у подъезда дома в половине десятого вечера; по любым меркам это было «детское» время, но Куп не стал просить ее побыть с ним еще хотя бы час, чтобы в следующий раз у Алекс не было никакого предубеждения против встречи с ним. Он знал, что завтра ей предстоит вставать в шесть тридцать и что если она не выспится, то не сможет работать в полную силу.

— С твоей стороны было очень любезно составить мне компанию, и я рад, что тебе понравился этот ресторанчик, — сказал он. — Если бы ты отказалась, я был бы... разочарован. Огромное тебе спасибо.

— Это тебе, Куп, спасибо, — возразила Алекс, поражаясь той легкости, с которой обратилась к Куперу на «ты». — Я прекрасно провела время, да и еда была очень вкусная. — Действительно, блюда, которые им подавали, были простыми, но прекрасно приготовленными и в меру острыми — именно такую еду Куп предпочитал в последнее время. Да и сам он не разочаровал Алекс — он произвел на нее куда более приятное впечатление, чем она могла предположить. Алекс, как и большинство людей, пребывала в плену общепринятых стереотипов и полагала, что Куп — как и большинство кинозвезд — будет говорить только о себе, о своих фильмах и своей славе. Но Куп удивил Алекс, он оказался совсем другим — чутким, внимательным слушателем, и хотя сам он говорил совсем немного, по его репликам чувствовалось — Куп многое знает, о многом имеет сложившееся мнение. У нее, во всяком случае, не появилось ощущения, будто он играет хорошо выученную роль. Напротив — сегодня вечером перед ней был не знаменитый актер, а живой человек, искренний, умный и... обольстительный.

— Я бы хотел снова увидеть тебя, Алекс, — сказал ей Куп на прощание. — Если, конечно, у тебя найдется время и если ты... не связана определенными обязательствами.

Эти последние слова дались ему нелегко. Куп так и не решился спросить, есть ли у Алекс приятель. Правда, наличие любовника у заинтересовавшей его дамы никогда его не останавливало. Он всегда был уверен в себе, в своей неотразимости и способности затмить любого соперника. И как правило, ему это удавалось без особого труда. Ведь он был Купером Уинслоу и ни на секунду не забывал об этом.

— Нет, никакими обязательствами я не связана, — искренне рассмеялась Алекс. — У меня просто нет времени, чтобы встречаться с мужчинами. Я либо на дежурстве, либо в «телефонном резерве» — какие уж тут встречи!

— Либо спишь, — вставил Куп. — Что ж, как я уже говорил — я люблю трудности.

— Со мной их будет у тебя даже больше, чем ты предполагаешь, — ответила Алекс, неожиданно погрустнев. — Я, кажется, рассказывала тебе, как чуть было не вышла замуж... С тех пор я избегаю серьезных отношений.

— Это из-за того случая с твоей сестрой? — мягко спросил Куп, и Алекс кивнула.

— Картер преподнес мне жестокий урок. С тех пор я стараюсь не рисковать... без нужды. — Она вскинула на него глаза. — Большая вода еще не для меня, Куп, я предпочитаю плескаться в «лягушатнике», где всегда можно нащупать ногами дно. Иными словами, легкий флирт — это максимум того, на что я в данный момент способна. Все остальное...

— Я уверен, что все изменится, когда ты встретишь подходящего человека, — мягко сказал Куп, стараясь ободрить ее. — Просто он пока не появился.

В его словах было зерно здравого смысла, но и она была убеждена в собственной правоте. Алекс всегда вела честную игру, а Картер причинил ей такую боль, что любая возможность ее повторения пугала Алекс. Именно поэтому после своей неудачной помолвки она избегала сколько-нибудь серьезных отношений и лишь изредка позволяла мужчинам поухаживать за собой.

— Моя жизнь — это моя работа, Куп, — негромко сказала она. — И я буду рада встречаться с тобой, если ты принимаешь к сведению мои условия.

— Вот и отлично, — кивнул Куп. — Я тебе позвоню. — Он не хотел никаких серьезных разговоров, не хотел ни в чем переубеждать Алекс и знал, что позвонит не скоро. Интуиция подсказывала ему: торопить Алекс не стоит. Он хотел, чтобы она соскучилась по нему, начала ждать его звонка, гадать, почему он не звонит. Куп прекрасно знал, как надо обращаться с женщинами, а Алекс к тому же была человеком бесхитростным и открытым. Он мог читать в ней, как в открытой книге; кроме того, она сама только что объяснила, что с ней происходит.

Алекс еще раз поблагодарила его за чудесный вечер и ушла, так и не поцеловав на прощание. Куп следил за ней взглядом, пока она не скрылась в подъезде. Наконец он отъехал. Алекс в это время поднималась в лифте и думала о нем. Она никак не могла понять, насколько серьезны его намерения. Здравый смысл подсказывал ей, что она должна быть предельно осторожна. Влюбиться в такого очаровательного, остроумного, знаменитого человека было проще простого, а что потом? Снова разорванные отношения, слезы и отчаяние? Нет уж, второй раз она на это не пойдет!

Уже входя в свою квартиру, Алекс спросила себя, следует ли ей встречаться с Купом, или это слишком рискованно и чревато серьезными последствиями лично для нее? Куп был очень опытным игроком; о его победах по Голливуду ходили легенды, которые можно было бы издать под общим названием «Тысяча и одна ночь Купера Уинслоу». Сможет ли она играть с ним на равных, или ее поражение предрешено заранее?

Алекс разделась и небрежно швырнула брюки и свитер на кресло, где уже лежал измятый врачебный костюм, в котором она была в клинике сегодня. Где-то здесь, припомнила Алекс, валяется и вчерашний комплект, и белый халат, который был на ней позавчера. Вот уже больше недели Алекс никак не могла выбрать время и сходить в прачечную.

А Куп ехал домой. Он был очень доволен собой. Все прошло именно так, как ему хотелось, и он считал, что это добрый знак. Теперь ему оставалось только одно — ждать. Никакого определенного плана у него еще не было, но Куп не сомневался, что сумеет повернуть ситуацию в свою пользу. Одно было бесспорно: Алекс Мэдисон очень и очень его заинтересовала.

О том, как будут развиваться события дальше, он не думал, решив положиться на естественный ход вещей. Что касалось Алекс, то у нее не осталось никаких сил, чтобы анализировать свои дальнейшие действия и поступки. Прежде чем Куп вернулся в «Версаль», она уже крепко спала.

Глава 9

В тот вечер, когда Куп встречался с Алекс, Шарлен звонила ему не меньше десяти раз. Не оставила она своих попыток и на следующее утро, однако Палома всякий раз отвечала ей, что хозяина нет дома. Позвать Купа к телефону она не осмелилась. В прошлый раз, когда она обманула его,

Куп пообещал, что прибьет ее, и, похоже, был склонен сдержать свое слово. Лишь два дня спустя он согласился поговорить с Шарлен, продолжавшей свою телефонную осаду. Куп был уверен, что сумеет решить проблему миром, но к этому моменту Шарлен была окончательно выведена из себя его демонстративным нежеланием разговаривать с ней. Она держалась взвинченно, агрессивно и не собиралась прислушиваться к голосу разума.

— А-а, это ты!.. — небрежно сказал Куп, беря трубку. — Привет. Как дела?

— Ты что, решил свести меня с ума? — выпалила Шарлен. — Где ты был все это время?

— Я снимался в рекламном ролике и выезжал вместе с группой на натурные съемки, — невозмутимо сказал Куп. Это была ложь, к тому же шитая белыми нитками, но она заставила Шарлен ненадолго примолкнуть.

— Ты мог бы по крайней мере мне позвонить, — капризно сказала она.

— Я собирался, — снова солгал Куп. — Но у меня не было ни одной минутки свободной. Кроме того, мне казалось, нам обоим необходимо отдохнуть друг от друга. Отдохнуть и как следует подумать... обо всем. Так дальше продолжаться не может. Я думаю — ты понимаешь, о чем я говорю.

— Почему не может? — возразила Шарлен. — Ведь нам было хорошо вместе, разве не так?

— Да, было, — согласился Куп. — Но я слишком стар для тебя. Тебе нужно найти кого-нибудь помоложе. — Ему и в голову не пришло, что Шарлен была всего на год моложе Алекс.

— Раньше тебя это не останавливало, — фыркнула Шарлен. От людей, общавшихся с Купом, а также из бульварных листков она знала, что Куп встречался с совсем юными девушками. — Это просто отговорка, Куп! Не дури мне голову, дорогой!

Она была права, но Куп не собирался в этом признаваться.

— Понимаешь, детка, — сказал он самым проникновенным голосом, — кинобизнес — это такая штука, где сколько-нибудь продолжительные отношения встречаются крайне редко. Люди сходятся, расходятся, встречают кого-то другого, и все это — в течение какой-нибудь недели. Исключения бывают, но... на то они и исключения.

Но и этот его довод был не без изъяна. Даже Шарлен знала, что некоторые романы Купа длились подолгу. Все дело было просто в том, что он не хотел встречаться именно с ней. Шарлен понимала это, но отказывалась поверить в такой скорый и неожиданный для нее финал. Казалось, еще недавно их отношения были безмятежными, и Шарлен рассчитывала надолго задержаться около Купа. И вдруг все рухнуло. Смириться с этим Шарлен не могла.

А Куп уже весь был во власти своего нового увлечения. Алекс всерьез заинтересовала его. Рядом с ней Шарлен выглядела невыразительно и тускло, как прочитанный в два вечера любовный роман. Алекс же представляла собой увлекательную загадку, тайну, которую ему предстояло раскрыть. Не последнюю роль в его интересе к ней играло и состояние Артура Мэдисона, но это как раз было не главным. Его привлекала сама личность Алекс — яркая, самобытная, такая непохожая на всех, с кем он до сих пор имел дело. Кроме того, Куп знал, что, если он хочет встречаться с Алекс, он должен быть чист, как стекло. Вряд ли она будет в восторге, если в одной из газетенок появится его фото с Шарлен — третьесортной актрисой порнокино.

— Я позвоню тебе через пару дней, — пообещал он нехотя, мечтая об одном — закончить бессмысленный и пустой разговор.

— Ты врешь, — отрезала Шарлен. — Ты и не собираешься мне звонить.

— Успокойся, Шарлен! — Куп постарался изобразить оскорбленную невинность. — Извини, но мне звонят по другой линии. Я свяжусь с тобой позже.

— Черта с два, Купер Уинслоу! Не смей класть трубку! — завопила Шарлен, но Куп решительно нажал на рычаг. Он был зол и растерян. Похоже, милашка Шарлен становилась серьезной проблемой, и он искренне не знал, как быть. Ему хотелось надеяться, что все рассосется само собой и она оставит его в покое, но, судя по ее настойчивости, он ошибся. Единственное, что он мог сделать в данной ситуации, это продолжать от нее скрываться, хотя это было и унизительно, и малоэффективно. Рано или поздно Шарлен найдет способ достать его.

После обеда Куп позвонил Алекс, но она была занята, и, только вернувшись домой, сумела перезвонить ему и оставить сообщение на его «голосовой почте». Сообщение было помечено девятью часами вечера, но Алекс сказала, что ложится спать, так как завтра ей предстоит вставать в четыре утра. Услышав это, Куп понял, что встречаться с такой девушкой будет нелегко. По крайней мере поначалу ему придется довольствоваться теми часами, которые оставляет ему напряженный рабочий график Алекс, но он был уверен, что приз, который он в конце концов завоюет, стоит любых усилий.

Он сумел поговорить с Алекс только на следующий день после обеда. У нее выдалось несколько минут свободных, и она сама позвонила ему. Следующие несколько дней Алекс тоже дежурила. Только в воскресенье она была относительно свободна, и Куп пригласил ее на ужин в «Версаль».

— Пожалуй, я смогу приехать, — сказала Алекс, — только я буду в «телефонном резерве», так что заранее извини.

— А что значит — «в «телефонном резерве»? Тебе могут позвонить, чтобы спросить твоего совета? — наивно поинтересовался Куп. Он еще никогда не встречался с настоящим врачом, хотя в списке его увлечений было несколько сиделок и одна женщина — мануальный терапевт.

— Нет! — рассмеялась Алекс, и Куп снова подумал, что ему очень нравится ее смех — такой искренний, веселый и заразительный. — Это значит, что в любую секунду меня могут срочно вызвать в больницу по моему служебному пейджеру.

— В таком случае придется его у тебя отобрать, — пошутил Куп.

— Иногда, — честно призналась Алекс, — мне самой хочется утопить его в океане. Так ты не передумал ужинать со мной?

— Разумеется, нет. Если тебя вызовут, я сам отвезу тебя в больницу. И даже соберу для тебя все, что мы не успеем доесть.

— Может быть, все же лучше подождать, пока я буду совершенно свободна? — с сомнением спросила Алекс. Она не была уверена, что Куп не обидится, если в разгар ужина ее действительно вызовут на какой-нибудь сложный случай.

— Я слишком стар и могу не дожить до того дня, когда у тебя будет настоящий выходной, — со смехом отозвался Куп. — Кстати, когда он у тебя будет?

— Наверное, на следующей неделе, — ответила Алекс не очень уверенно.

— На следующей неделе? Хорошо, я запомню. На следующей неделе я приглашу тебя снова, а в это воскресенье — добро пожаловать в «Версаль». Что же касается твоего «резерва»... Пожалуй, надо будет составить меню таким образом, чтобы в случае боевой тревоги ты могла взять что-то с собой. Я сам этим займусь.

— Ты собираешься готовить? — удивилась Алекс. Заявление Купа произвело на нее сильное впечатление. А он и сам не ожидал от себя подобной прыти. Единственное, что Куп умел готовить, это бутерброды с икрой и кипяток для чая.

— Не совсем, — уклончиво ответил он. — Но не волнуйся, я все организую.

Куп знал, что на Палому полагаться не стоит, поэтому не мудрствуя лукаво позвонил в ресторан Вольфганга Пака и попросил прислать ему в воскресенье на дом две порции спагетти, пиццу с лососиной и толкового официанта. Вопрос, таким образом, решился очень просто, и Куп стал с нетерпением ждать воскресенья.

Алекс приехала ровно в пять часов на уже знакомом Купу стареньком «Фольксвагене», который, как она сказала, ей необходим, если ее вызовут на работу. «Версаль» покорил Алекс с первого взгляда, даже несмотря на то, что она не только видела подобные особняки, но даже жила в одном из них у своих родителей в Ньюпорте. Ее родной дом был больше «Версаля» и роскошнее, но Алекс не сказала об этом Купу, не желая задеть его чувства. Ей было очевидно, что он, как ребенок, гордится своим особняком, который был такой же голливудской легендой, как и сам Куп. Как бы то ни было, дом и парк показались ей очаровательными, а когда Куп предложил ей воспользоваться бассейном, она пришла в настоящий восторг, так как день выдался жаркий. По его просьбе Алекс захватила с собой купальник и, переодевшись, тут же залезла в воду.

Она плавала бурным кролем от бортика к бортику, а Куп любовался ею, когда возле бассейна появились Джимми и Марк. Они только что сыграли партию в теннис, разгорячились и решили искупаться. Оба были очень удивлены, увидев здесь Купа в обществе красивой молодой женщины. Алекс тоже недоумевала, увидев Купа, беседующего с двумя молодыми мужчинами. Она ничего не знала о его жильцах и решила, что это, возможно, охранники или рабочие, которые чинят что-то на территории поместья.

Когда Алекс подплыла к бортику бассейна, где в шезлонге сидел Куп, Марк с восхищением уставился на нее. Незнакомка показалась ему очень красивой — она была даже эффектнее, чем та длинноногая модель, которая подавала ему кофе в хозяйской кухне. Он все еще боялся, что Шарлен расскажет Купу об этом инциденте, и, увидев Алекс, вздохнул с облегчением, догадавшись, что прежняя любовница кинозвезды скорее всего получила отставку.

— Позволь представить тебя моим гостям, Алекс, — церемонно сказал Куп. Он представил Джимми и Марка, и Алекс приветливо кивнула обоим.

— Замечательно! — сказала она. — Это просто чудесное место! Другого такого нет, наверное, на всем Западном побережье.

Джимми и Марк и не думали возражать. Через пару минут они уже присоединились к Алекс. Куп редко плавал в бассейне, хотя в колледже был капитаном сборной по водному поло. «Должно быть, именно тогда, — говорил он, — я наглотался воды на всю оставшуюся жизнь, и теперь мне больше нравится сидеть на берегу». Так он и поступил сейчас. Удобно устроившись в шезлонге, Куп с удовольствием болтал с купающейся троицей, развлекая их забавными историями из голливудской жизни.

Они оставались у бассейна до шести часов. Потом Куп повел Алекс в дом, чтобы показать его внутреннее убранство. Официант из ресторана уже колдовал в кухне, и Куп твердо пообещал Алекс, что к семи часам все будет готово. В ожидании ужина они расположились в библиотеке, и Куп предложил своей гостье бокал шампанского, но, к его удивлению, она отказалась. Алекс не могла себе позволить ни капли алкоголя — ведь в любую минуту ее могли вызвать в клинику. Впрочем, к радости Купа, ее пейджер пока молчал.

— У тебя очень приятные гости, — заметила Алекс, пока Куп откупоривал бутылку. Официант подал легкие закуски и вернулся в кухню. — Ты давно их знаешь? Где ты с ними познакомился?

«У бассейна», — чуть не брякнул Куп. Это было бы эффектно, но Купу не хотелось говорить Алекс всю правду. Он, однако, чувствовал, что должен как-то объяснить присутствие Джимми и Марка на территории поместья.

— Это друзья моего личного бухгалтера, — нашелся он. — Я не мог отказать им в приюте.

— Как мило с твоей стороны позволить им жить здесь, — заметила Алекс. — Парням просто повезло, по-моему, им здесь ужасно нравится.

Прощаясь у бассейна, Марк сказал, что они с Джимми намерены устроить вечером барбекю, и пригласил Купа и Алекс присоединиться к ним, но Куп с благодарностью отказался — у него на вечер были другие планы.

Огорченный Марк недоуменно помотрел им вслед. Он был явно не в себе — такое впечатление произвела на него Алекс. Когда она и Куп скрылись в доме, он вполголоса сказал Джимми:

— Какая удивительная девушка!

Но Джимми не разделял восторгов приятеля, он по-прежнему игнорировал женщин; большую часть времени он жил словно в тумане, целиком сосредоточившись на своей боли. Марк же явно возвращался к жизни. И его интерес к Алекс был тому несомненным подтверждением.

— Странно только, что наш Куп ею заинтересовался, — продолжал Марк.

— Почему? — удивился Джимми. Он не был очарован Алекс, но и он не мог не заметить, что она интеллигентна и умна. Куп сказал, что она врач, и для Джимми это было хорошей рекомендацией.

— Здесь у нее больше, чем здесь. — Марк дотронулся до своей головы, потом показал рукой на грудь. — Алекс не в его стиле, Джимми, это же ясно!

— Быть может, мы просто плохо его знаем, — предположил Джимми. Алекс показалась ему смутно знакомой, но он никак не мог припомнить, встречались ли они когда-нибудь прежде, или она просто принадлежала к тому типу женщин, которых он часто видел в Бостоне. Он даже собирался спросить, в какой области медицины она специализируется, но не успел. Куп со своими историями практически полностью завладел их вниманием, и надо признать, что слушать его было довольно забавно. С ним вообще было очень легко и приятно иметь дело. Куп был не только ослепительно красивым мужчиной, главным его оружием был добродушный юмор и отменная реакция.

В семь часов, когда Куп и Алекс сели ужинать, Марк и Джимми решили заняться барбекю. Как и в прошлый раз, они использовали мангал, найденный во флигеле; приготовленные на нем бифштексы оказались очень вкусными, и в этот раз они решили попробовать поджарить сосиски для гамбургеров. Все шло отлично до тех пор, пока Марк не плеснул на угли слишком много жидкости для растопки. Пламя мгновенно взвилось буквально до небес, и погасить его не было никакой возможности.

— Черт побери, я, кажется, позабыл, как это делается! — выругался Марк. Он попытался сбить огонь и спасти их ужин, но в этот момент в мангале что-то треснуло, и пламя окончательно вышло из-под контроля.

Когда раздался взрыв, Куп и Алекс только что прикончили утку по-пекински и приступили к спагетти с салатом из помидоров и хлебом домашней выпечки.

— Что случилось? — встревожилась Алекс.

— Должно быть, арабские террористы. — Куп беспечно пожал плечами и продолжал жевать. — Не обращай внимания, вероятно, мои гости случайно взорвали гостевое крыло.

Но Алекс все же поднялась из-за стола и подошла к окну. Она увидела поднимавшийся над деревьями столб густого дыма. За дымом появилось и пламя — это загорелись ограждавшие лужайку кусты живой изгороди.

— Господи, Куп! По-моему, у тебя в усадьбе начинается пожар.

Куп снова собирался сказать, что все это пустяки, но, увидев дым, решил, что ситуация может оказаться совсем не безобидной.

— Надо отнести им огнетушитель, — сказал он, откладывая в сторону салфетку. Правда, Куп не знал, есть ли в доме огнетушитель, и если есть, то где его искать, однако он не мог бездействовать.

— Позвоним в «Службу спасения», — предложила Алекс и, достав из сумочки сотовый телефон, быстро набрала 911. Куп вышел из дома, чтобы посмотреть, что происходит.

Живая изгородь пылала. Марк и Джимми пытались сбить огонь полотенцами, но все их усилия были тщетны. К тому моменту, когда десять минут спустя пожарные машины въехали в главные ворота, сосиски безвозвратно погибли, а вместе с ними — добрая половина живой изгороди, которой Куп так гордился. Алекс была в ужасе, Куп волновался о доме, но пожарным понадобилось всего несколько минут, чтобы справиться с огнем. Кроме изгороди и одного-двух деревьев, кроны которых были слегка опалены, ничто больше не пострадало, но Марк все равно ожидал серьезного выговора от хозяина. Но тут пожарные узнали Купа, и в течение добрых четверти часа он был занят тем, что раздавал автографы и рассказывал о том, как много лет назад сам был членом добровольной пожарной бригады в Малибу.

Потом Куп предложил пожарным по бокалу вина, они тактично отказались, но уезжать не спешили. Прошло еще пятнадцать минут, а они все разговаривали, когда пейджер Алекс разразился назойливой трелью. Отойдя в сторону, она достала из сумочки сотовый телефон и позвонила в больницу, чтобы узнать, в чем дело. Алекс знала, что в интенсивной терапии находятся три недоношенных младенца, чье состояние внушало серьезные опасения. Теперь дежурный врач сказал, что двое из них находятся в критическом состоянии и им срочно нужна ее помощь. Третий ребенок умер, и спасти его не удалось. Кроме того, в больницу уже везли из роддома еще одного малыша с гидроцефалией.

Бросив взгляд на часы, Алекс пообещала быть в клинике минут через десять и, выключив телефон, вернулась на лужайку. Тут к ней подошел Джимми.

— На чем вы специализируетесь? — негромко спросил он, пока Куп продолжал развлекать пожарных. Он не обратил внимания на сигнал ее пейджера и не заметил, что

Алекс отходила. Но Джимми, внимательно за ней наблюдавший, слышал часть разговора и был заинтригован еще больше.

— На неонатологии. Я работаю в клинике Калифорнийского университета.

— Это, должно быть, очень интересно, — заметил Джимми.

Алекс покачала головой.

— Не очень, когда умирают дети, — ответила она и пошла сказать Купу, что ей надо срочно уезжать.

— Неужели эти двое поджигателей тебя так напугали? — спросил Куп и с насмешкой покосился на смущенного Марка. Он воспринял весь инцидент на удивление спокойно, и Алекс почувствовала, как ее уважение к нему растет. Окажись на месте Купа ее отец, и громкого скандала было не миновать.

— Нисколько, — ответила она. — Когда я была в скаутах, мы с друзьями часто устраивали вечеринки у костра. Дело не в этом. Я... Мне только что звонили из больницы. Я должна срочно вернуться на работу.

— Звонили? Когда?! — удивился Куп. — Почему я ничего не слышал?

— Ты был занят. Я обещала, что приеду через десять минут. Извини, что так вышло... — Алекс предупреждала, что ее могут вызвать в любой момент, и все равно она чувствовала себя неловко. Кроме того, она прекрасно провела время, и ей жаль было уезжать.

— Может быть, ты все-таки успеешь немного поесть? — заботливо спросил Куп. — Такой хороший ужин пропадает!

Он был явно огорчен, как, впрочем, и сама Алекс, но ей было не привыкать.

— Увы, что делать? — Алекс покачала головой. — Мне правда хотелось бы остаться, но я не могу. У нас три неотложных случая, и дежурный врач один не справится. Для этого и нужен резерв на телефоне. Я им действительно нужна.

Ей и так повезло, что она провела в «Версале» почти три часа. Для Алекс, когда она находилась в «телефонном резерве», это был почти рекорд. Попрощавшись с Джимми и Марком, она пошла к своей машине. Куп провожал ее, и Алекс обещала позвонить ему, когда будет свободна. Пожарные тем временем скатали брандспойты и погрузились в машины. Вскоре они тронулись, и Алекс, махнув на прощание Купу рукой, поехала следом.

— Что ж, ничто хорошее не может длиться вечно, — философски заметил Куп, возвращаясь на лужайку к своим гостям. Он действительно считал Марка и Джимми гостями, а они не только успели привыкнуть к тому, что он их так называет, но и почти поверили, что гостят у звезды, а не арендуют жилье.

— Удивительно милая женщина! — с восхищением заметил Марк. В глубине души он даже завидовал Купу — какая женщина принадлежит ему (у Марка, во всяком случае, сложилось именно такое впечатление), и сожалел о том, что с ней нельзя познакомиться поближе. Правда, для Марка Алекс была слишком молода, но ведь Куп еще старше! Как и большинству девиц, с которыми он встречался, Куп годился ей в отцы или даже в деды.

— Не будете ли вы так любезны отужинать со мной, джентльмены? — неожиданно предложил Куп Джимми и Марку, чей ужин превратился в пепел и золу. — Вольфганг Пак прислал очень приличную пиццу, а я терпеть не могу есть в одиночестве.

«Гости» ответили единодушным согласием, и через полчаса они наслаждались спагетти и пиццей с лососиной, а Куп снова потчевал их забавными историями, которых знал великое множество. Он щедро угощал их вином из собственного погреба, и к десяти часам вечера Джимми и Марк почувствовали, что в лице Купа они обрели нового друга.

— Он — отличный парень! — заметил Марк, когда, слегка пошатываясь, они с Джимми брели по дорожке, возвращаясь к себе.

— Очень интересный человек, — согласился Джимми, бережно поддерживая друга под локоть. Он был уверен, что завтра утром их ждет по меньшей мере головная боль, однако думать об этом сейчас ему не хотелось. Укрытый светлыми сумерками сад мягко покачивался в легкой дымке, и на сердце у Джимми было на удивление легко и спокойно.

Они расстались у гостевого крыла. Марк, крепко держась за перила, поднялся на крыльцо и исчез за дверью, а Джимми побрел по дорожке, которая вела к флигелю. Куп в это время сидел в библиотеке и, потягивая из высокого стакана двенадцатилетний португальский портвейн, улыбался своим мыслям. Он был доволен вечером, хотя и провел его не совсем так, как рассчитывал. Купу было жаль, что Алекс рано уехала, но его гости оказались очень приятными парнями, с которыми можно было отлично поболтать. Что же касалось взрыва мангала и приезда пожарной бригады, то эти два события придали вечеру необходимую пикантность и сделали его поистине из ряда вон выходящим.

Только около полуночи у Алекс появилась возможность ненадолго заскочить в свой кабинет, чтобы проглотить чашку кофе. Она была уверена, что звонить Купу уже поздно, и, хотя искушение было довольно сильным, Алекс справилась с собой. Вечер, который она провела в «Версале», не шел у нее из головы. Он оказался совсем не таким, как она ожидала, однако думать о нем, анализировать у Алекс просто не было времени. Младенец-гидроцефал доставил всему отделению интенсивной терапии много хлопот, но теперь главные трудности были позади. Состояние одного из двух недоношенных детей тоже стабилизировалось, однако из-за смерти третьего малыша настроение у всех было нерадостное. Интересно, спрашивала себя Алекс, сумеет она когда-нибудь привыкнуть к детским смертям? И сама же отвечала себе: «Вряд ли!» — хотя и понимала, что без этого ее профессия просто невозможна.

Лишь поздно ночью, лежа на узкой кушетке в своем кабинете, Алекс вспомнила о Купе и задумалась, могли бы их отношения стать по-настоящему серьезными. Ей трудно было понять, что он за человек на самом деле, что скрывается за его обаянием, юмором, смешными историями, которые он рассказывал. Все это могло быть просто фасадом, скрывавшим внутреннюю пустоту, но верить в это Алекс не хотелось. Оставался только один способ избавиться от сомнений — узнать все доподлинно.

Алекс сознавала, конечно, что Куп намного старше ее, но он казался ей человеком настолько необычным, что разница в возрасте ее не пугала. В нем было что-то, что заставляло ее пренебречь опасностями, которые мог принести их возможный роман. Он словно загипнотизировал ее, и, хотя Алекс пыталась убедить себя в том, что встречаться с ним было бы скорее всего неразумно, ничего не получалось. Она знала, что Куп — суперзвезда кино, что за свою жизнь он имел дело с десятками, может быть, даже с сотнями женщин, но, несмотря на это, ее по-прежнему тянуло к нему точно магнитом. Единственное, о чем Алекс могла думать, это о том, как он красив, привлекателен, интересен. И сила его притяжения в конце концов преодолела доводы здравого смысла. Алекс попалась. Уже засыпая, она слышала в мозгу неясный ропот голосов, которые продолжали твердить ей об опасности, но она, по крайней мере пока, решила не обращать на них внимания.

Глава 10

Марк спал глубоким сном крепко выпившего человека, когда зазвонил телефон. Все же он открыл глаза почти сразу, но решил, что звонок ему приснился. Сразу же навалилась головная боль, и, застонав, Марк прикрыл веки. Он уже снова впал в дремоту, когда телефон зазвонил снова. Разлепив веки, Марк первым делом посмотрел на часы. Было четыре часа утра. За окном только-только начинало светать. Перевернувшись на живот, Марк негромко выругался. Телефон все звонил. Господи, кто бы это мог быть? Превозмогая головную боль, он потянулся к аппарату, снял трубку и снова откинулся на подушки. Глаза он предпочитал держать закрытыми — так меньше болела голова и полутемная комната почти не кружилась.

— Алло? — Голос его звучал хрипло. Во рту было сухо, язык повиновался с трудом. — Кто говорит?

Потом он услышал в трубке чей-то плач.

— Кто это? — Марк уже решил, что кто-то ошибся номером, и хотел положить трубку, но внезапно его глаза сами собой широко открылись. Каким-то шестым чувством он понял, что звонит Джессика.

— Джесс, это ты? Что случилось?! — с тревогой спросил Марк, садясь на кровати. Он решил, что с Дженнет или Джейсоном случилось что-то страшное, а Джесс все плакала и никак не могла успокоиться и объяснить, в чем дело. Она была безутешна, словно ее постигло настоящее горе, и Марк вспомнил: примерно так же маленькая Джессика плакала, когда умерла их собака.

— Что случилось, Джесс?! Скажи же мне! — в панике воскликнул он.

— Мама... она... — Джессика снова разрыдалась.

— Она не заболела? Может, она попала в аварию? — Марк тряхнул головой и поморщился. Голова гудела, впрочем, тошнота и головокружение почти прошли, побежденные резким выбросом в кровь адреналина. Страх парализовал его. Что, если Дженнет мертва? При мысли об этом Марк едва не зарыдал сам. Он продолжал любить свою жену даже после того, как она ушла от него, и если бы с ней что-то случилось, он всю жизнь винил бы в этом себя.

— Мама... — повторяла Джессика срывающимся голосом. — У нее есть... друг! Она познакомила нас с ним вчера вечером. Его зовут Эдам, и он — настоящий подонок.

Марк быстро подсчитал, что в Нью-Йорке сейчас — семь часов утра, следовательно, Джессика бросилась звонить ему, как только проснулась.

— Я уверен, что это не так, дорогая, — сказал он, стараясь быть справедливым, хотя в глубине души Марк был очень доволен, что мистер Джойс не понравился его детям. Сам Марк ненавидел Эдама всем сердцем, хотя никогда с ним не встречался и не разговаривал. Он разрушил их семью, отнял у него Дженнет и детей; такой человек просто не мог не быть подонком, и теперь Марк испытывал странное удовольствие от того, что его дочь считала так же.

— Меня от него просто тошнит, па! Он пытается казаться крутым и приказывает маме, как будто она его собственность. Мама сказала, что они познакомились всего пару недель назад, но я ей не верю. Я знаю — она врет! Эдам сам заговорил с ней о каких-то делах, которые у них были еще в прошлом году, а мама притворилась, будто не понимает, о чем идет речь. Как ты думаешь, может быть, это из-за него мы переехали в Нью-Йорк?

Она ждала ответа, а Марк не знал, что ей сказать. Джессика, несомненно, была потрясена тем, что произошло. Марк знал, что рано или поздно все откроется; они не должны были обманывать детей, но Дженнет убедила его, что так будет лучше, и он позволил ей поступить по-своему. И вот теперь Джессика и Джейсон узнали правду. Интересно, что теперь предпримет Дженнет? Судя по горьким рыданиям, которые то и дело прерывали речь Джессики, потрясение девочки было глубоким и болезненным.

— Я не знаю, Джесс, — проговорил он наконец. — Спроси лучше у мамы.

— Но ведь это из-за него она ушла от тебя? — повысила голос Джессика, и Марк снова покачал головой. Марку не хотелось отвечать на этот вопрос, к тому же он боялся сказать нечто такое, что еще больше усугубит и без того непростую ситуацию.

— Как ты думаешь, он у нее давно? — снова спросила Джессика. — Может быть, мама ездила в Нью-Йорк вовсе не к бабушке, а к нему?

— Нет, она ездила к бабушке, — твердо сказал Марк. — Бабушка очень долго и тяжело болела, к тому же Дженнет беспокоилась и за дедушку тоже. — Это была только часть правды, но Марку не хватило духа сказать, что именно тогда все началось. Пусть это сделает Дженнет, подумал он про себя. Рано или поздно ей придется все рассказать детям, если она не хочет их потерять. Если все откроется само, доверие Джессики Дженнет вряд ли удастся вернуть.

— Я хочу домой, в Калифорнию, — напрямик сказала Джессика. Она уже не плакала, только изредка шмыгала носом.

— Я тоже хочу к тебе, папа, — вмешался Джейсон, который взял трубку второго аппарата. Он не плакал, но голос его заметно дрожал. — Я его ненавижу, этого ублюдка! Уверен, тебе бы он тоже не понравился. Типичная нью-йоркская задница!

— Я вижу, Нью-Йорк так и не повлиял на твои манеры, сын, — заметил Марк. — Вот что я вам скажу, дети: вам надо серьезно поговорить с матерью, но только не сейчас, не когда вы так расстроены. И, как ни неприятно мне это говорить, мне кажется, что вы должны дать мистеру Джойсу шанс.

Он, однако, очень сомневался в том, что его детям может понравиться ухажер матери — любой ухажер, а не только Эдам Джойс. То же самое относилось и к нему: если когда-нибудь он будет встречаться с какой-нибудь женщиной, Джессика и Джейсон, несомненно, воспримут ее в штыки, и тогда его ждет то же самое, что переживала сейчас Дженнет. Впрочем, Марк был еще довольно далек от того, чтобы искать новую подругу жизни, так что в ближайшее время эта опасность ему не грозила.

— Вне зависимости от того, сколько ваша мама с ним знакома, — проговорил он, — мистер Джойс может оказаться очень неплохим человеком. Я уверен, что со временем вы к нему привыкнете. Подумайте о том, что он, возможно, очень дорог вашей маме, — подумайте и будьте снисходительны и к ней, и к нему. В любом случае вам не стоит решать сгоряча.

Он привел самые разумные доводы, какие только пришли ему на ум, но все было тщетно. Дети просто не желали к ним прислушиваться. Но и в том, чтобы настраивать их против человека, которого Дженнет любила и ради которого ушла от него, Марк не видел никакого смысла. Все равно того, что случилось, поправить уже было нельзя, и, если в конце концов Дженнет выйдет за Эдама замуж, им всем останется только смириться с этим. Другого выхода Марк не видел.

— Нам пришлось ужинать с ним! — сказал Джейсон несчастным голосом. — Он ведет себя так, будто он может заставить маму сделать все, что ему захочется, а она только скачет вокруг него, как дурочка. Только и слышно: «Да, Эдам!», «Хорошо, Эдам!» Когда он, наконец, свалил, она наорала на нас, словно мы нахватали двоек или разбили в школе стекло. А потом она плакала. Мне кажется, этот ублюдок ей нравится...

— Может быть, и так, — признал с сожалением Марк. — Только, пожалуйста, не называй его ублюдком, Джейсон. Это грубо, а грубостью дела не поправишь.

— Я хочу домой, па!.. — снова подала голос Джессика, но даже дома, куда бы они могли вернуться, уже не было. — Я хочу жить с тобой и ходить в свою старую школу.

— И я тоже! — вмешался Джейсон.

— Кстати о школе, — спохватился Марк. — Вы не опоздаете?

В Нью-Йорке была уже половина восьмого, и он ясно слышал на заднем плане голос Дженнет, которая что-то кричала детям. Она, несомненно, кричала бы еще громче, если бы слышала, что́ говорили Джессика и Джейсон отцу, но, к счастью, Дженнет ни о чем не догадывалась. Марку даже показалось — она не знает, что они звонят именно ему.

— Ты поговоришь с мамой насчет Калифорнии? Ну, чтобы мы могли переехать к тебе?.. — негромко, но настойчиво спросила Джессика, подтверждая его подозрения.

— Нет, — ответил Марк и, почувствовав ее разочарование, быстро добавил: — Я считаю, вы должны хотя бы попытаться привыкнуть к Нью-Йорку — ведь прошло так мало времени... — Ему-то казалось, что прошла целая вечность, да и детям, наверное, тоже, но он заставил себя продолжать: — Дайте маме шанс. В любом случае это очень серьезная проблема, и ее нельзя решать второпях. Я хочу, чтобы вы немного успокоились и как следует подумали... А сейчас отправляйтесь в школу, иначе вы опоздаете. Мы поговорим обо всем позже. — «Много позже, — подумал он, — когда пройдет боль».

После этих его слов голоса у детей стали совсем расстроенными, зато Джессика впервые за два месяца сказала ему на прощание, что любит его. Марк понимал — это произошло только потому, что в данную секунду она ненавидела свою мать, и все же ему было приятно. Кажется, он принял правильное решение, когда не поддался эмоциям и не стал торопить события. Пройдет сколько-то времени, и дети привыкнут к Эдаму, может быть, даже полюбят его. Не могла же Дженнет ошибиться, когда убеждала его, что Эдам — хороший человек. И все-таки в глубине души Марк продолжал надеяться, что его дети никогда не примут этого чужого мужчину, который нанес их семье сокрушительный удар, — не примут хотя бы из чувства лояльности по отношению к своему отцу. Он хотел бы быть великодушным, но после всей боли, которую причинила ему разлука с Дженнет, это было очень нелегко.

Положив трубку, Марк долго лежал без сна, раздумывая, что ему предпринять. И решил, что пока он ни во что не станет вмешиваться. Нужно посмотреть, как будут развиваться события дальше.

И, повернувшись на бок, он снова попытался заснуть, но в висках как будто кто-то работал кувалдой, затылок наливался тупой болью, а перед закрытыми глазами плавали черные круги. В конце концов Марк не выдержал. Встав с кровати, он прошел на кухню, принял две таблетки аспирина. Времени было около шести утра по западному времени. Значит, в Нью-Йорке уже девять, подумал Марк и, вернувшись в спальню, решительно набрал номер Дженнет.

Марк не сразу узнал голос своей жены. Дженнет была явно расстроена, если не сказать больше.

— Хорошо, что ты позвонил, — сказала она, даже не удивившись его звонку. — Вчера я познакомила детей с Эдамом. Они вели себя ужасно. Джессика нагрубила ему и мне, а Джейсон заперся в своей комнате и не хотел выходить.

— Знаешь, меня это нисколько не удивляет, — перебил Марк. — А тебя? Не слишком ли ты поторопилась? Мне кажется, тот факт, что ты с кем-то встречаешься... Они еще не готовы воспринять это спокойно. Кроме того, они наверняка догадались, что вы уже давно знакомы.

— Именно в этом обвинила меня Джессика. Ты ничего ей не говорил? — В голосе Дженнет зазвучали панические нотки.

— Нет, не говорил, — успокоил ее Марк, — но я думаю, ты должна рассказать им обо всем сама. Они уже не маленькие дети и многое понимают и без наших объяснений. А когда твой Эдам брякнул, что вы...

— Откуда ты знаешь?! — перебила его Дженнет. В голосе ее слышался самый настоящий страх, и Марк даже пожалел ее.

— Они мне звонили сегодня утром. Они очень расстроены, Дженни.

— Они даже не захотели поговорить с ним! А Джесс сказала, что она меня ненавидит. — В голосе Дженнет звенели слезы. — Марк, и это говорит мне моя дочь!

— Это не так. Просто ей больно и обидно. И еще она считает, что ты ее обманываешь. Джесс права, и мы оба это знаем. Ты рискуешь потерять ее доверие, Дженнет.

— Это ее не касается!.. — с горячностью возразила Дженнет, но ей недоставало убежденности.

— Может быть, и нет, но Джесс считает, что касается, — сказал Марк. — Во всяком случае, ты явно поторопилась знакомить детей с твоим другом.

Дженнет не стала говорить Марку, что сам Эдам давно настаивал на встрече с ее детьми. В конце концов она уступила, хотя ей тоже казалось, что нужно подождать еще. Она говорила Эдаму, что Джесс и Джейсон еще не готовы, но он заявил в ответ, что больше не желает скрываться и прятаться, словно преступник. «Можно подумать, ты стыдишься меня!» — сказал он сердито, и это решило дело. Дженнет пригласила Эдама на ужин, но все закончилось катастрофой. Дети не скрывали своей враждебности; они не пожелали даже разговаривать с Эдамом, когда же Дженнет прикрикнула на них, они просто выбежали из-за стола и закрылись в своих комнатах. И это была только прелюдия. Первоначально планировалось, что Эдам останется ночевать, но вместо этого они поссорились, и Эдам ушел, громко хлопнув дверью.

— И что мне теперь делать? — растерянно спросила Дженнет.

— Ждать, — ответил Марк. — И постарайся не очень давить на детей, ведь им тоже нелегко. Дай им время. Быть может, все уладится само собой.

Но Дженнет в этом сомневалась. Эдам хотел переехать к ней в ближайшие дни; он не хотел даже ждать, пока они поженятся официально, и Дженнет не была уверена, что сумеет его отговорить. Но и терять Эдама она не хотела. Ни его, ни детей. Вот почему она буквально разрывалась, не в силах найти выход из создавшегося положения.

— Это не так просто, как ты думаешь, Марк, — сказала она жалобным голосом, пытаясь представить себя страдающей стороной, но оба понимали, что если кто в этой ситуации и был жертвой, то только не Дженнет.

— Все же постарайся не причинять детям лишних страданий, — предупредил Марк. — Одна ошибка, и ты можешь оттолкнуть их совсем... И вообще я не понимаю, как ты можешь требовать сочувствия от меня и от детей? Вспомни, ведь это ты разрушила нашу семью, разрушила ради этого мужчины, и рано или поздно дети об этом узнают. И тогда у них на тарелке окажется больше, чем они будут в состоянии проглотить.

Он и сам никак не мог смириться с тем, что произошло. Марк продолжал любить Дженнет, и ему было трудно сохранять здравомыслие.

— У наших детей есть некоторые основания сердиться на тебя, Дженнет. На тебя и на него, — добавил он, стараясь, чтобы его голос звучал как можно спокойнее. Марк старался быть объективным, хотя его и злило, что ему опять приходится выступать в роли миротворца. В их семье он был единственным, кому удавалось увидеть все аспекты той или иной проблемы и уладить конфликт. Это было его достоинством, но и слабостью — Марк редко отваживался на чем-то настаивать, если у него было подозрение, что им могут руководить эгоистические мотивы.

— Да. Может быть, — нехотя согласилась Дженнет. — Но я не уверена, что Эдам это понимает. У него нет своих детей, и он... не очень хорошо их понимает.

— В таком случае тебе следует подыскать себе другого мужчину, — жестко сказал Марк. — Такого, как я, например...

Дженнет долго молчала, и Марк почувствовал себя глупо. Наконец она сказала:

— Может быть, со временем они успокоятся...

Она очень на это надеялась, но у нее не было уверенности, что Эдам согласится ждать. Он хотел, чтобы ее дети полюбили его с первого взгляда, и их враждебное отношение обескуражило и разозлило его. Эдам уже потребовал, чтобы она «провела с ними беседу», и Дженнет не знала, как ей быть.

— Ладно, я тебе еще позвоню, — проговорил Марк и повесил трубку. После разговора он пролежал в постели еще два часа и только потом рискнул встать. На работу он приехал только в десять часов, а в двенадцать дети позвонили ему снова. Они только что вернулись из школы и поэтому сразу заговорили с ним о том, как бы им хотелось вернуться в Лос-Анджелес и жить с ним. Но Марк был тверд. Он сказал им, что не собирается предпринимать никаких поспешных шагов, и еще раз попросил Джесс и Джейсона успокоиться и взглянуть на вещи объективно. Но Джессика сразу заявила, что она «совершенно объективно» ненавидит Эдама и что она никогда не будет разговаривать с матерью, если та выйдет за него замуж.

— Мы хотим жить с тобой, па! — решительно закончила она свою взволнованную речь.

— А что, если я стану встречаться с какой-нибудь женщиной, а она вам не понравится? С кем вы будете жить тогда? — спросил Марк. — Нет, Джесс, от проблем нельзя бегать — толку от этого, во всяком случае, не будет. Проблемы надо решать!

— Почему ты так сказал? Может быть, у тебя тоже кто-то есть? — потрясенно спросила Джессика. О такой возможности ни она, ни Джейсон не подумали.

— Нет, — честно ответил Марк. — У меня никого нет, но когда-нибудь это может случиться. И если эта женщина вам не понравится...

— В любом случае ты не бросал маму ради другой женщины, — решительно перебила Джессика. — Теперь я почти уверена, что это все из-за нее и из-за этого Эдама.

Для него-то слова дочери не были новостью, но Марк удивился проницательности дочери. Он по-прежнему не хотел говорить ей, как было дело, но и лгать Джессике Марк тоже не мог.

— Если ты заставишь нас жить с ней, папа, я все равно убегу, — решительно сказала Джессика.

— Не надо так говорить, Джесс. Это по меньшей мере несправедливо. Ты уже большая и должна понять, что произошло, — понять и успокоить брата, а не взвинчивать его еще больше. Давай поговорим об этом, когда у вас будут каникулы, хорошо? Может быть, к тому времени твое мнение изменится. Вдруг Эдам вам понравится, и...

— Никогда он нам не понравится! — перебила Джессика. — И не надейтесь!

Следующие две недели прошли в ожесточенных телефонных спорах, угрозах, слезах. Эдам оказался настолько нетерпелив, что заявил Джесс и Джейсону — он хочет жить с ними и с Дженнет, и к тому моменту, когда Марк снова приехал в Нью-Йорк, дети вели против матери самую настоящую войну. Все весенние каникулы ушли на бесплодные переговоры и увещевания, но дело так и не сдвинулось с мертвой точки. Напротив, ситуация только ухудшилась.

Дженнет приходилось сражаться сразу на два фронта, так как Эдам не отличался ангельским терпением. Он сказал ей, что, если Дженнет не позволит ему переехать к ней, он будет считать — она предпочла его детям. Когда же она просила его подождать, Эдам отвечал, что он и так ждал достаточно долго. Увы, Джессика и Джейсон не желали его ни видеть, ни знать. Своей матери они тоже объявили форменный бойкот, так как считали, что она предала их. Марк старался как мог исправить положение, но безуспешно. Когда каникулы подошли к концу, он признался Дженнет, что ему не удалось уговорить их остаться с ней. Каждый раз, когда он заводил об этом речь, Джессика грозила обратиться к адвокату по защите прав детей и попросить его подать заявление в суд, чтобы ее и Джейсона официально передали отцу. И это была не пустая угроза. Марк прекрасно знал — Джесс и Джейсон уже достаточно взрослые, чтобы суд мог рассмотреть их требование и удовлетворить его.

— Мне кажется, положение действительно сложное, — честно сказал Марк своей бывшей жене. — Ума не приложу, что тут можно сделать. Сколько я ни думаю об этом, мне приходит в голову только одно: ты должна отпустить их ко мне в Лос-Анджелес, по крайней мере, до конца учебного года. Когда все уляжется, ты сможешь снова с ними поговорить, а пока... Я уверен, что, если ты будешь пытаться удержать их в Нью-Йорке, это не приведет ни к чему хорошему. Ведь ты не хочешь ни выслушать их, ни уступить, и они платят тебе тем же.

Он считал, что Дженнет не смогла справиться с ситуацией и лишь создавала новые проблемы, вместо того чтобы решать существующие. Теперь ей приходилось расплачиваться за собственные ошибки. Дженнет буквально разрывалась между детьми и Эдамом, причем и он, и Джесс с Джейсоном не стеснялись в средствах, стараясь склонить ее на свою сторону.

— А ты пришлешь их назад, когда учебный год закончится? — спросила Дженнет со страхом. Она боялась потерять детей, но и не хотела лишиться Эдама, который не только обещал жениться на ней, как только она получит развод, но и планировал как можно скорее завести собственного ребенка, может быть, даже двух. Дженнет очень нравился его план, но она не представляла, как сказать об этом детям. Впрочем, это была проблема отдаленного будущего. Пока же ей нужно было что-то решать с Джесс и Джейсоном, которые грозились навсегда вернуться к отцу.

— Я еще не знаю, — честно сказал Марк. — Многое будет зависеть от их желания. Мне кажется, будет лучше, если и летние каникулы они проведут у меня, а там будет видно.

Ему было почти жаль Дженнет. Она оказалась в сложном положении, которое сама же и создала. Марк испытывал противоречивые чувства. Дженнет разрушила его жизнь своим уходом, но хуже всего было то, что он продолжал любить ее, хотя и понимал — Дженнет потеряна для него навсегда. Впрочем, ей он ничего не говорил. Ее увлечение Эдамом было настолько сильным, что она готова была не только разрушить их брак, но и испортить отношения с собственными детьми. И Марк не мог этого постичь, как ни старался. Сам он вряд ли мог бы пожертвовать детьми ради другой женщины, и Джессика с Джейсоном интуитивно это чувствовали. Именно поэтому они так хотели переехать к нему, хотя это и означало, что им придется расстаться с матерью.

— А ты сможешь устроить их в старую школу? — озабоченно спросила Дженнет, понимая, что у нее нет иного выхода. Она сама загнала себя в угол. Дети теперь смотрели на нее, как на злейшего врага. Эдам продолжал настаивать на немедленном переезде. Его терпение подходило к концу, и он готов был добиваться своего любыми средствами.

— Я попытаюсь, — ответил Марк, чтобы хоть как-то успокоить Дженнет.

— А где ты живешь? У тебя большая квартира? — снова спросила Дженнет, и Марк понял, что она почти готова уступить. Но эта победа не доставила ему радости.

— Детям она понравится, — уверил Дженнет Марк. Он принялся описывать гостевые апартаменты и парк, но Дженнет неожиданно расплакалась. Она и представить себе не могла, как будет жить без детей, а сейчас перспектива разлуки с ними становилась реальностью.

— Когда вернусь, я узнаю, что можно сделать, и позвоню тебе, — сказал Марк, снова возвращаясь к вопросу о школе. Он знал, что для Джесс и Джейсона это особенно важно.

После того как Марк поговорил с Дженнет, дети налетели на него с расспросами. Им не терпелось узнать, о чем договорились родители.

— Пока ни о чем, — строго ответил Марк. — Я даже еще не знаю, сумею ли я устроить вас в ту же школу, где вы учились раньше. В любом случае я хочу, чтобы до переезда вы были вежливы с матерью. Вы должны понимать, что ей тоже нелегко. Мама вас любит, а вы...

— Если бы она нас любила, она бы не ушла от тебя, — парировала Джессика, и ее глаза потемнели от гнева. Она была очень красивой девочкой — белокурой, светлокожей, с ангельским личиком, но Марк понимал, что, несмотря на нежный возраст, сердце ее уже покрыто ранами, которые заживут не скоро. И он от души надеялся, что сумеет уберечь ее от новых страданий.

— Все не так просто, как кажется в пятнадцать лет, — вздохнул он. — Люди меняются, сама их жизнь меняется. Недаром говорится, что человек предполагает, а бог располагает. В жизни очень часто бывает, что мечтаешь об одном, а на деле получаешь совсем другое. Впрочем, тебе еще предстоит с этим столкнуться...

Но, как и следовало ожидать, дети не прислушались к его словам. Они были все еще во власти своей обиды на мать и не хотели прощать.

В тот же день вечером Марк улетел в Лос-Анджелес. Всю следующую неделю он посвятил переговорам с администрацией школы, где учились Джейсон и Джессика. Они отсутствовали всего три месяца, к тому же их школа в Нью-Йорке считалась очень сильной, и в конце концов Марк добился принципиального согласия. Все остальное было просто. Ему нужно было только нанять домработницу, которая бы готовила детям, присматривала за ними, пока он был на работе, и возила их на тренировки. Марк в этом отношении не предвидел никаких затруднений, поэтому в конце недели он со спокойной душой позвонил Дженнет в Нью-Йорк.

— Все устроилось, — сказал он. — В понедельник они уже могут приступать к занятиям, но я подумал — может быть, ты захочешь, чтобы они пожили с тобой еще недельку. Ты могла бы еще раз попробовать поговорить с ними... Словом, решай сама, только предупреди меня, когда они будут вылетать в Лос-Анджелес, — я их встречу.

— Спасибо, Марк. Ты так великодушен... Боюсь, я этого не заслужила. Я буду очень скучать по ним. — И Дженнет заплакала.

— Я уверен, они тоже будут скучать без тебя. Их обида скоро уляжется, и тогда они захотят вернуться.

— Я в этом сомневаюсь. Они были так решительно настроены против Эдама, а он... Я говорила тебе, у него свои представления о том, как все должно быть. Ему трудно понять, что дети думают, что чувствуют, — ведь своих у него не было.

«Это его трудности», — хотел сказать Марк, но сдержался. Дженнет можно было только посочувствовать. В ситуациях, требовавших трезвого расчета, решительности, стойкости, она всегда терялась — вот и оказалась в положении мяча, который перекидывают через сетку опытные теннисисты. Раньше все проблемы в семье решал Марк. Роман с Эдамом был, пожалуй, ее первым самостоятельным предприятием, Дженнет ринулась в него очертя голову и заварила такую кашу, что им всем предстояло еще долго ее расхлебывать.

В воскресенье Дженнет объявила детям, что они едут в Лос-Анджелес к отцу. Джессике и Джейсону не хватило такта, чтобы хотя бы притвориться огорченными. Разразившись восторженными воплями, они бросились собирать вещи. Дети готовы были отправиться в путь немедленно, но Дженнет настояла, чтобы они побыли с ней еще хотя бы неделю. Кроме того, она сказала, что летом им придется снова приехать в Нью-Йорк. Она и Эдам решили пожениться в июле, сразу после того, как будет официально оформлен развод, но говорить об этом детям Дженнет пока не стала. Она боялась, что после таких новостей Джессика и Джейсон вообще не захотят возвращаться. Пусть они узнают о свадьбе уже здесь, решила она.

Эта последняя неделя была мучительной для всех, и Дженнет вздохнула почти с облегчением, когда в воскресенье посадила детей на самолет до Лос-Анджелеса. У Марка все было готово к встрече. В последний момент он решил не нанимать для детей няню, а договорился с Паломой, которая без всяких уговоров согласилась присматривать за детьми. На тренировки Марк мог возить их сам; ради этого он был готов уходить с работы раньше обычного, благо его положение в фирме это позволяло.

Уже после того, как самолет оторвался от земли, Дженнет долго стояла у стеклянной стены в зале вылета и молча смотрела в небо. На прощание дети обняли ее, Джейсон даже чуть было не заплакал. Оставаться он не хотел, но ему было жаль мать. А Джессика, ее девочка, ее ангел, ни разу не оглянулась. Подхватив свою сумку, она чуть ли не бегом бросилась к трапу.

В лос-анджелесском аэропорту все было совсем иначе. Едва завидев Марка в толпе встречающих, Джессика и Джейсон завопили от радости и со всех ног бросились к нему. Со слезами на глазах он обнял обоих и крепко прижал к себе. Он потерял Дженнет — потерял, быть может, по собственной вине, — но зато дети вернулись к нему.

И это было все, чего он сейчас желал.

Глава 11

Расписание дежурств Алекс повергало Купа в недоумение. Он не представлял, как можно столько работать! Ни с чем подобным он еще никогда не сталкивался, хотя среди его побед было несколько женщин, активно занимавшихся своей карьерой, в том числе две адвокатессы. Куп и Алекс встречались урывками, ужинали в ресторанах быстрого обслуживания, китайских забегаловках и кафе, изредка ходили в кино, и каждый раз их встречи прерывались настойчивым сигналом пейджера. Алекс вызывали в клинику, и она прыгала в свой «Фольксваген» или в такси и мчалась на работу. Куп не раз уговаривал ее предпринять что-нибудь, но Алекс отрицательно качала головой. Она была бессильна изменить сложившийся порядок, из-за которого у абсолютного большинства врачей-резидентов напрочь отсутствовала личная жизнь. Правда, многие из ее коллег встречались с другими врачами или медсестрами, но эти служебные романы были чаще всего недолговечны.

Алекс действительно было непросто втиснуть в свое рабочее расписание Купа, распорядок жизни которого так отличался от ее собственного. Чтобы выкроить время для встречи с ним, Алекс менялась сменами, отрабатывала лишние часы, чтобы иметь возможность уйти с дежурства пораньше, и безотказно подменяла коллег, когда им требовалось отлучиться по личным делам. Куп тоже шел на всяческие ухищрения, чтобы подстроиться к ней, однако он не переставал изумляться той ответственности, которую Алекс проявляла, если речь заходила о ее работе. Впрочем, это ему даже нравилось, как нравилось все в этой удивительной женщине. О ее богатстве Куп теперь почти не вспоминал, однако, если эти мысли все же приходили ему на ум, он думал о миллионах Артура Мэдисона лишь как о приятном, но необязательном дополнении ко всему остальному. Они были для него как нарядная ленточка на рождественском подарке. Гораздо чаще Куп задумывался о том, как отнесутся родители Алекс к тому, что он встречается с их дочерью. Его так и подмывало спросить об этом у самой Алекс, но он так и не осмелился — главным образом потому, что не был уверен, можно ли так определить их отношения.

Их отношения и в самом деле развивались достаточно медленно — отчасти из-за занятости Алекс, отчасти из-за того, что, раз обжегшись, она была очень осторожна и не хотела спешить. Он поцеловал ее только после пятого свидания, но дальше этого дело не пошло, а форсировать события Куп не хотел. Для этого он был достаточно умен, да и терпения ему было не занимать. Он сразу решил, что переспит с Алекс, только когда она сама захочет этого. Инстинкт подсказывал Купу, что при малейшем давлении с его стороны Алекс может отдалиться или вообще порвать их отношения, а этого ему не хотелось. И он был готов ждать столько, сколько будет нужно.

К счастью, Шарлен совершенно исчезла с его горизонта. После того как он две недели кряду не отвечал на ее звонки, она наконец перестала ему надоедать. Куп почувствовал огромное облегчение от того, что не надо было думать, как выпутаться из этой глупой ситуации. Всеми его мыслями теперь владела Алекс. Даже Палома, казалось, одобряла ее, хотя Куп был уже готов к решительной схватке со своей строптивой горничной, боясь, что ей вздумается дерзить Алекс. Ему бы никогда не пришло в голову, что Палома жалеет Алекс, уверенная, что бедная наивная женщина не представляет и близко, на что идет.

Куп совершенно изменил свой привычный распорядок. Даже в те дни, когда он не встречался с Алекс, он оставался дома и читал сценарии или ужинал с кем-то из знакомых режиссеров и продюсеров. Однажды он снова побывал на вечеринке у Шварцев, но Алекс не смогла поехать туда с ним, и Куп откровенно скучал. Расспрашивать о ней Луизу Шварц он не осмелился — ему не хотелось, чтобы кто-то знал, что они встречаются. Куп нисколько не стыдился своего увлечения, просто ему хотелось уберечь Алекс от шумихи, которую могли поднять вокруг них газеты. Он уже понял, что она была человеком скромным, твердо придерживавшимся определенных правил, и ей бы наверняка не хотелось, чтобы бульварная пресса назвала ее еще одним «приобретением», которое знаменитый Купер Уинслоу сделал для своего гарема. Хоть Алекс и была более или менее осведомлена о его репутации «первого голливудского плейбоя», но посвящать ее в подробности Куп считал излишним.

Там, где они обычно ужинали, газетчики не появлялись. Местом их охоты были шикарные рестораны в центре Лос-Анджелеса, но Куп еще ни разу не водил Алекс ни в «Спаго», ни в «Четыре времени года», так как у нее не было ни сил, ни времени, чтобы привести себя в надлежащий вид. Она постоянно была занята, поэтому, когда однажды они пошли в кино и даже смогли досмотреть фильм до конца, Куп считал это огромной удачей.

Но больше всего Алекс нравилось приезжать к нему в «Версаль» на уикенд. Она подолгу плавала в бассейне и загорала. Один раз она даже приготовила Купу ужин, но не успели они сесть за стол, как ее вызвали на работу, и Алекс так и не съела ни кусочка. Такое расписание жизни, тем более продиктованное не им, поначалу Купа сильно раздражало. Но потом он решил, что ради Алекс он должен принять все как есть. Все неудобства и препятствия, которые отделяли его от нее, он теперь воспринимал как личный вызов и готов был приложить все силы, чтобы их преодолеть.

Алекс, когда бывала у Купа, с удовольствием беседовала с Марком, с которым часто встречалась у бассейна. Он охотно рассказывал ей о своих детях, а однажды даже поделился своим беспокойством по поводу того, как складываются их отношения с матерью и Эдамом. Марк признался Алекс, что ему, конечно, не особенно хотелось, чтобы его дети были в восторге от отчима — совершенно чужого им человека, который к тому же разрушил их семью, но, с другой стороны, он всегда стремился к тому, чтобы Джессика и Джейсон были счастливы. Алекс искренне сочувствовала Марку и всегда пыталась успокоить его.

Гораздо реже она видела Джимми. Джимми работал еще больше, чем сама Алекс. Даже в выходные он часто ездил по сиротским приютам или тренировал детскую софтбольную команду. Марк, впрочем, часто рассказывал Алекс о том, какой Джимми отличный парень. От него же она узнала и его трагическую историю. С тех пор каждый раз, когда Джимми выходил к бассейну, Алекс старалась как-то выразить ему свое сочувствие, но сам Джимми никогда не заводил разговора первым. Похоже было, что в присутствии Алекс Джимми испытывает постоянную неловкость. Он действительно чувствовал себя скованно, но Алекс была здесь ни при чем — на ее месте могла быть и любая другая женщина. Все дело было в самом Джимми, который вопреки всему по-прежнему чувствовал себя связанным с Маргарет. По прошествии некоторого времени именно от Джимми Алекс узнала, что он и Марк никакие не гости Купа, а арендуют у него жилье, однако она не придала этому никакого значения, справедливо рассудив, что финансовые дела Купа ее не касаются.

Куп и Алекс встречались уже месяц, когда Куп предложил Алекс отправиться на уикенд в небольшое путешествие. Алекс сомневалась, что это возможно, но в кои-то веки расписание ее сложилось настолько удачно, что, переговорив с коллегами, она освободила себе оба выходных дня. Единственным условием, которое она поставила Купу, было то, что в отеле у них должны быть отдельные комнаты.

Она была еще не готова к физической близости с Купом и не хотела спешить, хотя в последнее время Алекс, несомненно, влекло к нему. Кроме того, она сказала, что хочет заплатить за свою комнату сама. Куп собирался отвезти ее в Мексику — в одно уютное курортное местечко, которое он знал, и Алекс отнеслась к этому с восторгом. Она не отдыхала на курорте с тех самых пор, как поступила в резидентуру, а путешествовать она всегда любила. Два дня солнца и отдыха с Купом были для нее равноценны пребыванию в раю, и она с нетерпением ожидала наступления уикенда. Правда, для этого вовсе не обязательно было ехать в Мексику, но Алекс решила, что Куп просто хочет оградить ее от досужих глаз газетчиков, которые не преминули бы отразить сей факт в своих изданиях, если бы заметили их в Малибу или в Санта-Монике.

Они вылетели из Лос-Анджелеса в пятницу вечером и через два часа были уже в отеле, который оказался еще шикарнее, чем его описывал Куп. Как и просила Алекс, у них были отдельные спальни, общая гостиная размером с баскетбольную площадку, просторная терраса, собственный бассейн и свой отдельный кусок пляжа на берегу океана. Здесь можно было жить месяцами, не видя ни одного постороннего человека, но они не стали уединяться и уже вечером в субботу отправились в город. Там они бродили по сувенирным лавочкам, сидели в открытых уличных кафе, пили текилу с лимонным соком. Казалось, они проводят вместе медовый месяц, и для полноты впечатлений не хватало только одного... Но в ночь с субботы на воскресенье Алекс восполнила этот пробел. Как Куп и рассчитывал, она сама пришла к нему в комнату и осталась до утра.

Алекс пошла на этот шаг сознательно, следуя своему собственному желанию. Алекс чувствовала, что с каждым часом влюбляется в Купа все больше и больше. Еще ни один мужчина в ее жизни не был к ней так добр, внимателен, нежен. Куп оказался не только прекрасным собеседником и хорошим другом, но и восхитительным любовником. Он умел обращаться с женщинами, знал, что им нужно и чего они хотят, и Алекс чувствовала себя с ним легко и свободно. С ним она смеялась так много, как ни с кем, с ним она могла говорить совершенно откровенно, и даже ходить с ним по магазинам ей очень нравилось. Куп исполнял все ее капризы, ловил на лету малейшие желания, и Алекс с благодарностью думала, что другого такого мужчины нет в целом свете.

Она и раньше знала, какой популярностью пользуется Куп, но количество автографов, которые он раздавал прямо на улицах, ее поразило. Многие останавливали его и просили сфотографироваться вместе, и Куп никому не отказывал. Казалось, его знает весь мир; Алекс даже немного ревновала его к такой известности, однако потом ей пришло в голову, что ни один человек не знает его так хорошо, как она. Так, во всяком случае, ей казалось, и дело было вовсе не в их интимной близости. С ней Куп говорил совершенно откровенно, не только делясь очень личными фактами и историями своей жизни, но и открывая самые сокровенные секреты. И Алекс платила ему той же монетой. Она не хотела, да и не могла ничего скрывать от человека, который за считаные недели стал ей ближе и роднее, чем кто бы то ни было за всю ее жизнь.

— Как ты думаешь, что скажут твои родители, когда узнают о нас? — спросил Куп после того, как они в первый раз занимались любовью. Оба получили огромное наслаждение и ночью отправились искупаться обнаженными в бассейн, на поверхности которого отражалась огромная золотая луна. Где-то далеко играла тихая музыка, шелестели на ветру листья пальм, и Алекс подумала, что это, наверное, самая романтичная ночь в ее жизни.

— Понятия не имею, — совершенно искренне ответила она и пожала плечами. — Мой отец, по-моему, никогда и никого не любил, и моя мать и мы — его дети — не исключение. Он никому не доверяет, не ищет ничьего расположения. Не представляю, впрочем, как ты можешь ему не понравиться. Ты такой знаменитый, умный... Мне кажется, у тебя вообще нет недостатков.

— Ему может не понравиться, что я намного тебя старше, — серьезно ответил Куп, а про себя подумал: «И это еще не все...»

— Возможно, — легко согласилась Алекс. — Но иногда мне кажется, что это я старше тебя — ты ведешь себя как мальчишка. — Она улыбнулась ему, потом они поцеловались, и Куп не стал уточнять, что и финансовое их положение разительно отличается — Алекс богата, он же находился на грани банкротства. Говорить об этом ему было не просто неприятно — о своих проблемах Куп старался даже не думать, по обыкновению прячась от реальности, грозившей смутить его душевное спокойствие.

Но Купа определенно радовало то обстоятельство, что материально Алекс от него не зависит. Его нежелание создать семью отчасти объяснялось именно тем, что он чувствовал себя обязанным содержать жену на собственные средства, а между тем его финансовые обстоятельства никогда не отличались стабильностью. Правда, после удачно сыгранной роли у него появлялись большие деньги, но это, как правило, было ненадолго. Куп тратил деньги с легкостью — так уж он был устроен, а некоторые из женщин, с которыми он встречался, обходились ему весьма недешево. Но к Алекс это не относилось. Она была богата, независима, и впервые за много лет Куп начал задумываться о том, что ничто не мешает ему связать свою судьбу именно с этой женщиной. Сначала эти мысли были смутными, неясными, да и никаких конкретных сроков Куп себе не ставил, однако сама перспектива брака уже не пугала его так сильно, как раньше. К своему собственному удивлению, Куп несколько раз ловил себя на мысли, как хорошо бы они могли устроиться в «Версале», хотя раньше он бы предпочел покончить с собой, чем жениться. Но теперь, когда он встретил Алекс, семейная жизнь представлялась ему тоже привлекательной. Рядом с Алекс он многое воспринимал иначе. Так он и сказал ей, в очередной раз поцеловав под волшебной мексиканской луной.

— Я не знаю, Куп, мне кажется — я еще не готова, — ответила она откровенно. Алекс любила его и не хотела ввести в заблуждение, дать беспочвенную надежду. Она действительно была не готова к браку, отчасти из-за своей работы, отчасти из-за печального опыта с Картером. Она все еще страшилась нового разочарования.

— Я тоже, — шепнул он в ответ. — Но, по крайней мере, когда я думаю о браке, меня больше не бросает в дрожь. Для меня это большое достижение!

Алекс была рада, что они оба проявляют одинаковую

осторожность и не хотят спешить. В особенности это касалось Купа, который не только никогда не был женат, но и отрицал самую возможность подобного «несчастного случая», как он со смехом объяснял ей еще две недели назад. Когда Алекс спросила, почему он не женился, Куп сказал, что еще не встретил подходящей девушки, ради которой он готов был решиться на столь опасный эксперимент. Но теперь ему начинало казаться, что он такую девушку нашел. Алекс казалась ему человеком, с которым можно прожить бок о бок всю жизнь и не разочароваться. А о том, сколько ему еще отпущено лет, Куп даже не задумывался.

Они провели волшебный уикенд и вернулись в Лос-Анджелес посвежевшие и счастливые. Им очень не хотелось расставаться, и Куп спросил Алекс, не хочет ли она поехать к нему?

— Мне бы этого очень хотелось, — ответила Алекс, немного подумав. — Но мне кажется — я не должна...

Ей все еще не хотелось спешить. Она боялась, что может слишком привыкнуть к Купу, а потом что-то произойдет, что-то снова пойдет не так.

— Я буду скучать по тебе, — добавила она, чтобы утешить Купа.

— Я тоже, — ответил Куп, и это были не пустые слова. Он знал — ему действительно будет ее не хватать. После выходных, проведенных с Алекс, он чувствовал себя совершенно другим человеком.

Он сам отвез Алекс домой и отнес ее сумки в квартиру. Куп еще ни разу здесь не был и испытал самое настоящее потрясение. Повсюду валялись использованные халаты и больничная униформа, книги по медицине были сложены стопками прямо на полу, в крошечной ванной комнатке не было ни ковриков, ни занавесок — только голый кафель, сверкавший больничной чистотой. Мебели в квартире тоже практически не было. Это был не дом в привычном смысле, а самое настоящее «место для спанья», как называла его сама Алекс. В своей квартире она практически не жила — не готовила, не принимала гостей, не читала — и лишь приезжала сюда на несколько часов в сутки, чтобы выспаться и принять душ.

— Господи, Алекс, да ведь это настоящая казарма! — воскликнул Куп, разглядывая оклеенные простенькими обоями стены и голую лампочку под потолком. — Не могу поверить, что это — твой дом!

Сама Алекс казалась ему изысканной, утонченной, аристократичной натурой, и он не ожидал увидеть ничего подобного. Комнаты для ночлега на бензозаправках — и те выглядели во сто раз уютнее, но обвинить Алекс в неряшливости у него не повернулся язык. Он знал, что она хотела стать врачом — это была ее цель, которой Алекс отдавала все свои силы и время. Куп готов был поспорить на что угодно, что ее крошечный кабинет в больнице обставлен и прибран куда лучше, чем эта так называемая квартира.

— Мне кажется, я знаю, что тебе нужно сделать, Алекс, — сказал он с самым серьезным видом. — Облить всю эту свалку бензином, бросить спичку, а самой переехать ко мне...

Но Куп знал, что его слова она, скорее всего, воспримет как шутку. Алекс была слишком осторожной и независимой, чтобы совершить подобный решительный шаг.

Эту ночь Куп провел у Алекс, на ее слишком узкой для двоих и жесткой койке. В шесть утра она уехала на работу, а Куп вернулся к себе. Но не успел он переступить порог «Версаля», как ему стало ясно — ему очень не хватает Алекс, и он хотел бы, чтобы она была с ним всегда.

Еще никогда ни одна женщина не будила в нем подобных чувств.

Когда Палома увидела выражение лица Купа, она была заинтригована. Он выглядел так, словно влюбился в молодую докторшу по-настоящему, и это удивило Палому. Значит, подумала она, у него все-таки есть сердце.

После обеда у Купа было назначено несколько деловых свиданий и съемки для обложки «Джи-Кью». Он вернулся домой только в шесть вечера и сразу позвонил Алекс, но она не смогла даже подойти к телефону. Куп знал, что ей предстоит отработать две смены подряд — такова была цена их мексиканского уикенда, и впервые подумал о том, на какие жертвы идет Алекс ради встреч с ним.

Он как раз устроился в библиотеке с бокалом шампанского и поставил на проигрыватель любимый компакт с записями Эллы Фицджеральд, когда его слуха достиг какой-то странный звук. Звук доносился откуда-то со стороны парадного крыльца и напоминал не то треск пулемета, не то серию коротких взрывов. Куп бросился к окну.

Сначала он не увидел ничего странного. Только потом Куп заметил на лестнице какого-то подростка и даже ахнул от возмущения. Несовершеннолетний хулиган спускался на скейтборде по мраморным ступенькам и наконец приземлился на вымощенную каменными плитами площадку перед парадным входом. Взяв скейтборд под мышку, он снова взбежал на лестницу и начал все сначала.

Куп в ярости ринулся вниз. Выбежав в вестибюль, он рванул парадную дверь и выскочил на крыльцо. Эта лестница из белоснежного мрамора была предметом его особой гордости: ее построили в 1918 году по желанию Веры Харпер, и с тех пор на ней не появилось ни одной щербинки, ни одного темного пятнышка. А юный бандит со своим скейтбордом мог испортить ее в течение нескольких часов.

— Эй ты! Что ты здесь делаешь?! — рявкнул Куп. — Убирайся отсюда живо, не то я вызову полицию. Как ты вообще сюда попал? Это частное владение, посторонним здесь находиться нельзя!

Куп не сомневался, что молодой правонарушитель перелез через ограду, но почему не сработала сигнализация?

Подросток в испуге смотрел на него, прижимая скейт к груди.

— Здесь живет мой папа, — проговорил он сдавленным голосом. Ему даже не пришло в голову, что он может повредить историческую лестницу. Он просто хотел попрактиковаться в прыжках со ступеней и прекрасно себя чувствовал, пока Куп не выскочил из особняка, как черт из табакерки.

— Твой отец? Что ты хочешь сказать? — удивился Куп. — Здесь живу я, а я, слава богу, вижу тебя в первый и, надеюсь, в последний раз. Кто ты такой?

— Я... Меня зовут Джейсон Фридмен, сэр, — ответил парнишка дрожащим голосом. Скейт выпал у него из рук и ударился о мрамор со стуком, заставившим обоих вздрогнуть.

Куп первым пришел в себя.

— Да что ты говоришь?! — язвительно переспросил он. — Фридмен? Впервые слышу!

— Мой папа живет здесь в гостевом крыле, — повторил

Джейсон дрожащим голосом. Он и Джессика только вчера прилетели из Нью-Йорка к отцу. «Версаль» им обоим очень понравился. Вернувшись из школы, они несколько часов исследовали парк, а потом поужинали с дядей Джимми, которому Марк представил их накануне. Купа они еще не видели, хотя и слышали о нем от отца; вчера, когда они приехали, Куп был еще в Мексике, а утром, когда он вернулся домой, они уже ушли в школу.

— Теперь я тоже буду жить здесь — я и моя сестра, — добавил Джейсон, с опаской поглядывая на Купа. — Мы переехали сюда из Нью-Йорка.

Он очень боялся, что этот странный мужчина действительно вызовет полицию, и спешил сообщить ему все, что могло как-то объяснить его присутствие на территории поместья. Однако его слова еще больше озадачили Купа.

— Что значит — «будешь жить»? — недоуменно переспросил он. — Уж не хочешь ли ты сказать, что приехал сюда надолго?

Куп уже догадался, что имеет дело с одним из отпрысков Марка. Он смутно припоминал, как Лиз говорила ему, что у одного из жильцов будто бы есть дети, которые могут приехать навестить его, и теперь ему хотелось знать только одно: как долго ему придется терпеть врага на своей территории.

— Насовсем, — объявил Фридмен-младший. — Наша мама в Нью-Йорке решила выйти замуж, и теперь мы будем жить с папой. А ее друга мы терпеть не можем.

При других обстоятельствах Джейсон не стал бы распространяться на эту тему, но Куп выглядел достаточно грозно, чтобы напугать тринадцатилетнего подростка.

— Я думаю, он тоже был от вас не в восторге, — мрачно заметил Куп. — Особенно если вы позволяли себе кататься на скейте по его крыльцу. В общем, так, парень: если я еще раз увижу тебя здесь, я возьму кнут и собственноручно тебя отхлестаю. Ты понял?

— Папа вам не позволит! — обиженно отозвался Джейсон. Он решил, что Куп немного не в своем уме. Правда, Джейсон знал, что Купер Уинслоу — настоящая кинозвезда, однако обещал же он сначала сдать его полиции, а потом — выпороть.

— Если вы это сделаете, вас посадят в тюрьму, — дерзко добавил он, но тут же спохватился. — Смотрите, я их даже не поцарапал, — сказал Джейсон, указывая на мраморные ступени. — Если хотите, я могу извиниться...

— Ты мог их поцарапать, — с нажимом сказал Куп и тут же уточнил: — Значит, вы переехали сюда насовсем?

Это была поистине ужасная новость, и Куп от всей души надеялся, что парень соврал или что-то перепутал.

— Твой отец ничего не говорил мне о вашем приезде, — добавил Куп, с беспокойством косясь в сторону гостевого крыла, словно ожидал увидеть там целую шайку юных Фридменов.

— Из-за этого придурка, маминого ухажера, ему пришлось решать все очень быстро, — сообщил Джейсон. — Мы приехали вчера, а уже сегодня пошли в нашу старую школу, где учились раньше. Моя сестра учится в предпоследнем классе, — добавил он без видимой связи с предыдущим.

— Ты меня очень успокоил, — заметил Куп самым саркастическим тоном. Он никак не мог поверить, что все это происходит с ним. В его гостевом крыле поселятся сразу двое детей? Ну уж нет! Необходимо как-то это предотвратить. Нужно их выставить, пока они не сожгли дом и ничего не сломали. Интересно, что скажет по этому поводу его адвокат?

— Хорошо, я поговорю с твоим отцом, — произнес Куп. — А пока дай-ка мне это, — добавил он, потянувшись к скейтборду, но Джейсон быстро шагнул назад. Он вовсе не собирался отдавать свой лучший скейт, который привез с собой из Нью-Йорка, даже голливудской звезде.

— Я же ничего не повредил, — снова повторил он. — Если хотите, я могу извиниться. Я же уже говорил, что...

— В основном ты рассказывал мне про приятеля своей матери, — перебил Куп, величественно глядя на парнишку сверху вниз. Он стоял на крыльце на несколько ступенек выше Джейсона, к тому же он был высок ростом и представлял собой весьма внушительное зрелище. Мальчику он казался почти гигантом.

— Мы с сестрой терпеть его не можем. Эдам — настоящая задница, — торопливо напомнил Джейсон.

— Я вам очень сочувствую, но это не значит, что теперь вы можете жить в моем доме. Я этого не потерплю, — решительно сказал Куп. — Передай своему отцу, пусть зайдет ко мне завтра утром. — С этими словами он вернулся в дом, громко хлопнув дверью, а Джейсон со всех ног помчался в гостевое крыло. Там он рассказал отцу о своем столкновении с владельцем особняка, опустив некоторые незначительные подробности.

— Тебе не следовало кататься на скейте на его крыльце, сын, — сказал ему Марк. — Это очень старый дом, ты мог попортить ступеньки.

— Но ведь я же ничего не испортил и извинился! — возмутился Джейсон. — По-моему, этот мистер Уинслоу просто зануда!

— Ничего подобного, — возразил Марк. — Он очень приятный человек, Джейсон, просто он не привык к детям. Не будем раздражать его по пустякам, договорились?

— А он может заставить нас уехать?

— Сомневаюсь. — Марк покачал головой. — Это будет не по закону. Он может потребовать, чтобы мы съехали, только если мы... вы дадите ему достаточно веский повод. Например, что-то сломаете или повредите. — Он припомнил сожженную живую изгородь и слегка покраснел. — Сделай мне одолжение, веди себя прилично. И передай мою просьбу Джессике, хорошо?

«Версаль» очень понравился детям, и Марк надеялся, что они сделают все, что будет от них зависеть, чтобы остаться здесь, с ним. И Джейсон, и Джессика были просто в восторге, когда встретились со своими старыми школьными друзьями; пока сын осваивал мраморное крыльцо Купа, Джесс висела на телефоне, обзванивая всех своих знакомых, а Марк готовил ужин. Все вопросы с Паломой были уже решены; она даже успела познакомиться с детьми, и дети ей понравились. Единственная загвоздка была в Купе. Марк был уверен, что ни один суд не заставит их переехать на другую квартиру только на том основании, что Куп не любит детей, но портить с ним отношения ему не хотелось. Оставалось надеяться, что все обойдется.

А Куп был так расстроен случившимся, что, поднявшись в библиотеку, выплеснул шампанское в корзину для бумаг и налил себе изрядную порцию виски. Бросившись в кресло, он позвонил на пейджер Алекс. Она перезвонила ему пять минут спустя и по его голосу мгновенно поняла — что-то случилось.

— Что стряслось? — обеспокоенно спросила она. — У тебя такой голос...

— Мой дом захвачен инопланетянами, — мрачно буркнул Куп. Он был сам на себя не похож, и Алекс встревожилась еще больше.

— Да что с тобой?! — воскликнула она. — О чем ты говоришь?

— Я говорю о детях Марка, — сказал Куп похоронным голосом. — Они приехали из Нью-Йорка. Я, правда, видел только его сына, но и этого вполне достаточно. Этот мальчишка — просто несовершеннолетний правонарушитель, иного слова я не подберу. Я собираюсь позвонить моему адвокату, чтобы он выдворил отсюда этих бандитов, пока они не довели меня до сердечного припадка. — В гневе Куп совершенно забыл, что представил ей Марка и Джимми как гостей, а не как квартирантов. — Можешь себе представить — мальчишка катался по мраморному крыльцу на этой ужасной роликовой доске!

Услышав это, Алекс с облегчением рассмеялась. Она была рада, что ничего страшного не произошло, но голос Купа продолжал звучать так, словно его дом рухнул от землетрясения.

— Боюсь, что выдворить Марка и его детей тебе не удастся, — сказала Алекс. — Существует множество законов, которые защищают родителей с детьми. — Она сочувствовала Купу, но вместе с тем ей было также странно, что он придает такое значение пустякам. Куп не раз давал понять, что терпеть не может детей, но Алекс не думала, что его неприязнь заходит так далеко.

— А ты случайно не знаешь законов, которые бы защищали меня? — обиженно спросил Куп. — Я же говорил тебе — я не люблю детей, и...

— Не хочешь ли ты сказать, что у нас с тобой детей не будет? — Алекс попыталась все перевести в шутку, но Купу неожиданно пришло в голову, что это обстоятельство может помешать развитию их отношений. Он еще ни разу не задумывался о том, что Алекс достаточно молода и может мечтать о ребенке.

— Давай обсудим это в другой раз, — брюзгливо сказал он. — Я, во всяком случае, уверен, что твои дети будут достаточно хорошо воспитаны. Детям Марка место в колонии для несовершеннолетних преступников, а не в моем доме.

— Но ведь ты видел только мальчика, — напомнила Алекс. — У него, кажется, есть сестра...

— Да, он о ней упоминал, — поморщился Куп. — Мальчишка сказал, что его сестра учится в предпоследнем классе. Это значит, что она почти наверняка жует крек и интересуется наркотиками.

— Ну, может быть, на самом деле все не так плохо! — попыталась успокоить его Алекс. — Надолго они приехали?

— Мальчишка говорит — навсегда. Но даже неделя для меня — огромный срок. Завтра утром я намерен поговорить с Марком.

— Постарайся провести разговор спокойно, хорошо? — Она чувствовала, как Куп раздражен, и не хотела оставлять его в таком настроении. — Хорошо, что ты позвонил, — продолжала Алекс, пытаясь отвлечь Купа.— Я как раз думала, чем ты занимаешься...

— Пытаюсь стать алкоголиком, — проворчал Куп, с отвращением глядя на стакан с виски, который он все еще держал в руке. — У меня стойкая аллергия на людей моложе двадцати двух лет. Какое мне дело до семейных проблем Марка? Мы договаривались, что он будет жить в гостевом крыле один. Марк не имеет права навязывать мне еще и своих детей. Что я буду делать, если мне не удастся их выселить?

— Придется научить их вести себя как следует, только и всего, — ответила Алекс, которую эта ситуация начинала забавлять.

— Тебе легко говорить, дорогая. Но некоторые дети, как известно, плохо поддаются дресс... воспитанию. Я сказал этому мальчишке, что, если я еще раз увижу, как он катается по моим ступенькам, я его высеку, а он на это мне сказал, что за насилие над детьми меня могут упечь в тюрьму.

— Это серьезная угроза, — заметила Алекс. Судя по тому,

что рассказывал Куп, первое знакомство с детьми Марка было явно неудачным. Но ведь и Куп был не прав, когда грозил выпороть мальчишку — быть может, когда-то это и было в порядке вещей, но для современного подростка такая угроза была дикостью.

— Я уверена, что все устроится, — миролюбиво добавила Алекс. — Поговори с Марком, я думаю, он сумеет сделать так, что его дети больше не будут тебе досаждать. Марк — разумный человек, он тебя поймет. Только прошу тебя, держи себя в руках.

На следующее утро Куп не стал ждать, пока Марк зайдет к нему, и позвонил ему сам. Марк долго извинялся за сына и клятвенно заверил, что ничего подобного больше не повторится. Потом он подробно обрисовал Купу свою ситуацию и пообещал, что по окончании учебного года дети вернутся в Нью-Йорк к матери. Это означало, что они пробудут в Лос-Анджелесе всего около двух месяцев, но для Купа даже этот срок означал целую вечность. Он был согласен терпеть их не больше двух дней, а лучше — часов, но его ожиданиям не суждено было сбыться. Правда, Марк поклялся, что дети будут вести себя тише воды ниже травы и не будут попадаться на глаза Купу, но верилось в это с трудом. Перед тем как звонить Марку, Куп все же переговорил со своим адвокатом, но тот только подтвердил то, что сказала Алекс: чтобы добиться выселения Марка и детей, у него должна была быть очень веская причина.

Неудивительно, что Куп пребывал в прескверном настроении. Даже письмо с извинениями (и несколькими довольно забавными грамматическими ошибками), которое Джейсон написал ему по настоянию отца, не смягчило его гнева. Куп по-прежнему был уверен, что Марк поступил непорядочно, навязав ему своих отпрысков. У него не было никакого желания превращать свой любимый «Версаль» в детский сад, лагерь бойскаутов или клуб скейтбордистов. Куп хотел только одного: покоя, но и этого его лишили. Оставалось только надеяться, что мать юных Фридменов в самое ближайшее время рассорится со своим любовником и заберет их обратно.

Глава 12

После первого столкновения с Купом Марк велел сыну держаться как можно дальше от хозяйской половины дома и кататься на скейтборде только по дорожкам. Несколько раз Джейсон видел, как Куп въезжает в поместье или выезжает из него, но старался не попадаться ему на глаза. Если же встречи избежать было нельзя, Джейсон вежливо здоровался со знаменитым актером. Куп в ответ сухо кивал и спешил дальше.

Так прошло две недели. Джессика и Джейсон были совершенно счастливы, вернувшись в свою старую школу, к прежним друзьям. Даже новый дом им нравился; они считали его «очень клевым», несмотря на то, что «старикан», как они называли между собой Купа, по-прежнему не вызывал у них особой симпатии.

А Куп продолжал страдать. И риелтор, и адвокат в один голос заявили ему, что он ничего не может предпринять — не стоит и пытаться. Права детей охраняли очень строгие законы, нарушать которые не рекомендовалось. Не мог Куп и пожаловаться на то, что Марк ввел его в заблуждение. Он честно предупреждал Купа, что у него есть дети и что они время от времени будут приезжать к нему в гости. Поэтому никаких оснований выселить его из гостевого крыла до конца обозначенного в договоре срока у Купа не было. Ему оставалось только смириться с таким положением вещей. Как сказал адвокат, единственная возможность избавиться от Марка — но не от его детей — появлялась только в том случае, если бы жилец оказался международным террористом, торговцем наркотиками или маньяком-убийцей, но надеяться на это не приходилось. Что же касалось случаев нанесения его собственности серьезного ущерба, то и в этом случае Куп мог рассчитывать только на материальную компенсацию. Выселить же младших Фридменов насильно не осмелился бы ни один суд.

Впрочем, никто на его собственность не покушался. С того дня, когда Куп застал Джейсона на своем крыльце, не произошло ровным счетом ничего, что он мог бы поставить новым жильцам в вину. Ни сломанных деревьев, ни разбитых стекол, ни утопленных в бассейне кошек Куп так и не увидел, однако тревожное чувство не покидало его. Он был убежден, что рано или поздно произойдет нечто ужасное, и не ошибся.

Неприятность случилась в одно из воскресений, когда Алекс была у Купа. Они еще спали, когда со стороны бассейна послышался страшный шум, мгновенно разбудивший их. Казалось, там собралась толпа людей и все они одновременно кричат, шумят, смеются. От громкого рэпа звенели стекла, и Алекс, прислушавшись к словам песни, не сдержала улыбки — стихи были не особенно целомудренными, но очень забавными. В них говорилось о слишком важных взрослых и о том, что думают о них дети, и Алекс поняла, что они адресованы Купу.

— О господи!.. — простонал Куп, приподнимая голову над подушкой. — Что там происходит?! Извержение вулкана? Цунами? Землетрясение?..

— Похоже на день рождения, — предположила Алекс и, сладко потянувшись, крепче прижалась к Купу. Чтобы освободить выходные и приехать в «Версаль», ей пришлось отработать несколько смен подряд, но она об этом не жалела. Куп постепенно приспосабливался к ее графику, и ему было так хорошо с Алекс, как ни с одной женщиной до нее. И Алекс было с ним просто и легко, несмотря на солидную разницу в возрасте. Правда, когда однажды Куп признался, что ему уже семьдесят, Алекс всерьез задумалась об их дальнейших отношениях, но прошло несколько дней, и беспокойство покинуло ее. С Купом было легко и весело, ни с одним из своих ровесников Алекс не было так хорошо. Она чувствовала себя женщиной — любимой и желанной.

— Должно быть, снова инопланетяне, — пробормотал Куп, и голос его предательски дрогнул. — У бассейна приземлилась еще одна летающая тарелка.

В последние три недели он изредка замечал в парке Джейсона и его сестру, но они не причиняли ему никакого беспокойства. Очевидно, Марк умел держать их в узде. Купу было невдомек, что это заслуга не столько Марка, который по-прежнему много работал, сколько Паломы, проводившей с детьми большую часть дня.

Куп, выбравшись из постели, выглянул в окно.

— Этот грохот слышно, наверное, даже в Чикаго. Господи, Алекс, да их тут не меньше сотни!.. — Он беспомощно оглянулся на нее, и Алекс тоже подошла к окну. Сто не сто, но не меньше двадцати подростков собрались у бассейна и прекрасно проводили время.

— Да, самая настоящая тусовка, — подтвердила Алекс. — Похоже, у них какой-то праздник. Может, и в самом деле день рождения или что-то вроде того...

На нее это зрелище не произвело никакого впечатления. Скорее наоборот — Алекс было приятно смотреть на веселящихся подростков. После страданий и смертей, которые она так часто видела в клинике, Алекс отдыхала душой, глядя на здоровых, энергичных, полных жизни детей. Но Куп не разделял ее чувств, он был вне себя и еле сдерживал свое раздражение.

— У инопланетян не бывает дней рождений, Алекс, — сказал Куп. — Они вылупляются из яиц или из икринок и сразу же летят на Землю, чтобы перепортить и переломать все, что только попадется им на глаза. Я уверен, что эта банда была послана сюда специально, чтобы забросать окурками и битым стеклом мой чудесный голубой бассейн, сломать изгородь, сложить из нее костер и зажарить меня над огнем.

— Хочешь, я схожу к ним и попрошу сделать музыку потише? — с улыбкой спросила Алекс. Она видела, что Куп по-настоящему страдает. Он привык к упорядоченной, спокойной, комфортной жизни, а музыка, которая доносилась до них, мучила его слух. В ней не было ни малейшего намека на гармонию и красоту, к тому же магнитофон играл, пожалуй, действительно чересчур громко.

— Буду премного тебе обязан, — проборомотал Куп и, закрыв створки поплотнее, отступил от окна. — Не вызывать же полицию, в самом деле...

Алекс надела шорты и майку, сунула ноги в сандалии и, пообещав приготовить по возвращении завтрак, ушла. Куп отправился в душ, чтобы привести себя в порядок и успокоиться. Он всегда старался выглядеть безупречно, хотя Алекс и уверяла его, что после сна он выглядит намного лучше, чем большинство мужчин после парикмахерской. Это действительно было так, и Алекс даже немного завидовала Купу. Сама она после сна обычно выглядела не лучшим образом: припухшие глаза, на щеке — следы от подушки. К счастью, на ее стороне была молодость, поэтому, когда Алекс вышла к бассейну, чтобы попросить Марка сделать музыку потише, она сама была похожа на очаровательного, заспанного подростка.

Марк сидел в шезлонге, закрыв глаза и подставив лицо солнцу. Девочки в ярких разноцветных бикини собрались вокруг Джессики, они шептались, хихикали и поглядывали на мальчиков, которые демонстративно не обращали на них внимания. Джейсон сидел по шею в воде и пытался организовать игру в Марко Поло[1].

Подойдя к Марку, Алекс тронула его за плечо, и он открыл глаза.

— Привет! — сказал он. — Где ты пропадала? Я не видел тебя целую вечность! — Марк уже было решил, что Куп и Алекс расстались, но никаких других женщин около Купа тоже не наблюдалось.

— Работала, — коротко объяснила Алекс. — Что тут у вас? Чей-нибудь день рождения?

— Нет, просто Джесс решила собрать своих друзей, чтобы отпраздновать возвращение в Лос-Анджелес. Она так рада, что вернулась... — Марк немного помрачнел. — Представляешь, дети со мной уже три недели, но они до сих пор не желают разговаривать с матерью. Только вчера, когда Дженнет позвонила, Джейсон согласился взять трубку и сказать ей пару слов. Представляешь, что он ей сказал?!

— Представляю. — Алекс покачала головой. — Он начал рассказывать, как ему здесь хорошо и как он счастлив, что уехал. Правильно?

— Ты угадала! — Марк удрученно кивнул. — Но я не могу на него за это сердиться. Им было нелегко в Нью-Йорке. Слава богу, за это время они не разучились веселиться.

— Кстати о веселье, — осторожно заметила Алекс. — Мне не хотелось бы вам мешать, но Куп считает, что музыка играет слишком громко. Ты же знаешь, он терпеть не может шума. Не могли бы вы приглушить звук?

При этих словах Марк слегка вздрогнул, потом болез-

---

[1] Детская игра наподобие жмурок в воде.

ненно сморщился. Он только сейчас сообразил, что громкая музыка не могла не побеспокоить Купа. Сам он почти не обращал на шум внимания — раньше дети часто приглашали к себе друзей, и Марк просто привык к галдежу, громкому смеху и несдержанным выкрикам. Но это было давно, когда они жили в собственном доме и никому не могли помешать. Теперь же все изменилось, и Марк даже подумал, что ему, пожалуй, следовало предупредить Купа.

— О господи! — с ужасом воскликнул Марк. — Должно быть, пока я дремал, кто-то снова включил полную громкость. Ты же знаешь, какими они бывают в этом возрасте!

Алекс кивнула. Она хорошо знала, какими бывают четырнадцати-пятнадцатилетние подростки, и испытала настоящее облегчение, когда не увидела ни у кого из этой компании татуировок. Лишь у некоторых был проколот нос, а в ухе болтались одна-две серьги, но ничего страшного Алекс в этом не усматривала, хотя ей и не нравилась эта мода. В целом же это были нормальные, даже благополучные подростки из приличных семей. Вопреки опасениям Купа никто из них не был похож на наркомана или несовершеннолетнего преступника. Самые обыкновенные «инопланетяне», решила Алекс. Ничего внушающего опасения.

Марк поднялся с шезлонга и пошел делать музыку тише, а Алекс тем временем разглядывала его детей. Джессика была высокой, очаровательной девушкой с тонкой талией, длинными стройными ногами и чуть вьющимися светлыми волосами. Когда она смеялась, на ее пухлых щеках появлялись очень милые ямочки, на которые, как заметила Алекс, с вожделением поглядывали сразу несколько подростков.

Потом Алекс поискала глазами Джейсона, но увидела его не сразу. Он, оказывается, успел вылезти из воды и теперь стоял на лужайке за загородкой. Рядом с ним Алекс увидела Джимми. Оба о чем-то увлеченно беседовали, судя по всему — о бейсболе, так как на руке Джейсона красовалась бейсбольная рукавица, а Джимми вертел в пальцах мяч, показывая мальчугану, как подкручивать его во время броска.

Алекс направилась к ним.

— Привет, — сказала она.

Джимми явно смутился, увидев перед собой Алекс. Он представил ей Джейсона, но настороженность в его глазах осталась. Казалось, ему до сих пор больно смотреть на других женщин, и Алекс в который уже раз мысленно посочувствовала ему. Джимми пережил страшное горе, и это все еще было заметно. Такой же взгляд, как у него, Алекс видела однажды у родителей, которые только что потеряли своего ребенка. Похоже, только общаясь с Джейсоном и его друзьями, Джимми чувствовал себя более или менее свободно, когда же он снова оказывался в обществе взрослых, прежняя скованность снова овладевала им.

— Как дела? — дружески спросила Алекс. — Вы с Марком больше ничего не сожгли? — В последний раз она видела Джимми в то злосчастное воскресенье, когда взорвался мангал.

— Пока нет, — ответил Джимми, и оба улыбнулись, вспомнив, как Марк, весь в саже, метался с мокрым полотенцем вокруг пылающей живой изгороди, а Куп в это время преспокойно раздавал автографы пожарным.

— Из этой истории получился превосходный ужин для нас с Марком, — добавил Джимми.

— Как так? — удивилась Алекс.

— Мистер Уинслоу пригласил нас к себе после того, как ты уехала, — объяснил Джимми. — Боюсь, он угощал нас блюдами, которые предназначались тебе. Мы провели прекрасный вечер, жаль, тебя не было... Впрочем, если бы тебя не вызвали, нам бы ничего не перепало. — Он усмехнулся. — Наутро у меня так болела голова, что я еле доехал до работы. У Купа отличные вина, и, надо отдать ему должное, он наливает их щедрой рукой. Под конец мы с Марком были сильно навеселе, а Куп ничего — держался молодцом.

— Похоже, я пропустила отличную вечеринку, — заметила Алекс. Она хотела сказать что-то еще, но тут к ним снова приблизился Джейсон, ходивший сказать несколько слов отцу. Он так и не снял бейсбольную рукавицу, и Алекс спросила, на какой позиции он играет.

— Я играю трехчетвертного, — ответил Джейсон, стараясь говорить басом, и Алекс невольно рассмеялась.

— У парня неплохой бросок, — похвалил мальчика Джимми. — И отбивает он точно и сильно. Сегодня утром мы гренировались, и Джейсон перебросил через забор три мяча. Если бы это было на площадке, наверняка был бы «дом». Железно!

— Вот это да! — Алекс широко раскрыла глаза. — Я бы не попала по мячу, даже если бы мне посулили золотые горы!

— Маргарет тоже не попадала, — сказал Джимми и сразу же помрачнел. Сорвавшись с языка, эти слова причинили ему боль. Алекс ясно видела это и, не сдержавшись, сочувственно положила руку ему на плечо.

— Многие женщины не могут ни попасть по мячу, ни отбить как следует, зато у них есть множество других достоинств, — неловко пробормотал Джимми и попытался улыбнуться. Он старался отвлечься от горьких мыслей, и Алекс поспешила его поддержать.

— Боюсь, что никаких других достоинств у меня тоже нет, — сказала она со смехом. — Например, я не умею готовить. Единственное, на что меня хватает, это на бутерброды с арахисовым маслом. Ну и, конечно, я умею заказывать очень вкусную пиццу.

— Этого больше чем достаточно, — кивнул Джимми. — Моя жена тоже не умела готовить. — Он осекся. Проклятье! Язык снова подвел его, и Джимми погрузился в мрачное молчание. Чтобы не расстраивать его еще больше, Алекс заговорила с Джейсоном о бейсболе, но его окликнула Джесс, и мальчик, извинившись, ушел.

— У Марка хорошие дети, — сказала Алекс, поворачиваясь к Джимми. Быть может, думала она, ей все-таки удастся немного расшевелить его и заставить хотя бы на время забыть о своем горе.

— Марк ужасно рад, что они приехали. Он очень по ним скучал, — поддержал разговор Джимми. Он прилагал огромные усилия, стараясь взять себя в руки и не портить настроение окружающим своим подавленным настроением. Сколько раз он давал себе слово, что будет следить за собой, но ничего не получалось. — Кстати, как Куп отреагировал на их появление? Ведь он, кажется, не очень любит детей...

— Куп отреагировал весьма болезненно. Похоже, ему не помешало бы глубокое психологическое исследование; кро-

ме этого, я бы порекомендовала гипноз и курс антидепрессантов, — сказала Алекс с самым серьезным видом, и Джимми невольно рассмеялся. Это был совершенно искренний,
естественный смех, и у Алекс немного отлегло от сердца.
Она подозревала, что Джимми сам нуждается в серьезной
помощи психолога.

— Неужели дела так плохи? — спросил Джимми.

— Хуже некуда. Когда они приехали, его впору было отправлять в клинику, но сейчас он немного успокоился.
Впрочем, его состояние еще нельзя назвать стабильным.
Приступ может повториться, поэтому волновать его ни в
коем случае нельзя... Так что я, пожалуй, пойду к нему, —
спохватилась Алекс. — Собственно говоря, я спустилась,
чтобы попросить Марка сделать музыку потише.

— Куп не любит музыку? — усмехнулся Джимми.

— Только не рэп... — Алекс улыбнулась. — Особенно
если под него приходится просыпаться.

— Просыпаться?.. — уточнил Джимми и машинально поглядел на часы. Время двигалось к полудню. — Значит, ты
еще не успела ни намазать маслом бутерброды, ни заказать
пиццу?

— Нет. — Алекс покачала головой. — Надо еще сообразить, что приготовить Купу, я обещала ему сделать завтрак
в утешение. Лично я предпочитаю пиццу, но Куп, боюсь,
не оценит мое предложение. Насколько я знаю, он привык
есть на завтрак яичницу с беконом или омлет.

— Ты сумеешь приготовить яичницу? — заботливо спросил Джимми. Алекс ему нравилась — от нее исходили
доброта и участие, и Джимми ощущал их даже на расстоянии. Он помнил, что Алекс — детский врач, и, хотя он не
знал подробностей, ему почему-то казалось, что она — хороший врач. Джимми никак не мог понять, что связывает
ее с Купером Уинслоу. Они казались ему странной парой.
В конце концов он решил: верно говорят, что чужая душа —
потемки. Незачем ломать голову, пытаясь объяснить себе
поступки других людей, к тому же Джимми на собственном
опыте убедился — даже от самых близких знакомых можно
ожидать любых непредсказуемых действий. А ведь он даже
не знал Алекс как следует! И все же ему казалось странным,
что она увлеклась человеком, который вполне годился ей в

отцы. Алекс была нисколько не похожа на тех женщин, которых прельщают известность и внешний блеск. Возможно, думал Джимми, в Купе есть какие-то достоинства, которых он не замечал, а может быть, это он идеализирует Алекс. Думать об этом было ему неприятно, но факт оставался фактом: он ее почти не знал и мог только гадать, основываясь на своих субъективных впечатлениях. Что же касалось самого Купа, то, несмотря на приятный вечер, который они провели втроем, Джимми по-прежнему относился к Купу скептически. Конечно, его обаяние бесспорно, но у Джимми были свои представления о людях, которых можно было бы охарактеризовать как личность. Куп, по мнению Джимми, не принадлежал к числу таких людей. На его взгляд, этот стареющий плейбой слишком любил себя и свой комфортный мир, за пределами которого для него не существовало ничего. Вряд ли он был способен по-настоящему глубоко чувствовать чужую боль, сопереживать кому-то или радоваться чужим успехам. Словом, Куп был типичным голливудским созданием.

— Может, позвонить в «Службу спасения» — пусть срочно доставят горячий завтрак для мистера Уинслоу? — сыронизировал он, и Алекс бросила на него испытующий взгляд, от которого Джимми стало не по себе.

— Извини, — быстро добавил он. — Это вырвалось случайно.

Алекс понимающе кивнула.

— Чем мне нравится Куп, — сказала она, — это тем, что юмор никогда ему не изменяет. Куп умеет посмеяться и над собой тоже.

Джимми тут же захотелось спросить, что еще ей нравится в знаменитом актере, кроме юмора и, разумеется, внешности, но сдержался.

— Ладно, мне действительно пора идти, — закончила разговор Алекс. — Боюсь только, к бассейну мы сегодня не пойдем. Куп вряд ли вынесет это зрелище, а я не захватила с собой смирительную рубашку.

Джимми засмеялся, и Алекс, прощально махнув рукой Марку, вернулась в дом. Купа она застала уже в кухне, где он сражался с завтраком. Приготовленные им оладьи имели темно-коричневый цвет и хрустели на зубах. Бекон на

сковородке с одной стороны совершенно обуглился, желт
ки всех четырех яиц растеклись, а весь стол был зали
апельсиновым соком, который мерно капал со стола н
пол.

— Да ты, оказывается, умеешь готовить! — воскликнул
Алекс, и Куп настороженно посмотрел на нее, но Алекс н
шутила. Вряд ли она справилась бы лучше. Алекс была куд
лучшим врачом, чем хозяйкой.

— Нет, в самом деле я считаю, у тебя получилось очень
неплохо, — добавила она.

— А мне почему-то кажется, что я чего-то не учел, -
вздохнул Куп. — Кстати, где ты была? Я уже думал, этот мо
лодняк взял тебя в заложницы.

— Они совершенно нормальные дети, Куп, — успокоила
его Алекс. — Так что можешь не волноваться — тебя н
арестуют за содержание притона. Я просто немного пого
ворила с Марком и Джимми. Они оба тоже там, так что
случае чего они присмотрят за детьми... Не то чтобы
этом была большая нужда, — поспешно добавила она, уви
дев выражение лица Купа. — Уверяю тебя: все гости Джес
сики и Джейсона — хорошо воспитанные, вежливые и вни
мательные ребята.

Брови Купа поползли наверх. Застыв у плиты с лопа
точкой в руке, он удивленно таращился на нее, не обращая
внимания на подгорающую яичницу.

— Я так и знал, — пробормотал он наконец. — Боже мой!
Пришельцы тебя подменили... Ты — это не ты... Кто вы,
доктор Мэдисон? — добавил он глухим театральным голосом.

Вся сцена настолько напомнила Алекс эпизод из плохого научно-фантастического фильма, что она не выдержала
и расхохоталась.

— Это самая настоящая я, уверяю тебя, — сказала она. —
И я говорю совершенно серьезно: дети как дети, ничего
опасного.

— Тебя так долго не было, что я решил — они забрали
тебя в свою летающую тарелку, — сообщил Куп. — Поэтому
я решил сам приготовить себе завтрак. Нам... — тут же поправился он и, брезгливо поджав губы, оглядел царящий на
кухне беспорядок. — Слушай, почему бы нам не позавтра-

кать в городе? — предложил он. — Я не уверен, что эти оладьи, гм-м... съедобны.

— Надо было заказать пиццу на дом.

— На завтрак?! — Куп с негодующим видом выпрямился во весь рост. — Пока я жив, этого не будет! — отчеканил он. — Твои привычки просто ужасны, Алекс. Неужели в медицинском колледже тебя не учили основам здорового питания? Никто не ест пиццу на завтрак, это слишком тяжелая пища.

— Ты абсолютно прав. — Алекс взяла тряпку и стала вытирать со стола сок. Потом она зарядила тостер нарезанными ломтиками хлеба и включила кофеварку.

— Я всегда знал, что это женская работа, — удовлетворенно хмыкнул Куп, внимательно следя за ее манипуляциями. — Я с удовольствием выпью кофе. Кстати, в холодильнике есть еще один пакет апельсинового сока. Я специально оставил его до тебя. Надеюсь, ты сумеешь налить мне стакан, не расплескав...

Пятнадцать минут спустя Алекс вынесла на веранду поднос с кофе и соком, а также яичницу с румяным беконом и тостами с сыром. Все это было аккуратно разложено по тарелкам. Для апельсинового сока она взяла любимые бокалы Купа из граненого хрусталя, а вместо салфеток положила бумажные полотенца.

— Превосходно, превосходно!.. — довольно пробормотал Куп, откладывая газету, которую он читал. — Знаешь, у тебя неплохо получается. Позволь только один совет: под хороший фарфор и серебро необходима скатерть, лучше всего льняная. Когда ты это запомнишь, тебя возьмут в любой ресторан. — И он озорно улыбнулся Алекс.

— Скажи спасибо, что я не взяла вместо салфеток туалетную бумагу, — парировала Алекс. — Мы так поступаем в больнице, когда заканчиваются бумажные полотенца. Впрочем, туалетная бумага лучше подходит к одноразовым тарелкам, пластмассовым ложкам и полистироловым стаканам. В следующий раз я захвачу с собой несколько штук.

Купу нравилось, что Алекс не слишком привержена светским условностям, хотя она и была из семьи Мэдисон и получила прекрасное воспитание. Это соображение напомнило ему о вопросе, который он давно хотел задать

Алекс, поэтому, когда с яичницей и беконом было покончено, Куп не стал торопиться и вставать из-за стола.

— Так что же все-таки твои родители скажут, когда узнают обо мне? — спросил он. — То есть — о нас...

У него был очень взволнованный вид, и Алекс почувствовала себя тронутой. Она давно подозревала, что Куп относится к ней серьезно, и ее это определенно радовало. Он ей очень нравился, и Алекс приходилось частенько напоминать себе, что они познакомились совсем недавно и она, в сущности, ничего о нем не знает. Не исключено было, что со временем между ними возникнут какие-то разногласия, и Алекс хотела быть к этому готова, но... ничего не могла с собой поделать.

— Какая разница? — ответила она на его вопрос и пожала плечами. — Мои родители уже давно не имеют отношения к моей жизни. Все решения я принимаю сама, и это мое дело, с кем мне встречаться и как проводить свое время.

— И все же мне как-то не верится, что у твоих отца и матери не будет своего мнения, — улыбнулся Куп. Судя по тому, что он знал об Артуре Мэдисоне, у этого человека было свое мнение буквально обо всем, что только происходило в мире. И уж конечно, он особенно тщательно оценивал поступки дочери, пусть даже ей это не нравилось. Но это было бы еще полбеды. Главная неприятность заключалась в том, что все решения, которые принимал Артур Мэдисон, были исключительно рационалистичны. Они диктовались соображениями выгоды, здравого смысла, общественных приличий и никогда — любовью, сочувствием или возникшей симпатией. У Купа, например, не было никаких сомнений, что мистер Мэдисон будет очень решительно возражать против того, чтобы его дочь встречалась с полуразорившимся семидесятилетним актером, пусть и очень знаменитым.

— У меня очень сложные отношения с родителями, — призналась Алекс. — В настоящее время я стараюсь держаться от них на расстоянии и не позволяю им вмешиваться в мои дела. Именно по этой причине я здесь, в Лос-Анджелесе.

Сколько она себя помнила, родители только и делали, что учили, наставляли, критиковали ее. Отец за всю жизнь не сказал Алекс ни одного ласкового слова. Ее единственная сестра увела у нее жениха буквально накануне свадьбы. Что касалось матери, то она была к Алекс настолько безразлична, что порой казалось, будто у нее в жилах течет ледяная вода, а не кровь. Она во всем подчинялась мужу, всегда принимала его сторону и хранила молчание, когда он читал детям нотации и нравоучения. Неудивительно, что Алекс не питала к родным никаких теплых чувств. Порой ей казалось, что она выросла в семье, где каждый был сам по себе и сам за себя. И никакие деньги, никакое аристократическое происхождение не могли этого компенсировать.

— Мне иногда кажется, — добавила она, — будто мои родители и есть те самые пришельцы, о которых ты говорил, — инопланетяне, которые явились к нам, чтобы истребить на Земле всякую жизнь. И я боюсь, что в конце концов им это удастся, потому что все преимущества на их стороне. У них совсем нет сердца; их стандартные мозги способны воспринимать только очевидное, зато у них есть очень много денег, которые они тратят почти исключительно на себя. Они намерены захватить весь мир и добились в этом впечатляющих успехов. Насколько я знаю, моему отцу уже принадлежит значительная его часть, и поэтому на окружающих ему в высшей степени плевать. Единственный, о ком он способен думать, это он сам. — Алекс перевела дух и добавила почти спокойно: — Если быть откровенной до конца, Куп, то я их не люблю, а они не любят меня. За что? Я отказалась играть по их правилам и дорожить их идеалами. Вот почему меня нисколько не волнует, что́ они думают обо мне и о том, с кем я провожу время. Ведь это моя жизнь — только моя, и их она не касается.

— Что ж, это меняет дело... — пробормотал Куп, застигнутый врасплох откровенностью и горячностью ее речи. Теперь он понимал, сколько страданий причинили Мэдисоны своей дочери. В особенности это касалось отца. Купу приходилось слышать, что это безжалостный и бессердечный человек, но только сейчас он понял по-настоящему, что все это было правдой.

— Я читал, что твой отец активно занимается благотворительностью, — сказал он.

— Просто в его пресс-службе работают настоящие профессионалы, мастера своего дела, — невесело рассмеялась Алекс. — Мой отец тратит деньги только на то, что способно принести прибыль или поднять его престиж. Как-то раз он пожертвовал миллион долларов Гарварду... Я уверена, что Гарвардский университет мог прекрасно обойтись без этих денег, чего нельзя сказать о тысячах людей во всем мире, которые умирают от голода и болезней. А ведь их можно было бы спасти, вылечить, если бы кто-то купил для них продукты или медикаменты. Нет, мой отец не занимается благотворительностью, хотя преподносится все именно так. Каждый потраченный им цент приносит доллар прибыли; просто так он не даст и ломаного гроша.

Сама Алекс была полной противоположностью своему отцу. Девять десятых доходов, которые приносил основанный по завещанию ее деда фонд доверительного управления, она тратила на благотворительность, а сама жила на зарплату врача-резидента. Лишь когда она покупала свою нынешнюю квартирку на бульваре Уилшир, Алекс позволила себе воспользоваться средствами фонда, да и то только потому, что ей хотелось жить как можно ближе к клинике.

И все же Алекс едва не совершила ошибку, когда позволила себе увлечься Картером. И вовсе не потому, что за считаные часы до церемонии бракосочетания он сбежал к ее собственной сестре. Все дело было в том, что Картер принадлежал к тому же кругу, что и ее отец, и, если бы свадьба состоялась, Алекс пришлось бы стать одной из тех, кого она с презрением именовала «знаменитыми домохозяйками». Или, скорее, они с Картером убили бы друг друга. Как бы там ни было, украв у нее жениха, Гортензия Мэдисон невольно оказала сестре большую услугу, но, чтобы понять это, Алекс потребовались годы. Лишь теперь, по прошествии лет, она определенно поняла, что Картер был таким же, как ее отец, а сестра в точности повторяла мать. Как и Маделейн Мэдисон, Гортензия думала только о доходах и о престиже, и больше всего на свете ей хотелось выйти замуж за важную шишку. А Картер был самой что ни на есть подходящей партией, и женитьба на дочери стального магната была для него ступенькой на пути к цели. Алекс и Гортензия никогда не были особенно близки, а после той свадьбы Горти они перестали общаться вовсе, но Алекс подозревала, что ее сестра несчастлива в браке. Чисто по-человечески ей было жаль Гортензию, но она была бессильна чем-нибудь ей помочь. Ее сестра сама выбрала свою судьбу.

— Ты хочешь сказать, — медленно проговорил Куп, — что, если о нас что-нибудь напишут в газетах, твой отец воспримет это спокойно?

— Я этого не говорила, — возразила Алекс. — Напротив, он будет в ярости. Я хотела сказать — мне все равно, как он отреагирует. В конце концов, я взрослая, самостоятельная женщина и имею право сама принимать решения.

— Я как раз это и имел в виду, — сказал Куп, встревожившись еще больше. — Твоему отцу ни при каких обстоятельствах не понравится, что ты встречаешься с киноактером. Особенно с киноактером моего, гм-м... поколения. — «И репутации», — закончил он мысленно. Его слава голливудского плейбоя почти затмила его славу кинозвезды. Куп был уверен, что даже отец Алекс, далекий от мира кино, наслышан о его похождениях.

— Не исключено, — согласилась Алекс. — Ведь мой отец на три года моложе тебя.

Это была неутешительная новость, как, впрочем, и все, что Куп только что выслушал. Единственно, что его немного ободрило, это видимое равнодушие, с каким Алекс говорила о возможной реакции отца. Похоже, его мнение действительно ничего для нее не значило. Это, однако, отнюдь не решало проблему. Куп не сомневался, что, если Артур Мэдисон как следует разозлится, он может причинить массу неприятностей ему или Алекс. Что он может предпринять, Куп не знал, но был уверен, что в арсенале такого могущественного человека найдется достаточно способов выразить свое неудовольствие.

— Он может перестать выплачивать тебе содержание? — с тревогой спросил Куп.

— О нет, — спокойно возразила Алекс. Она, однако, видела, что Купу очень не хочется, чтобы из-за него у нее возникли дополнительные трения с семьей, и почувствовала себя тронутой.

— Бо́льшая часть того, что я имею, досталась мне от

деда; часть наследуемого имущества он оставил мне в доверительное управление. Впоследствии этот фонд пополнял мой отец — он вносил туда солидные суммы без права отзыва. Впрочем, даже если он сумеет добиться, чтобы мне не выплачивали прибыль, которую приносят мои деньги и мои предприятия, мне наплевать. Я вполне способна заработать себе на жизнь, Куп. У меня есть силы, есть профессия — что же еще нужно?

Слушая ее, Куп только удивлялся. Такой независимой и самостоятельной женщины он еще не встречал. Алекс не нужно было ничего и ни от кого — в том числе и от него. Она не нуждалась в нем — она просто его любила, и при мысли об этом на сердце у Купа потеплело. А он был совершенно уверен, что это именно любовь, а не эмоциональная зависимость; Алекс могла в любой момент уйти, если ей было нужно. Ей, безусловно, нравилось быть с ним, но она нуждалась не в его обществе, а в нем самом. Молодая, самостоятельная, умная, богатая, образованная, красивая, свободная, она представлялась ему идеальной женщиной, однако в глубине души Куп продолжал считать, что было бы еще лучше, если бы она хоть в чем-то от него зависела. Это давало бы ему определенные гарантии, служило залогом того, что в один прекрасный день Алекс не исчезнет из его жизни так же внезапно, как вошла в нее. Но, увы, Алекс была с ним по своему собственному выбору, и он не мог никак на нее повлиять.

— Ну как, я ответила на твой вопрос? — спросила Алекс, наклоняясь, чтобы поцеловать его. Ее темные волосы свободно рассыпались по плечам, лицо без капли косметики выглядело молодо и свежо, и Куп невольно подумал, что она похожа на одну из тех школьниц у бассейна.

— Да, — кивнул он. — Просто я не хотел, чтобы у тебя возникли из-за меня лишние сложности с семьей. На мой взгляд, это слишком дорогая цена за... за наш роман.

Он говорил совершенно серьезно, сознавая свою ответственность перед ней, и Алекс не удержалась и поцеловала его снова.

— Я уже заплатила за все... — сказала она. — И по самой высокой цене.

— Я так и понял. — Куп подумал о ее несостоявшейся свадьбе, о женихе, который ушел от Алекс к ее сестре.

Остаток дня прошел спокойно. Они читали, загорали на террасе, потом ушли в спальню и долго занимались любовью. Подростки у бассейна в конце концов затихли, и перед ужином Алекс и Куп отправились туда, чтобы искупаться. Вокруг бассейна все было убрано, шезлонги расставлены, и Куп удовлетворенно кивнул. Он сразу понял, что это Марк заставил «инопланетян» привести все в порядок.

Уже совсем поздно вечером они отправились в кино. Когда Куп покупал в кассе билеты, на него все оборачивались, а двое или трое даже подошли попросить автограф. Алекс это не смутило. Она уже привыкла, что, куда бы они ни пошли вместе, все на них таращились. Не обижалась она и в том случае, когда кто-то, желая сфотографироваться с Купом, просил ее отойти в сторону. «Вы тоже знамениты?» — обычно спрашивали у Алекс. «Боюсь, что нет», — с улыбкой отвечала она. «Тогда не могли бы вы пока постоять вот здесь?» — говорили ей, и Алекс послушно отходила, вставала за спину фотографирующего и оттуда строила рожи, пытаясь рассмешить Купа.

После фильма они зашли в кафе, съели по сандвичу, запили кока-колой и вернулись домой. Алекс предстояло встать в шесть, чтобы быть в больнице к семи, однако, несмотря на то, что спать ей оставалось всего несколько часов, она была совершенно счастлива — уикенд прошел прекрасно. Алекс была бесконечно благодарна Купу за то, что он доставил ей такое удовольствие.

Утром она уехала. Алекс встала и собралась так тихо, что Куп даже не слышал, как она уходила. Зато в ванной комнате рядом с бритвенным прибором его ждала записка от нее:

«Дорогой Куп! Огромное спасибо за чудесные выходные! Я прекрасно провела время и отдохнула. Кстати, если хочешь получить от меня фотографию с автографом — позвони моему агенту. До встречи! Люблю. Целую. Алекс».

Отложив записку в сторону, Куп задумался. «Люблю. Целую»... Да, он тоже может сказать ей, что любит ее. И это было удивительно для него самого. Сначала Купу казалось, что роман с Алекс будет своего рода приятной интермедией, призванной внести некоторое разнообразие в его жизнь. И она действительно была ни капли не похожа на тех женщин, с какими он обычно встречался. Должно быть, поэтому Куп был потрясен до глубины души, когда осознал, насколько сильно она ему нравится. Алекс была настоящей, живой, любящей, и Куп растерялся. Он не знал, что ему теперь делать. Будь на ее месте какая-то другая женщина, он наслаждался бы близостью, а потом спокойно оставил ради нового своего увлечения. Но с Алекс он так поступить не мог. Больше того, несколько раз Куп ловил себя на том, что все чаще и чаще задумывается о будущем. Об их будущем, о том, каким оно будет и на сколько лет счастья он может рассчитывать.

Не мог не думать Куп и о своем финансовом положении. Правда, меркантильные интересы никогда не были для него главными, однако и слов Эйба он не мог забыть. Они занозой сидели у него в мозгу и начинали свербеть каждый раз, когда он доставал кошелек или кредитную карточку. Если, чтобы спасти «Версаль», ему в конце концов все же придется жениться на состоятельной женщине (а в том, что он этого хочет, Куп даже сейчас не был абсолютно уверен), то лучше Алекс ему не найти. В ней Купу нравилось буквально все, и он понимал, что женитьба на дочери Мэдисона добавит ему значительности. Куп не сомневался — она никогда не упрекнет его в том, что он польстился на ее деньги. Однако, несмотря на это, ему почти хотелось, чтобы Алекс не была дочерью стального короля. Постоянно обманывать себя и не думать о ее богатстве он был не в состоянии. Кроме того, Куп не был уверен, пришла ли бы ему в голову мысль о женитьбе, если бы у Алекс не было ее состояния. Деньги все запутали; о чем бы ни шла речь, он ежеминутно, ежечасно сомневался в истинных мотивах своих чувств и поступков. Что, если им движут сугубо материальные соображения? И вместе с тем Куп был уверен, что любит ее, что бы это ни означало сейчас или в будущем.

— Расслабься и получи удовольствие, — сказал Куп своему отражению в зеркале. — Что тебе еще надо?

Но он не мог расслабиться. Так ли уж сильно он любит Алекс или просто видит в ней решение своих финансовых трудностей? Состояние Мэдисонов способно было решить все его проблемы раз и навсегда, если только отец позволит Алекс совершить подобный шаг. Куп так и не поверил до конца, что мнение отца для Алекс ничего не значит. Ведь что ни говори, а она тоже была Мэдисон, и это налагало на нее определенную ответственность — особенно в таких деликатных вопросах, как замужество, свобода распоряжаться капиталами, рождение наследников...

Подумав о детях, Куп невольно поморщился. Эта мысль по-прежнему была ему тягостна, хотя он вполне отдавал себе отчет, что, если они с Алекс в конце концов поженятся, их дети, кроме всего прочего, будут наследниками доброй половины империи Мэдисон. Но лично для него дети олицетворяли собой шум, беспорядок, тревоги — словом, все, что он всю жизнь стремился избежать. Самому Купу никогда не хотелось стать отцом, но Алекс... Она была еще достаточно молода и могла испытывать стремление к материнству, и хотя они никогда не говорили об этой проблеме серьезно, Купу было совершенно ясно, что рано или поздно Алекс захочет родить ребенка, может быть, даже не одного. Для него же это было слишком сложно, сопряжено со слишком многими неудобствами, необходимостью изменить свои привычки, поступиться чем-то удобным и приятным.

Пока Куп брился, в спальне несколько раз звонил телефон, но он не сразу взял трубку. Это была обязанность Паломы, и Куп довольно долго ждал, пока она наконец соизволит подойти к аппарату. Потом ему пришло в голову, что это может быть Алекс. Куп бросился к телефону, на ходу вытирая полотенцем мыльную пену с лица, но это была Шарлен.

— В чем дело, Шарли? — спросил он мрачно, даже не стараясь, чтобы голос его звучал любезно.

— Я звонила тебе на прошлой неделе, но ты так и не перезвонил мне. — Шарлен говорила обвиняющим тоном, и Купу захотелось швырнуть аппарат о стену.

— Я не получал твоего сообщения, — ответил он, сдерживаясь из последних сил. — Ты уверена, что оставила его на моей «голосовой почте»?

— Я разговаривала с этой твоей кубинкой, как ее там... —

заявила Шарлен. Теперь в ее голосе сквозило сознание своей правоты, и Куп скривился. Шарлен и его короткое увлечение ее пышным бюстом и выдающимися ногами, казалось, случились в другой жизни. Теперь у него был серьезный роман с достойной женщиной, а не сексуальная акробатика с девицей, которую он едва знал. Шарлен и Алекс отличались друг от друга, как небо и земля; двух других таких непохожих женщин нельзя было найти в целом свете.

— А-а, в таком случае все ясно! — проговорил Куп. Ему хотелось как можно скорее отделаться от Шарлен. Он не испытывал ни малейшего желания ни видеть ее, ни слышать и был очень рад тому, что газетчики так и не пронюхали об их связи. Впрочем, удивляться этому не приходилось — они почти никуда не выходили вдвоем, так как бо́льшую часть времени Шарлен проводила в его постели.

— Палома передает мне, что кто-то звонил, только когда ей самой этого хочется, а это бывает не часто, — добавил он.

— Мне нужно встретиться с тобой, Куп.

— Я думаю, в этом нет никакой необходимости, Шарлен, — твердо заявил Уинслоу. — Кроме того, я сегодня уезжаю из города. Меня не будет, гм-м... некоторое время. — Это была ложь, однако Куп по опыту знал, что подобного рода заявления, как правило, отбивают у женщин охоту разыскивать его. — И вообще, Шарлен, мне кажется, мы уже сказали друг другу все, что могли. Нам было неплохо вместе, но и только. Надеюсь, ты понимаешь, что теперь все это в прошлом?

Он встречался с ней лишь несколько недель и был уверен, что после столь непродолжительного знакомства никаких претензий к нему быть не может. Куп сам никогда не драматизировал событий и не ждал этого от других.

— Я беременна! — Шарлен определенно поверила, что он уезжает из Лос-Анджелеса, и поспешила выложить свой главный козырь.

Прежде чем ответить, Куп долго молчал, но голос его звучал совершенно спокойно. Он уже не раз попадал в подобные ситуации и отлично знал, что выход есть. Как правило, ему удавалось устроить все без шума. Несколько сочувственных фраз, моральная поддержка, некоторая сумма на покрытие издержек — вот и все, что требовалось, чтобы урегулировать проблему.

— Мне очень жаль, Шарлен, — сказал он самым проникновенным тоном. — Я не хотел бы тебя обидеть, но... ты уверена, что это мой ребенок?

Женщины таких вопросов не любили. В случае с Шарлен это был, без сомнения, правомерный вопрос. Куп знал, что и до встречи с ним личная жизнь Шарлен отличалась, мягко говоря, разнообразием, и у него не было оснований предполагать, что, расставшись с ним, она с горя записалась в монашки. Секс был осью, вокруг которой вращалась вся жизнь Шарлен; на нем, как на фундаменте, зиждились все ее честолюбивые мечты, все надежды на будущее. Куп не видел в этом ничего предосудительного; как мужчины используют ум и силу, чтобы сделать карьеру, так Шарлен пролагала себе путь с помощью собственного тела. Но сейчас она явно шла ва-банк, презрев все неписаные правила.

— Конечно, я уверена, — раздраженно ответила она. — Иначе зачем бы я тебе стала звонить, если бы это был не твой ребенок?

— Ну что ж, — пробормотал Куп. — В любом случае мне очень жаль... У тебя есть хороший врач?

Инстинкт подсказывал Купу, что ему угрожает опасность, но он все еще думал, что сумеет выкрутиться.

— Нет. И денег у меня тоже нет.

— Я распоряжусь, тебе вышлют чек. — Куп мысленно благословил нынешние свободные времена. Он еще помнил те времена, когда для того, чтобы сделать аборт, необходимо было лететь в Европу или в Мексику. Теперь же избавиться от ребенка было не сложнее, чем удалить заболевший зуб. Во всяком случае, самому Купу ситуация представлялась именно такой. От друзей он знал, что необходимая операция не является ни опасной, ни слишком дорогой. — Я пришлю тебе список хороших врачей, — добавил он. — Можешь выбрать любого.

Происшедшее с Шарлен вряд ли могло испортить ему жизнь. Это была лишь легкая рябь на поверхности воды, а отнюдь не могучая приливная волна, которая с грохотом накатывает на берег, сметая все на своем пути. Самое страшное, что могло случиться, это публичный скандал. В другое время Куп пережил бы его довольно спокойно; быть может, ему даже удалось бы извлечь из него пользу. Какая реклама: семидесятилетний актер еще может делать детей, но сейчас шумиха ему была совсем некстати из-за Алекс.

— Я намерена оставить ребенка! — уверенно заявила Шарлен, и Куп не поверил своим ушам. Ощущение опасности с новой силой нахлынуло на него. Кажется, эта дурочка намерена шантажировать его. Что ж, пусть попробует, подумал он, и мы еще увидим, кому из нас придется умыться грязью. Он обратится в частное детективное бюро, они покопаются в ее прошлом и докажут, как дважды два, что Шарлен — заурядная проститутка. А если ему повезет, сыщики сумеют обнаружить в ее прошлом один-два криминальных эпизода наподобие того же вымогательства или злоупотреблений наркотиками. Но Куп сразу вспомнил об Алекс и с огорчением подумал, что этот вариант не годится. Он должен был защитить ее любой ценой! Дела Шарлен были ему безразличны — он никогда не любил ее, но Алекс — другое дело. Он не может допустить, чтобы до нее дошли эти скандальные новости, а что скандал будет грандиозным, Куп понял сразу. Его убедил в этом голос Шарлен — наглый, вызывающий, почти торжествующий. Она не сомневалась, что сумеет одержать верх, и Куп почувствовал, как рядом с неприязнью в нем растет самая настоящая ненависть. За свою репутацию он не боялся — не мальчик, как-нибудь это переживет. Но Алекс... Он и представить не мог ее реакцию. Может быть, она даже изменит свое отношение к нему — ведь она как-никак детский врач, и ей может не понравиться, что он так настаивает на аборте, да и знать, что твой возлюбленный может стать отцом не твоего ребенка, — новость не из приятных.

— Мне это не нравится, Шарлен, — строго сказал Куп, стараясь с помощью одной лишь интонации отрезвить Шарлен. Он не мог отделаться от мысли, что, учитывая непродолжительность их связи, Шарлен могла бы обо всем позаботиться даже без его ведома. Но она предпочла сообщить ему. Куп хорошо знал: некоторые женщины считают вопросом престижа иметь ребенка от знаменитости. К тому же наличие ребенка служит прекрасным предлогом для выкачивания денег. Похоже, именно таков был план Шарлен, и Куп почувствовал себя очень неуютно. Он не хотел быть отцом этого ребенка, не хотел иметь с Шарлен никаких дел. Неужели она этого не понимает?

— Я сожалею об этой... случайности, — сказал он. — Пойми, Шарлен, мы друг друга совсем не знаем, наша близость была просто прихотью... взаимной прихотью, — поправился он, подумав о том, что Шарлен может записывать их разговор. — Ты еще слишком молода и привлекательна, чтобы вешать себе на шею это ярмо. Поверь мне, ребенок свяжет тебя по рукам и ногам, и тебе будет очень трудно сделать достойную карьеру. — Этот прием не раз выручал его в прошлом, но Шарлен либо не поняла намека, либо собственный план казался ей значительно более выгодным. Как бы там ни было, она не выказала никакой склонности к компромиссу. Может быть, ребенок ей и не был нужен, но в данном случае речь шла не просто о ребенке, а о ребенке кинозвезды Купера Уинслоу. Это было громкое имя, на этом Шарлен и строила свой расчет.

— Я сделала уже шесть абортов, Куп, и не хочу рисковать. Мне сказали, что, если я буду продолжать в том же духе, у меня может никогда не быть детей. Кроме того, я хочу сохранить нашего ребенка...

Нашего ребенка... Вот оно, понял Куп. Интересно, подумал он, действительно Шарлен беременна или это просто уловка, чтобы получить с него деньги?

— Нам нужно встретиться, Куп.

— Мне кажется, в этом нет никакой необходимости, — ответил он. Снова встречаться с Шарлен ему определенно не хотелось. Куп не сомневался — она устроит истерику и будет рыдать в три ручья, надеясь разжалобить его.

— Я не могу на чем-то настаивать, — сказал он мягко, — но мне кажется, что если ты сделаешь аборт, так будет лучше для всех.

Ни просить, ни умолять ее о чем-то Куп не собирался, понимая, что это занятие бессмысленное. Скорее наоборот — Шарлен только еще больше уверится в своей власти над ним. Единственное, о чем он жалел, это о том, что не может своими руками задушить эту наглую бабенку и ее ребенка в придачу, если, конечно, он действительно существует.

— Я не могу делать аборт! — жалобно повторяла Шарлен. Она плакала, говорила, как любит его, как она мечтает, что они будут вместе всегда, сетовала на судьбу и жалела ребенка, которому придется расти без отца.

На эти последние слова Куп моментально отреагировал.

— Вот видишь, — сказал он, — ты и сама все отлично понимаешь. Ни одному ребенку в мире не нужен отец, который его знать не хочет, а я не собираюсь видеться ни с тобой, ни с ним. Я не желаю быть отцом, да и планов жениться на тебе у меня не было. Ведь я никогда не говорил, что люблю тебя, Шарлен. Наша близость была всего лишь способом приятно провести время. Когда двое взрослых людей встречаются, чтобы заниматься сексом, это вовсе не значит, что они обязательно должны создать семью, так что давай не будем обманывать ни друг друга, ни себя. Мы — абсолютно чужие люди, Шарлен!

— Разве ты не знал, что от секса бывают дети? — парировала Шарлен и неожиданно хихикнула, а Купу вдруг показалось, что он играет роль в каком-то бездарном фильме. И это ему очень не понравилось.

— Это твой ребенок, Куп, — проворковала Шарлен. — Знаешь, если будет мальчик, мы назовем его Купер Уинслоу-младший, а если девочка...

— Это не мой ребенок, — прошипел Куп. — Если уж на то пошло, то на данный момент это вообще еще не ребенок. Это просто эмбрион размером с булавочную головку, и если ты от него избавишься, ты ничего не потеряешь... — Он понимал, что это не совсем так. Организм Шарлен уже наверняка начал вырабатывать различные вещества и гормоны, которые могли заставить ее почувствовать себя матерью, однако сейчас Купу было не до нюансов. Главное, убедить Шарлен сделать аборт.

— Я католичка, — заявила она, и Куп поморщился.

— Я тоже, Шарлен, — сказал он, — но, если бы вера что-то значила хотя бы для одного из нас, мы бы никогда не оказались в одной постели. Так что, мне кажется, у тебя нет особенного выбора. Ты можешь поступить разумно, а можешь совершить очень большую глупость — третьего просто не дано. И если ты сделаешь неправильный выбор, то предупреждаю заранее: я не приму в тебе никакого участия. Если ты решишь оставить ребенка, вся ответственность за подобный шаг будет лежать на тебе одной. — Он очень хотел, чтобы Шарлен с самого начала поняла — своего мнения он не изменит — и не питала на этот счет никаких иллюзий.

— Тебе придется поддерживать и меня, и ребенка, — с вызовом заявила Шарлен. — Есть такая вещь, как закон, который защищает матерей и детей от таких, как ты. Кроме того, во время беременности я не смогу работать моделью, поэтому тебе придется содержать меня и до родов.

Тут Куп не удержался и хмыкнул. Знала бы она, что в настоящее время он едва мог содержать себя, не говоря уже о Шарлен. Впрочем, ни при каких обстоятельствах и желания такого у него не могло возникнуть.

— Вот почему я считаю, что нам необходимо встретиться и все обсудить, — добавила Шарлен жизнерадостно. Она была уверена, что ему не отвертеться. Быть может, она даже надеялась, что сумеет женить Купа на себе и стать после его смерти хозяйкой «Версаля». Ну уж дудки, мрачно подумал он. Скорее я сам его сожгу. Дело, однако, было не столько в его любимом особняке, не в деньгах, которые требовала от него Шарлен и которых у Купа не было. Главная опасность грозила его отношениям с Алекс, и этого было вполне достаточно, чтобы он возненавидел свою бывшую любовницу. Вернее даже, не любовницу, а партнершу.

— Я не собираюсь с тобой встречаться, — произнес он ровным, размеренным тоном, в котором, однако, сквозила ледяная решимость не допустить, чтобы ее планы осуществились.

— А напрасно, Куп, — с угрозой проговорила Шарлен. — Что скажут люди, когда узнают, что ты не хочешь заботиться обо мне и о ребенке? Я уверена — газеты с радостью ухватятся за этот сюжет. — Она говорила так, словно он бросил ее после десяти лет брака, приживив с ней по меньшей мере семерых детей.

— Это дешевый прием, Шарлен! Что скажут люди, когда узнают, что ты шантажируешь меня своим неродившимся ребенком? — заявил он, не в силах сдерживать закипавший в нем гнев.

— Это не шантаж, Куп. Просто я хочу, чтобы у нашего ребенка был отец, — парировала Шарлен. — Порядочный человек на твоем месте признал бы свое отцовство и женился на мне. Но ты этого не хочешь — значит, ты не порядочный. Так пусть же все узнают, какой ты на самом деле!

Купу уже давно хотелось ударить ее. Окажись Шарлен где-то поблизости, он бы закатил ей звонкую пощечину. И дело было даже не в том, что она говорила, а в том — как. В голосе Шарлен звучала полная уверенность в том, что все будет по ее, что Куп женится на ней и будет содержать ее и ребенка до конца дней своих. Еще никто из его подружек не поступал с ним подобным образом. Даже те, кто по его или по собственной небрежности оказывались в положении, вели себя разумно, предпочитая конфликту взаимоприемлемый компромисс. Увы, Шарлен оказалась вздорной, недалекой бабенкой. Она оголтело цеплялась за подвернувшуюся ей возможность, уверившись, что загнала Купа в тупик.

— Я никогда не женюсь на тебе, и мне безразлично, оставишь ты ребенка или избавишься от него, — холодно сказал Куп. — Я говорю тебе об этом сейчас, чтобы ты не питала на сей счет никаких иллюзий. Я готов оплатить твою операцию, но и только. Кстати, если ты рассчитываешь, что я буду содержать тебя на протяжении твоей беременности, то ты глубоко ошибаешься. Я не собираюсь этого делать. Можешь подать на меня в суд.

Говоря так, он ничем не рисковал. К этому моменту Куп был практически уверен, что именно судом дело закончится в любом случае. Шарлен затеет разбирательство, причем постарается, чтобы оно было как можно более громким.

— Мне бы не хотелось судиться с тобой, Куп, — с наигранным сожалением проговорила Шарлен. — Огласка не нужна ни мне, ни особенно тебе. Она может только повредить нашей профессиональной репутации.

Куп хотел сказать, что никакой профессиональной репутации у нее вообще нет, но сдержался. Не следовало злить Шарлен еще больше. Что касалось самого Купа, то он давно пришел к убеждению, что дурная слава лучше, чем никакой. В последнее время его дела обстояли не самым блестящим образом, и небольшой скандальчик ему бы не помешал. Судебный процесс подобного рода мог бы напомнить режиссерам и продюсерам, что Купер Уинслоу не так уж стар и немощен и вполне способен играть героев-любовников, однако, поостынув, он решил, что все-таки еще не дошел до такого состояния, когда все средства хороши. Еще никогда имя Купера Уинслоу не было замешано в скандале. В Голливуде знали его как отчаянного плейбоя, но никто не имел оснований утверждать, что он бессовестный человек. Но если теперь Шарлен доведет дело до суда, его репутация может оказаться серьезно подмоченной. Вне зависимости от того, каким будет решение, пойдут слухи; рано или поздно они достигнут ушей Артура Мэдисона, и тогда...

— Может быть, пообедаем вместе, пока ты еще не уехал? — предложила Шарлен самым невинным голоском. В считаные секунды она могла превратиться из хищного волка в овечку.

— Нет, — ответил он решительно. — Все, что я мог тебе сказать, я уже сказал. Завтра ты получишь чек и адреса врачей... С деньгами можешь поступить как тебе угодно, но только заруби себе на носу: своего решения я не изменю. Если ты сохранишь моего ребенка, это будет самой большой глупостью в твоей жизни. Я в этом безумстве участвовать не хочу.

— Вот видишь, дорогой, ты уже считаешь этого ребенка своим, — просюсюкала Шарлен, и Куп проклял себя за нечаянную оговорку. — Я уверена, это будет очаровательный мальчуган, такой же красивый и умный, как ты. Ты станешь чудесным отцом... Тебе это очень пойдет.

Куп почувствовал, что терпение его на исходе.

— Ты спятила, Шарлен, — резко бросил он. — Прощай и подумай о моих словах.

— До свидания, папулечка! — хихикнула Шарлен и повесила трубку.

Еще долго Куп сидел неподвижно, в ужасе глядя на молчащий телефон. С каждой минутой ситуация казалась ему все кошмарнее. Он понятия не имел, что ему делать дальше, как вести себя, если Шарлен решит, что игра не стоит свеч, и сделает аборт. Еще хуже он представлял себе, как будет складываться ситуация, если она сохранит ребенка. В одном можно было не сомневаться: разразится ужасный скандал, который неизбежно затронет Алекс. Если бы на ее месте был кто-то другой, Куп просто не сказал бы ей ни слова, предоставив событиям развиваться своим чередом, однако теперь на карту было поставлено слишком многое, и он решил, что ему необходимо поговорить с Алекс начистоту и все рассказать. Шарлен была абсолютно непредсказуема, и Куп не представлял, какой выходки можно от нее ожидать.

Итак, подумал он, две вещи ему предстоит сделать незамедлительно, вне зависимости от того, нравится ему это или нет. Во-первых, нужно отправить Шарлен чек на покрытие расходов, связанных с операцией. Во-вторых, нужно встретиться с Алекс и рассказать ей все.

Приняв это решение, Куп отправился в свою спальню и достал чековую книжку. Вписав сумму, которую он посчитал достаточной, Куп положил чек в конверт, позвонил Алекс на пейджер и попросил перезвонить ему, когда у нее выпадет свободная минутка. Рассказывать ей о Шарлен Купу очень не хотелось, но другого выхода у него не было. Не мог же он допустить, чтобы Алекс узнала обо всем из газет!

В глубине души Куп все-таки надеялся, что Алекс не оставит его, когда узнает правду.

Глава 13

Алекс смогла перезвонить Купу только через полчаса после того, как получила его сообщение. Сначала она приводила в порядок записи, потом привезли нового пациента — недоношенную девочку с дисфункцией сердечного клапана. Случай был из разряда поддающихся лечению, однако маленькая пациентка нуждалась в самом пристальном наблюдении и уходе. Алекс не отходила от малышки в палате интенсивной терапии, и, когда она наконец позвонила Купу, голос ее звучал устало.

— Привет, Куп. Что случилось?

— Ты была занята? — ответил он вопросом на вопрос.

Куп нервничал, но старался не выдать своего волнения. Он боялся потерять Алекс и испытывал почти иррациональный страх при одной мысли об этом.

— Были кое-какие дела, не слишком приятные, но в принципе у меня все в порядке. — Алекс, как всегда, была вся погружена в свои дела, но она была всегда рада звонкам Купа. Разговоры с ним — пусть даже по телефону — поднимали ей настроение и заряжали энергией.

— Как думаешь, сумеешь выкроить полчасика, чтобы пообедать со мной в ближайшем кафе? — спросил Куп.

— Прости, но у меня не получится. Сегодня я — старшая смены, и пока дежурство не кончится, я не имею права отлучаться из здания. Я отвечаю за все, что происходит в отделении.

— А тебе и не придется никуда отлучаться. Мы можем просто выпить кофе в вашей столовой.

— Что ж, отлично! Это я могу себе позволить. Боюсь только, что тебе это не доставит удовольствия. А что все-таки случилось? — Куп раньше никогда не выражал желания приехать к ней в клинику. «Неужели он так соскучился?» — подумала Алекс.

— Ничего не случилось, просто я хочу тебя увидеть, — сказал Куп.

Он словно подслушал ее мысли, да и голос его звучал вполне искренне, но подсознательно Алекс сразу почувствовала, что у него есть что сказать. Впрочем, подумать об этом как следует ей не удалось. Не успела она повесить трубку, как ее срочно вызвали в приемный покой.

Алекс все еще заполняла бумаги, когда из регистратуры ей сообщили, что ее хотят видеть.

— Это действительно тот человек, про которого я думаю, или он просто похож? — спросила регистраторша, не скрывавшая своего изумления. — Это и вправду Купер Уинслоу?

— Да, это Купер Уинслоу, — со смехом подтвердила Алекс.

— Да он же просто красавец! И куда лучше в жизни, чем на экране.

Алекс улыбнулась и отложила бумаги.

— Да, вы правы, в жизни он гораздо лучше. Скажите

ему, что я сейчас спущусь. — Время подходило к полудню, пора было сделать перерыв на обед, и Алекс, убедившись, что в отделении все в порядке, поспешила к лифтам.

— Привет, Куп! — воскликнула она, появляясь в вестибюле. Алекс была в белом врачебном халате, белых гольфах и сабо. Ее волосы были заплетены в короткую косу; лицо, как всегда без косметики, дышало свежестью и красотой, несмотря на нелегкую смену. Если бы не болтавшийся на шее стетоскоп и не пара резиновых перчаток, выглядывавших из кармана халата, она была бы похожа на девочку-подростка — очаровательную, озорную, жизнерадостную.

— Привет, Алекс! — Все, кто находился в этот момент в вестибюле, украдкой поглядывали на него, но Куп, как обычно, не замечал направленных на него взглядов. Выглядел он безупречно: твидовый пиджак в коричневую «елочку», шерстяная бежевая водолазка, слаксы цвета хаки и дорогие замшевые мокасины. Этот элегантный мужчина словно сошел со страниц журнала мод, и Алекс чувствовала себя рядом с ним настоящей растрепой.

Предупредив регистраторшу, что идет перекусить и что в случае необходимости ее можно будет вызвать по пейджеру, она повернулась к Купу.

— Если повезет, у нас есть минут пятнадцать, — объявила она и, приподнявшись на цыпочки, поцеловала его в щеку. — Идем?

— Идем! — Куп обнял ее за талию, и они вместе направились к лифтам, чтобы спуститься в кафе. Когда двери лифта открылись, Алекс увидела в зеркале кабины, что все, кто был в вестибюле, провожают их взглядами, и не сдержала улыбки.

— Знаешь, ты только что повысил мой авторитет процентов на тысячу или даже больше, — сказала она. — Ты выглядишь просто сногсшибательно!

— Ты тоже, — с чувством ответил Куп. — Все эти штуки делают тебя совершенно неповторимой. — Он имел в виду стетоскоп, перчатки, пейджер и хирургический зажим, который Алекс машинально прицепила к нагрудному карману, да так и забыла снять. Алекс была похожа на школьницу, которая примерила униформу врача. Куп впервые видел Алекс в рабочей обстановке и был потрясен. Ему как будто открылась новая, еще неизвестная грань ее личности, которая ему до сих пор была неведома.

Увы, это обстоятельство заставило его нервничать еще больше. Куп и раньше не мог предположить с уверенностью, как Алекс отреагирует на то, что он собирался ей сказать; теперь же он почувствовал, как в нем нарастает несвойственная ему робость. Вместе с тем Куп именно в эту минуту понял, что должен рассказать все Алекс, пока это не сделал кто-нибудь другой. Ситуация могла развиваться самым непредсказуемым образом, и он хотел, чтобы Алекс была к этому готова.

В кафе для обслуживающего персонала они взяли сандвичи, Алекс принесла из автомата две чашки кофе.

— Не ручаюсь за качество, — серьезно сказала она, ставя кофе на поднос. — Никто толком не знает, из чего его делают. К счастью, мы находимся в больнице, так что, если тебе понадобится промывание желудка... Словом, здесь есть люди, которые умеют оказывать первую помощь.

— Слава богу, что ты врач, — поддержал шутку Куп и, расплатившись за сандвичи, отнес их подносы к столику в самом дальнем углу. Никто в кафе его не узнал, и Куп был этому рад. Ему очень не хотелось, чтобы кто-то помешал его разговору с Алекс.

Куп медленно снимал упаковку с сандвича, Алекс заметила, что у него дрожат руки. Он сам почувствовал это и попытался справиться с собой, но тщетно. Кладя в кофе сахарный песок, он просыпал половину на стол.

— Что с тобой, Куп? — участливо спросила Алекс. — Что-нибудь случилось?

— Нет, то есть... Ничего страшного, Алекс, но... Сегодня утром произошло кое-что. — Он поднял голову, Алекс взглянула ему в глаза и поняла, что Куп по-настоящему взволнован. Он так и не притронулся ни к сандвичу, ни к кофе, и Алекс не на шутку испугалась.

— Что именно?! — спросила она с тревогой. — Что-нибудь плохое?

— Нет-нет, ничего страшного. Я как раз об этом хотел поговорить с тобой...

Он виновато поглядел на нее. Алекс было странно видеть Купа таким... жалким и вдруг постаревшим. В его глазах было смятение. И это всегда уверенный в себе Куп?! Что же с ним случилось?

— За свою жизнь, — наконец решился начать Куп, — я совершил немало глупостей. Но я никому не причинил зла. Всю жизнь я старался играть по правилам и иметь дело с людьми, которые отвечали мне тем же. — Он ненадолго умолк, словно собираясь с мыслями, а Алекс почувствовала, как в ней нарастает тревога. Все, что Куп сказал до сих пор, было похоже на предисловие к главному, и она была на девяносто пять процентов уверена — сейчас он скажет, что между ними все кончено и они должны расстаться.

И когда она подумала об этом, ее сердце едва не остановилось от острой боли. Алекс уже оказывалась в подобной ситуации, но с тех пор прошло много времени. До встречи с Купом она не позволяла себе увлечься кем-то настолько сильно, чтобы расставание могло принести настоящие страдания. Но Куп был исключением. Алекс влюбилась в него чуть ли не с первого взгляда. Овладевшее ею чувство было настолько сильным, что она позволила себе надеяться — их роман продлится еще очень долго. Сколько — она не знала, а загадывать боялась, и все же Алекс не ожидала, что конец может наступить так скоро. Но зрение и слух не обманывали ее: она ясно видела смущение Купа, а его речь напоминала неуклюжую попытку смягчить неизбежный удар.

Что ж, чему быть, того не миновать, подумала Алекс, откидываясь на спинку стула и усилием воли заставляя себя казаться спокойной. Если уж ей все равно суждено выслушать от него роковые слова, она выслушает их с достоинством и мужественно. Продолжая наблюдать за Купом, Алекс машинально отметила — он уже почти жалеет, что затеял этот разговор, но и остановиться Куп тоже не мог. Он должен был сказать ей все.

— Я никогда никого не использовал в своих целях и никогда не обманывал женщин. Мои отношения всегда строились на честной основе, я никого не вводил в заблуждение, не давал пустых обещаний, по большому счету мне не в чем себя упрекнуть. Обычно отношения с моими... приятельницами заканчивались спокойно и мирно — без скандалов, угроз, попыток покончить с собой и прочего. В большинстве случаев мы оставались добрыми друзьями, благодарными друг другу за доставленное удовольствие. Насколько мне известно, никто из моих бывших подружек не держит на меня зла. Что же касалось ошибок, то они не имели никаких тяжелых последствий; каждый раз я старался как можно скорее исправить их, и обычно мне это удавалось.

— А сейчас? — перебила Алекс, не в силах выносить его иносказаний. — То, что было между нами, — тоже ошибка?.. И ты приехал сюда, чтобы ее исправить?! — Она с трудом сдерживала слезы, лицо ее побледнело, а на скулах горел лихорадочный румянец.

— Между нами? — недоуменно переспросил Куп, и тут до него дошло, что Алекс приняла его слова на собственный счет. — Что ты, Алекс, я вовсе не нас с тобой имею в виду! Я... Дорогая моя, я вовсе не хотел... Я собирался только рассказать тебе об одной глупости, которую я совершил еще до того, как встретил тебя. — Он взял ее руки в свои и почувствовал, как дрожат ее пальцы.

— Что же это было? — спросила она и попыталась улыбнуться, но губы ее не слушались.

— Я постараюсь говорить коротко, — поспешно сказал Куп. Он боялся, что им могут помешать, что было бы ужасно. Во второй раз начать этот мучительный разговор он вряд ли отважится. — До тебя я... встречался с одной молодой женщиной. Может быть, мне не стоило этого делать, но... Она — молодая женщина, которая мечтает стать актрисой. До сих пор она снималась только в порнофильмах, рекламе и массовке. По правде говоря, у нее нет никаких актерских способностей, но мне было приятно с ней общаться. Короче, мы сошлись... Она вовсе не невинная девчонка из захолустья, Алекс, и ей хорошо известны правила игры. Ей почти тридцать, и я не был первым мужчиной в ее жизни, к тому же я ее не обманывал. И для меня, и для нее наша близость была всего лишь приятным времяпровождением, и не больше. Наша связь быстро закончилась, потому что даже я не могу спать с женщиной, с которой мне не о чем поговорить. В конце концов мы расстались...

— И что же? — нервно спросила Алекс, не в силах выдержать затянувшуюся паузу. Ей было уже ясно, что Куп не собирается признаваться ей в любви к этой девчонке, но она не могла понять, к чему он клонит.

— Она позвонила мне сегодня утром. Она беременна!

— Черт!.. — сказала Алекс с чувством невыразимого облегчения. — Что ж, это можно поправить.

И она ободряюще улыбнулась Купу, который почувствовал невыразимое облегчение. Алекс выслушала его и поняла. Куп, как мальчишка, боялся, что она встанет и, не дослушав его, уйдет, но этого, к счастью, не произошло. Впрочем, он еще не все ей сказал.

— Это только половина апельсина, — сказал Куп, покачивая головой. — Шарлен — так зовут эту женщину — хочет оставить ребенка. Я предлагал оплатить ей операцию, найти хорошего врача, но она наотрез отказалась.

— Да, это действительно проблема, — кивнула Алекс, задумчиво прищурившись. — Ребенок знаменитости со всеми вытекающими отсюда последствиями... — Она тоже знала немало подобных историй. — Она что, пытается шантажировать тебя?

— Похоже на то, — ответил Куп, почти успокоившись. Алекс еще раз продемонстрировала свои достоинства — она выдержанна и разумна, и Куп понял, что может довериться ей буквально во всем. — Ей нужны деньги, как я понял. Она утверждает, что из-за беременности не сможет работать моделью и сниматься, и требует, чтобы я содержал ее все время, пока она не родит. И потом тоже... — Он сокрушенно покачал головой, и Алекс взяла его за руки. — В чем-то она права, — добавил Куп. — Насколько мне известно, беременных женщин не снимают в порнофильмах, да и фотомодель теперь из нее никакая. Но дело даже не в этом...

— В чем же? — спросила Алекс. — Впрочем, я, кажется, догадываюсь.

— Я твердо сказал ей, что не хочу этого ребенка. Что я вообще не хочу иметь детей... Кроме... кроме, может быть, от тебя, — поправился он с натянутой улыбкой. Купу не хотелось сейчас снова заводить разговор о неприязни к детям, но и кривить душой Куп не хотел даже в этой ситуации. — Я ничего ей не говорил о тебе, иначе бы она пошла в разнос. И без того она вела себя так, словно в нее бес вселился. Она то плакала, то принималась сюсюкать насчет «нашего малыша», то угрожала мне судом... В общем, это был какой-то кошмар! Я не знаю, чего мне от нее теперь ожидать. Я даже не уверен, действительно ли она намерена сохранить ребенка, или он нужен ей только для того, чтобы устроить грандиозный скандал. Шарлен как будто спятила, она не слушает никаких доводов, и я не могу сказать, что она предпримет дальше. Я послал ей чек, чтобы она могла заплатить за аборт, но дал понять — это все, что я готов для нее сделать. Но ей-то нужно совсем другое... — Куп с сокрушенным видом покачал головой. — Мы и встречались-то всего три недели. Наверное, мне в моем возрасте следовало лучше разбираться в людях, но... Мне было скучно, а Шарлен казалась мне забавной и даже милой. Она неплохо развлекала меня, и, когда мы расстались, я не испытывал к ней ничего, кроме благодарности. Я и предположить не мог, чем это все закончится! — Куп нахмурился. — Прости, что я пришел к тебе со своими проблемами, но я не мог тебе не сказать. У тебя есть право знать, ведь, если Шарлен сделает этот факт широко известным, скандал может коснуться и тебя. А в том, что скандал будет, сомневаться не приходится. Газетчики обожают такого рода истории.

— Ничего, я как-нибудь переживу, — покачала головой Алекс. — Кстати, ты веришь в то, что твоя бывшая подружка беременна? Может быть, она решила блефовать, чтобы попытаться урвать кусок побольше?

— Мне трудно судить о ее намерениях. Может быть, ее беременность и не выдумка, вот только мой ли это ребенок? Я всегда предохранялся, но... — Он немного помялся. — Не хотелось бы посвящать тебя в некрасивые подробности, но один раз случился прокол — презерватив порвался. Случайность, но Шарлен, очевидно, считает ее счастливой. Она, видимо, полагает, что ей здорово повезло.

Куп все же искренне надеялся, что это была не ловушка, а всего лишь случайное стечение обстоятельств.

— Вот что я думаю. Надо потребовать тестирования ДНК плода, — сказала Алекс. — Рано или поздно Шарлен придется пройти обследование, тогда-то и можно будет проделать и этот тест. К сожалению, на ранней стадии беременности такое исследование не проводится. На каком она месяце?

— Возможно, на втором. Но я не задавал ей этого вопроса.

Куп не лгал, когда говорил, что Шарлен была в его жизни до нее, — это Алекс поняла сразу. Они встречались всего полтора месяца, значит, с Шарлен он расстался примерно за неделю до того, как они познакомились. Впрочем, тут же напомнила себе Алекс, с кем он встречался до нее, ее не касается.

— Что ты собираешься предпринять? — спросила она, продолжая держать его за руки. Алекс была напряжена, она многое бы отдала, чтобы ничего не знать об этой истории, но в то же время она была даже рада, что Куп честно рассказал ей все; его признание сделало их ближе друг другу. Что же касалось некоторой распущенности, которую можно было поставить Купу в вину, то Алекс была готова простить ее Купу. В том мире, в котором он жил, подобные отношения были в порядке вещей. Знаменитости-мужчины, привыкшие ко всеобщему обожанию, часто становились легкой добычей честолюбивых карьеристок, алчных шантажисток и вымогательниц.

— Пока не знаю, — задумчиво ответил Куп. — Честно говоря, пока я мало что могу сделать. Придется ждать, пока Шарлен сделает первый шаг. Больше всего меня беспокоит, что публичный скандал может создать трудности для нас с тобой. Все остальное меня мало волнует.

— Ты женишься на Шарлен, если она сохранит твоего ребенка? — спросила Алекс, пристально на него взглянув.

— Ты с ума сошла! — ужаснулся Куп. — Никогда! Жениться на ней? Я не настолько глуп... или благороден, это как тебе угодно. В крайнем случае я готов выплачивать ей некоторую сумму на ребенка. Впрочем, я надеюсь, что, когда Шарлен увидит, что ей ничего не светит, она сама откажется от своей затеи и сделает аборт. Я уже сказал, что не собираюсь встречаться с ней и вступать в переговоры. И ребенка этого я знать не хочу! Надеюсь, она понимает, что я исполню свое обещание.

Алекс кивнула, однако ей было совершенно ясно, что все не так просто и однозначно. У проблемы, о которой говорил Куп, была и другая сторона, включавшая в себя моральный аспект. Алекс была уверена, что, если Шарлен сохранит ребенка, Купу рано или поздно придется переоценить ситуацию, исходя именно из чувства ответственности перед будущим сыном или дочерью. Но это было делом отдаленного будущего, пока же Алекс было довольно того, что Куп не влюблен в Шарлен и не собирается на ней жениться. Конечно, сложившаяся ситуация была не из приятных, но она, по крайней мере, не влияла на их с Купом отношения. Даже шумный скандал, который мог случиться, и газетная шумиха не слишком пугали Алекс. Гораздо важнее было для нее то, что Куп доверяет ей и хочет ее сохранить.

— Мне не хотелось бы так говорить, — начала она, и Куп невольно затаил дыхание, — но вся эта история не такая уж страшная, Куп. Подобные неприятности случаются с известными людьми сплошь и рядом. Не стану делать вид, что вся эта история меня никак не задевает. Я предпочла бы обсуждать другие темы. Но все же спасибо, что поставил меня в известность. Надеюсь, что все уляжется. Конечно, если история выплывет наружу, тебя ждут несколько неприятных недель, но это не самая дорогая плата. Все обойдется, главное, ты не паникуй. — Она улыбнулась ему ободряющей улыбкой. — Я рада, что не случилось худшего, — мне показалось, будто ты хочешь сказать, что между нами все кончено.

На самом деле все только начинается, подумал Куп, немного приободрившись.

— Ты просто чудо, Алекс! — воскликнул он и, откинувшись на спинку стула, бросил на нее исполненный признательности и любви взгляд. — Я так боялся, что ты меня прогонишь. И тогда мне останется только пойти и утопиться.

— Прогоню тебя? Ну, это вряд ли... — Алекс покачала головой. Ни она, ни Куп так и не притронулись к сандвичам — настолько важным и серьезным оказался этот разговор. — У меня такое ощущение, что от тебя так просто не отделаешься. По-моему, ты порядочный собственник.

Примерно то же самое собирался сказать ей и Куп, но не успел. Раздались сигналы ее пейджера, и Алекс бросила взгляд на крошечный экран.

— Проклятье! — воскликнула она и, сделав глоток остывшего кофе из кружки, быстро встала из-за стола. — Извини, я должна бежать, — сказала она. — Не волнуйся, все будет в порядке. Я позвоню... Я люблю тебя!

Она была уже на полдороге к двери, когда до нее вдруг дошло, что только что произошло. Алекс беспомощно оглянулась на Купа и увидела, что он тоже встает.

— Я тоже тебя люблю! — крикнул он на весь зал, нисколько не смущаясь нескольких посетителей, которые смотрели на него во все глаза. В ответ Алекс улыбнулась счастливой улыбкой и, махнув рукой, выбежала в коридор.

— Да, люблю!.. — сказал Куп чернокожему уборщику, который, ловко орудуя мокрой тряпкой, вытирал столы, и, подмигнув ему на прощание, пружинистой походкой вышел из столовой. На сердце у него было легко. Алекс была удивительной женщиной, и, несмотря ни на что, она по-прежнему принадлежала ему.

Глава 14

Джимми сидел в кухне за столом, перебирал бумаги, которые захватил с работы, и решал, готовить ужин или не стоит. В последнее время он ужинал, только когда друзьям удавалось затащить его после работы в кафе или ресторан. Иногда к нему заходил Марк с парой бифштексов и упаковкой пива; во все же прочие дни он ложился спать на пустой желудок. Джимми вообще не слишком обращал внимание на то, сыт он или голоден, болен или здоров. Главным для него было — прожить день. Каким-то чудом ему это удавалось, а вот ночи были для него сущей мукой.

С тех пор как умерла Маргарет, прошло уже три месяца, и Джимми все чаще и чаще спрашивал себя, когда же он вернется к нормальной жизни. Душевные муки по-прежнему терзали Джимми. Каждая ночь начиналась у него со слез, сердце сжималось от безысходной тоски. Засыпал Джимми не раньше четырех-пяти утра, но и это он считал большой удачей. Гораздо чаще он так и лежал без сна до того времени, когда трезвон будильника возвещал о начале еще одного бессмысленного и пустого дня.

Джимми знал, что поступил совершенно правильно, когда оставил прежнюю квартиру и перебрался в этот дом. Но теперь ему было ясно и другое: каким-то образом он привез сюда с собой и Маргарет. Она была с ним всегда, куда бы он ни пошел, что бы ни делал. Маргарет жила в его сердце, в воспоминаниях, его тело помнило ее. Она вошла в его плоть, в его мысли, и порой Джимми казалось, будто он сам стал ею, перестав быть самим собой. Это Маргарет смотрела на мир его глазами и слышала его ушами, это ее радость или горе вскипали в его сердце. Казалось, у него не осталось ничего своего, но Джимми это не волновало. Он был рад, что Маргарет так щедро делится с ним своим богатством. Так было всегда, и Джимми иногда спрашивал себя, не поэтому ли она умерла. Маргарет исполнила свое предназначение, отдав ему себя без остатка, однако эти мысли не приносили ему облегчения. Он продолжал тосковать по ней, — тосковать и мучиться от безутешной боли. Ничто, ничто не могло успокоить сердце Джимми. Лишь иногда, когда он встречался с Марком, работал или тренировал детскую софтбольную команду, ему удавалось ненадолго забыть о том, что с ним произошло, но стоило ему остаться одному, как воспоминания возвращались, а вместе с ними — боль. Бороться с нею было, скорее всего, бесполезно, да Джимми и не пытался. Он уже почти сдался ей, опустил руки и плыл по течению, надеясь, что рано или поздно поток захлестнет его с головой или швырнет на камни, и тогда для него все закончится.

Он уже почти пришел к решению ничего не готовить, а просто попить чаю, когда в дверь кто-то негромко постучал, и Джимми пошел открывать. На пороге стоял Марк, и Джимми улыбнулся ему помимо собственной воли. В последнее время они виделись не особенно часто, так как с приездом детей у Марка появились новые дела и заботы. Ему приходилось готовить для них еду, покупать и стирать одежду, помогать готовить уроки. Несмотря на это, каждый раз, когда у него появлялась такая возможность, Марк приглашал друга поужинать с ним и с детьми. Джессика и Джейсон нравились Джимми, и он еще ни разу не отказывался от приглашения, хотя — как это ни странно — в их обществе ему становилось особенно одиноко. Глядя на них,

Джимми сразу начинал думать о том, что ему и Маргарет тоже надо было завести ребенка. Тогда его жизнь имела бы смысл, сейчас у него ничего нет, кроме горьких воспоминаний.

— Я был в магазине, — сообщил Марк. — Проходил мимо, дай, думаю, загляну, проведаю Джимми. Кстати, может, поужинаешь с нами? — Кивком головы он указал на объемистые пакеты с покупками, которые держал в руках, но, даже несмотря на столь веские доказательства, Джимми понял, что Марк заглянул к нему не случайно. При каждом удобном случае друг старался вытащить его из норы, чтобы не дать Джимми слишком много думать о Маргарет. С точки зрения Марка, Джимми не следовало столько времени проводить в одиночестве, предаваясь горестным воспоминаниям. От этого ему могло стать только хуже, и Марк уже замечал кое-какие тревожные симптомы. На улице стояла весна, погода была теплой и солнечной, но Джимми это не радовало; день ото дня он становился все более мрачным, замкнутым, и Марк просто не знал, как его можно расшевелить.

— Нет... То есть спасибо за приглашение, но я, пожалуй, откажусь. Я взял домой кое-какие бумаги, мне нужно их просмотреть. — Джимми смущенно пожал плечами. — Мне приходится много ездить по домам, навещать наших маленьких клиентов. На бумажную работу совсем не остается времени.

Джимми выглядел бледным, измученным, и Марку стало его жаль. Он понимал, впрочем, что работа здесь ни при чем. В эти погожие весенние деньки Джимми переживал, наверное, самый трудный период в своей жизни. Самому Марку тоже пришлось нелегко, но, когда к нему приехали дети, он сразу воспрял духом. И теперь он надеялся, что в жизни друга тоже произойдет что-то такое, что заставит его приободриться и снова почувствовать вкус к жизни. Джимми был умным, красивым и весьма приятным парнем, и общение с ним доставляло Марку огромное удовольствие. Правда, в последнее время они виделись нечасто и даже ни разу не выбрались на корт, чтобы погонять мяч; Джимми много работал, а все свободное время Марка было посвящено детям.

— Слушай, я давно хотел тебе сказать, — начал Марк. — Нельзя так пренебрежительно относиться к еде. Хочешь, я буду готовить и на твою долю? Мы садимся за стол примерно через полчаса. Приходи! Обещаю тебе пиво, жареную грудинку и гамбургеры. — По совести говоря, это были единственные блюда, которые Марк был в состоянии приготовить. Детям это однообразное меню успело надоесть, и он пообещал им, что купит кулинарную книгу и попытается освоить хотя бы простые блюда.

— Спасибо, Марк, но... я не приду. Не беспокойся, того, что я успеваю перехватить на работе, мне вполне хватает, — ответил Джимми твердо. Он понимал, что Марк искренне стремится ему помочь, но не мог справиться с собой. Ему не хотелось никого видеть, не хотелось ни с кем разговаривать; даже ежедневные пробежки он забросил. Джимми не ходил в кино, почти не смотрел телевизор, не читал, не готовил — словом, не делал ничего такого, из чего складывается нормальная человеческая жизнь. И это тоже была дань памяти Маргарет. Джимми казалось, что, если он снова начнет жить обычной, полнокровной жизнью, он тем самым предаст ее.

— Ладно, в другой раз... — согласился Марк и вдруг просиял. — Кстати, ты, наверное, не в курсе последних сплетен?.. Вот, взгляни. Это касается нашего хозяина. — И он протянул Джимми малоформатную газету, которую купил в супермаркете вместе с продуктами.

— На второй странице...

Джимми развернул газету, и его глаза удивленно расширились.

— Боже мой! — вырвалось у него.

Половину газетной полосы занимала большая фотография Купа. Рядом с ней помещался снимок поменьше. На нем была изображена длинноногая и весьма аппетитная брюнетка с чуть раскосыми глазами. В статье подробно рассказывалось о ее коротком, но бурном романе со знаменитым актером, который закончился ее беременностью. Отцом своего будущего ребенка красотка открыто называла Купа. Кроме этой душещипательной истории, в статье упоминались имена многих известных женщин, с которыми Куп встречался в разные годы.

— Н-да... — проговорил Джимми, возвращая газету Марку. — Интересно, Алекс уже видела эту статью? Должно быть, это очень неприятно — встречаться с мужиком, который угодил в такую историю. Мне Алекс показалась девушкой строгой, вряд ли она будет в восторге...

— Я не думаю, что у них это серьезно, — покачал головой Марк. — Они вместе всего-то несколько недель, а для Купа это уже перебор. Мистер Уинслоу меняет любовниц как перчатки — только на моей памяти он сменил троих. Готов спорить, эти девицы даже не успевают надоесть ему.

— Да уж, Куп ведет интересную жизнь, — усмехнулся Джимми. — Представляю, как он обрадуется, когда узнает, что у него будет ребенок. А представь, каково это — иметь такого отца?!

— Когда его сын — если у него родится сын — пойдет в колледж, Купу будет уже под девяносто, — быстро подсчитал Марк. — Ничего, он будет ему отцом и дедом одновременно, если, конечно, доживет...

— Доживет. Куп еще будет спать с его подружками, — возразил Джимми, усмехаясь.

С их стороны было не особенно порядочно шутить подобным образом; на это спровоцировал их злобный и крикливый тон газетной статьи. На самом же деле оба чисто по-мужски сочувствовали Купу, попавшему в такую историю. Как бы там ни было, новости отвлекли Джимми от грустных мыслей, и они с Марком договорились встретиться в ближайшие выходные.

А вот Куп здорово понервничал из-за статьи. Он был очень раздосадован, что новости просочились в прессу. Единственным утешением, хотя и слабым, могло служить только то, что он обо всем рассказал Алекс.

Вечером она приехала к нему, и Куп показал ей газету. Но Алекс не дала волю эмоциям. Она умела во всем, даже самом неприятном, найти положительные стороны.

— Послушай, — сказала она, — ведь о тебе писали в желтой прессе, наверное, тысячи раз! Это такая же часть твоей профессии, как... как необходимость гримироваться. Если бы ты не был Купером Уинслоу, никого бы не интересовало, с кем ты спишь!

— И все равно Шарлен поступила непорядочно, когда

обратилась в газету. Это грязный трюк, рассчитанный на скандал! — Куп уже не мог сдерживаться, но Алекс оставалась спокойной.

— Чего-то подобного следовало ожидать, — сказала она. Ей хотелось успокоить Купа или, по крайней мере, дать ему понять, что происшедшее никак не повлияет на их отношения. Алекс была уверена: пройдет какое-то время, и все забудут и о Шарлен, и о ее ребенке, от кого бы он ни был. — В конце концов, такие газетенки читают далеко не все, — добавила она. — У них известная репутация, ведь так?

Куп кивнул. Алекс избавила его от нервотрепки: ни одного укора с ее стороны, ни слез, ни обид. Все-таки она удивительная женщина! Совершенно неожиданно для самого себя он пригласил Алекс пойти с ним на церемонию вручения наград Американской киноакадемии.

Предложение привело Алекс в восторг. Но она тут же спросила озабоченно:

— А когда это будет?

Куп назвал дату, и Алекс покачала головой:

— Просто не знаю, сумею ли я вырваться. Боюсь, в этот день мне придется работать.

— А ты не можешь изменить свое расписание? Неужели никто из твоих коллег не выручит тебя? — с надеждой спросил Куп, который уже хорошо знал, что приходится проделывать Алекс со своим расписанием.

— Я попробую, — ответила она. — Хотя я так часто злоупотребляла добротой моих товарищей в последнее время, что мне уже стыдно их просить.

— Постарайся, — попросил Куп. — Это же потрясающе интересное событие.

Купу очень хотелось, чтобы Алекс была с ним на церемонии. Куп был уверен, что, если его увидят вместе с Алекс, он только выиграет в ее обществе. Респектабельность — вот что ему было нужно, чтобы противостоять грязным сплетням, которые распространяла о нем Шарлен. Впрочем, объяснять это самой Алекс Куп не стал, резонно рассудив, что ей совсем не обязательно знать все его тайные мысли.

В эту ночь Алекс снова осталась с Купом в «Версале». Прежде она делала это не очень охотно, но Куп чувствовал себя весьма неуютно в ее крошечной квартирке, которая к тому же тщетно нуждалась в заботливой хозяйской руке. «Это не дом, а большая бельевая корзина», — говорила про нее Алекс, и Куп был с ней согласен. Алекс очень нравилось в «Версале». Она с удовольствием купалась по вечерам в бассейне, болтала с детьми Марка, гуляла в саду. Казалось, в самой атмосфере здесь было нечто умиротворяющее, и Алекс отдыхала здесь не только телом, но и душой. Теперь ей было понятно и то, почему Куп так любит свой дом и так боится его потерять.

Через два дня Алекс снова приехала в «Версаль». Прямо с порога она объявила Купу, что ей удалось договориться с коллегами и что в день вручения призов Американской киноакадемии она будет свободна. Но не успела она произнести эти слова, как ее лицо вытянулось, а в глазах промелькнуло что-то очень похожее на панику. Куп заметил это и встревожился, и Алекс, хоть и не сразу, призналась, что ей совершенно нечего надеть. У нее было только одно вечернее платье — то самое, в котором она была на приеме у Шварцев, но для церемонии вручения «Оскара» оно не годилось. Туда нужно было надевать что-то особенное, тем более, добавила Алекс, что она будет не с кем-нибудь, а с самим Купером Уинслоу. Но у нее совсем не было времени, чтобы ездить по магазинам и искать что-нибудь подходящее к случаю, и она не знала, как быть.

— Вот не думала, что когда-нибудь мне придется решать подобные проблемы, — рассмеялась Алекс, крепче прижимаясь к нему, и Куп по-хозяйски обнял ее за плечи.

— Не волнуйся! Это задача решаемая, — попытался успокоить он Алекс.

— Но я действительно не знаю, что делать! — в отчаянии воскликнула Алекс, бросая на него растерянный взгляд. — Ведь платье, какое мне нужно, не займешь у подруги, да ни у кого из моих коллег просто нет ничего подобного!

— Предоставь это мне! — уверенно сказал Куп. — И ни о чем не беспокойся. Я обо всем позабочусь.

Он действительно разбирался в таких делах намного лучше Алекс. На протяжении всей жизни он часто покупал своим подружкам вечерние туалеты и украшения и никогда не жалел на это денег. В результате Куп накопил богатый опыт, который в сочетании с отменным вкусом сделал его настоящим экспертом по части женских туалетов.

— Учти, я не собираюсь принимать от тебя подарки, — строго предупредила Алекс. Она не желала пользоваться щедростью Купа, кроме того, в отличие от женщин, с которыми Куп встречался до нее, Алекс была в состоянии самостоятельно оплатить любую понравившуюся ей вещь, будь то вечернее платье от парижских кутюрье или бриллиантовое колье. Но забота Купа ее тронула.

В эту ночь Алекс приснилось, что она в роскошном белом платье танцует на балу во дворце. Этот дворец весьма напоминал ей «Версаль», а кавалер, с которым она кружилась и кружилась под звуки вальса, был как две капли воды похож на Купа. Он был очень красив — красив и влюблен в нее. Рядом с ним Алекс и сама почувствовала себя сказочной красавицей, она была совершенно счастлива, и ей не было никакого дела до того, что какая-то незнакомая ей женщина носит его ребенка.

Глава 15

Две недели пролетели незаметно, и не успела Алекс оглянуться, как уже наступил вечер вручения наград Американской киноакадемии. В этом году церемония состоялась несколько позже, чем обычно, — почти в самом конце апреля. К этому сроку Куп, верный своему слову, купил для Алекс поистине волшебное вечернее платье от Валентино. Оно было скроено по косой из темно-синего атласа и безупречно облегало ее великолепную фигуру. С размером Куп тоже угадал: когда Алекс примерила платье, оказалось, что его нужно лишь немного укоротить. В дополнение к платью Куп взял напрокат жакет из русского соболя от Диора, а у Ван-Клифа — роскошный сапфировый гарнитур, состоявший из ожерелья, браслета и серег. При виде этого великолепия у Алекс дух захватило от восторга.

— Я чувствую себя как Золушка, которая в одночасье

превратилась в прекрасную принцессу, — сказала она, примеряя сапфиры перед огромным зеркалом в затейливой позолоченной раме. Куп пригласил для нее парикмахера и визажиста, которые должны были помочь Алекс приготовиться к вечеру. Куп решил, что одеваться, укладывать волосы и наносить макияж ей следует в «Версале», чтобы не тратить время на переезды, к тому же в ее квартирке для этого не было никаких условий. Насколько Куп помнил, у Алекс было только одно небольшое зеркало в ванной комнате.

Потом Алекс отправилась одеваться, и через три часа она появилась перед Купом совершенно преобразившейся. Казалось, с помощью волшебной палочки она действительно превратилась в сказочную принцессу. Нет, даже не в принцессу... Когда Алекс медленным шагом спускалась по широкой парадной лестнице, она была похожа на королеву, отправляющуюся на свой первый бал.

Завидев ее, Куп просиял. Алекс выглядела и эффектно, и элегантно, как и подобает настоящей аристократке. Алекс и сама заметила, что речь ее стала более плавной, а жесты величавыми и неторопливыми. В этом не было ничего удивительного: когда-то Алекс получила превосходное воспитание, однако, глядя на себя в зеркало, она вдруг заметила, что очень похожа на мать, и подумала, что дело скорее не в воспитании, а в наследственности. Много лет назад, когда Алекс была еще маленькой девочкой, миссис Маделейн Мэдисон тоже одевалась подобным образом, отправляясь на бал или торжественный прием, только сапфирам она всегда предпочитала бриллианты. У нее была очень дорогая диадема, украшенная ста шестьюдесятью пятью камнями старинной огранки, — фамильная драгоценность, перешедшая к ней от прабабки, и Маделейн надевала ее каждый раз, когда собиралась выехать в свет. Алекс очень нравилась мамина «корона», как она ее называла, и, лишь став старше, она поняла, что холодный блеск алмазов — да еще в сочетании с темно-синим платьем, похожим на то, что было сейчас на ней, — делал лицо Маделейн еще более бледным, неприступным и каким-то неживым.

— Вот это да! — воскликнул Куп и, не в силах удержаться, низко поклонился Алекс. Сам он был в одном из своих смокингов, пошитых на заказ лучшим лондонским портным, в лакированных туфлях и белоснежной рубашке из египетского хлопка, в манжетах которой поблескивали сапфировые запонки с цепочками — его собственные, а не взятые напрокат. Когда-то давно ему подарила их арабская принцесса, которую родной отец сослал подальше, чтобы помешать ей выйти замуж за Купа. Вспоминая тот случай, Куп часто говорил, что ее продали в рабство, лишь бы она не стала миссис Купер Уинслоу.

— Ты выглядишь просто потрясающе, любимая! — шепнул он Алекс, когда они выходили из особняка и садились в «Роллс-Ройс».

Куп рассказывал Алекс о том, как проходит церемония, да и сама она несколько раз видела телевизионные трансляции, однако ничто не могло подготовить ее к тому, как это происходит в действительности. Звуки фанфар оглушали; ослепительно сверкали лаком и хромировкой десятки дорогих машин и лимузинов; длинная дорожка-подиум была застелена толстым красным ковром, и по нему парами проходили знаменитости. Красивые женщины в великолепных платьях и украшениях стоимостью в миллион долларов величественно улыбались репортерам, которые суетились возле подиума. Среди этих женщин было много известных актрис, и в прежние годы Куп, несомненно, отправился бы на церемонию с одной из них, но сегодня ему было гораздо важнее быть с Алекс. Вместе они выглядели как живое воплощение аристократизма и респектабельности. Наводя на них объективы видеокамер и фотоаппаратов, репортеры торопливо щелкали затворами, и никто из них даже не догадывался, что непривычная к высоким каблукам Алекс буквально висит на сильной руке Купа. Это, впрочем, не мешало ей улыбаться задорной, жизнерадостной улыбкой, которая делала Алекс похожей на Одри Хепберн в знаменитом фильме «Завтрак у Тиффани». Как и большинство приехавших на церемонию женщин, Алекс была красива, элегантна, изящна, однако в ней сразу чувствовались яркая индивидуальность и характер.

Когда Алекс и Куп повернулись к очередной батарее телекамер (Алекс улыбнулась, Куп величественно помахал рукой), в это же мгновение гостевое крыло «Версаля» огласилось восторженными воплями.

— Боже мой! Глядите, это же Алекс и Куп! — восторженно закричала Джессика, и Марк, Джейсон и Джимми дружно повернулись к телевизору. И действительно, по красной ковровой дорожке медленно шли Куп и Алекс, улыбавшиеся бесчисленным репортерам и гостям.

— Какая она красавица! — восторженно выдохнула Джессика, на которую Алекс произвела куда более сильное впечатление, чем все кинозвезды, вместе взятые. У девочки не укладывалось в голове, что она видит на экране ту самую симпатичную женщину-врача, которая, собрав волосы в пучок, плескалась вместе с ней в бассейне.

— Да-а, сегодня Алекс выглядит на миллион долларов, — протянул Марк. — Интересно, эти великолепные сапфиры ее?

— Уж не собираешься ли ты обложить ее налогом? — рассмеялся Джимми. — Впрочем, она наверняка взяла эти драгоценности напрокат. Я слышал — так часто делается.

Его голос звучал весело и беззаботно, однако про себя Джимми продолжал недоумевать. Ему было непонятно, что может связывать Алекс и Купа. Джим считал, что Алекс поступает неразумно, встречаясь с таким человеком, как Уинслоу. Джимми был уверен, что для Купа Алекс была и останется всего лишь «лучшей девушкой месяца» и что в конце концов ее ждет жестокое разочарование. Кроме того, для нее он был слишком стар. Алекс легко могла найти себе кого-нибудь получше и помоложе, и для него оставалось загадкой, что она нашла в этом стареющем плейбое. Он так и сказал Марку, но тот возразил, что Алекс достаточно умна, чтобы самой во всем разобраться. Правда, ни Марк, ни Джимми не знали ее достаточно хорошо, но Алекс им нравилась, и они тревожились за нее.

— Я никогда не думал, что она так красива, — заметил Марк, продолжая во все глаза смотреть на экран телевизора. — Как все-таки меняет женщин одежда, особенно такая! Да и драгоценности женщинам к лицу!

Он видел Алекс в бикини возле бассейна и еще — в шортах и майке в тот день, когда он чуть не спалил парк Купа. Теперь, увидев Алекс в роскошном вечернем платье, он готов был признать, что она чертовски хороша собой. Впрочем, тот факт, что он начинал замечать женскую красоту, объяснялся еще и тем, что Марк понемногу приходил в себя — в отличие от Джимми, который по-прежнему был целиком погружен в свою боль. Любая мысль о других женщинах вызывала в нем глухой протест. Казалось, весь интерес, который он когда-либо питал к противоположному полу, он похоронил вместе с Маргарет. Как, впрочем, и все прочие интересы и увлечения. Его ничто не занимало, ничто не веселило; лишь изредка он ненадолго оживал, чтобы потом погрузиться в еще более глубокую меланхолию.

Впрочем, и Марк тоже еще не созрел для новых отношений с женщинами. Он пока только смотрел на них, приглядывался, да и свободного времени у него почти не оставалось. Дети и работа не оставляли ему ни одного лишнего часа.

Алекс и Куп уже исчезли с экранов, уступив место другой звездной паре. Парад-дефиле знаменитостей продолжался еще некоторое время, потом камеры переключились на трансляцию из зала, и Марк и Джимми увидели Купа и Алекс еще раз. Камера выхватила их крупным планом: Алекс смеялась и что-то шептала Купу, а он улыбался в ответ своей знаменитой белозубой улыбкой. Со стороны казалось, что они очень счастливы вместе.

В третий раз Куп и Алекс промелькнули на экране в самом начале торжественного приема. Алекс была в собольем жакете и выглядела совершенно очаровательно, к тому же, как точно сказал про нее Джейсон, была «взаправдашней».

Алекс была в восторге от церемонии. Впечатления переполняли ее, и, когда Куп вез ее в «Роллс-Ройсе» домой, она без умолку перебирала эпизоды этого долгого вечера.

— Чудесный, незабываемый вечер! — говорила Алекс. — Огромное тебе спасибо! Если бы не ты, я бы, наверное, никогда не попала в эту сказку! — добавила она и, не сдержавшись, сладко зевнула. Времени было четвертый час ночи, тяжелый «Роллс-Ройс» плавно покачивался, словно убаюкивая ее, к тому же Алекс так и не успела отдохнуть перед поездкой, и теперь сонливость боролась в ней с восторгом и возбуждением. Сегодня она видела вблизи множество кинозвезд, и, хотя даже в детстве Алекс не была помешана на знаменитостях, они произвели на нее сильное впечатление. Куп представил ее почти всем, кого она в последнее время видела в кино, и рассказал об их частной жизни множество любопытных подробностей и голливудских сплетен, которые не знали даже самые пронырливые репортеры.

— Я действительно чувствую себя Золушкой, — сказала Алекс, прислонившись к его плечу, и снова зевнула. — Пора мне превращаться обратно в тыковку!

— Ты все перепутала, — улыбнулся Куп. — В тыкву должен превратиться «Роллс-Ройс». — Куп торжественно добавил: — Я ужасно горжусь тобой, любимая! По-моему, ты затмила всех. Не сегодня-завтра тебе предложат сняться в новом блокбастере, причем в главной роли!

— Ну, сегодня это вряд ли произойдет, — улыбнулась Алекс. — Что касается завтра, то... Через три часа мне нужно быть в больнице. Просто не знаю, стоит ли ложиться? Все равно завтра придется весь день хлестать кофе, чтобы не заснуть на ходу, и не садиться до конца смены.

— Я уверен, завтра тебе дадут отдохнуть, ведь твои коллеги наверняка видели тебя по телевизору, — сказал он. — Ты была просто великолепна. Все мои друзья решили, что ты — новая звезда кинематографа. Продюсеры будут просто драться, чтобы заполучить тебя.

— Посмотрим, — улыбнулась Алекс, выходя из машины у парадных дверей «Версаля». Она была рада, что они наконец оказались дома. Алекс ужасно устала от шума и всеобщего внимания, и все равно это был поистине волшебный вечер, который — она знала — она забудет не скоро. И это внимание Купа, и роскошное платье, и сапфиры.

— Мне хотелось бы купить его для тебя, — с сожалением сказал Куп, когда Алекс снимала ожерелье, чтобы вернуть ему. — Увы, я не могу себе этого позволить, — со вздохом добавил он, убирая украшения в домашний сейф. Гарнитур стоил три миллиона долларов — во всяком случае, именно такая сумма была написана на квитанции, которую Алекс видела у Купа. Это была немалая сумма, и впервые Куп признался, что ему что-то не по средствам. Впрочем, позволить себе купить такой гарнитур могли очень немногие, да Алекс и не приняла бы от него такого подарка. Ей было достаточно того, что Куп подумал об этом и выбрал для Алекс уникальные украшения, каких не было ни на одной звезде на церемонии. Только на приеме, где Алекс и Куп познакомились, она видела похожее ожерелье на Луизе Шварц.

— Ну что, принцесса, пойдем спать? — спросил Куп, снимая смокинг и ослабляя галстук. Несмотря на усталость, он выглядел так же безупречно, как и в начале вечера.

— Посмотри хорошенько, разве я еще не превратилась в тыкву? — откликнулась Алекс, которая поднималась по лестнице, держа в руке атласные туфельки на высоком каблуке. У Алекс не было сил даже подобрать платье, и подол волочился за ней по ступенькам.

— Нет, моя дорогая, — тихо ответил Куп. — Не превратилась и никогда не превратишься.

Услышав эти слова, Алекс обернулась и благодарно улыбнулась Купу. С ним она чувствовала себя как в самой настоящей сказке — во всяком случае, ощущение нереальности происходящего нередко посещало ее. Алекс даже приходилось напоминать себе, что на самом деле она врач, работает в больнице, выхаживает младенцев и живет в однокомнатной квартирке, до потолка набитой всяким хламом. Правда, у нее были гораздо бо́льшие возможности, но она уже давно запретила себе пользоваться ими. А Куп привнес в ее жизнь роскошь, красоту, волшебство.

Она заснула в его объятиях, как только ее голова коснулась подушки. Когда в половине шестого прозвонил будильник, Алекс только перевернулась на другой бок. Она бы определенно проспала, но Куп не без сожаления разбудил ее. Через полчаса Алекс уже ехала в своем стареньком «Фольксвагене» по направлению к больнице. Она окончательно пришла в себя, но прошедшая ночь по-прежнему казалась ей чудесным сказочным сном. Алекс была готова предположить, что все это произошло не с ней, пока не увидела утренние газеты. Все они, словно сговорившись, опубликовали на первой полосе огромную фотографию, на которой она была запечатлена вместе с Купом в момент, когда они поднимались по лестнице церемониального зала Академии киноискусств.

— Смотри, эта актриса ужасно похожа на тебя! — сказала Алекс одна из сиделок, заглянувшая ей через плечо, пока та в немом изумлении рассматривала снимок. Потом взгляд сиделки упал на подпись под фотографией, и глаза ее удивленно округлились. Александра Мэдисон. Куп забыл сказать репортерам, что она — врач, и Алекс в шутку упрекнула его за это. «Теперь они напишут, что я — просто Александра Мэдисон, — сказала она ему, не подозревая, как близки ее слова к истине. — «Доктор Александра Мэдисон» смотрелось бы куда внушительнее! Хотя это и не ученое звание, но я горжусь им, и мне хотелось бы, чтобы ты именно так меня представил».

«Я не сказал им, что ты доктор, по одной простой причине, — со смехом парировал Куп. — Если бы репортеры узнали, что ты доктор, уже завтра все газеты писали бы о том, что меня повсюду сопровождает личный врач-геронтолог. Или того лучше — медсестра психоневрологического профиля».

Как бы там ни было, на фотографиях в газетах Алекс буквально сияла. Куп, державший ее под руку, тоже улыбался, как бы давая всему миру понять: у него все в порядке, он ни от кого не скрывается и наслаждается жизнью. Именно этого он и добивался, и его пресс-атташе, позвонивший на следующий день после церемонии, поздравил его с успехом.

— Отличный ход, Куп, — сказал он. — Не сказав ни слова, ты опроверг все те лживые слухи, которые распускали про тебя эти паршивые газетенки.

И это действительно было так. Одним фактом своего появления на публике с Алекс он напомнил всем любителям дешевых сенсаций, что Купер Уинслоу был и остается всеми признанной знаменитостью и что даже самые респектабельные женщины счастливы в его обществе, даже несмотря на то, что он сделал ребенка какой-то третьеразрядной порноактрисе.

В вечерних выпусках газет их фотографии появились снова, и когда Куп позвонил Алекс в больницу, у него оказалась припасена для нее любопытная новость.

— Мне тут звонили редакторы отделов новостей из самых уважаемых газет страны, — сказал он. — Они хотели узнать, кто ты такая и чем занимаешься.

— И ты сказал им?

— Конечно! Кстати, на этот раз я сообщил им, что ты —

доктор. Самый настоящий доктор, без этих дурацких приставок «доктор философии» или «доктор искусств», — с гордостью ответил Куп. — Еще их интересовало, не собираемся ли мы пожениться. Я сказал, что ничего определенного на этот счет сказать пока не могу. Единственное, что я счел возможным довести до их сведения, это то, что ты занимаешь в моей жизни совершенно особое место и что я тебя просто обожаю.

— Что ж, теперь у них есть о чем подумать, — заметила Алекс, отпивая остывший кофе омерзительного вкуса. К тому моменту, когда Куп позвонил ей, она проработала больше двенадцати часов и буквально валилась с ног. К счастью, смена против обыкновения выдалась спокойная, и все равно Алекс была без сил. Не помогали ни кофе, ни витамины; очевидно, все дело было в том, что Алекс нечасто приходилось выходить на работу после длительной ночной вечеринки и она попросту к этому не привыкла. Она засыпала буквально на ходу. А вот Куп был бодр: он проспал до одиннадцати, с аппетитом позавтракал, посетил массажиста, специалиста по иглоукалыванию и парикмахера и теперь чувствовал себя свежим и отдохнувшим.

— А они не спрашивали тебя насчет Шарлен и ребенка? — поинтересовалась Алекс — она понимала, что Купа волнует эта тема.

— Никто из них об этом даже словом не обмолвился, — ответил он. — Милая, я же тебе сказал, что мне звонили из уважаемых газет.

Сама Шарлен тоже не звонила Куп. Очевидно, она была слишком занята, рассказывая свою историю корреспондентам, однако спустя две недели — в конце первой декады мая, когда Шарлен была примерно на третьем месяце, — Куп о ней все-таки услышал. С ним связался ее адвокат. Шарлен требовала, чтобы он содержал ее на протяжении всего срока беременности. Кроме этого, она готова была начать переговоры относительно размеров алиментов на ребенка и содержания для себя.

— Речь идет о вознаграждении, которое согласно положению о гражданском браке выплачивается женщине с ребенком, если официально не зарегистрированная пара распалась, — уточнил адвокат, когда Куп поинтересовался, с какой стати он должен содержать еще и Шарлен.

— О каком гражданском браке может идти речь, если мы и встречались-то меньше трех недель?! — возмущался Куп, обсуждая положение со своим адвокатом. — Это была заурядная постельная интрижка!

— Все дело в ребенке, — уточнил адвокат. — Закон защищает матерей — любых матерей, поэтому мисс Шарлен вправе выдвигать подобные требования.

Но еще больше возмутило Купа требование содержать Шарлен до рождения ребенка. По словам ее адвоката, она настолько тяжело переносила беременность, что совершенно не могла работать.

— Ну, работать языком она, черт возьми, может! Иначе откуда бы взялись все эти интервью в газетах?! Это не женщина, а какое-то чудовище! — так сказал Куп своему адвокату.

— Молитесь, чтобы ребенок оказался не от вас, мистер Уинслоу. Иначе вы окажетесь в очень непростой ситуации, — ответил тот.

— Неужели нельзя ничего сделать? — заволновался Куп.

— Мы попытаемся, — сказал адвокат. — И вот с чего, по моему глубокому убеждению, следует начать. Вам придется выплачивать мисс Шарлен содержание в период беременности, однако мы будем настаивать, чтобы в обмен на это она приняла на себя обязательство пройти в установленные сроки полное генетическое исследование плода, включая тест ДНК. Кстати, мистер Уинслоу, каковы шансы, что ребенок действительно ваш?

— Я бы сказал, пятьдесят на пятьдесят, — ответил Куп. — Ребенок с равным успехом может быть и от меня, и от кого-то другого. Как правило, я предохраняюсь, но один раз презерватив порвался... — Он пожал плечами. — Все зависит от того, насколько судьба будет ко мне благосклонна. Интересно, на меня уже принимают ставки в Вегасе или нет?

— Я узнаю это для вас, — адвокат мрачно усмехнулся. — Не хотелось бы быть грубым, но... как говорил один мой старый клиент, ты трахаешь кого-то десять минут, а потом этот кто-то всю жизнь трахает тебя. Надеюсь, мистер Уинслоу, впредь вы будете благоразумнее. Кстати, на церемонии вручения «Оскара» вы были с очень красивой женщиной.

— Алекс и умница, — с гордостью ответил Куп. — Она — детский врач.

— Что ж, хорошо, что ваша Алекс — не золотоискательница, как мисс Шарлен. Впрочем, одно другому не мешает. Будущая мамаша, кстати, тоже очень недурна собой; в ней, кажется, есть примесь азиатской крови?.. Это может сыграть свою роль на суде, знаете — политкорректность и всякое такое... К сожалению, то, что вместо сердца у нее кассовый аппарат, знаем только мы с вами. Надеюсь, удовольствие, которое вы получили, стоит тех денег, что вам предстоит на нее истратить.

— Честно говоря, я ее почти не помню, — признался Куп и тут же поспешил защитить Алекс: — Что касается моей вчерашней спутницы, то я абсолютно уверен, что она никакая не золотоискательница. Ее родители — весьма состоятельные люди, так что от меня ей ничего не нужно. Это совершенно невозможно!

— Вот как? — прищурился адвокат. — Кто же они?

— Отец Алекс Артур Мэдисон, — объявил Куп, и адвокат, не сдержавшись, присвистнул:

— Интересно! А он вам еще не звонил?

— Почему он должен мне звонить?

— Чтобы задать вопросы по поводу всей этой истории с ребенком.

— А при чем тут Артур Мэдисон?

— Я уверен, он сам вам все скажет, когда позвонит. Кстати, ему известно, что вы встречаетесь с его дочерью?

— Понятия не имею, — искренне ответил Куп. — Алекс, во всяком случае, ему не говорила — в последнее время они редко видятся.

— Ну, теперь-то о вашем романе известно всем, — усмехнулся адвокат. — Ваши фотографии появились чуть ли не во всех газетах страны.

— Могло быть и хуже, — философски заметил Куп, а про себя подумал, что хуже, пожалуй, некуда. История Шарлен тоже была буквально во всех малоформатках.

Еще неделю спустя в желтой прессе появилось упоминание и об Алекс. В целом бульварные листки пережевывали все те же новости, только теперь рядом с фотографиями Купа и Шарлен они публиковали снимки «загадочной мисс Мэдисон», сделанные во время все той же церемонии вручения «Оскара». На них Алекс выглядела как молодая королева, что не помешало репортерам снабдить свои статьи совершенно убийственными заголовками. Обстановка накалялась, и Куп каждый день ждал, что ему позвонит Артур Мэдисон и потребует объяснений. Сам Куп вовсе не считал, будто он каким-то образом скомпрометировал Алекс, но ее отец мог придерживаться другого мнения.

Впрочем, дошли ли новости до отца Алекс или нет, оставалось пока неизвестным, зато жильцы Купа были полностью в курсе событий. Марк, регулярно бывавший в ближайшем супермаркете, чуть не каждый день приносил оттуда кипу малоформатных газет. Сам он не особенно верил в разоблачения «бездарных борзописцев», как он называл всех, кто сотрудничал с такими издания, однако ему казалось, что сенсационное «чтиво» может немного развлечь Джимми, который находился в постоянном унынии. Алекс Марку по-прежнему нравилась, и он искренне сочувствовал ей и осуждал Купа, из-за которого ее имя теперь трепали в связи с громким скандалом. Что же касалось детей Марка, то после телевизионной трансляции церемонии «Оскара» они просто влюбились в Алекс, с которой много раз встречались у бассейна и успели подружиться. Помня о строгом предупреждении отца, который велел им ни в коем случае не досаждать Купу, они ни за что бы не приблизились к ней, но Алекс заговорила с ними первая. Впрочем, о том, что она регулярно общается с Джессикой и Джейсоном, Алекс ничего Купу не сказала. Она знала, как он относится к детям, к тому же сейчас у него и так хватало проблем.

Кроме адвоката Шарлен, Купу звонил и Эйб Бронстайн. Он был весьма озабочен тем, что Купу придется выплачивать Шарлен какие-то деньги.

— Ты не можешь этого сделать, Куп, — сказал Эйб. — В последнее время ты слишком много тратил, хотя на счете у тебя уже давно круглый ноль. Если ты хоть раз не заплатишь ей вовремя, ее адвокаты живо упрячут тебя за решетку, и тогда даже я ничего не смогу для тебя сделать.

Таков закон, Куп, и, поверь мне на слово, Шарлен не станет колебаться.

— Спасибо за хорошие новости, — мрачно усмехнулся Куп.

Он знал, что тратит на Алекс, у которой были очень скромные потребности, куда меньше, чем на любую из своих прежних подружек, однако, по словам Эйба, его текущие расходы все же были непомерными по его нынешнему финансовому состоянию. «Ты висишь буквально на волоске, — не раз говорил он. — Пока еще висишь, но случись что-то непредвиденное — и тебе конец!»

— Так что лучше поскорее женись на этой девчонке Мэдисон, и все будет в порядке, — сказал Эйб, прежде чем попрощаться. Старый бухгалтер уже несколько раз задумывался, уж не для того ли Куп встречается с Алекс, чтобы одним ударом решить все свои финансовые проблемы и спасти «Версаль» от продажи с молотка, и каждый раз приходил к выводу, что Куп на это не способен. И дело было вовсе не в том, что Куп был абсолютно свободен от любых корыстных побуждений; просто он был из тех людей, которые легко относятся к любым проблемам, полагая, что рано или поздно они так или иначе решатся сами.

Эйбу было невдомек, что Куп чуть ли не ежедневно подвергает свою совесть самому серьезному испытанию. Он сам подозревал себя в том, что, зная о богатстве Алекс, поддерживает с ней близкие отношения не совсем бескорыстно, но с каждым днем Куп все больше убеждался в том, что любит ее по-настоящему.

Звонила Купу и его преданная Лиз. Она тоже прочла статьи в газетах и была в ярости.

— Какой ужас, Куп! Ты не должен был встречаться с этой девицей!

— Теперь я и сам это понимаю, — невесело усмехнулся Куп. — Но хватит о грустном. Расскажи-ка лучше, как тебе нравится быть замужем.

— Пока очень нравится, хотя Сан-Франциско успел изрядно мне надоесть. Здесь очень холодно и почти ничего не происходит.

— Что ж, в таком случае переезжай обратно в Город Ангелов и возвращайся ко мне. Ты мне по-прежнему очень нужна.

— Спасибо, Куп. Я бы с радостью, но... — Лиз была счастлива с Тедом, к тому же ей очень понравились его дочери, и она жалела только об одном — о том, что вышла замуж слишком поздно. Только теперь Лиз стало ясно, сколь многое она принесла в жертву Купу. Ей хотелось бы иметь собственных детей, но в пятьдесят два это было уже невозможно, и Лиз приходилось утешаться добрыми отношениями с дочерьми Теда.

— Какая она — эта Алекс? — ревниво спросила Лиз. — На кого она похожа?

— На ангела милосердия, — не колеблясь ответил Куп и улыбнулся. — На девушку из соседнего двора. На Одри Хепберн. Она просто прелесть, Лиз! Я уверен, Алекс бы тебе понравилась.

— Приезжай с ней к нам во Фриско на уикенд.

— Я бы с удовольствием, только из этого вряд ли что-нибудь выйдет. Алекс очень много работает или находится в резерве и не может отлучаться из города. Она старший врач-резидент в больнице Калифорнийского университета, это огромная ответственность.

Он сказал это с явной гордостью, и Лиз не могла не подумать, что для Купа Алекс — довольно странный выбор. Правда, если судить по фото в газетах, она действительно была очень красива, однако те же газеты утверждали, что Алекс уже исполнилось тридцать, а Лиз отлично знала, что для ее бывшего патрона это предел. С женщинами старше тридцати он имел дело лишь в исключительных случаях. Самой желанной добычей для Купа были начинающие актрисы и фотомодели в возрасте от двадцати до двадцати шести.

Потом Лиз спросила о его собственных делах. Она в последнее время не видела его ни в эпизодах, ни даже в рекламе. Куп честно ответил, что постоянно теребит своего агента, но для него пока ничего нет. Как справедливо заметил ему тот же агент, год от года он отнюдь не становился моложе, однако Купа это нисколько не обескураживало.

— В последнее время я работаю меньше, чем мне бы хотелось, — откровенно признался он, — но все не так уж

плохо. Кое-какие перспективы есть. Как раз сегодня утром
я переговорил с двумя крупными продюсерами, они полага-
ют, что я могу им пригодиться.

— Тебе нужна только одна успешная роль в хорошем
фильме, чтобы отношение к тебе переменилось. Как только ты сыграешь ее, все продюсеры снова захотят тебя снимать. Ты и сам прекрасно знаешь, что иногда они ведут
себя как стадо баранов. — Лиз не хотелось говорить ему,
что он уже никогда не сможет сыграть главного героя, однако большая роль отца героя или героини была ему вполне по силам. Больше того, она могла вернуть Купу былую
популярность. Вся беда была в том, что Куп по-прежнему
хотел играть только героев-любовников, не отдавая себе
отчета в том, что семидесятилетнему актеру, как бы прекрасно он ни выглядел, такую роль никто не даст. По поводу своего солидного возраста Куп часто шутил, но никогда
не задумывался о нем серьезно. Сам он чувствовал себя лет
на сорок, был полон сил и желаний, возможно, именно
поэтому с Алекс ему было очень комфортно. Она в свою
очередь перестала думать о разнице в возрасте, как только
окончательно поняла, что влюбилась в него, однако факт
оставался фактом: время, когда Куп мог претендовать на
ведущие роли, безвозвратно ушло.

В следующий уикенд Алекс была свободна и приехала к
Купу. Они как раз сидели на террасе и болтали о всякой
всячине, когда неожиданно зазвонил ее пейджер. Алекс
была в «телефонном резерве», однако номер, появившийся
на экране, не имел никакого отношения к больнице. Тем
не менее Алекс сразу его узнала, но сделать ответный звонок решилась только час спустя. Куп к этому времени углу-
бился в чтение газет и не прислушивался к разговору.

— Привет, это я, — начала разговор Алекс. — Да, все хорошо, я прекрасно провела время. А как ты?

Что-то в голосе Алекс заставило Купа оторваться от
чтения. Он понятия не имел, кому звонит Алекс, однако
ему показалось, что ее голос звучит почти враждебно. Да и
выражение ее лица было непривычно напряженным.

— Когда? — спросила Алекс. — Увы, боюсь, я буду на дежурстве... Если хочешь, приезжай ко мне в больницу. Я думаю, я смогу выкроить время, если меня подстрахуют.

Сколько ты пробудешь в Лос-Анджелесе? Хорошо. В таком случае — до вторника.

Куп по-прежнему не знал, с кем разговаривала Алекс; одно было бесспорно — никакого удовольствия она от этого не получила.

— Кто это был? — спросил Куп, когда Алекс дала отбой.

— Мой отец, — ответила она. — Он прилетает в Лос-Анджелес во вторник — у него здесь несколько деловых встреч. Заодно он решил повидаться со мной.

— Боюсь, это неспроста. Скажи, он что-нибудь спрашивал обо мне?

— Только сказал, что видел меня по телевизору. О тебе он ничего не говорил, точнее — не называл твоего имени. Но за этим дело не станет.

— Может быть, надо пригласить его на ужин? — предложил Куп, хотя в глубине души он робел перед Артуром Мэдисоном. Этот человек был на два года моложе его самого, а его состояние исчислялось миллиардами, а о его могуществе и влиянии ходили легенды.

— Нет, — отрезала Алекс. Она была в темных очках, и Куп не видел выражения ее глаз, однако ему было ясно, что Алекс не рада предстоящей встрече с отцом. Впрочем, она уже не раз говорила ему, что не испытывает к своим родным теплых чувств.

— Почему? — спросил Куп.

— Мой отец — очень занятой человек. — Алекс усмехнулась. — После переговоров он на полчаса заглянет ко мне в больницу, а потом улетит в Вашингтон. На собственном «Боинге».

— Что ж, в таком случае мы пригласим его в следующий раз, — сказал Куп, но Алекс продолжала хмуриться. Очевидно, встреча с отцом тревожила ее, однако расспросить ее Куп не успел. Через десять минут Алекс срочно вызвали в больницу.

Вернулась она только к ужину и сразу же отправилась в бассейн. Там Алекс столкнулась с Марком и его детьми и с Джимми. На этот раз Джимми не был таким угрюмым и мрачным, как обычно. Дети Марка явно были рады встрече. Джессика честно призналась, что хотела бы когда-нибудь стать хотя бы вполовину такой привлекательной, как Алекс.

Несомненно, то, как Алекс выглядела на церемонии вручения «Оскара», произвело на девочку сильное впечатление.

— Спасибо, дорогая, — ответила Алекс. — Ты будешь даже красивее меня — я в этом абсолютно уверена.

С этими словами Алекс быстро разделась и, прыгнув в бассейн, двадцать минут плавала от одного бортика до другого. Потом к ней присоединились Джессика и Марк, а Джейсон и Джимми отрабатывали на лужайке правильный бросок.

Джессика как раз расспрашивала Алекс, во что были одеты кинозвезды, когда что-то просвистело над самыми их головами, а затем послышался звон разбитого стекла. Мяч, пущенный Джейсоном по всем правилам бейсбольной науки, угодил точнехонько в окно гостиной Купа.

— Вот черт! — в сердцах воскликнул Марк. Алекс и Джессика от неожиданности замерли, и только Джимми издал победный вопль.

— Отличный бросок, парень! — крикнул он, еще не успев сообразить, какая случилась неприятность. Но отразившаяся на лице мальчугана паника заставила Джимми оглянуться.

— Что-то будет?.. — в ужасе пробормотала Джессика, а Марк и Алекс обменялись озабоченными взглядами.

Спустя несколько секунд у воды появился Куп. Он был в ярости и едва сдерживался.

— Чем это вы здесь занимаетесь? — грозно спросил он. — Готовитесь выступать за «Янки»? Или вам захотелось что-нибудь сломать?! Или довести меня до белого каления?

Куп обращался ко всем одновременно, и Алекс стало неловко. Она знала, что Куп терпеть не может беспорядка и детей, однако такой силы неприязни и ярости она в нем не предполагала.

— Это была чистая случайность, — попыталась разрядить напряжение Алекс, но Куп ее не слушал.

— Что это за новая мода — швырять мячи в стекла?! — крикнул он, повернувшись к Джейсону. Куп уже заметил у него на руке бейсбольную перчатку, поэтому для него не было тайной, кто главный виновник происшествия.

Глаза мальчика наполнились слезами. Он не сомневался, что его ждут крупные неприятности. Марк неоднократно предупреждал сына, почему не стоит раздражать мистера Уинслоу. «Это все равно что рубить сук, на котором сидишь, — объяснял он. — Достаточно того, что один раз ты уже с ним столкнулся».

— Это я разбил стекло, — неожиданно вмешался Джимми, выступая вперед. — Поверьте, мне очень жаль. Я... я просто не подумал...

Джимми было очень жаль Джейсона, а главное, он был уверен, что ему Куп ничего сделать не сможет.

— Я заменю ваше стекло, — добавил он.

— Надеюсь, что так, — ответил Куп, несколько сбитый с толку. — Впрочем, что-то мне подсказывает, что вы пытаетесь ввести меня в заблуждение. Я уверен, что главный разрушитель и вандал — не кто иной, как мистер Фридмен-младший.

Он сердито посмотрел сначала на Марка, потом на Джейсона и снова повернулся к Джимми.

— Если хочешь, новое стекло оплачу я, — предложила Алекс, выходя из воды и набрасывая на плечи полотенце. — Поверь, все произошло случайно.

— И все равно здесь вам не кегельбан и не тир! — проворчал Куп все еще сердито. — Это специальное стекло: чтобы заказать и изготовить такое, потребуется месяц, не меньше, да и вставить его непросто.

В самом деле, стекла в балконных окнах гостиной не только имели весьма необычную форму, но и были выпуклыми. Несколько таких стекол пострадали во время последнего землетрясения. Тогда Лиз удалось заказать их в Чехии, что обошлось Купу в кругленькую сумму. Мастера с завода специально приезжали в Лос-Анджелес, сначала чтобы снять размеры, а во второй раз, чтобы вставить стекла в рамы.

— Следите за своими детьми, Фридмен! — буркнул Куп и вернулся в дом, а Алекс с виноватым видом посмотрела на Марка.

— Мне очень жаль, — сказала она негромко. Ей было неловко за Купа.

— Ну и задница этот ваш Куп! — громко сказала Джессика.

— Джесси!.. — строго одернул ее отец, а Джимми повернулся к Алекс.

— Я с ней согласен, хотя здесь есть и доля моей вины. Нам следовало пойти тренироваться на теннисный корт. Мне и в голову не могло прийти, что он... что мы разобьем окно мистера Уинслоу!

— А по-моему, ничего страшного не произошло, — покачала головой Алекс. — Все дело в том, что Куп... не привык к детям. Он так любит порядок и покой, а дети...

— ...А дети его нарушают, — закончил Джимми. — Что ж, остается только пожалеть его, потому что в жизни — в реальной жизни — ни покоя, ни порядка нет. Как правило, нет...

Он знал, что говорил, так как ежедневно имел дело с бездомными сиротами и детьми из неблагополучных семей. В большинстве своем они были задиристыми, шумными, непредсказуемыми, но именно это и нравилось Джимми больше всего.

— Во всяком случае, в моей жизни, — счел необходимым уточнить он, но Алекс его отлично поняла.

— В моей жизни тоже мало покоя, — сказала она. — Но нельзя сравнивать нас с Купом. Он не похож на нас и живет другой жизнью. Во всяком случае, он полагает, что его жизнь — это нечто неизменное, упорядоченное и комфортное... — Тут Алекс вспомнила о статьях в газетах, да и остальные, судя по их лицам, подумали о том же. — Короче, Джейсон, не переживай!.. — решительно закончила Алекс. — В конце концов, это всего лишь стекло, а не человек. Стекло всегда можно заменить, а человека... — Она замолчала, но было слишком поздно. Роковые слова сорвались с ее языка, и Алекс с виноватым видом посмотрела на Джимми, но тот только кивнул.

— Ты права, — негромко сказал он.

— П-прости... я не хотела... — пробормотала Алекс огорченно.

— Ничего страшного, — ответил Джимми. — То есть, конечно, это страшно, но... Хорошо, что ты об этом напомнила, потому что люди часто забывают даже самые простые истины. Мы слишком привязываемся к вещам и ценим только собственные удобства, комфорт, лелеем свои привычки и редко вспоминаем, что самое главное — это все-таки люди. Все остальное — ерунда, мелочь.

— Я сталкиваюсь с этим чуть не каждый день, — тихо сказала Алекс, и Джимми кивнул:

— Я тоже. В конце концов я выучил этот урок, хотя мне это нелегко далось. — И он улыбнулся Алекс. Она ему нравилась, и он не мог понять, что связывает ее с человеком, который на девять десятых состоит из притворства, позы, дутого самомнения и эгоизма. Алекс же казалась ему честной, открытой, способной на самопожертвование.

— Спасибо, что защитила Джейсона, — сказал Джимми. — Завтра я займусь этим стеклом, будь оно неладно!

— Нет, это мое дело, — вмешался удрученный Марк. — В конце концов, он мой сын, поэтому за стекло заплачу я. А ты в следующий раз будь поаккуратней! — сказал он и, сердито погрозив Джейсону кулаком, повернулся к Джимми: — К тебе, кстати, это тоже относится.

— Извини, папа, — кротко сказал Джейсон. Он знал, что легко отделался. Правда, Куп на него накричал, зато все остальные встали на его защиту. Даже отец особенно не рассердился, хотя Джейсон и был уверен — после всех предупреждений отец его убьет! — Я больше не буду, — добавил Джейсон, и все рассмеялись.

— Будешь, еще как будешь!.. — проворчал Джимми. — Или я ничего не понимаю в детях. Кстати, бросок вышел превосходный. Поздравляю!

— И тем не менее я настаиваю, чтобы вы перенесли свои тренировки куда-нибудь подальше от дома, скажем, на теннисный корт, — вмешался Марк. — Не стоит давать мистеру Уинслоу повод выставить нас, договорились?

Джимми и Джейсон кивнули в знак согласия, и Алекс, увидев, что инцидент более или менее исчерпан, стала натягивать майку и шорты прямо на мокрый купальник.

— Пойду поговорю с Купом, — сказала она. — До встречи, чемпионы!..

И она направилась к дому. Марк и Джимми проводили ее взглядами. Когда Алекс была уже достаточно далеко и не могла их услышать, Марк сказал:

— Джесс совершенно права: этот мистер Уинслоу — настоящая задница, а вот она — чудесная женщина. Каким бы красавцем он ни был, он ее не заслуживает. Как бы он ее не обидел!

— А мне кажется, мистер Уинслоу собирается жениться на Алекс, — неожиданно вмешалась Джессика. Она додумалась до этого совершенно самостоятельно, что делало честь ее женской проницательности. Впрочем, собственное открытие ее ни капли не радовало. Она тоже считала, что Куп недостоин такой женщины, как Алекс. Было бы гораздо справедливее, думала Джессика, если бы он женился не на ней, а на какой-нибудь старой карге, которая бы подходила ему по возрасту. Что касалось Алекс, то она, несомненно, заслуживала большего, чем стареющий красавчик-актер, который трясется над своим домом и ненавидит детей. Джессика, к примеру, нисколько бы не возражала, если бы Алекс начала встречаться с ее отцом.

— Надеюсь, что нет, — сказал Джимми, и все четверо направились к гостевому крылу. Джимми настроился на совместный ужин, и по этому поводу Марк затеял в саду барбекю.

А в это время в центральном крыле Алекс успокаивала Купа, который продолжал кипеть и ворчать.

— Ведь он еще ребенок, — говорила она. — Разве ты, когда был мальчиком, не играл в бейсбол и не бил стекол?

— Я никогда не был мальчиком, — отрезал Куп. — Я родился в костюме и при галстуке; во всяком случае, сколько я себя помню, я всегда был хорошо воспитан. Современная молодежь — это что-то ужасное!

— Не будь таким занудой! — ласково проговорила Алекс, целуя его.

— Почему бы нет? — пожал плечами Куп. — Ведь ты меня знаешь — я просто обожаю сердиться; меня хлебом не корми, дай только наорать на какого-нибудь малолетнего вандала! Ведь я же предупреждал — терпеть не могу детей! Они грязные, отвратительные, шумные маленькие животные, которые только и делают, что...

— Что бы ты сказал, если бы я сказала тебе, что беременна? — перебила Алекс, и Куп онемел на мгновение.

— А ты... беременна? — переспросил он с опаской.

— Нет, конечно, — поспешила успокоить его Алекс. — Но ведь это могло случиться, правда? Тогда бы тебе пришлось мириться и с роликовыми досками, и с разбитыми стеклами, и с грязными памперсами, и с арахисовым маслом и джемом на полу и на мебели. Подумай, Куп, вдруг такое случится?

— Ты серьезно? Меня, во всяком случае, уже тошнит. Знаете, доктор Мэдисон, у вас извращенное чувство юмора. Надеюсь, ваш отец выпорет вас при встрече.

— В этом нет никакого сомнения, — спокойно ответила Алекс. — Обычно он так и поступает. Во всяком случае, пытается...

— Поделом тебе! — Куп удовлетворенно хмыкнул, но сразу же нахмурился, вспомнив, что во вторник Алекс действительно встречается с отцом. Куп дорого бы дал, чтобы при этом присутствовать, но об этом не могло быть и речи.

— Кроме шуток, — сказал он, — как тебе кажется, зачем твой отец хочет с тобой встретиться? — Куп был убежден, что разговор пойдет о нем, и не мог сдержать любопытства.

— Понятия не имею, — с улыбкой ответила Алекс и, взяв Купа под руку, повела в спальню. Она знала отличное лекарство против испорченного настроения Купа. Впрочем, инцидент с разбитым стеклом был почти забыт в тот момент, когда она поцеловала Купа, а еще полчаса спустя он и думать забыл о том, что на свете существуют дети, окна и бейсбол.

Глава 16

На самом деле Алекс догадывалась, как пройдет ее встреча с отцом и о чем пойдет разговор. Все ее встречи с ним развивались по одному и тому же сценарию. В ее отношениях с родителями ничто не менялось, да и не могло измениться.

Артур Мэдисон приехал в клинику за пять минут до назначенного часа и, когда Алекс спустилась, уже ждал ее в столовой. Отец Алекс был высоким, подтянутым, широкоплечим мужчиной с седыми волосами и ярко-голубыми глазами. Его лицо, покрытое сеткой неглубоких морщин, выглядело суровым и серьезным, словно он прибыл на важные переговоры. Так, впрочем, и было: даже для встреч с дочерью Артуру Мэдисону всегда был нужен повод. Он не мог приехать просто так, чтобы навестить ее, расспросить, как она живет и не нужно ли ей что-нибудь. Все их свидания и телефонные разговоры проходили строго по протоколу, в полном соответствии со списком проблем и вопросов, которые им необходимо было так или иначе решить. Ни взглядом, ни словом он старался не показывать, что они — близкие родственники. Лишь изредка Артур Мэдисон передавал Алекс привет от матери — и это было все.

Мать Алекс мало чем отличалась от своего супруга. Должно быть, только благодаря этому ей удалось на протяжении стольких лет оставаться женой Артура Мэдисона, однако ее роль была пассивной. Главой семьи был он, и его слово было законом для всех, за исключением Алекс. Именно поэтому все время, пока Алекс жила в семье, между ней и отцом шли непрекращающиеся боевые действия.

Артуру Мэдисону хватило и пяти минут, чтобы отдать дань приличиям и перейти от «лирики» к делу.

— Я хочу поговорить с тобой о Купере Уинслоу, — прямо заявил он. — Мне казалось, что по телефону это не стоит делать.

В ответ Алекс только пожала плечами. Большой разницы она не видела. Все их разговоры — что по телефону, что лицом к лицу — проходили в одном и том же ключе: деловом, безразличном, холодном.

— Почему нет? — только и спросила она.

— Это вопрос слишком важный и требует личной встречи, — сухо ответил Артур Мэдисон.

По мнению Алекс, для личной встречи было вполне достаточно того факта, что он — ее отец, однако ему это просто не приходило в голову. Артуру Мэдисону всегда нужна была причина, и достаточно веская, поэтому Алекс промолчала.

— Не стану ходить вокруг да около, хотя проблема довольно деликатного свойства, — добавил он. Это было в его стиле. Алекс, впрочем, тоже предпочитала разговор по существу. В этом отношении она была похожа на отца, хотя признаться в чем-то подобном стоило ей огромного труда. Она не хотела ни в чем походить на него, однако отрицать очевидное было бессмысленно. Как и Артур Мэдисон, Алекс отличалась прямотой и откровенностью суждений, выслушивать которые было не всегда приятно. Извиняло ее только то, что по отношению к себе Алекс бывала так же безжалостна, как и по отношению к окружающим. Как и отец, она неукоснительно следовала своим жизненным принципам и никогда не шла на компромисс со своей совестью. Все дело было в том, что она и Артур Мэдисон исповедовали разные принципы. Кроме того, Алекс была по характеру человеком добрым, а он — жестким и сухим. Артур Мэдисон не тратил время и силы на чувства и эмоции и никогда не считал нужным смягчать свои слова. И хорошие, и плохие новости он сообщал с одним и тем же бесстрастным выражением лица, и ничто в мире не могло убедить его в необходимости таких вещей, как жалость, любовь, сострадание. Похоже, таких слов в его словаре не было вовсе.

— Насколько серьезны ваши отношения? — напрямик спросил Артур Мэдисон и, прищурившись, пристально посмотрел на дочь. Он хорошо знал ее и умел угадывать потаенные мысли по выражению ее лица. Артур Мэдисон был уверен, что Алекс не станет лгать, но ему казалось маловероятным, что она расскажет ему все начистоту. В чем-то она была права; ее отношения с Купом были только ее делом, но он обязан был знать.

— Затрудняюсь сказать... — Алекс неопределенно пожала плечами. Это была правда, но Мэдисон решил, что она уходит от прямого ответа.

— Тебе известно, что этот человек по уши в долгах?

Куп никогда не говорил ей об этом, но Алекс догадывалась, что он находится в стесненных финансовых обстоятельствах. В противном случае он вряд ли бы сдал внаем флигель и гостевое крыло. Деньги, которые он получал с Марка и Джимми, были для него практически единственным источником дохода. В последнее время Куп почти не снимался, а стало быть, ничего не зарабатывал, но Алекс считала, что у него, вероятно, отложена на этот случай достаточная сумма. Кроме того, он оставался владельцем «Версаля», который один стоил целую кучу денег. О том, что особняк может быть заложен и перезаложен, Алекс как-то не задумывалась — в отличие от своего отца, который точно знал, сколько стоит дом и какую сумму вместе с процентами Купу предстоит выложить, чтобы снова стать его полновластным хозяином.

— Мы не обсуждали его финансовые проблемы, — ответила Алекс. — Они меня не касаются, точно так же, как и мои дела не имеют никакого отношения к нему.

— Неужели он ни разу не спрашивал тебя о твоих доходах и размере твоего наследства?

— Разумеется, нет, для этого он слишком хорошо воспитан, — отрезала Алекс. Она прекрасно поняла, куда гнет ее отец.

— И слишком хитер. — Артур Мэдисон покачал головой. — Я уверен, что он тщательно проверил тебя через своего бухгалтера, точно так же, как я навел справки о нем. В его деле, которое положили мне на стол помощники, больше пятисот листов. Я не стану пускаться в подробности, скажу только, что ничего хорошего в этих документах нет. На протяжении последних двух десятков лет он тратил намного больше, чем зарабатывал. Он залез в долги и давно не пользуется кредитом. Я уверен, что ему не дали бы и книги в публичной библиотеке — вот насколько плохи его дела! Но самое неприятное в том, что он умело пользуется своей мужской привлекательностью, чтобы располагать к себе состоятельных женщин. По меньшей мере с пятью из них он был в свое время помолвлен.

— Куп нравится женщинам, и не только богатым... — Алекс впервые назвала его по имени и не без злорадства заметила, как передернулся ее отец. Таковы были его понятия о деликатности: Артур Мэдисон предпочитал не называть имен, но не стеснялся говорить вслух о личных недостатках, интимных привычках, особенностях характера. — Уж не хочешь ли ты сказать, что он охотится за моими деньгами? Я тебя правильно поняла?

Как и отец, Алекс предпочитала называть вещи своими именами — в этом у него не было никакого преимущества перед ней. Кроме того, она была до глубины души оскорблена его подозрениями. Алекс была совершенно уверена — Куп любит ее. То, что как раз сейчас он балансирует на грани финансовой несостоятельности, представлялось ей лишь стечением обстоятельств.

— Да, именно это я и хочу сказать, — нимало не смутившись, подтвердил Артур Мэдисон. — Я вполне допускаю, что его истинные мотивы не так бескорыстны, как тебе бы хотелось, и что он пытается использовать тебя. Возможно, он делает это чисто подсознательно, однако это ничего не меняет. Он в безвыходном положении, Александра, и способен на самые отчаянные поступки. Отчаяние может вынудить его жениться на тебе, если у него не будет другой возможности спасти себя и свой особняк. Кроме того, для тебя он слишком стар. Иными словами, Александра, у меня сложилось впечатление, что ты сама не знаешь, на что идешь. К сожалению, я не знал, что ты встречаешься с этим типом, пока твоя мать не сказала мне об этом — она видела вас по телевизору во время трансляции церемонии вручения «Оскара». Должен сказать откровенно: мы оба были неприятно удивлены, даже шокированы. Твоя мать кое-что знает об этом человеке — когда-то много лет назад он встречался с ее подругой. С тех пор он не стал лучше. Ты наверняка слышала об этом скандале с порноактрисой, которой он сделал ребенка? — Артур Мэдисон по-прежнему избегал называть Купа по имени. — Довольно красноречивая подробность, тебе не кажется?

— Подобное может случиться с каждым, — спокойно возразила Алекс и тут же пожалела о своих словах. Взгляд отца скользнул по ее фигуре, а на лице отразилась легкая брезгливость, и Алекс почувствовала, что ненавидит его за этот взгляд, за каждое слово, которое он сказал о Купе. Она, однако, продолжала держать себя в руках и ничем не выдала своих чувств.

— Подобные вещи случаются только с людьми безответственными и распущенными, — отчеканил Артур Мэдисон. — Он... этот человек — повеса и плейбой, который всю жизнь думал только о себе и о своих удовольствиях и никогда ни в чем себе не отказывал. Результат, как говорится, налицо. В семьдесят лет у него нет за душой ни цента. Общая сумма его долгов превышает два миллиона, и это без учета того, что он должен по закладным за особняк.

— Два миллиона, бесспорно, большая сумма, но только

не для Купа, — ответила Алекс. — Ему достаточно сыграть одну роль, и он расплатится со всеми долгами.

— В том-то и дело, что он больше не будет играть. Для главных ролей он слишком стар, а эпизодические роли и съемки в рекламе проблемы не решат, — уверенно сказал Артур Мэдисон. — Впрочем, я не исключаю, что ему повезет и он еще сыграет одну-две заметные роли, однако даже в этом случае он истратит заработанные деньги на пустяки, промотает их на обеды и подарки для своих любовниц. Так он поступал всегда. И за этого человека ты хочешь выйти замуж?! За человека, который способен пустить на ветер не только свое, но и твое состояние? Почему, как ты думаешь, он вообще обратил на тебя внимание? Я ни за что не поверю, что он не знал, кто ты такая и чья ты дочь!

— Разумеется, он знает, кто я и кто мои родители, но за все время он не попросил у меня ни доллара. Куп — очень щепетильный человек и старается сохранять достоинство в любой ситуации.

— Он самовлюбленный и надутый старый индюк! Сомбреро больше, чем кораль, как говорят в Мексике... Он едва сводит концы с концами, содержать тебя ему просто не на что! А ведь есть еще эта женщина, которая от него беременна... Что он собирается предпринять по этому поводу?

— Платить ей алименты, если придется, — честно ответила Алекс. — Пока Куп даже не знает, его ли это ребенок. В июле будет проведен анализ ДНК, тогда все и выяснится.

— Но как она может требовать с него алименты, если ребенок не его? — удивился Артур Мэдисон.

— Я же сказала — ничего еще не известно... — Алекс пожала плечами. — Меня это не касается. Да, это неприятно, но это не конец света. Такие вещи происходят сплошь и рядом. Для меня гораздо важнее, как Куп ко мне относится, а он меня любит...

— Или делает вид, что любит, — усмехнулся ее отец. — Ведь ты богата, независима, хороша собой. Я, например, считаю, что, если бы ты не носила фамилию Мэдисон, он бы вряд ли обратил на тебя внимание.

— Я в это не верю, — тихо ответила Алекс, глядя отцу прямо в глаза. — К счастью, мы никогда этого не узнаем. Ведь я — это я, я ношу фамилию Мэдисон, и все, что у меня есть, никуда не исчезнет, даже если бы я этого захотела. И вот что я тебе скажу, папа: я не собираюсь выбирать себе спутника жизни в зависимости от размеров его банковского счета. Куп происходит из уважаемой, почтенной семьи, он прекрасно воспитан, наконец, он просто хороший человек. Что же касается денег, то они есть далеко не у всех, и с этим ничего не поделаешь. Но мне на это наплевать.

— Ты уверена, что он до конца честен с тобой? Скажи откровенно, он хотя бы раз упоминал при тебе о своих долгах и финансовых затруднениях? — Артур Мэдисон продолжал гнуть свое. Он пытался растоптать, вывалять в грязи их чувства и заставить Алекс усомниться в искренности Купа, но она не стала слушать. Пусть Алекс никогда не видела его налоговой декларации, но зато она знала его самого, знала его склонности и пристрастия, его достоинства и недостатки. И она любила Купа таким, каков он есть. Единственное, что беспокоило ее, это то, что, дожив до своих лет, он по-прежнему не хотел иметь детей. Сама Алекс была уверена, что рано или поздно ей захочется иметь ребенка, и понятия не имела, как они с Купом решат этот вопрос. Но пока Куп не заговаривал о браке, и задумываться об этом было рано.

— Я уже сказала тебе, что мы не обсуждали ни его, ни мое финансовое состояние, — жестко сказала она.

— Тогда подумай хотя бы о разнице в возрасте. Ведь он на сорок лет старше тебя, и, если, упаси бог, ты все-таки выйдешь за него, дело может кончиться тем, что ты станешь его сиделкой.

— Это не исключено, но я готова рискнуть, — заявила Алекс. — Я уверена, что я это переживу.

— Скорее ты переживешь его! — Артур Мэдисон усмехнулся, но тотчас же снова стал серьезным. — Это же нелепо, Алекс! Когда тебе исполнится сорок, ему будет восемьдесят, он будет ровно вдвое старше тебя. Не спеши, подумай... Я уверен, хоть ты и считаешь иначе, что этот тип охотится вовсе не за тобой, а за твоим счетом.

— То, что ты только что сказал, просто отвратительно! — с горячностью перебила Алекс.

— Я вовсе его не обвиняю, — покачал головой Артур Мэдисон. — Он пытается спасти себя, обеспечить свою старость, и никаким другим способом он этого достичь уже не может. Ты, точнее, твои деньги, — его последняя соломинка. Девчонка, которой он заделал ребенка, не станет его содержать, даже если он на ней женится. Скорее всего, она постарается поскорее продать тот роскошный особняк, в котором он живет; точнее, кредиторы вынудят ее сделать это. Когда она получит свои денежки, он будет ей уже не нужен, и она преспокойно выбросит его на помойку. Возможно, тебе это покажется ужасным, Александра, но такова жизнь. — Он вздохнул. — Пойми меня правильно: я вовсе не пытаюсь указывать тебе, что делать. Пожалуйста, продолжай встречаться с ним, если он что-то для тебя значит, но ради всего святого — будь осторожна! Не выходи за него замуж, даже если он будет на коленях умолять тебя об этом. А если ты все же решишься на подобную глупость, имей в виду: я сделаю все, что в моих силах, чтобы вам помешать. Если придется, я готов даже поговорить с ним и предупредить его о последствиях. Надеюсь, ты понимаешь, что в моем лице мистер Уинслоу наживет серьезного врага! А слов на ветер я, как ты знаешь, не бросаю.

— Я всегда знала, что могу рассчитывать на тебя, папа, — проговорила Алекс с горькой усмешкой. Отец, безусловно, желал ей добра, но его жизненная позиция была Алекс глубоко чужда. И так было всегда. Власть, влияние, деньги — все это Артур Мэдисон без раздумий пускал в ход, не щадя ее чувств. И того же он требовал от Алекс. Даже когда Картер сбежал из-под венца с ее родной сестрой, Артур Мэдисон во всем обвинил ее, сказав, что, если бы она крепче держала его в руках, ничего подобного не случилось бы.

Да разве только это!.. Всегда и во всем Алекс оказывалась виновата. Правда, краем уха она слышала, что отец в последнее время не особенно благоволит зятю. Картер вложил часть денег Гортензии в сомнительный финансовый проект и потерял почти все. К счастью, у нее осталось намного больше, чем она потеряла, однако факт оставался фактом: впервые на памяти Алекс Артур Мэдисон был недоволен кем-то, кроме нее.

— Я знаю, ты думаешь, я говорю страшные вещи, и ты права. Но пойми и ты меня: ты моя дочь, и я за тебя волнуюсь. Мистер Уинслоу с самого начала вызывал у меня кое-какие подозрения, когда же я заглянул в его досье, я пришел в самый настоящий ужас. Быть может, он интересный человек, хороший собеседник, красивый мужчина — я этого не отрицаю. Больше того, я вполне способен понять, что в твоем возрасте это кажется чуть ли не главным. Но все остальное выглядит, мягко говоря, очень несимпатично. Я не думаю, что такой человек сумеет сделать тебя счастливой, если, конечно, он вообще на тебе женится. Ведь раньше мистер Уинслоу никогда не был женат. Это было ему просто не нужно. Получив удовольствие с одной женщиной, он переходил к другой, к третьей, и так без конца. Это просто несерьезно, Алекс. Во всяком случае, не этого я желал бы для своей дочери. По моему глубокому убеждению, он либо будет с тобой, пока ты ему не надоешь, и тогда он тебя бросит, либо — еще хуже — он женится на тебе, чтобы решить свои финансовые проблемы, а сам будет продолжать развлекаться, как он делал всю жизнь. Поверь, Александра, я хотел бы ошибиться, но... для этого я слишком хорошо знаю жизнь, — закончил он, и вид у него был очень расстроенный. И все же ничто из того, что он только что говорил, не могло отвратить Алекс от Купа или хотя бы заставить ее сомневаться. Напротив, ее решимость остаться с ним только окрепла. Услышав о долгах Купа, она лишь посочувствовала ему. Никаких опасений насчет того, что он может попытаться поправить свои финансовые дела за ее счет, у Алекс даже не возникло.

Неизвестно, сколько бы еще продолжался этот тягостный разговор, но тут зазвонил пейджер Алекс. Ничего срочного на этот раз не было, но Алекс воспользовалась звонком как предлогом, чтобы положить конец разговору. За все время они не съели ни крошки и даже не стали пить кофе. Алекс не чувствовала себя голодной. Что касалось Артура Мэдисона, то он и вовсе пришел сюда не для того, чтобы есть, а для того, чтобы побеседовать с дочерью. Он придавал этому разговору огромное значение; больше того, он знал, что его отцовский долг состоит в том, чтобы предостеречь Алекс и, если получится, убедить ее расстаться с Купером Уинслоу. Именно об этом он пытался поговорить со своей женой перед поездкой в Лос-Анджелес, но Маделейн Мэдисон, по обыкновению, не захотела вмешиваться. Она, впрочем, сказала, что «кто-то» обязан урезонить Алекс, и Артур Мэдисон понял, что этим «кем-то» должен стать он. Тяжелой работы он никогда не боялся, однако час, который он провел с Алекс, дался ему очень нелегко.

— Боюсь, мне пора идти, — сказала Алекс, вставая.

— Да-да, конечно... — кивнул Артур Мэдисон, думая о чем-то своем. Потом он быстро поднял голову. — Еще один совет на прощание... Постарайся больше не попадать в газеты, особенно с ним. Это может повредить твоей да и моей репутации. Кроме того, не стоит привлекать к себе внимание охотников за состояниями.

Алекс задумчиво кивнула. До сих пор ей удавалось избегать ненужной популярности. Большинство ее коллег даже не подозревало, кто она такая или, что было более важно, кто ее отец. Алекс это вполне устраивало, но теперь — пусть и не по ее воле — ситуация изменилась.

— А при чем здесь охотники за состояниями? — уточнила она, хотя и догадывалась, что имеет в виду отец.

— После того как хорошо воспитанный и утонченный мистер Уинслоу тебя бросит, — был ответ, — они накинутся на тебя, как акулы, почуявшие кровь.

Еще один чудесный образ, подумала Алекс, и как раз в его стиле. Похоже, Артур Мэдисон всерьез считал свою дочь ничем не лучше приманки для акул. Алекс знала, что по-своему отец все же любит ее, но его забота проявлялась довольно своеобразно. Но и это можно было понять, если учесть, какими однобокими и предвзятыми были его взгляды на окружающий мир. Артур Мэдисон подозревал в корыстных намерениях всех и всегда был склонен верить в худшее. Он не хотел, да и не мог постичь, что, несмотря на свою репутацию и финансовые трудности, Куп действительно любит Алекс, любит по-настоящему. Сама Алекс знала это, чувствовала, но не могла убедить отца в том, что с этой стороны ей ничто не угрожает.

— Ты приедешь этим летом в Ньюпорт? — спросил Артур Мэдисон на прощание, и Алекс отрицательно покачала головой.

— Извини, па, слишком много работы...

Это действительно было так, но даже если бы Алекс и смогла уйти в отпуск, она бы предпочла провести его в Лос-Анджелесе. У нее не было ни малейшего желания видеться с матерью, сестрой, Картером и их друзьями. Этот мир уже давно стал для нее чужим, и Алекс вовсе не жаждала в него возвращаться. К тому же теперь у нее был Куп.

— Что ж, звони, не пропадай, — сухо сказал Артур Мэдисон, когда Алекс поцеловала его на прощание.

— Хорошо, — кивнула Алекс. — Передавай привет маме...

За все время, что Алекс жила в Лос-Анджелесе, Маделейн Мэдисон не навестила ее ни разу, хотя ничто не мешало ей путешествовать и навещать друзей во всех концах света. Правда, она регулярно приглашала Алекс к себе в Палм-Бич, но та вежливо отклоняла приглашение под каким-нибудь более или менее благовидным предлогом. Таким образом, внешние приличия оказывались соблюдены, и это всех устраивало. У Алекс не было с матерью ничего общего. Встречались они чрезвычайно редко, но даже тогда не знали, о чем говорить. Маделейн Мэдисон считала свою старшую дочь чем-то вроде паршивой овцы и не понимала, почему Алекс решила стать врачом. По ее мнению, ей следовало остаться в родительском доме, чтобы со временем выйти замуж за человека из приличной семьи. То, что с Картером у Алекс ничего не вышло, нисколько не обескуражило ее мать — в Палм-Бич таких, как он, было больше чем достаточно. Но Алекс не нужен был ни Картер, ни кто-то похожий на него. Ей не хотелось иметь ничего общего с людьми, которые составляли так называемый привилегированный класс, — именно поэтому она уехала из Ньюпорта, и не ошиблась. С Купом она нашла свое счастье, что бы ни говорил по этому поводу ее отец.

Артур Мэдисон проводил дочь до служебного лифта. Он не сказал больше ни слова, не попытался ее обнять. Когда двери за ней закрылись, он просто повернулся и пошел к выходу — прямой и правильный, как те истины, которые он изрекал.

Прошло не меньше двух часов, прежде чем Алекс сумела избавиться от состояния внутреннего оцепенения, которое всегда появлялось у нее после встреч с отцом.

Глава 17

А Куп в это время полулежал в шезлонге возле бассейна в тени большого куста шиповника. Заботясь о своей коже, он старался избегать прямых солнечных лучей. Это был его «фирменный» секрет, благодаря которому он выглядел намного моложе своих лет.

Сидеть у бассейна днем Купу всегда нравилось. В это время юные Фридмены еще были в школе, Марк и Джимми — на работе, и он вовсю наслаждался тишиной и покоем. Иногда Куп даже позволял себе немного вздремнуть после обеда — это помогало ему сохранить силы и не чувствовать усталости до позднего вечера.

Сегодня, впрочем, Купу было не до сна. Он размышлял о том, что может сказать Алекс отец. Куп не сомневался, что речь пойдет о нем, и был уверен, что Артур Мэдисон не одобрит увлечения дочери. В глубине души он надеялся, что Алекс не будет серьезно переживать из-за этого разговора — она не раз говорила ему, что мнение отца для нее мало что значит. И в то же время Куп отдавал себе отчет в том, что основания для беспокойства у ее отца были. Магнат не мог не встревожиться, узнав, что его дочь встречается с человеком, который на данный момент не вполне платежеспособен. В том, что Артур Мэдисон прекрасно осведомлен о его обстоятельствах, Куп не сомневался — он хорошо знал, что у отца Алекс были все возможности навести о нем самые подробные справки.

Пожалуй, впервые в жизни Купа беспокоило, что может думать о нем совершенно посторонний человек. Правда, в своих отношениях с Алекс он старался быть предельно щепетильным, чтобы не дать ей повода подумать, будто ему нужны ее деньги, однако подобная мысль, несомненно, пришла в голову ее отцу. Не могла не прийти, и теперь Куп не знал, что ему предпринять, чтобы разубедить Артура Мэдисона. Он чувствовал себя тем более неловко, что несколько раз ему действительно хотелось попросить Алекс о помощи, но каждый раз он останавливался, сомневаясь, сумеет ли когда-нибудь вернуть долг. Конечно, если бы он женился на Алекс, о долгах можно было бы забыть, но этого Куп тоже не мог допустить. Это означало бы, что он попросту использовал ее, а это при их отношениях было невозможно. Куп понимал, что его чувства к Алекс серьезны, можно сказать, он влюблен, что бы это ни означало. В разные годы это понятие означало для Купа совершенно разные вещи. К примеру, лет пятьдесят назад Куп считал себя влюбленным, когда хотел добиться какой-то женщины во что бы то ни стало. Но в последнее время он все больше обращал внимание на то, чтобы в отношениях присутствовали доверительность, открытость, искренность. Впрочем, и до сих пор он был вполне способен удовлетвориться длинными ногами, гибкой талией и необъятным бюстом, однако случай с Шарлен заставил Купа прийти к совершенно неожиданным выводам. Оказывается, простая, естественная плотская связь с девицами подобного типа была чревата весьма серьезными осложнениями. И наоборот — более сложные, разнообразные и глубокие отношения, которые сложились у него с Алекс, оказались для него гораздо важней, чем чистый секс. С Алекс Купу было легко и интересно. Она была искренней, справедливой, доброй, жизнерадостной и не требовала от него многого. Он мог бы даже сказать, что ее самостоятельность и самодостаточность импонировали ему больше всего. Куп был почти уверен, что, если он будет объявлен банкротом, Алекс не откажет ему в финансовой помощи. Ее деньги были для него страховкой на самый крайний случай — например, если ему будет угрожать тюрьма. Правда, до этого было еще далеко, но Куп понимал, что когда-нибудь такой день может наступить. Разумеется, Алекс появилась в его жизни совершенно по иной причине, но Купу было приятно сознавать, что они у нее есть. Именно в этом знании он черпал уверенность, которую Эйб, не зная ее истинной подоплеки, принимал за его всегдашнюю беззаботность и безответственность.

Пожалуй, единственным, что не особенно нравилось Купу, точнее — удерживало его от решительных шагов, было то, что Алекс была молода и, естественно, захотела бы иметь детей. Для женщин в ее возрасте — за редким исключением — деторождение было физиологической потребностью, и Купа это беспокоило больше всего. Он понимал, что нельзя получить все, но никак не мог решить, сумеет ли он смириться с фактом появления в своем доме младенца если не ради Алекс, то хотя бы ради ее наследства. Впрочем, Куп понимал, что в самое ближайшее время ему придется сделать выбор, и он заглядывал в будущее со страхом и неуверенностью.

И дело было не в Алекс. Она не пыталась давить на него, навязывать ему свое мнение и желания, и это нравилось Купу. Ему вообще нравилось в Алекс многое — пожалуй, даже слишком многое, но он давно решил, что не станет из-за этого беспокоиться. В жизни ему часто везло — так почему не могло повезти и на этот раз? Просто ему посчастливилось встретить идеального человека, вот и все.

Возвращаясь в дом, Куп все еще думал об Алекс, когда в гостиной столкнулся с Паломой. Она вытирала с мебели пыль, одновременно жуя огромный бутерброд. Майонез капал с него прямо на ковер, и Куп не преминул указать на это горничной.

— Прошу прощения, — преспокойно ответила Палома и тут же наступила на пятно.

Куп уже давно оставил всякие попытки перевоспитать Палому. Он, что называется, махнул на нее рукой. Еще несколько недель назад Куп догадался, что Палома работает и на семейство Фридмен, однако, покуда она справлялась со своими основными обязанностями, он был склонен смотреть на это сквозь пальцы. Другого выхода у него и не было, так как Паломе удавалось выходить победительницей практически из любого спора, но самому Купу больше нравилось объяснять свое необычное миролюбие влиянием Алекс, благодаря которому он стал гораздо снисходительнее относиться к тем, кто не был богат или знаменит. Вместе с тем он все еще переживал инцидент с разбитым окном, хотя только сегодня утром к нему приезжали мастера-стекольщики, чтобы снять необходимые размеры. Куп очень надеялся, что, если у них с Алекс когда-нибудь появятся дети, это будут не мальчики. Впрочем, и о девочках он думал с не меньшей неприязнью. Почему-то всякая мысль о младенцах вызывала в нем острое чувство гадливости. Куп понимал, что это неестественно, но ничего не мог с собой поделать. «Это все из-за Шарлен», — решил он наконец. О том, что подобное отношение к детям обусловлено его возрастом, Куп не думал — ведь он всегда занимал такую позицию.

Заглянув в кухню, Куп решил налить себе лимонного чая со льдом, готовить который он научил Палому. Теперь в холодильнике постоянно стоял полный графин этого приятного освежающего напитка. Но как только Куп поднес стакан ко рту, в кухне зазвонил телефон. Обычно он не брал трубку, но сейчас подумал, что это может быть Алекс.

— Алло?

Но это была не Алекс. Незнакомая женщина, назвавшаяся Тайрин Догерти, сказала, что хотела бы встретиться с мистером Уинслоу по важному делу.

— Купер Уинслоу слушает. А вы кто? Продюсер?.. — спросил Куп, все еще держа в руках стакан с чаем. С тех пор как Шарлен подняла скандал, он перестал уделять поискам работы достаточно много времени — у него появились другие проблемы.

— Но род моих занятий не относится к делу, которое я хотела бы с вами обсудить, — ответила Тайрин Догерти.

Куп решил, что нарвался на репортершу, и пожалел, что вообще взял трубку. Он уже назвал себя и не мог сказать, что «мистер Уинслоу, к сожалению, только что уехал». С тех пор, как от него ушел Ливермор, Купу часто приходилось брать на себя обязанности дворецкого.

— И что это за дело? — осведомился он как можно суше. В последнее время Куп не слишком доверял людям. Ему казалось — всем что-то от него нужно, и в этом тоже была виновата Шарлен.

— Это личный вопрос, мистер Уинслоу. У меня к вам письмо от одного вашего старого друга.

Это заявление показалось Купу слишком таинственным, явно рассчитанным на то, чтобы его заинтриговать. Несомненно, решил он, это какая-то хитрость, уловка, и исходит она от Шарлен. Впрочем, голос Тайрин Догерти ему понравился.

— От какого старого друга? — спросил он.

— От Джейн Эксмен. Впрочем, вы, наверное, ее не помните...

— Нет, не помню. А вы кто — ее адвокат? — Имя Джейн

Эксмен действительно было ему незнакомо, но Куп решил, что это, вероятно, кто-то из его кредиторов. Они тоже звонили ему достаточно часто, но он отправлял их всех к Эйбу. Когда-то этим занималась Лиз, но теперь Купу приходилось все делать самому.

— Нет, я ее дочь. — Тайрин Догерти больше ничего ему не сказала, однако ей удалось убедить Купа, что дело действительно важное и что она не отнимет у него много времени.

Куп был заинтригован как самим письмом, так и таинственной Тайрин Догерти. У нее был очень приятный голос, и ему было интересно, насколько он соответствует ее внешности. Сначала он хотел предложить Тайрин встретиться в ресторане «Беверли-Хиллз-отеля», но ему было лень куда-то ехать, к тому же он ждал звонка Алекс. Она до сих пор не позвонила, хотя, по его расчетам, ее встреча с отцом должна была уже завершиться. Разговаривать же с Алекс по мобильнику, да еще из ресторана, Куп не хотел — он боялся, что она будет очень расстроена и ему придется ее утешать.

— Где вы остановились? — спросил Куп, хотя это не играло никакой роли.

— В отеле «Бель-Эйр». Я только что прилетела из Нью-Йорка.

Что ж, по крайней мере Тайрин Догерти жила в одном из лучших отелей города. Это тоже говорило в ее пользу, и Куп окончательно решился.

— Я живу сравнительно недалеко, — сказал он. — Может быть, вы приедете ко мне? Вам это удобно?

— Большое спасибо, мистер Уинслоу, мне это удобно, — ответила Тайрин. — Не беспокойтесь, я не отниму у вас много времени.

Ей нужно было только увидеться с ним лицом к лицу. Хотя бы один раз. И еще — показать ему письмо матери.

Через четверть часа она уже звонила ему от главных ворот, и Куп нажал кнопку, включая открывавшую створки автоматику. Когда Тайрин Догерти предстала перед взором Купа, он понял, что не ошибся в своих предположениях: она была высока ростом, светловолоса и очень хорошо сложена. На вид ей было тридцать с небольшим (впоследствии он узнал, что ей уже исполнилось тридцать девять). Лицо

Тайрин было миловидным, почти красивым. Купу даже показалось, что они уже когда-то встречались, но он никак не мог припомнить — где и при каких обстоятельствах. Одета она была очень хорошо — у нее был вкус и чувство стиля. Куп спросил, чем она занимается, и, услышав, что она дизайнер, похвалил себя за проницательность.

Он вышел встречать ее к дверям. Поднявшись на крыльцо, Тайрин улыбнулась и обменялась с ним крепким рукопожатием.

— Спасибо, что согласились встретиться со мной, — сказала она. — Мне ужасно не хотелось вас беспокоить, но... дело, которое привело меня к вам, должно быть улажено раз и навсегда. Собственно говоря, я давно собиралась написать вам, но все откладывала...

— Понятно. Кстати, что вы делаете в Калифорнии? — поинтересовался Куп, жестом приглашая гостью пройти в библиотеку. Он даже предложил ей бокал вина, но Тайрин отказалась, сказав, что предпочла бы стакан воды, так как на улице очень жарко.

— Что я делаю в Калифорнии? — переспросила она. — Честно говоря, я сама еще не знаю. В Нью-Йорке у меня было дизайнерское бюро — я занималась разработкой моделей одежды. Недавно я его продала и решила перебраться в Лос-Анджелес. Мне всегда хотелось моделировать и шить костюмы для кино, но, боюсь, с моей стороны это была слишком смелая идея. В любом случае мне хотелось бы сначала оглядеться.

«И встретиться с тобой», — добавила она мысленно.

— Вы, очевидно, не замужем? — предположил Куп, вручая ей стакан с минеральной водой. Стакан был из его любимого набора. Буквально на днях он с возмущением обнаружил, что именно эти стаканы Палома использует, чтобы поливать комнатные растения.

— Разведена, — ответила Тайрин. — Я развелась, продала свой бизнес, потом умерла моя мать — и все это случилось в течение двух месяцев. Судьба освободила меня сразу от всего, что привязывало меня к Нью-Йорку, к прошлой жизни, и я решила, что это — возможность попробовать начать все сначала. Как бы там ни было, сейчас я действительно совершенно свободна и могу делать, что захочу; я только еще не решила, нравится мне это или, наоборот, отчаянно пугает.

Но, говоря это, она улыбнулась. Тайрин Догерти отнюдь не была похожа на женщин, которых легко испугать. Держалась она, во всяком случае, достаточно уверенно.

— Вы упомянули о каком-то письме, — сказал Куп и усмехнулся. — Неужели кто-то оставил мне наследство? В кои-то веки...

Тайрин тоже улыбнулась:

— Боюсь, я вас разочарую. — Она достала письмо и протянула Купу.

Письмо оказалось довольно длинным. Читая его, Куп несколько раз поднимал голову, чтобы бросить быстрый взгляд на свою гостью. Когда он наконец закончил, то долго молчал, глядя на нее и не зная, что сказать. Что нужно этой женщине, почему она появилась здесь именно сейчас? Если это шантаж, с него хватит и Шарлен.

— Что вы от меня хотите? — спросил он жестко. Тайрин рассчитывала на совсем другую реакцию.

— Абсолютно ничего. Я только хотела встретиться с вами. Хотя бы один раз. Кроме того, я надеялась, что вам, возможно, будет... интересно. Интересно повидаться со мной. Я понимаю ваши чувства. Для меня это тоже был самый настоящий шок. Дело в том, что мама никогда ничего мне не говорила. Я нашла это письмо уже после ее смерти — она сама так захотела. Мой... отец умер много лет назад. Мне кажется, он тоже ни о чем не догадывался.

— Надеюсь, что нет, — мрачно кивнул Куп. Он еще не до конца пришел в себя, но когда Тайрин сказала, что ей ничего от него не нужно, Куп испытал заметное облегчение. Он был склонен ей поверить. Тайрин казалась ему человеком достаточно открытым и честным, неспособным на притворство и ложь. Она даже понравилась ему. Если бы не ее возраст, он, пожалуй, мог бы даже заинтересоваться ею, но в свои тридцать с лишним Тайрин была для него старовата.

— Я думаю, для него это не имело бы большого значения, — покачала головой Тайрин. — Он всегда был очень добр ко мне и завещал мне свое состояние. Других детей у него не было... и даже если он знал или догадывался о чем-то, то никак этого не показывал. Отец был очень порядочным и добрым человеком.

— Что ж, вам повезло, — сказал Куп, пристально глядя на нее. Внезапно ему стало понятно, почему лицо Тайрин показалось ему таким знакомым. Она была похожа на него самого, и это сходство не было случайным. В письме говорилось, что мать Тайрин Догерти когда-то встречалась с Купом. Она тоже была актрисой и познакомилась с ним в Лондоне, где они вместе снимались. Их роман был непродолжительным. Съемки закончились, и Джейн Эксмен вернулась в Чикаго. Там она обнаружила, что беременна, но Купу об этом сообщать не стала. В письме говорилось, что она слишком плохо его знала и не хотела «навязываться», как она выразилась. Купу это показалось странным — обычно женщины, которые от него беременели, вели себя прямо противоположным образом. Как бы там ни было, Джейн Эксмен сохранила ребенка, но и ничего ему не сказала. Вскоре она вышла замуж, а еще через какое-то время у нее родилась дочь. И снова Джейн никому ничего не сказала. Лишь в своем посмертном письме она призналась дочери, что человек, которого она всю жизнь звала «папой», не был ее родным отцом. Ее настоящим отцом был Купер Уинслоу.

И вот теперь он и его взрослая дочь сидели в библиотеке и внимательно смотрели друг на друга. Куп чувствовал себя весьма неуютно. Всю жизнь он считал, что у него нет никаких детей, и вдруг их оказалось сразу двое: эта тридцатидевятилетняя привлекательная женщина и еще не рожденный младенец, которого носила в своем чреве Шарлен. Для человека, который терпеть не мог детей, это был настоящий шок. К счастью, Тайрин выросла без него и давно уже не была ребенком. Взрослая, самостоятельная, респектабельная женщина. Лишь внешнее сходство указывало на их родство.

— Как выглядела ваша мать? — спросил Куп. — У вас есть ее фотография?

Ему вдруг стало любопытно, сумеет ли он припомнить эту Джейн Эксмен или нет.

— Честно говоря, я специально привезла одну на случай, если вы захотите... взглянуть. — «Освежить свою память», — хотелось ей сказать. — По-моему, она относится примерно к тому времени.

Тайрин взяла сумочку, достала снимок и протянула ему. Стоило Купу бросить на него взгляд, как что-то шевельнулось в его памяти. Это лицо определенно было ему знакомо. Эта женщина не оставила после себя слишком глубокого следа в его душе, но что-то связанное с ней он помнил. Кажется, они вместе снимались в фильме по пьесе одного известного английского драматурга. Купу даже казалось, он вспоминает, какую она играла роль. Собственно говоря, Джейн Эксмен была не актрисой, а дублершей, но исполнительница главной роли слишком часто и много пила, и Джейн появлялась на площадке в каждом эпизоде, где не видно было лица. Кроме этого, Куп, как ни старался, больше ничего не мог припомнить, но и это было неудивительно. Сорок лет назад он был молод, необуздан, сам довольно много пил, к тому же с тех пор в его постели перебывало огромное количество женщин.

— Что ж, ситуация действительно, гм-м... необычная, — проговорил он и, вернув Тайрин снимок, снова посмотрел на нее. Она была красива. Куп назвал бы ее красоту классической, если бы не слишком высокий рост. Тайрин была чуть ниже шести футов, тогда как в самом Купе было шесть футов и четыре дюйма. Кажется, подумал он, ее мать тоже была довольно высокой...

— Прямо не знаю, что сказать, — добавил он растерянно.

— Ничего не надо говорить, — мягко сказала Тайрин Догерти. — Я хотела только увидеть вас — больше мне ничего не нужно. У меня был замечательный отец и мать, которую я любила. Я жила счастливой жизнью. В семье я была единственным ребенком, и все меня баловали. Мне не в чем упрекнуть вас — ведь вы ничего не знали. Моя мать скрывала эту тайну от всех почти сорок лет, но и ее я ни в чем не виню. И ни о чем не жалею.

— А у вас есть дети? — с беспокойством осведомился Куп. Для полного счастья ему не хватало только внуков!

— Нет, детей у меня нет — я слишком много работала. Кроме того, как ни стыдно мне в этом признаться, я никогда особенно не хотела иметь детей.

— Это у вас наследственное. Генетическое, — заметил Куп с улыбкой. — Дело в том, что я тоже никогда не хотел иметь детей. Они вечно шумят, плачут, пачкают пеленки и все такое... Иногда они даже портят воздух!

Тайрин Догерти рассмеялась. Этот мужчина — язык не поворачивался назвать его стариком, хотя она и знала, что ему уже семьдесят, — начинал ей нравиться. Теперь она понимала, почему ее мать так легко сошлась с ним, почему полюбила, почему решила оставить его ребенка. Обаятельный, с чувством юмора и манерами джентльмена старой школы, он произвел впечатление и на нее. Каким-то чудом Купер Уинслоу ухитрился не состариться — Тайрин не верилось, что он ровесник ее матери, которая перед смертью несколько лет тяжело болела и совсем высохла, превратившись в тень. Куп же был полон жизни; энергия в нем так и была ключом.

— Скажите, вы ведь побудете еще в Лос-Анджелесе? — спросил Куп. Тайрин не просто понравилась ему; к своему собственному удивлению, Куп начинал чувствовать к ней что-то наподобие родственной привязанности. Впрочем, ему нужно было время, чтобы во всем разобраться.

— Думаю, что да, — ответила она. Тайрин еще не знала, чем она займется, но теперь, после того как она побывала у Купа, она чувствовала себя полностью свободной. Вопреки тому, что она сказала Купу несколько минут назад, известие о том, что он ее родной отец, тяжким грузом лежало у нее на душе, но сейчас она сбросила с себя и эту тяжесть. Теперь Тайрин могла спокойно жить дальше вне зависимости от того, будут ли они поддерживать связь и в будущем, или сегодняшняя встреча окажется единственной.

— Могу я позвонить вам в «Бель-Эйр»? Мне бы хотелось увидеться с вами еще раз, когда... когда первоначальный шок немного пройдет, — сказал Куп с улыбкой. — Может быть, вы как-нибудь снова заедете ко мне, и мы вместе поужинаем.

— Это было бы чудесно, — сказала Тайрин и встала, давая понять, что их встреча закончена. Она действительно почти не отняла у него время, как и обещала — Тайрин пробыла у него немногим более получаса, и Куп не заметил, чтобы она искала предлога задержаться у него подольше. Тайрин исполнила то, зачем приехала: встретилась с ним и передала письмо, и теперь возвращалась назад, к своей жизни, к которой он, увы, не имел никакого отношения.

У дверей Тайрин ненадолго задержалась и серьезно посмотрела на него.

— Да, чуть не забыла, — сказала она. — Я хотела бы уверить вас, что у меня нет ни намерения, ни желания давать интервью газетам и телевидению. То, что я вам сообщила, останется строго между нами.

— Спасибо, — с чувством ответил Куп. Он чувствовал себя тронутым. Тайрин действительно оказалась очень милой женщиной. Она ничего не требовала от него — ей просто хотелось взглянуть на него, понять, что он за человек. И, судя по всему, он ей понравился.

То же самое мог сказать и Куп.

— Знаете, — сказал он, — быть может, это бестактно с моей стороны... или даже глупо, но мне кажется, что в детстве вы были очаровательной маленькой девочкой. А ваша мать... она поступила достойно. — Иного слова он не мог подобрать. Джейн Эксмен не стала раздувать скандал, она взяла всю ответственность на себя. Интересно, задумался Куп, чувствовал ли он к ней что-нибудь, или Джейн была для него лишь мимолетным увлечением? Сейчас он не мог этого сказать, но ее дочь — их дочь ему очень нравилась.

— Мне очень жаль, что Джейн умерла, — сказал он, испытывая какую-то щемящую грусть. Ему было странно думать, что, пока он, ничего не подозревая, жил своей привычной жизнью, где-то в далеком Чикаго Джейн рожала и воспитывала его дочь.

— Благодарю вас. Мне тоже жаль — я ее очень любила. На прощание Куп поцеловал Тайрин в щеку, а она улыбнулась ему. Это была та самая улыбка, которую Куп видел в зеркале каждый день и которую так хорошо знали его друзья. Видеть ее на чужом лице было ему и страшно, и удивительно, и приятно одновременно. Он заметил их сходство практически сразу, значит, и мать Тайрин тоже его видела. Интересно, что она по этому поводу думала? И что думал ее муж? Куп хотел верить, что он ни о чем не догадывался, — по словам Тайрин, он был очень хорошим человеком.

Весь остаток дня Куп думал о происшедшем! Когда приехала Алекс, она сразу почувствовала, что с Купом что-то происходит. Она спросила, как он себя чувствует и нет ли каких-нибудь неприятных новостей. Куп успокоил Алекс и спросил, как прошла ее встреча с отцом. «Неплохо», — ответила Алекс. Казалось, она собирается этим ограничиться, но Куп видел, Алекс не хочет волновать его и поэтому не собирается посвящать его в детали.

— Он не очень тебя огорчил? — с беспокойством спросил Куп, и Алекс пожала плечами.

— Уж так он устроен... Если бы у меня была возможность выбирать, я бы, конечно, подыскала себе отца получше, но, увы, никто мне такой возможности не дал. Приходится обходиться тем, что есть, — сказала она с философским видом и налила себе бокал вина.

И для нее, и для Купа это был длинный и тяжелый день, поэтому он сдержался и не стал рассказывать о Тайрин до тех пор, пока они не сели ужинать. На ужин у них был приготовленный Паломой цыпленок, спагетти и салат, который сделала Алекс.

— Знаешь, у меня, оказывается, есть дочь, — сказал Куп, отрезая крылышко цыпленка, и Алекс недоуменно взглянула на него.

— На этих сроках еще ничего невозможно определить, — ответила она спокойно. — Шарлен лжет тебе, не знаю только зачем. Быть может, она надеется, что в тебе проснутся какие-то чувства, ты размякнешь, и тогда... — Она не договорила, но Куп ясно почувствовал ее раздражение.

— Я имел в виду вовсе не ее. Понимаешь... — Куп замолчал, пытаясь собраться с мыслями. Он думал о Тайрин практически целый день, но до сих пор ходил как в тумане. Их встреча сильно на него подействовала.

— Разве у тебя... Разве еще кто-то ждет от тебя ребенка?! — Алекс потрясенно выпрямилась. — А я думала...

— Это очень давняя история, — поспешил успокоить ее Куп. — Ей уже тридцать девять лет — больше, чем тебе.

— Кому, истории?

— Нет, моей дочери... — И он рассказал ей о визите Тайрин Догерти. Куп старался быть немногословным — к тому же он действительно знал очень мало, — но Алекс сразу почувствовала, что он тронут этой историей до глубины души. Алекс тоже потрясло, что женщина, родившая от Купа ребенка, могла молчать столько лет. Впрочем, она была потрясена не только этим обстоятельством.

— Это... это просто поразительно, Куп! — воскликнула она, не скрывая своего удивления. — А какая она — твоя дочь? На кого она похожа?

— Тайрин — очень милая женщина, приятная, красивая, умная. И она очень похожа на меня... Во всяком случае — чертами лица, но она, конечно, гораздо красивее, — скромно добавил он. — Она... — Куп снова немного помолчал, подыскивая слова. — В ней чувствуется достоинство, независимость... порода, если угодно. Тайрин такая же, как ты, — прямая, искренняя, порядочная. Она не только сказала, что ей ничего от меня не нужно, но и пообещала, что не станет давать интервью газетам, и я ей верю.

— Зачем же она тогда приезжала? — поинтересовалась Алекс.

— Она сказала — чтобы повидаться со мной. Только один разок. Она говорит — ей этого достаточно.

— Понимаю, — покачала головой Алекс. — Слушай, почему бы тебе не пригласить ее сюда еще раз? — Она видела, что Купу этого хочется, и он ответил согласием, однако на следующий день он сам поехал в «Бель-Эйр», чтобы пообедать с Тайрин. Они рассказывали друг другу о себе и обнаружили, что у них довольно много общего во взглядах, привычках, пристрастиях. Даже на десерт они выбрали одно и то же мороженое — клубничное со сливками и с ванилью. Это было любимое мороженое Купа, и Тайрин призналась, что обожает его с детства.

— Да, странная штука — наследственность, — заметил Куп. Вот уже некоторое время он обдумывал одну сумасшедшую идею, которая внезапно пришла ему в голову, и только сейчас решился.

— Послушай, Тайрин, — сказал он. (К этому моменту они уже перешли на «ты»). — Что бы ты сказала, если бы я предложил тебе пожить у меня в «Версале»? По крайней мере до тех пор, пока будешь ты в Лос-Анджелесе, а?

Ему вдруг захотелось видеть ее как можно чаще. Тайрин была для него неожиданным даром судьбы, и Купу не хотелось ее терять. Его родители давно умерли, братьев и сестер у него никогда не было (кроме троюродного брата где-то на Аляске, которого Куп не встречал никогда в жизни). Тайрин, таким образом, была его единственным близким по крови человеком. Куп уже достиг того возраста, когда кровные узы, узы родства становятся не менее важными, чем привязанность, увлечение, дружба. Возможно, поэтому он проникся к дочери теплым чувством и хотел, чтобы она пробыла с ним несколько дней или даже недель.

Его предложение пришлось Тайрин по душе.

— Мне бы не хотелось тебе мешать и вообще навязываться, — сказала она, но Куп видел, что она очень рада.

— Ты мне не помешаешь. — Теперь Куп жалел, что пустил жильцов во флигель и гостевое крыло. Тайрин было бы там очень удобно. К счастью, в той части дома, где жил он сам, имелись довольно просторные гостевые апартаменты, где он мог ее разместить. Куп не сомневался, что Алекс не станет возражать. Он рассказал о ней дочери, и Тайрин ответила, что, судя по его рассказам, Алекс не женщина, а чудо, на что Куп вполне серьезно ответил, что так оно и есть.

Тайрин обещала переехать на следующий день, и Куп, вернувшись домой, поговорил обо всем с Алекс. Как он и ожидал, она была доброжелательна и выразила желание познакомиться с Тайрин. Алекс так и не сказала Купу, о чем она говорила с отцом. Про себя она решила, что не скажет этого никогда. Алекс очень хорошо понимала, что отец желал ей только добра, однако ей было совершенно ясно: если она станет пересказывать Купу все те ужасные вещи, которые Артур Мэдисон про него говорил, то заставит Купа страдать. Да и зачем это все знать Купу?

Что же касалось Тайрин, то ее внезапное появление Алекс нисколько не огорчило. Пока, во всяком случае, оно не принесло Купу неприятностей и разочарования. Наоборот, Куп словно ожил. Еще ни разу за несколько месяцев их знакомства Алекс не видела его таким спокойным, умиротворенным и... счастливым.

Глава 18

Тайрин переехала в «Версаль» без лишнего шума. Багажа у нее оказалось совсем немного. Она старалась держаться незаметно, была вежлива и отзывчива, ничего не требовала от Паломы, не навязывалась Купу, так что ее появление никого не стеснило. С Алекс они подружились чуть не в тот же день, когда Куп представил их друг другу. Они были очень близки по характеру и жизненным установкам, и это сразу сблизило их.

Сходство Тайрин с Купом Алекс подметила сразу. И дело было не только во внешнем сходстве, но и во врожденной утонченности и аристократизме, который чувствовался в каждом жесте и даже в выражении лица. Это было поистине удивительно. А вот в чем они были не похожи, это в том, что в отличие от Купа Тайрин предпочитала путешествовать налегке и была финансово состоятельна. Во всем остальном они отличались друг от друга не больше, чем горошины из одного стручка, и Купу, похоже, это очень нравилось.

Куп и Тайрин с удовольствием и подолгу рассказывали подробности своей жизни, обсуждали самые разные темы, делились мнениями по всем возможным вопросам. Тайрин все больше и больше попадала под обаяние Купа (пока еще он был для нее «Куп», а не «отец»). Когда они узнали друг друга достаточно хорошо, она рискнула спросить, насколько серьезны его отношения с Алекс, и он совершенно честно ответил ей, что пока не знает. Подобной откровенности Куп сам от себя не ожидал, но похоже было, что тесное общение со своей взрослой дочерью разбудило в нем лучшие черты характера. Даже влияние Алекс было не таким значительным. Казалось, раньше, пока он не узнал Тайрин, его жизнь была неполной, а теперь все стало на свои места.

Но и Тайрин Куп дал многое. Когда она узнала о его существовании, ей захотелось узнать, какой он, что собой представляет, и она не была разочарована, хотя ясно видела и его слабости.

— Мне кажется, я люблю Алекс, — объяснял Куп, — но есть одно обстоятельство, которое меня останавливает.

— Тебе кажется, она слишком молода для тебя? — спросила Тайрин, вытянувшись в шезлонге. Пока Алекс и жильцы были на работе, Куп с дочерью часто сидели у бассейна, причем, как и отец, Тайрин предпочитала тень яркому солнцу. У нее была такая же светлая и тонкая кожа, и она интуитивно избегала прямых солнечных лучей. Куп утверждал, что они оба унаследовали такую кожу от далеких англосаксонских предков.

— Нет, я привык иметь дело с молодыми женщинами, так что ее возраст меня не пугает, — ответил он и усмехнулся. — Скажу тебе по секрету: Алекс для меня даже немного старовата. Дело в другом. Она — дочь Артура Мэдисона. Надеюсь, ты знаешь, кто это такой и сколько у него миллиардов? Вот я и не перестаю задавать себе вопрос: не корысть ли движет мною на самом деле? А для того чтобы быть корыстным, у меня есть все основания. Я в долгах как в шелках и боюсь, что, если я пущу дело на самотек, расплатиться с ними мне вряд ли удастся. Но что тут можно предпринять, я ума не приложу.

Его искренность произвела на Тайрин впечатление. Почему-то она была уверена, что Алекс он ничего подобного не говорил.

— Так вот, — продолжал Куп, — порой мне начинает казаться, что мне нужна не столько сама Алекс, сколько ее деньги. А иногда я почти уверен, что дело совсем не в деньгах. Короче говоря, я никак не могу разобраться с самим собой. Бесспорно одно: брак с Алекс был бы для меня самым удобным выходом. Пожалуй, даже слишком удобным... Это-то меня и смущает. Вопрос стоит так: любил бы я Алекс, если бы у нее на счету не было ни цента? Ответа на него у меня пока нет, и пока я его не найду, я вряд ли сдвинусь с мертвой точки.

— Быть может, — задумчиво промолвила Тайрин, — это не имеет такого большого значения?

— Кто знает? — Куп пожал плечами. Выговорившись, он почувствовал значительное облегчение. Подобная откровенность далась ему неожиданно легко. Пожалуй, Тайрин была единственным в мире человеком, от которого он мог ничего не скрывать. Ей было ничего от него не нужно, она не держала на него зла. А Куп был рад, что в его жизни появился такой человек, как Тайрин. Еще вчера Куп не помышлял ни о чем подобном, и вдруг, буквально за ночь, она осветила и согрела своей бескорыстной и безоговорочной нежностью всю его жизнь, которая, как он теперь понимал, была довольно одинокой. Он осознал, что давно нуждался в таком человеке, ждал его, и Тайрин, быть может, тоже подсознательно нуждалась в нем.

— Когда секс и деньги оказываются в одной упаковке, — добавил он, — заваривается такая каша, что потом и не расхлебаешь. В этом я убедился на собственном опыте.

Купу очень нравилось делиться с ней своими секретами — он даже сам удивлялся, как это возможно, однако ничего поделать с собой не мог.

— Может, ты и прав, — ответила Тайрин. — В свое время я сама столкнулась с подобной проблемой. Дело в том, что мы с мужем вместе создавали наше дело, и это нас в конце концов погубило. Мы не поделили прибыль. Он захотел больше денег, чем я, хотя именно я занималась дизайном одежды и добилась признания. На самом деле он просто мне завидовал. Кроме того, он, оказывается, давно спал с моей ассистенткой, и это едва не разбило мне сердце. Когда дело дошло до развода, мой муж захотел, чтобы фирма досталось ему. Я не стала спорить — просто продала ему фирму и отправилась строить новую жизнь налегке. Надеюсь, он разорится.

— Именно это я и имел в виду, — кивнул Куп. — Секс и деньги. Каждый раз они все портят. Слава богу, нас с тобой не связывает ни то, ни другое — должно быть, поэтому мы так быстро поладили.

— Ты говорил о долгах... Насколько они велики? — озабоченно спросила Тайрин.

— Очень велики, — признался Куп. — Я даже точно не знаю — сколько, этим занимается мой бухгалтер. К счастью, Алекс ничего о них не знает, иначе она могла бы подумать, будто я охочусь за ее деньгами.

— А ты... охотишься?

— Я же говорил, что не знаю... — Куп вздохнул. — Разумеется, это было бы проще, а главное — эффективнее и быстрее, чем лезть из кожи вон, сниматься в рекламе и все равно быть на грани краха. Вся беда в том, что я просто не хочу брать у Алекс деньги. Будь она другой, я, быть может, и не раздумывал так долго. Кстати, у тебя я тоже не возьму ни цента, — поспешно добавил он и строго посмотрел на Тайрин. Он не хотел ни еще больше усложнить ситуацию, ни испортить отношения, которые между ними сложились. Куп подозревал, что деньги и родственные отношения тоже составляют гремучую смесь, и не мог рисковать дочерью, которую так неожиданно обрел. Пока они с Тайрин не зависели друг от друга, они были равны.

— Мне нужно только одно — хорошая роль в хорошем фильме, и я снова буду на коне, — сказал Куп мечтательно. — К сожалению, одному богу известно, когда это будет и будет ли вообще. Быть может, я уже никогда не смогу сниматься, и мне останется только рекламировать памперсы для выживших из ума стариков.

Казалось, он относился к своему положению философски, но Тайрин встревожилась. Ведь Куп так и не сказал о своем финансовом положении ничего конкретного.

— Что же все-таки ты собираешься делать? — спросила она.

— Ждать. Я надеюсь, мне все-таки что-нибудь подвернется, — беззаботно сказал Куп и вдруг прервал сам себя и указал на ее ноги. — Ба!.. — вырвалось у него.

— Что-нибудь не так? — испугалась Тайрин. Она только недавно сделала педикюр, и ее ногти были выкрашены розовым лаком. Быть может, подумалось ей, Куп предпочитает красный цвет? Самой Тайрин красный лак всегда напоминал кровь, и поэтому она пользовалась только розовым или бесцветным.

— У тебя мои ноги! — Куп поставил ногу рядом с ее, и они оба рассмеялись. У обоих были изящные, узкие ступни с длинными пальцами и крупными ногтями овальной формы.

— И твои руки! — Тайрин протянула к нему обе руки, и Куп кивнул. Она была права. Сначала он собирался представить Тайрин как свою троюродную племянницу, но теперь, когда Куп лучше узнал ее, он решил: всем, кто будет спрашивать, в том числе и прессе, он будет говорить, что она его дочь. Оставалось только узнать мнение самой Тайрин.

— Я не против, если только это не повредит тебе, — ответила она.

— Не представляю, как это может мне повредить! — удивился Куп. — Мы просто скажем, что для своих четырнадцати лет ты на редкость рослый ребенок, и все будет в ажуре.

— Я никому не скажу, сколько мне лет на самом деле! — рассмеялась Тайрин, и Куп подумал, что и смеются они очень похоже. — Меня это тоже устраивает. В моем возрасте вдруг оказаться незамужней — это уже диагноз. Ведь мне почти сорок!..

— Во сколько же лет ты вышла замуж? — поинтересовался Куп.

— В двадцать два.

— Фу, как скучно! — упрекнул ее Куп, и Тайрин снова рассмеялась. Разговаривать с ним было одно удовольствие, и в последние несколько дней они только этим и занимались, с поспешностью наверстывая то, что было упущено за без малого четыре десятилетия.

— Впрочем, — добавил Куп, имея в виду ее развод, — лучше поздно, чем никогда. Не беспокойся, мы найдем для тебя что-нибудь подходящее.

— Пока не стоит, — спокойно возразила Тайрин. — Я еще не готова. Мне нужно перевести дух и осмотреться. Я потеряла мужа, свой бизнес, мать — и нашла отца; тут у кого угодно голова закружится.

— А что ты думаешь насчет работы? Хочешь присмотреть что-нибудь в Голливуде?

— Я уже говорила, что это, скорее всего, просто несбыточная мечта. Конечно, я хотела бы быть художником по костюмам на какой-нибудь небольшой студии, но... Впрочем, я могу и не работать. Я очень выгодно продала мужу мою фирму, к тому же мать и отец оставили мне небольшое состояние... Мой другой отец, — уточнила она с легкой улыбкой. — В любом случае время, чтобы подумать как следует, у меня есть. Быть может, мне даже удастся придумать что-то насчет тебя. Я умею находить выход из сложных ситуаций.

— Это у тебя, видимо, от матери, — убежденно сказал Куп. — Я поступаю как раз наоборот: беру простую ситуацию и запутываю ее до такой степени, что... Скажу откровенно: финансовая путаница для меня дело привычное. Я живу в долг уже лет двадцать.

В его интонации сквозили юмор и печаль, и Тайрин почувствовала, как в душе у нее проснулась самая настоящая нежность.

— Если вдруг захочешь узнать мое мнение — дай мне знать, я попытаюсь что-нибудь придумать.

Куп почесал в затылке.

— Мне кажется, для начала ты могла бы попробовать перевести на человеческий язык то, что говорит мне мой бухгалтер. Или по крайней мере отыскать в его словах здравый смысл. Внешне все выглядит очень логично и просто: он советует мне ничего не тратить, ничего не покупать, питаться святым духом. Не говорит он только одного — как мне тогда жить. Однажды я спросил его, что же мне делать, и он ответил — продать «Версаль». Обычно я его не слушаю, но он ужасно назойлив. Удивительно нудный старикашка!

— Все бухгалтеры такие, — с сочувствием заметила Тайрин. — Боюсь, это у них в крови. Когда всю жизнь имеешь дело с чужими деньгами, это скверно влияет на характер.

Когда с ними была Алекс, им было хорошо всем вместе. Они готовили ужин, ходили в кино или вели бесконечные разговоры, а в нужный момент Тайрин тактично исчезала, не желая мешать. Алекс очень нравилась ей, к тому же Тайрин испытывала огромное уважение к ее работе.

Однажды в субботу вечером Тайрин и Алекс лежали у бассейна и разговаривали, когда из гостевого крыла вышел Марк с детьми. Куп остался в доме — он немного простыл и решил, что сидеть у воды сегодня не стоит.

Алекс представила Тайрин Фридменам, но не сказала, кто она такая. Но это не потребовалось. Марк сразу поинтересовался, уж не родственница ли Тайрин мистеру Уинслоу. Его тоже поразило удивительное сходство между этой женщиной и хозяином дома, и он спросил, заметила ли его Алекс?

Этот вопрос заставил обеих женщин рассмеяться.

— Вообще-то я его дочь, — объяснила Тайрин. — Мы жили отдельно друг от друга.

На Марка это заявление, произнесенное спокойным тоном, произвело эффект взорвавшейся бомбы.

— К-как?!. — воскликнул он. — Его родная дочь?! Но ведь... Я не знал, что у Купа есть дочь!

— Он тоже этого не знал, — с улыбкой ответила Тайрин и прыгнула в бассейн.

— Что она имела в виду? — повернулся Марк к Алекс.

— Потом расскажу, — ответила она. — Это долгая история.

Еще через четверть часа у бассейна появился Джимми. Марк оживленно расспрашивал Тайрин о ее бизнесе и о Нью-Йорке, Джейсон и Джессика держались у дальнего конца бассейна, откуда то и дело долетали взрывы веселого смеха. Алекс, таким образом, получила возможность спокойно побеседовать с Джимми, что случалось не часто.

— Как дела? — спросила она, устраиваясь в шезлонге. Джимми как раз натирал плечи и грудь кремом от загара — хотя он и был темноволос, кожа у него была светлая и чувствительная. Алекс предложила натереть ему спину, и Джимми, явно смутившись, согласился. Но внутреннее напряжение было написано даже на его лице — с тех пор, как умерла Маргарет, ни одна женщина не касалась его таким образом.

— Нормально, — ответил он, протягивая ей тюбик с кремом. — А у тебя? Как работа? — Джимми изо всех сил старался говорить спокойно.

— На работе все то же самое. Американские женщины словно сговорились производить на свет только недоношенных детей. Такое впечатление, что во всей стране больше нет здоровых младенцев. Впрочем, у нас бывают почти исключительно белые малыши. Изредка встречаются дети афроамериканцев, а азиатов я не видела вот уже, наверное, месяцев десять. Как думаешь, чем это объяснить?

Джимми не стал вдаваться в подробности. Впрочем, Алекс и сама знала, что цветные дети от природы здоровее, так как матери рожают их в более юном возрасте. Кроме того, в семьях иммигрантов из азиатских и африканских стран к недоношенным детям часто относились по принципу «умрет — так умрет».

— Тяжелая у тебя работа, — с сочувствием сказал Джимми.

— Вовсе нет, — покачала головой Алекс. — Большинство ребятишек нам удается спасти, и в конце концов они вырастают полноценными, здоровыми людьми. Правда, некоторые все же умирают, и я до сих пор не могу к этому привыкнуть.

Действительно, каждую смерть младенца Алекс воспринимала как личную трагедию, зато каждый спасенный ребенок приносил огромную радость.

— Тебе, я думаю, не легче, — заметила она. — Некоторые люди относятся к своим детям так, словно это... неодушевленные предметы.

— Только некоторые люди относятся к своим детям лучше, чем к неодушевленным предметам, — ровным голосом сказал Джимми. Он тоже повидал много горя, много страданий, но так и не сумел к этому привыкнуть. Как и Алекс, Джимми тоже спасал детские жизни, и в каком-то отношении ему было даже труднее, чем ей.

— А почему ты решила стать врачом? — неожиданно спросил Джимми. Пожалуй, впервые он обратился к Алекс со столь личным вопросом.

— Из-за матери, — просто ответила она, заканчивая намазывать ему спину и завинчивая тюбик.

— Разве она тоже врач?

— Вовсе нет. — Алекс усмехнулась. — Моя мать ведет совершенно бесполезную жизнь. Она разъезжает по бутикам и салонам, устраивает вечеринки с коктейлями, посещает приемы, делает маникюр и каждый день укладывает волосы у собственного парикмахера. Вот и все ее дела. Тем же занимается и моя сестра. Должно быть, поэтому мне захотелось стать другой, непохожей на них, чего бы это ни стоило.

Это была, так сказать, канва; на самом деле все обстояло несколько сложнее.

— В детстве я мечтала быть пилотом воздушного лайнера, но потом решила, что это скучно, — добавила она. — Через какое-то время, когда притупится новизна ощущений, начинаешь чувствовать себя чем-то вроде высокооплачиваемого водителя автобуса. То, чем я занимаюсь, гораздо интереснее, а главное — нужнее.

— Когда я учился в колледже, — сказал Джимми, — я

тоже мечтал играть в хоккей за «Бостонских Медведей», но моя тогдашняя подружка убедила меня, что без зубов я буду выглядеть не лучшим образом. В конце концов я решил, что она права, но до сих пор я обожаю кататься на коньках. — Джимми часто бывал на катке с Маргарет, но сейчас он постарался об этом не думать.

— С кем это Марк так мило беседует? — спросил Джимми, и Алекс загадочно улыбнулась.

— Ты не поверишь, но это — дочь Купа. Она поживет с ним некоторое время. Ее зовут Тайрин, и она только на днях прилетела из Нью-Йорка.

— Я не знал, что у него есть дочь, — покачал головой Джимми.

— Для Купа это тоже было чем-то вроде сюрприза.

— Думаю, подобных сюрпризов в его жизни было немало.

— Но это приятный сюрприз. Тайрин — очень славная, — убежденно сказала Алекс.

Марк, похоже, считал так же. Он разговаривал с Тайрин уже почти час, и Алекс заметила, что Джессика начинает внимательно смотреть в их сторону. Джейсон был слишком занят, пытаясь утопить кого-то из подошедших своих приятелей, и пока что ничего не замечал, но Алекс была уверена, что вечером Джессика непременно шепнет брату несколько слов.

— Хорошие у Марка дети, — заметила она, и Джимми кивнул.

— Да. В этом отношении ему здорово повезло. Не знаю только, что он будет делать, когда они снова уедут к матери. Ему будет их очень не хватать.

— Быть может, со временем он тоже переберется в Нью-Йорк, чтобы быть к ним поближе, — сказала она. — А ты? Ты останешься в Калифорнии или тоже переедешь на восток?

Алекс знала, что Джимми родом из Бостона, и ей внезапно пришло в голову, что он мог знать ее кузена, который учился в Гарварде примерно в одно время с ним.

— Мне бы хотелось остаться здесь, — сказал Джимми. — Но не хочется бросать мать. Отец умер, и она осталась совершенно одна. Кроме меня, у нее больше никого нет.

Алекс кивнула и спросила у него о своем кузене.

Джимми широко улыбнулся.

— Люк Мэдисон был моим лучшим другом. На старшем курсе мы жили с ним в одной комнате и каждые выходные напивались до зеленых чертей.

— Это на него похоже, — кивнула Алекс, обрадовавшись, что Джимми знал ее брата.

— Мне стыдно признаться, — продолжал Джимми, — но мы не виделись уже лет десять. Кажется, после выпуска он уехал на стажировку в Лондон, и я потерял его из виду.

— Он сейчас в Штатах, и у него шестеро детей, и все — мальчики. Впрочем, я сама вижусь с ним нечасто; как правило, мы встречаемся только на свадьбах родственников, а я не очень стремлюсь бывать на семейных праздниках, особенно на свадьбах.

— Почему? — удивился Джимми. Алекс интересовала его все больше и больше. Можно было даже сказать — она ему нравилась, но он по-прежнему не мог понять, что она нашла в Купе. Джимми по-прежнему недолюбливал своего квартирного хозяина, как он его величал, хотя и не мог сказать — почему. Его неприязнь к актеру была скорее интуитивной, чем осознанной. Возможно, Джимми просто завидовал Купе — признанному сердцееду и профессиональному бездельнику.

— На одной из свадеб... Впрочем, долго рассказывать. Я думаю, на свадьбы у меня выработался условный рефлекс, как у крысы — на удар электрическим током. Короче говоря, от этих церемоний я ничего хорошего не жду, — ответила Алекс, и Джимми посмеялся такому объяснению.

— Жаль... — сказал он. — Насколько я знаю, иногда свадьбы бывают очень удачными. Моя, например... Мы зарегистрировались в мэрии, а потом отпраздновали это пиццей в ближайшем кафе. Маргарет была замечательной женщиной!

— Я очень сочувствую твоему горю, — от души сказала Алекс. Ей и в самом деле было очень жаль Джимми, и она была очень рада, что в последнее время он стал более разговорчивым. Вечера, которые он проводил с Фридменами, явно пошли ему на пользу. Общение с Джесс и Джейсоном отвлекало его от печальных воспоминаний.

— Странная вещь — горе, — проговорил Джимми задумчиво. — Порой кажется — оно убьет тебя, но бывают дни, когда о нем совершенно забываешь. К сожалению, когда просыпаешься утром, никогда нельзя знать заранее, что тебя ждет. Даже день, который начался замечательно, может превратиться черт знает во что, и наоборот: сначала тебе кажется, что ты и жить не хочешь, но потом что-то случается, и ты вновь ощущаешь интерес к жизни. Наверное, в этом отношении горе похоже на болезнь, которая невесть с чего начинается и неизвестно отчего проходит. К счастью, я, кажется, начинаю к нему привыкать. Должно быть, со временем привыкнуть можно абсолютно ко всему.

— Да, кроме времени, другого лекарства я не знаю, — согласилась Алекс. Пусть это звучало банально, но она подозревала, что доля истины здесь есть. Джимми прожил в «Версале» уже почти пять месяцев. Когда она впервые увидела его, он был похож на покойника.

— Время способно исцелить любые раны, — добавила она. — Мне потребовалось несколько лет, чтобы забыть о своем несостоявшемся замужестве. Конечно, это совсем не то, что случилось с тобой, но в первое время я ужасно переживала.

— Кто может сказать, что тяжелее? — Джимми пожал плечами. — Тебя кто-то предал, обманул твое доверие. Это как гнойная рана, которая долго не заживает. Что касается меня, то моя потеря сродни ампутации. Если продолжить сравнения в хирургическом духе, — он мимолетно улыбнулся Алекс, — то моя рана стерильна, если можно так выразиться. Во всяком случае, мне некого винить в моей потере. Вот только болит она чертовски сильно.

Он был предельно откровенен с ней, и Алекс подумала, что, если Джимми выговорится, ему, возможно, станет чуть легче.

— Сколько времени тебе еще работать при клинике? — спросил он.

— Еще год, — ответила Алекс. — Впрочем, иногда мне кажется, что по меньшей мере сто лет. Что будет потом, я еще не знаю. Мне бы хотелось остаться при Калифорнийском университете, если меня возьмут. У нас превосходное отделение неонатальной интенсивной терапии, но оно полностью укомплектовано. Работать там считается престижным, так что я не знаю... Сначала я хотела стать врачом-педиатром, но неонатальная интенсивная терапия заинтересовала меня. На этой работе не заскучаешь — приходится выкладываться полностью, иногда даже совершать невозможное. Не знаю, надолго ли меня хватит физически, но теперь я уверена — я на своем месте.

Они все еще разговаривали, когда к ним подошли Марк и Тайрин. Они были почти одного роста, и, глядя на них, Алекс невольно улыбнулась. Из них бы получилась красивая пара, подумалось ей, благо что они были почти ровесниками.

— Ну, о чем вы тут разговаривали? — спросил Марк, садясь рядом. Сам он обсуждал с Тайрин законы о налогах, а также разные хитрые способы уменьшить налогообложение и был весьма удивлен тем, как много она об этом знает. Все же в этой области Тайрин не могла равняться с ним, искушенным профессионалом, и Марку удалось произвести на нее впечатление своей осведомленностью и опытом.

— О работе — о чем же еще? — пожала плечами Алекс.

— Мы тоже... — Марк улыбнулся: — Тайрин неплохо разбирается в налогах. Она даже задала мне вопрос, на который я не смог ответить. Правда, он касался не федеральных, а местных налогов, но все равно я должен был знать...

— Очко в пользу Тайрин, — заметила Алекс, и все рассмеялись.

Бассейн между тем заполнился подростками — приятелями Джессики и Джейсона, и Алекс подумала: как хорошо, что Куп остался дома, — он бы этого не выдержал. Его бы хватил удар. Пожалуй, было к лучшему, что он не видел свою дочь до тех пор, пока ей не исполнилось тридцать девять. Детей такого возраста он, похоже, мог терпеть подле себя совершенно безболезненно. Именно так она и сказала Тайрин буквально накануне, и обе женщины немного посмеялись над его детофобией, которую Куп и не думал скрывать.

Подростки в бассейне затеяли игру в «Марко Поло», Джимми и Марк присоединились к ним, и Алекс и Тайрин остались вдвоем.

— Какой симпатичный человек этот Марк, — сказала

Тайрин. — Жаль, что жена от него ушла, мне кажется, он ее очень любил. Зато дети явно предпочитают отца.

— Они хорошие ребята и любят мать, просто сейчас она пытается устраивать свою личную жизнь, а они еще не в том возрасте, чтобы понять ее и простить. Ничего, я думаю, со временем все утрясется, — сказала Алекс.

— А почему Джимми такой мрачный? — спросила Тайрин.

— Полгода назад он потерял жену и с тех пор никак не оправится, бедняжка! Сейчас он еще ничего, посмотрела бы ты на него, когда он только приехал!

— Как, он тоже развелся?! Просто поветрие какое-то! — воскликнула Тайрин.

— Нет, его жена умерла. От рака. Ей было всего тридцать два... — Последние слова Алекс произнесла шепотом, так как Джимми как раз оказался в бассейне недалеко от них. Впрочем, он вряд ли услышал бы ее, даже если бы Алекс говорила в полный голос. Это была очень веселая и шумная игра; брызги летели до небес, и над бассейном висела самая настоящая радуга.

Заглядевшись на детей, Алекс не сразу заметила, что Куп машет им с веранды. Он проголодался и хотел, чтобы Алекс и Тайрин вернулись в дом.

— Кажется, нас зовут, — заметила она, и Тайрин, обернувшись через плечо, улыбнулась такой теплой улыбкой, что Алекс не могла не подумать: от этой негаданной встречи отца с дочерью выиграл не только Куп.

— Ты счастлива с ним? — неожиданно спросила Тайрин. Она уже давно гадала, что значат для Алекс эти отношения. Даже когда они с отцом были вдвоем, Куп то и дело вспоминал об Алекс, рассказывал о ней, и теперь Тайрин хотелось выслушать и другую сторону.

— Да, счастлива, — просто ответила Алекс. — Жаль только, что он так относится к детям. Если бы не это, лучшего бы и желать было нельзя!

— А разница в возрасте тебя не смущает?

— Поначалу я действительно много об этом думала, но потом... перестала. Ему не дашь семидесяти, самое большее — пятьдесят. А иногда Куп и вовсе ведет себя как ребенок.

— Но он не ребенок, — заметила Тайрин, думая о том, что с каждым днем эта сорокалетняя разница в возрасте будет сказываться все сильнее. В конце концов настанет день, когда она превратится в непреодолимое препятствие, и тогда...

— То же самое сказал мне и мой отец, — вздохнула Алекс.

— Он... не одобряет ваших отношений? — Тайрин нисколько не удивилась. Она не знала, что за человек Артур Мэдисон, однако ей казалось, что ни один здравомыслящий отец в мире не хотел бы заполучить Купа в зятья.

— Он не одобряет ничего из того, что я делаю. Что касается Купа, то он ему, безусловно, не нравится.

— Ничего удивительного — с такой-то репутацией! Кстати, как ты относишься к тому, что какая-то стриптизерша якобы от него беременна?

— Никак не отношусь — главным образом потому, что Купу она безразлична. К тому же ребенок вполне может оказаться не от него.

— А если он все-таки от него?

Алекс пожала плечами:

— Что ж, в таком случае Куп, вероятно, будет каждый месяц отправлять ей чек. Он очень зол на эту Шарлен — даже не хочет видеть ребенка!

— Я его понимаю. Напрасно эта женщина отказалась от аборта. Так было бы проще для всех.

— Да, так было бы проще. Но если бы твоя мать пошла по пути наименьшего сопротивления, ты не сидела бы сейчас здесь. И я рада, что она не сделала этого, рада не только за тебя, но и за Купа. Ты очень много для него значишь, Тайрин. — На самом деле Алекс была уверена, что их встреча — настоящее благословение небес.

— Он тоже много для меня значит, — призналась Тайрин. — Я даже не ожидала, что так будет, хотя... Наверное, я все-таки на что-то надеялась, иначе бы не приехала к нему, не стала бы искать встречи. Конечно, мне было любопытно, какой он, и я рада, что мы поладили. Не знаю, каким бы он мне был отцом, зато теперь мы с ним настоящие друзья.

Алекс и сама видела это. Ей даже казалось, что с появлением Тайрин Куп словно помолодел. Он как будто вернул себе что-то, чего подсознательно ему не хватало всю жизнь, и вот теперь эта недостающая деталь встала на свое место.

Помахав на прощание остальным, Алекс и Тайрин вернулись в дом. Куп ждал их в гостиной.

— Как они орут! — немедленно пожаловался он. Дети и простуда едва не доконали его.

— Они скоро уйдут, — успокоила его Алекс. — Я слышала — они собирались обедать.

— Кстати, насчет обеда... Что, если мы втроем закатимся для разнообразия в «Плющ»? — предложил Куп. Обе женщины согласно кивнули и разошлись по своим комнатам, чтобы переодеться. Двадцать минут спустя они уже были готовы, и Куп повез их в своем старом «Роллс-Ройсе» в Норт-Робертсон. В ресторане они заняли столик на веранде и весь вечер болтали, наслаждаясь обществом друг друга. Это был замечательный вечер, и, переглянувшись, Алекс и Куп обменялись улыбками.

И это означало, что в их мире все идет прекрасно.

Глава 19

Был конец мая. Алекс отрабатывала двухсуточную смену, когда ей позвонили из регистратуры и сообщили, что ее просят к телефону. Сначала Алекс решила, что это Куп. Буквально накануне они провели вместе прекрасный уикенд.

— Не знаешь, кто это? — спросила она у дежурной сиделки, поднося трубку к уху. По счастливому стечению обстоятельств работы в отделении было немного, и Алекс могла позволить себе немного поболтать. Но сиделка пожала плечами.

— Внутренний вызов, — сказала она, и Алекс поняла, что это не может быть Куп. Скорее всего, звонил кто-то из коллег, которому понадобился совет или консультация.

— Доктор Мэдисон слушает, — сказала она официальным «служебным» голосом.

— Не может быть! — Мужской голос в трубке показался

ей знакомым, но она никак не могла сообразить, кто это может быть.

— Кто это? — спросила она, начиная сердиться.

— Это Джимми. Джимми О'Коннор. Я приехал, чтобы сдать анализы, и решил тебе позвонить. Или ты занята?..

— Нет, не занята. Ты попал в удачное время. Боюсь сглазить, но у нас за весь день не было ни одного серьезного случая. Ты где? В каком отделении?.. — Алекс была искренне рада его звонку. Она до сих пор помнила их разговор у бассейна, который неожиданно получился таким откровенным и доверительным. Джимми всегда был ей симпатичен, и она всем сердцем сочувствовала его горю. Алекс была уверена, что Джимми нужны друзья, которые могли бы вытащить его из пучины отчаяния, и она сама готова была стать для него таким другом. Чужая беда всегда вызывала в ней сочувствие, и Алекс казалось, что вместе с Марком они сумеют помочь Джимми.

— В лабораторном корпусе. — Эти слова прозвучали немного подавленно, и она решила, что с его здоровьем что-то неладно. Стресс, угнетенное состояние, тоска могли стать питательной почвой для серьезного нервного расстройства.

— Если хочешь, можешь зайти ко мне, — предложила она. — Мне нельзя отлучиться с этажа, но если с желудком у тебя все в порядке, я могу угостить тебя нашим местным кофе.

— С удовольствием, — тотчас ответил Джимми. На что-то подобное он надеялся, когда решился позвонить Алекс. Сначала он не хотел отрывать ее от работы, но какая-то сила заставила его подойти к местному аппарату и набрать номер отделения неонатальной терапии.

Алекс объяснила Джимми, как ее найти. Через несколько минут он уже вышел из лифта и помахал ей рукой. Алекс в это время разговаривала по мобильному телефону с женщиной, которая несколько часов назад забрала своего младенца домой. У них все было хорошо, и Алекс была в хорошем настроении. Этого малыша они выхаживали целых четыре месяца и все-таки сумели добиться полного излечения.

— Так, значит, здесь ты творишь свои чудеса? — спросил Джимми, когда она подошла к нему, и с восхищением оглянулся по сторонам. За стеклянными стенами стояли в ряд так называемые «инкубаторы» — воздушные колокола для младенцев, операционные камеры, электрокардиографы и другая современная медицинская техника, вокруг которой суетились врачи в комбинезонах и марлевых повязках. Такая же марлевая повязка болталась на шее Алекс вместе со стетоскопом, а из кармана торчал ланцет. Джимми проникся к Алекс еще большим уважением и в общем-то был не так уж не прав. Работа Алекс была гораздо сложнее и ответственнее, чем простое хирургическое вмешательство, хотя бы потому, что именно ей приходилось решать, нужно ли оперировать младенца или можно обойтись без травмирующего воздействия. К счастью, Алекс почти никогда не ошибалась в определении диагноза и метода лечения и заслуженно пользовалась авторитетом в отделении.

— Я рада, что ты заглянул, — сказала она, проводив Джимми в свой крошечный кабинетик, где стояли только неубранная раскладушка и низенький шкаф с картотекой, на котором она при случае наскоро обедала. С родителями своих маленьких пациентов Алекс встречалась обычно в комнате ожидания.

— Кстати, с тобой все в порядке?

— Абсолютно. А что? — удивился Джимми.

— Тогда зачем же ты приходил в лабораторию?

— Ах это... Обычная проверка. Ведь я работаю с детьми, поэтому каждый год мне приходится проходить полное медицинское освидетельствование на предмет отсутствия у меня туберкулеза, сифилиса, дизентерии и других страшных болезней. В этом году я не сдал вовремя анализы, и в конце концов мне сказали, что отстранят меня от работы до тех пор, пока я не получу сертификат о здоровье. И вот я здесь, убил на рентген и анализы все утро. Теперь мне придется работать в субботу, чтобы наверстать то, что я не успел сделать сегодня.

— Я сама часто оказываюсь в подобном положении, — улыбнулась Алекс. — А чем именно ты занимаешься? — спросила она, вручая Джимми кружку с кофе.

— Чем именно я занимаюсь?.. — повторил Джимми и отпил кофе. — Разлучаю детей с родителями, которые колотят их почем зря. Спасаю девочек и мальчиков, которых насилуют собственные отцы, дяди и старшие братья. Я отвожу в пункт первой помощи малышей, с ног до головы покрытых синяками и сигаретными ожогами, и разговариваю с матерями, которые настолько замучены и запуганы жизнью, что срываются из-за пустяка и вымещают на детях свои неудачи и страхи. Еще я отправляю на лечение одиннадцатилетних наркоманов и девятилетних проституток, выколачиваю из нашей социальной службы дополнительные пособия для многодетных, иногда просто пинаю мяч на пустыре с компанией мальчишек, которым нечем заняться и которых дома ждет пьяный отец или истеричная мать, готовая изуродовать своих детей только потому, что их у нее семеро и ей нечем их кормить. Вот чем я занимаюсь, Алекс... В принципе, моя работа не слишком отличается от твоей... Мы оба пытаемся что-то изменить; иногда у нас получается, иногда нет, и тогда мы жалеем об упущенных возможностях и сетуем на собственное бессилие. Разве не так?

Алекс молча кивнула. Она представляла работу Джимми несколько иначе и была потрясена его мужеством и упорством не меньше, чем он — ее мастерством и медицинскими познаниями.

— Я бы, наверное, так не смогла, — проговорила она наконец. — Видеть такое каждый день, это... свыше человеческих сил... обычных человеческих сил. Наши пациенты попадают к нам, проигрывая жизни всего одно, от силы два очка, и наша задача состоит в том, чтобы помочь им сравнять счет. Но твоя работа... Я думаю, что, если бы я видела хотя бы одну сотую часть того, с чем ты сталкиваешься каждый день, я бы навсегда разочаровалась в человечестве.

— Самое смешное, — сказал Джимми, и ей показалось, что он действительно сдерживает смех, — что на самом деле эта работа — как и твоя, впрочем, — учит любить людей. — Он глотнул еще кофе и поморщился. Кофе здесь был еще хуже, чем тот, который Джимми пил у себя в офисе, хотя представить такое было нелегко. — И еще она дает надежду. Она заставляет тебя верить, что рано или поздно что-то изменится к лучшему, и иногда такое действительно случается. Как правило, этого хватает, чтобы не сломаться.

Ведь твои личные чувства никого не касаются. Тебя никто не держит, но ты знаешь: если ты уйдешь, ситуация станет еще хуже. Не знаю, кем надо быть, чтобы уйти, зная, что́ означает это «хуже» для детей, с которыми мы работаем... — Он не договорил. Алекс встретилась с ним взглядом, и Джимми слегка кивнул.

— Знаешь, — проговорила Алекс, — мне пришла в голову одна идея. Хочешь, я устрою тебе небольшую экскурсию?

— По отделению? — Джимми очень удивился, и Алекс кивнула:

— Да, конечно.

— А можно?

— Если кто-нибудь спросит, я скажу, что ты — врач-консультант из неврологического отделения. Только одно: если у меня возникнет что-то срочное, сразу возвращайся сюда и жди меня. — И она вручила ему белый халат, марлевую повязку и шапочку. Джимми был невысоким, но широкоплечим, поэтому он с трудом в него втиснулся. Рукава оказались коротки, а пуговицы на груди едва застегивались, но Алекс была уверена, что на это никто не обратит внимания. В конце концов, они предприняли этот маскарад с благородной целью. «Обмен опытом», как назвал это Джимми.

К счастью, их никто не остановил. В отделении было спокойно, и ничто не помешало Алекс провести Джимми по всему отделению и рассказать о том, какая беда случилась с тем или иным маленьким пациентом, что они для него делают и каков прогноз.

Джимми слушал ее с огромным интересом. Вид младенцев в инкубаторах, опутанных трубками и датчиками, потряс его. Некоторые из детей были настолько малы, что на них нельзя было даже надеть памперсы, и они лежали голышом. Один из них, как сказала Алекс, весил лишь немногим больше фунта, и никто не верил, что он выживет. Бывали у них и дети с массой тела всего в три четверти фунта. По словам Алекс, шансы таких младенцев возрастали по экспоненте по мере того, как они набирали недостающий вес, за чем следили специальные машины. Но и чересчур крупным младенцам тоже угрожали не менее грозные опасности. А у Джимми буквально сердце разрывалось от жалости, когда он видел матерей, которые неподвижно сидели рядом со своими детьми и ждали чуда. Для них самое счастливое в жизни событие — рождение ребенка, зачастую первенца, — обернулось бедой. Порой им приходилось пребывать в неведении неделями и месяцами, ожидая, пока состояние их малютки изменится. Как ни старался Джимми, он не мог представить себя на их месте, и когда они наконец вернулись в кабинет Алекс, он чувствовал себя потрясенным до глубины души.

— Господи, Алекс, это же просто уму непостижимо! — воскликнул он, стаскивая халат. — Как они выдерживают такое напряжение? Как ты его выдерживаешь?!

Он уже понял, что малейшая ошибка Алекс или кого-то из ее коллег может стоит маленькому пациенту жизни и принести страшное горе в чью-то семью, которая, быть может, только-только образовалась. Джимми не был уверен, хватило бы ему самому мужества взять на себя такую ответственность, и он бесконечно восхищался Алекс, которая несла на себе такое бремя.

— На твоем месте я бы просто боялся ходить на работу, — добавил Джимми.

— Нет, не боялся бы, — твердо ответила Алекс. — То, чем ты занимаешься, нисколько не легче. Если ты на что-то не обратишь внимания, что-то упустишь, промедлишь или, наоборот, поспешишь, какой-то несчастный ребенок может погибнуть. В твоем деле нужна такая же тонкая интуиция и быстрая реакция, как в моем. И вообще мы делаем практически одно и то же. Вся разница заключается в том, что я работаю в больнице, а ты — в Уоттсе.

— Ты, наверное, очень добрый и великодушный человек, — сказал Джимми мягко. Впрочем, об этом он догадался давно. И он по-прежнему не понимал, что общего может быть у нее с таким прожженным эгоистом, как Куп. Джимми был уверен, что он способен думать только о себе, в то время как Алекс переживала, беспокоилась о многих и многих.

Они еще немного поболтали, потом Алекс вызвали в приемный покой, чтобы осмотреть только что прибывшего маленького пациента.

— Огромное тебе спасибо за экскурсию, — от души поблагодарил ее Джимми. — Твоя работа здесь... это что-то запредельное, другого слова я не подберу.

— Дело не во мне, вернее — не только во мне, — поправила Алекс. — Мы работаем одной дружной командой, и я — лишь одна из них.

Она явно скромничала, и Джимми, пожав ей руку на прощание, пошел к лифтам. Алекс помахала ему на прощание и поспешила в приемный покой.

В следующий раз они увиделись только в субботу. По счастливому стечению обстоятельств Алекс была в этот день свободна, но в воскресенье ей нужно было отрабатывать смену, которую она высвободила для себя в прошлый раз. Как обычно, Алекс, Куп, Тайрин и Фридмены проводили время у бассейна. Куп сидел в тени своего любимого куста, Тайрин надела широкополую шляпу, закрывающую от солнца лицо, и Куп был очень этим доволен. Он утверждал, что сохранил гладкую кожу и моложавую внешность только потому, что никогда не торчал на солнце больше пятнадцати минут в день, и добродушно подшучивал над Алекс, которая обожала загорать.

Так прошел почти час, когда со стороны флигеля показался Джимми. Глядя, как он не спеша идет в их сторону, Алекс отметила, что выглядит он совсем неплохо. Это получилось у нее чисто автоматически. Будучи врачом, Алекс часто рассматривала окружающих как своих пациентов и внимательно следила за тем, кто из них «демонстрирует положительную динамику», а кто, наоборот, сдал позиции. Отделаться от этой привычки она не могла, как ни старалась.

Завидев Алекс, Джимми улыбнулся. Он поздоровался с ней и с Тайрин, пожал руки Марку и Купу и помахал детям, плававшим в бассейне. Сегодня здесь были только те, кто жил в «Версале». Погода в последнее время стояла отличная, поэтому у воды чуть не каждый день собирались, по выражению Купа, «орды юных вандалов», но в эту субботу Джессика и Джейсон, как ни странно, не пригласили никого из друзей, и у бассейна было тихо и почти по-семейному спокойно.

Куп был в очень хорошем настроении, и не только потому, что сегодня никакие дети не мешали ему отдыхать у его собственного бассейна. Алекс уже заметила, что с тех пор как Тайрин переехала в «Версаль», Куп постоянно пребывает в прекрасном расположении духа. Он проводил с дочерью очень много времени и часто возил ее пообедать в «Спаго», «Купол» и в другие любимые им ресторвны. Ему очень нравилось демонстрировать Тайрин друзьям и знакомым и представлять как свою дочь. (Впрочем, тот факт, что у него откуда-то взялась дочь, никого особенно не удивлял. Люди, хорошо знавшие Купа, вполне допускали, что он мог забыть о существовании дочери.) Он перезнакомил ее буквально со всеми, и Тайрин признавалась Алекс, что в Голливуде ей очень нравится. Для нее это был совершенно новый мир, не похожий ни на что, с чем ей приходилось сталкиваться на протяжении своей предыдущей жизни, и ей хотелось познакомиться с ним поближе. В недалеком будущем Тайрин все равно нужно было решать, возвращаться в Нью-Йорк или попробовать предпринять что-то в Лос-Анджелесе, но она пока не спешила, наслаждаясь свободой и праздностью.

Алекс ясно видела, что Тайрин хорошо влияет на Купа. Он всегда был чудесным человеком, но в последнее время Куп начал проявлять интерес и к окружающим его людям, чего раньше за ним не водилось. О себе он, впрочем, не забыл, нет, однако центр его внимания явно несколько сместился. Несколько раз он принимался расспрашивать Алекс, как у нее дела на работе и чем она там занимается, причем по его голосу чувствовалось, что ему это не все равно. Она попыталась ответить как можно понятнее, но ее объяснения все равно пропали втуне: медицинская терминология и сущность сложных биологических и физиологических методов, которые использовались в неонатологии, были выше его понимания. Впрочем, без специальной подготовки разобраться в них было очень сложно, и Алекс не могла поставить ему в вину то, что он путал ген и геном, ДНК с РНК и катар с катетером. Гораздо важнее для нее было, что в последнее время Куп казался счастливым, довольным и благодушным.

Работы у него было по-прежнему немного. Он снялся в двух рекламах и одной крошечной эпизодической роли и был ужасно возмущен тем, что ему пришлось гримироваться, чтобы сыграть шестидесятилетнего старика. Денег это почти не принесло, и Эйб по-прежнему угрожал ему разорением, банкротством и прочими ужасами.

Поговорив с Эйбом, позвонила ему и Лиз. Она, впрочем, не рискнула говорить с Купом о финансовых проблемах, боясь расстроить бывшего патрона. Вместо этого Лиз в полушутливой форме высказала ему свои опасения по поводу того, что «Версаль», дескать, стал в последнее время довольно многолюдным местом.

— Не успела я уволиться, — сказала она, — как ты уже окружил себя кучей новых людей!

Впрочем, как и Алекс, Лиз нашла, что Куп вполне доволен жизнью. Лишь когда Лиз спросила, как у него дела с Алекс, Куп ответил уклончиво. Рзговаривать об этом с Лиз, да еще по телефону, ему не хотелось. Между тем все чаще и чаще ему на ум приходила мысль, что если бы только он женился на Алекс, ему уже никогда не пришлось бы работать. В противном случае ему придется до конца дней своих сниматься в эпизодических ролях с одной-двумя репликами, а то и вовсе без слов, считать каждый цент и бояться, что уже завтра шериф и судебный пристав постучатся в ворота «Версаля». Было чертовски соблазнительно закрыть глаза на моральную сторону вопроса, отпустить поводья и положиться на судьбу, но Куп не мог этого сделать. Он не искал легких путей, хотя кто-то как будто нашептывал ему, что в его возрасте он может себе это позволить. Куп понимал, что с практической точки зрения поступает глупо, но он не хотел обидеть Алекс. Она была порядочным, честным человеком, она трудилась, не жалея себя, и Куп не хотел использовать ее в своих целях. Он любил Алекс, но обеспеченное, безбедное существование продолжало манить его. С одной стороны, Купу хотелось раз и навсегда решить финансовые проблемы, висевшие над ним дамокловым мечом, с другой стороны, он чувствовал, что если он продастся, то попадет от Алекс в полную зависимость. Оплатив его долги, она получит моральное право указывать ему, что делать, как поступать в том или ином случае, а для Купа, всю жизнь дорожившего и гордившегося своей независимостью, это было смерти подобно.

Так или иначе, стоявшая перед ним проблема по-прежнему казалась Купу неразрешимой. Алекс же, казалось, вовсе не подозревала о том, какие сомнения терзают его. Их отношения представлялись ей почти идеальными, и она считала, что Куп тоже доволен и счастлив. Он и сам так думал, и только угрызения совести отравляли его во всех отношениях безмятежное существование. И чем дальше, тем они становились сильнее, неотступнее. Сомнение росло в нем, как злокачественная опухоль.

Раньше Куп не ведал подобных моральных мук, но Алекс внесла в его жизнь новый элемент, который, подобно лучу яркого света, высветил самые темные закоулки его души. И даже продолжительные беседы с дочерью при всей их доверительности и откровенности не могли помочь делу. Напротив, разговаривая с Тайрин, он был вынужден называть вещи своими именами, и это делало его проблемы еще более отчетливыми, почти материальными, однако отказаться от общения с дочерью Куп не мог. И она, и Алекс были поистине замечательными женщинами, оказавшими на его жизнь и на него самого огромное влияние. Он только никак не мог понять, к добру это или к худу. Раньше его жизнь была простой и понятной; Куп практически не ведал угрызений совести, а все проблемы предоставлял решать Лиз, Эйбу и личному адвокату. Но сначала появилась Алекс, затем — Тайрин, и все изменилось. И с каждым днем Купу становилось все очевиднее, что голоса, звучащие у него в голове, не собираются замолкать. К сожалению, они лишь задавали вопросы, но не предлагали никаких ответов. А Куп очень и очень нуждался в том, чтобы кто-то подсказал, что ему делать.

Ближе к вечеру Джимми поехал куда-то с Джейсоном покупать новое спортивное оборудование. Джессика с подружкой, заехавшей к ней за учебником, устроились у дальнего конца бассейна и занялись своими ногтями; Тайрин и Марк о чем-то мило беседовали, а Куп дремал в шезлонге. Неожиданно Марк повернулся к Алекс и пригласил всех обитателей «хозяйской половины», как он выразился, к себе на ужин. Прежде чем ответить, Алекс бросила быстрый взгляд в сторону Тайрин и, когда та едва заметно кивнула, согласилась.

Когда Куп проснулся, у бассейна остались только он и

Алекс. Марк и Тайрин отправились играть в теннис на разбитом корте, Джессика с подругой тоже куда-то исчезли, но когда Алекс передала Купу приглашение Марка, он сказал капризно:

— Опять эти Фридмены!.. Мне уже начинает казаться, что я вижу их слишком часто — особенно младшего. — Куп еще не забыл инцидента с окном, хотя стекло уже давно было благополучно вставлено на место.

Услышать их никто не мог, поэтому Алекс решила поговорить с Купом откровенно.

— Мне кажется, Марку нравится Тайрин, — сказала она. — А Тайрин нравится Марк; она сама дала мне знак, чтобы я приняла приглашение от нас всех. Но если ты не хочешь, мы с тобой можем не ходить — Тайрин, я думаю, не обидится.

— Нет-нет, я обязательно пойду. Чего не сделаешь для своей единственной дочери! — ответил Куп и ухмыльнулся. — Ради детей, хочешь — не хочешь, приходится идти на жертвы.

Ему очень нравилось быть отцом сорокалетней дочери, однако последние слова невольно напомнили ему о Шарлен. Буквально на днях ее адвокат снова позвонил Купу и выдвинул новые требования. Шарлен нужны были деньги; она хотела переселиться в новую, большую квартиру, желательно поближе к Бель-Эйр, и спрашивала разрешения пользоваться бассейном в «Версале», так как, по ее словам, она не слишком хорошо себя чувствовала, чтобы ездить куда-то еще.

У Купа от такой наглости глаза полезли на лоб. Он заявил, что не даст ни цента до тех пор, пока Шарлен не представит результатов анализа ДНК, подтверждающих, что ребенок действительно от него. До этого, сказал Куп, ноги Шарлен в «Версале» не будет, а если она не поумерит своих аппетитов, то и после — тоже. Это эмоциональное заявление, отредактированное и приведенное к парламентскому виду, и было передано его адвокатом противной стороне. Между тем до того времени, когда можно будет проделать тест ДНК, оставалось еще недель пять-шесть, а это означало, что Купу еще полтора месяца предстоит терзаться неизвестностью.

Алекс от души жалела его. Она видела, как выматывает Купа эта неопределенноть. Кроме того, к вопросу о его предполагаемом отцовстве примешивалось беспокойство финансового свойства. У всех на памяти был недавний судебный прецедент, широко освещавшийся бульварной прессой, когда танцовщица из ночного клуба сумела получить с отца своего ребенка, с которым .она встречалась всего три недели, алименты в размере двадцати тысяч долларов в месяц. Куп тоже встречался с Шарлен примерно столько же времени, и это совпадение особенно угнетало его. Алекс пыталась утешить его, доказывая, что в данном случае отцом ребенка был знаменитый рок-певец, получавший в год несколько миллионов.

Куп, безусловно, не мог похвастаться подобными доходами, Алекс узнала об этом от своего отца. Сам Куп никогда не говорил с ней о своих долгах. Больше того, он продолжал тратить деньги со свойственной ему беспечностью, избегая лишь очень крупных приобретений, но Алекс понимала: он не может не думать о том, какую сумму ему придется выплачивать Шарлен в случае, если его отцовство будет доказано.

Ровно в семь часов все трое отправились в гостевое крыло. Тайрин по этому случаю облачилась в бледно-голубой шелковый брючный костюм, который она шутливо называла «пижамой» и который очень ей шел. Она сама смоделировала этот костюм прошлой осенью, незадолго до того, как продала свое дело. Алекс была в темно-вишневых джинсах, свободной блузке из белого шелка с пышными рукавами и золотистых босоножках на высоком каблуке. В этом наряде и с распущенными по плечам волосами она походила скорее на фотомодель, чем на врача. Во всяком случае, едва увидев ее, Джимми сразу вспомнил мятый докторский халат и небрежно заплетенную косу, торчавшую из-под шапочки, и вновь поразился тому, насколько одежда меняет женщину. Впрочем, он не мог отрицать, что даже в больничной униформе Алекс выглядела привлекательно.

На ужин были спагетти-карбонара, удачно приготовленные Марком по кулинарной книге, салат и тирамицу на десерт. Куп принес с собой две бутылки выдержанного «Пьюли-Фузей». За столом Джимми подробно рассказывал об экскурсии по больнице, которую устроила ему Алекс, а все остальные внимательно слушали. Алекс была приятно удивлена тем, как много Джимми запомнил из ее объяснений. Чувствовалось, что он понял почти все, что она говорила; только один раз, когда речь зашла о младенце с врожденной патологией сердца и легких, ей пришлось кое-что поправить. Все остальное Джимми передал абсолютно точно.

— Мне кажется, этот парень знает о твоей работе чересчур много, — недовольно заметил Куп, когда они вдвоем вернулись в его часть дома. Тайрин задержалась в гостях — ей явно было приятно общество Марка и Джимми. Джейсон и Джессика еще раньше уехали к друзьям, где они должны были остаться ночевать. Вечер прошел прекрасно, и даже у Купа не могло быть оснований для недовольства, поскольку подростки вели себя очень тихо и поразили его умением пользоваться ножом и вилкой, чего он от них не ожидал. Ему казалось — подростки питаются исключительно поп-корном, гамбургерами и жевательной резинкой, которую они, конечно же, выплевывают на ковер. Его неожиданно резкий тон удивил Алекс, и она быстро взглянула на него.

— Что ты имеешь в виду? — спросила она.

— Когда это Джимми успел побывать у тебя в больнице? — проворчал Куп, и Алекс поняла, что он просто ревнует. А поскольку никаких серьезных оснований для ревности у него не было, она почувствовала себя тронутой.

— Он приезжал в больницу на этой неделе, чтобы сдать анализы. Джимми работает с детьми, поэтому он должен проходить медицинское освидетельствование. — Тут Алекс подумала, что скорее уж неблагополучные дети способны заразить Джимми какой-нибудь страшной болезнью, а не наоборот, но развивать эту тему она не стала. Куп мог решить, что его жилец представляет для него потенциальную опасность в качестве источника инфекции.

— Он позвонил мне, и я пригласила его на чашечку нашего фирменного кофе, а заодно показала, чем я занимаюсь. Должно быть, это его заинтересовало, — объяснила Алекс спокойно. Впрочем, она и сама была удивлена тем глубоким интересом, который Джимми неожиданно проявил к ее работе. Ей казалось, что это может быть как-то связано с характером его профессиональной деятельности — как-никак Джимми тоже имел дело с детьми, хотя и не с такими маленькими. Эта ее догадка, однако, не объясняла всего, так что в данном случае Куп со своими подозрениями был ближе к истине. Он знал мужчин лучше, чем Алекс, и от него не укрылось, что за ужином Джимми не только сел рядом с ней, но и разговаривал с нею большую часть вечера. Алекс не обратила на это внимания, но Купу, которого Марк усадил на почетное место во главе стола между собой и Тайрин, все было отлично видно. Весь вечер он пристально наблюдал за Джимми и сделал кое-какие выводы.

— Мне кажется, он к тебе неравнодушен, — без обиняков заявил Куп, причем по его тону было видно — Купу это очень не нравится. Чуть не впервые в жизни он почувствовал, что другой мужчина может... нет, не превосходить его в чем-то, до этого, к счастью, пока не дошло. Просто у Джимми были кое-какие преимущества. Во-первых, молодость — он был почти всего лишь на несколько лет старше Алекс. Кроме того, их профессии имели много общего, в то время как Куп был для нее почти что пришельцем из звездных сфер. Но и соперничать с человеком вдвое моложе себя он не собирался — это было ниже его достоинства. Ничего подобного Куп никогда себе не позволял. Он привык быть единственной звездой на небосводе и не собирался делить внимание Алекс с кем-то еще.

— Что за глупости, Куп! — весело рассмеялась Алекс. — Джимми еще не пришел в себя после смерти жены, на женщин он и смотреть не хочет. Марк говорил мне, что он до сих пор плохо спит по ночам и мало ест. Когда я впервые увидела его, он выглядел ужасно. Я даже подумала — ему необходимо обратиться к психологу и пропить курс антидепрессантов. В последнее время, правда, он выглядит лучше. Впрочем, самому Джимми я ничего об этом не говорила — не хотела лишний раз напоминать ему о его горе.

— Могла бы и сказать, — сварливо заметил Куп. — А еще лучше — пропиши ему эти антидепрессанты, и дело с концом. По крайней мере, он не будет так на тебя действовать.

— Я не могу ему ничего прописать, потому что я не его врач, — улыбнулась Алекс и, обняв Купа за шею, поцеловала его. — Я — твой врач, и я знаю одно превосходное лекарство от плохого настроения.

Ее руки скользнули ему под рубашку, и Куп расслабился. Несмотря на это, Алекс было совершенно ясно, что вечер у Фридменов ему не понравился. Сама же она прекрасно провела время. Алекс очень любила общаться с разными людьми, шутить, разговаривать, к тому же все Фридмены и Джимми ей нравились. Алекс считала — ей очень повезло, что такие приятные люди живут совсем рядом.

— Кстати, о том, кто к кому неравнодушен, — сказала она и лукаво улыбнулась. — Ты заметил, что Марк и Тайрин нравятся друг другу?

Куп нехотя кивнул. Марк казался ему достаточно скучным и ограниченным типом, который только и умеет, что рассуждать об этих дурацких налогах.

— Мне кажется, Тайрин могла бы найти себе кого-нибудь получше. Она совершенно исключительная женщина. Я собираюсь свести ее кое с кем из моих знакомых продюсеров. У нее была довольно скучная жизнь; судя по ее рассказам, этот ее бывший муж — просто ничтожество. Мне кажется, ей не хватает развлечений, роскоши, блеска.

Алекс с сомнением покачала головой. У нее сложилось иное мнение. Тайрин не произвела на нее впечатления человека, который стремится к праздности и удовольствиям, и именно это ей больше всего понравилось в дочери Купа. Тайрин была практичной, здравомыслящей, самостоятельной женщиной, и Марк подходил ей гораздо больше, чем любой из голливудских продюсеров с их беспорядочной жизнью, депрессиями, вечеринками далеко за полночь и разъездами по всему земному шару. Однако она не стала возражать, поняв, что стремление Купа познакомить дочь с людьми, которых он ценил больше всего, объясняется вовсе не решимостью сделать это на самом деле (Куп был достаточно здравомыслящим человеком, чтобы что-то навязывать Тайрин), а желанием выказать дочери свое расположение. Куп гордился ею, и Алекс считала, что вполне оправданно, даже если сбросить со счетов его отцовские чувства.

— Поживем — увидим, — сказала она неопределенно. —

В конце концов, у Тайрин своя голова на плечах, и мы ей не указ.

— Да, — кивнул Куп. — Тайрин сама знает, что ей нужно. Просто я хочу дать ей возможность выбора.

Потом они отправились в спальню и занялись любовью. После этого его настроение значительно улучшилось — он чувствовал себя так, словно отвоевал потерянные территории. И все же присутствие посторонних молодых мужчин так близко от обеих «его женщин» продолжало раздражать Купа. Увы, он ничего не мог с этим поделать, и ему оставалось только смириться с существующим положением, но, засыпая, Куп поклялся, что, как только истечет срок договора, он выселит Марка и Джимми из поместья и подыщет других жильцов.

Когда на следующее утро Куп проснулся, Алекс уже уехала на работу. В этот день Куп и Тайрин собирались отправиться в Малибу, чтобы встретиться с его друзьями. Позавтракав, они уехали и вернулись довольно поздно, поэтому Куп позвонил Алекс только в десять вечера. Он и Тайрин прекрасно провели время, и в его голосе не было ни следа вчерашней раздражительности. Куп хотел повести Алекс в кино, и она обещала, что приедет в «Версаль» завтра вечером.

Потом к телефону подошла Тайрин, и Алекс поболтала с ней. Когда Куп вышел, Тайрин сказала Алекс по секрету, что Марк пригласил ее поужинать с ним и что завтра они идут в ресторан.

После разговора Алекс отправилась в свой кабинет и, не раздеваясь, легла на раскладушку. В отличие от Купа у нее был тяжелый день; впрочем, на работе она всегда спала одетой на случай, если случится что-нибудь серьезное и ей надо будет срочно бежать в реанимационную. По той же причине Алекс никогда не спала крепко; пока тело отдыхало, сознание ее бодрствовало примерно на четверть. Этого, как правило, хватало, чтобы прислушиваться к шагам в коридоре, к телефонным звонкам, попискиванию приборов. Даже во сне Алекс продолжала оценивать обстановку в отделении, и бывали случаи, когда она вскакивала с раскладушки еще до того, как сиделка приходила будить ее, чтобы сообщить о каких-то неприятностях.

Сегодня к тому же Алекс томило какое-то недоброе предчувствие, поэтому она нисколько не удивилась, когда в четыре часа утра зазвонил телефон, стоявший на картотечном ящике. Алекс мигом схватила трубку и поднесла ее к уху, одновременно нашаривая ногами на полу туфли.

— Мэдисон слушает, — сказала она, чувствуя себя полностью проснувшейся и готовой к действиям. Ей, однако, потребовалось несколько мгновений, прежде чем она узнала голос Марка. Алекс никак не ожидала, что он ей позвонит на работу, да еще в такое время, поэтому в первую секунду растерялась.

Что-то стряслось, подумала она, пытаясь унять тревогу. Что-то случилось с детьми. Или с Купом. Но тут же она подумала, что, если бы Купу стало плохо, ей позвонил бы не Марк, а Тайрин.

— Что-нибудь произошло? — спросила она взволнованно.

— Несчастный случай. — В голосе Марка слышалось отчаяние.

— С кем? — Быть может, подумалось Алекс, пострадали и Куп, и Тайрин. Она не знала, что сегодня Тайрин ночевала у Марка в гостевом крыле. Его дети все еще были у друзей, и он пригласил ее к себе выпить по рюмочке и поболтать.

— Произошла автомобильная авария, — сказал Марк.

— Куп?.. — Алекс чуть не задохнулась от ужаса. Она очень любила его, и ей страшно было подумать, что с ним... что его...

— Нет, Джимми. Я еще не знаю толком, что произошло. Буквально неделю назад мы с ним говорили, как плохо, что ни у него, ни у нас нет здесь родственников или близких людей, которым можно было бы позвонить в случае... в случае, если с одним из нас что-то произойдет. Джимми записал мое имя и телефон в свой ежедневник или в записную книжку. Только что мне позвонили из вашей клиники. Кажется, он в отделении травматологии — я не понял точно, и мы с Тайрин решили, может быть, ты сумеешь разузнать все подробнее. Мы постараемся приехать как можно скорее. Когда что-нибудь узнаешь, позвони мне на мобильник. У тебя есть номер?

— Да, есть, — подтвердила Алекс. Буквально на днях она

записала номер телефона Марка в память своего аппарата. — Что с ним, ты не знаешь?

— Мне сказали только, что состояние очень тяжелое. Он слетел с шоссе где-то по дороге из Малибу. Его машина упала с высоты около ста футов. Мне сказали — от нее практически ничего не осталось.

— Черт!.. — Алекс вдруг подумалось, что это не был несчастный случай. Слишком уж глубоко Джимми переживал смерть Маргарет, слишком тосковал по своей умершей жене.

— Ты видел его сегодня?

— Нет. А что?

— Так, ничего... — Накануне вечером Джимми неплохо выглядел и был спокоен, но это ничего не значило. Алекс знала, что самоубийцы, приняв окончательное и бесповоротное решение, часто успокаиваются и выглядят счастливыми.

— Я попрошу подменить меня на четверть часа и схожу в травматологию, — пообещала она и дала отбой. Сразу после этого Алекс позвонила своему коллеге-резиденту, который жил при больнице. Он был добрым парнем и не раз выручал Алекс, когда ей нужно было освободить денек-другой. Алекс объяснила ему все обстоятельства, и он ответил, что сейчас будет. Меньше чем через десять минут — заспанный, всклокоченный — он появился в отделении. К этому времени Алекс уже позвонила в травматологический корпус, но по телефону ей сказали только, что состояние мистера О'Коннора критическое. Он уже час находился в реанимации, и над ним работала бригада врачей.

В отделении травматологии Алекс сразу разыскала дежурного врача. От него она узнала, что у Джимми сломаны обе ноги и плечо и повреждены кости таза. Кроме этого, он сильно ударился головой и был без сознания. Новости были неутешительные, и Алекс попросила разрешения проведать его, пообещав, что не станет мешать дежурной бригаде.

Войдя в палату реанимации, она остановилась у входа. Джимми лежал на специальной койке, подключенный к капельнице, аппарату искусственного дыхания и к десятку других приборов. Его лицо отекло; оно представляло собой сплошной кровоподтек, и Алекс с трудом узнала его. Она бросилась к нему, но тут же замерла на месте.

— Насколько серьезна травма головы? — спросила она у дежурного врача, выйдя из палаты, но он только покачал головой.

— Пока ничего определенного сказать не могу. Надеюсь, что ему повезло — электроэнцефалограмма вполне приличная. Но он не приходил в себя. Все будет зависеть от того, насколько большой будет внутренняя гематома.

После разговора с врачом Алекс еще раз зашла в палату к Джимми и несколько минут постояла рядом с ним. Его ноги и рука были уже в гипсе, но вид у него был ужасный.

Когда Алекс вышла в комнату ожидания, там уже находились Марк и Тайрин. Они только что подъехали и еще не успели ничего узнать. Марк был бледен, Тайрин вообще не могла говорить и только крепко держала его за руку.

— Ну что, как он? — спросил Марк. — Он здесь?

— Да, Джимми здесь, в реанимации, — ответила Алекс. — Что же касается его состояния, то... могло быть и хуже. — Много хуже, подумала она. Должно быть, по чистой случайности Джимми не удалось довести свой замысел до конца. Впрочем, Алекс тоже не могла с уверенностью сказать, что Джимми поправится.

— Как ты думаешь, как это произошло? — спросил Марк. Джимми всегда пил мало, и он не мог представить себе, чтобы его друг сел за руль пьяным. Марк думал, что-то случилось с машиной, а Алекс решила не делиться с ним своими подозрениями. О них она сообщила только врачу-терапевту, которому предстояло вести Джимми впоследствии. Врач внимательно выслушал ее, но оба понимали: пока Джимми остается без сознания, особого значения эти сведения не имеют. Лишь когда — и если — он выйдет из комы, с ним можно будет заниматься по специальной программе, включающей психологическую помощь и курс специальных седативных препаратов. «Кем вы ему приходитесь?» — спросил у Алекс терапевт, и она ответила, что они соседи. Все, что она рассказала ему о Маргарет, врач занес в карту, потом нарисовал красным карандашом на обложке большой восклицательный знак и обвел его кружком. «Сделаем, что можем», — пообещал врач и ушел.

— Понятия не имею. Очевидно одно — положение Джимми очень серьезно, — ответила Алекс и вкратце объяснила Марку и Тайрин, чем опасно сотрясение мозга.

— Ты хочешь сказать, что могут быть серьезные последствия? — Марк не скрывал своей тревоги. Он и Джимми стали настоящими друзьями, и он переживал за соседа не меньше, чем за своих собственных детей.

— Надеюсь, что все обойдется, — вздохнула Алекс. — _Возможно и хирургическое вмешательство, но все будет зависеть от того, насколько быстро Джимми придет в себя... Врачи внимательно следят за Джимми и дадут нам знать, если что-то изменится._

— Господи Иисусе!.. — Марк провел рукой по волосам и растерянно взглянул на Тайрин, которая до сих пор не произнесла ни слова. — Боюсь, придется звонить его матери в Бостон, но я...

Он не договорил, но Алекс прекрасно его поняла. Она сама терпеть не могла делать такие звонки, но другого выхода у них не было. Джимми был в критическом состоянии, в любую минуту ему могло стать еще хуже, и не было никаких гарантий, что он останется в живых.

— Хочешь, я ей позвоню? — спросила она, думая, что ей это будет все же легче, чем Марку, но он отрицательно покачал головой.

— Нет, я сам. Я должен сделать это для Джимми. — Марк явно был не из тех, кто прячется от трудностей. Подойдя к телефону, он достал из кармана записную книжку, в которой — как раз для такого случая — Джимми записал ему бостонский адрес и телефон матери. Ни Марку, ни самому Джимми и в голову не приходило, что они могут так скоро им понадобиться — это была просто обычная мера предосторожности.

Пока Марк звонил, Тайрин повернулась к Алекс:

— Как он?

Алекс покачала головой:

— Он в гипсе, и у него сильно разбито лицо. К счастью, глубоких ран я не заметила. Мне очень жаль, что так случилось! — закончила она, и Тайрин взяла ее за руку.

Они все еще держались за руки, когда Марк закончил

разговор и вернулся к ним. Ему потребовалось не меньше минуты, чтобы взять себя в руки.

— Бедная женщина! — сокрушенно воскликнул он. — Я чувствовал себя просто палачом. Джимми говорил, что, кроме него, у нее никого нет. Его отец скончался несколько лет назад.

— Сколько ей лет? — спросила Алекс, подумав, что после таких новостей с пожилой женщиной может случиться все, что угодно.

— Не знаю. Я не спрашивал. — Марк задумался. — У нее довольно молодой голос — вот и все, что я могу сказать. Как только я сообщил ей, что Джимми попал в больницу после аварии, она заплакала. Впрочем, держалась она молодцом. Она сказала, что вылетит первым же рейсом. Это значит, что часов через восемь-десять она будет здесь.

После этого Алекс снова отправилась в палату к Джимми, но там все было без перемен. Ей пора было возвращаться на свое рабочее место, и она попрощалась с Марком и Тайрин, которые решили подождать на случай, если Джимми придет в себя.

— Ты будешь звонить Купу? — спросил Марк Алекс, и она посмотрела на часы. Времени было начало шестого, и звонить Купу было слишком рано.

— Я позвоню ему позже, — пообещала она. — А вы дайте мне знать, если что-то изменится. — И, дав Марку номер своего пейджера и внутренний телефон, Алекс отправилась к себе. Когда она закрывала дверь комнаты ожидания, Марк и Тайрин сидели на диване, он держал ее за руку, а она положила голову ему на плечо.

К счастью, утро выдалось относительно спокойное, и Алекс не выдержала и позвонила Купу в половине девятого. Он еще спал и был удивлен ее ранним звонком. Впрочем, на Алекс он не мог сердиться. К тому же через час к нему должен был приехать тренер, и Куп как раз собирался позавтракать.

— Вчера ночью Джимми попал в автомобильную аварию, — сообщила ему Алекс, когда Куп окончательно проснулся.

— Откуда ты знаешь? — с подозрением спросил Куп, и Алекс невольно поморщилась.

— Мне позвонил Марк. Джимми привезли в нашу клинику, в травматологию. Марк и Тайрин тоже здесь — дежурят
в комнате ожидания. Джимми упал с обрыва на шоссе, которое идет через каньон Малибу. У него перелом ног и сотрясение мозга. Он до сих пор без сознания.

Куп молчал. Когда он заговорил, в его голосе звучало
искреннее волнение. За свою жизнь он видел достаточно
горя и несчастий и знал, что плохие вещи случаются даже
с хорошими людьми.

— Как ты думаешь, он выкарабкается? — спросил он.

— Сейчас трудно сказать. Переломы его не убьют, а вот
гематома...

— Вот ведь не везет ему, бедняге!.. Сначала жена умерла, а теперь это... — Куп тяжело вздохнул, и Алекс едва не
сказала ему о своих подозрениях. Но она удержалась — в
конце концов, у нее не было никаких фактов, только интуиция.

— Держи меня в курсе, — попросил Куп.

— Может быть, ты подъедешь сюда, а Тайрин и Марк
поедут домой? — предложила Алекс. Она ждала, что Куп
скажет это первым, но ему такая мысль даже не пришла в
голову. Куп твердо знал, что ничего не может сделать для
Джимми. Им всем оставалось только ждать, а ждать он мог
и в «Версале». Кроме того, Куп всю жизнь терпеть не мог
больниц. Случай, когда он приезжал к Алекс, был чуть не
единственным в его жизни, когда он, будучи здоров, явился в лечебное учреждение по собственной воле.

— Не понимаю, какой в этом смысл, — рассудительно
сказал Куп. — Кроме того, ко мне едет мой тренер, отме-
нять нашу встречу уже поздно.

Эти слова показались Алекс более чем странными.
И Куп вряд ли произнес бы их при других обстоятельствах,
но сейчас он ухватился за визит персонального тренера
как утопающий за соломинку. Ему очень не хотелось видеть
Джимми, опутанного бесчисленными трубками, в окруже-
нии приборов, которые хрипят, булькают, вздыхают, тика-
ют на разные голоса. Подобные зрелища всегда действовали на него угнетающе, напоминая о бренности собственного существования.

— Марк и Тайрин очень расстроены, — сказала Алекс,

но Куп никак на это не отреагировал. По своему обыкновению он пытался отгородиться от неприятностей, сделать
вид, будто ничего не произошло.

— Я их понимаю, — проговорил он спокойно. — Но я
уже много лет назад убедился, что сидение в больнице не
приносит никакой пользы больному. Друзья и родственники, которые так поступают, не только сами изводятся, но и
раздражают врачей. Марк и Тайрин — разумные люди, и я
уверен, что скоро они и сами поймут — то, что они делают,
никому не нужно. Впрочем, если они все же задержатся в
больнице, передай им, что я могу свозить их пообедать.

Он упорно отрицал серьезность происходящего — так
было проще, и Алекс его понимала. Во всяком случае, ей
казалось, будто она его понимает, и все же ей было не особенно приятно, что Куп, как страус, предпочитает прятать
голову в песок. Дело не только в целесообразности, но и в
реакции человека. И сейчас Куп вполне определенно их
продемонстрировал.

— Не думаю, что они захотят оставить Джимми, — сказала она, думая о том, что у Марка и Тайрин вряд ли возникнет желание обедать. И снова Куп не отреагировал. Он не
хотел участвовать в этой драме ни в каком качестве, не
хотел, чтобы что-то вторгалось в его безмятежное, упорядоченное существование. Для него каждое столкновение с
реальной жизнью было слишком большим стрессом, и он
любой ценой старался избегать всего неприятного.

— Не вижу в этом никакого смысла, — еще раз повторил
Куп, обеспокоенный ее молчанием. — Для Джимми нет никакой разницы, сидят ли его друзья в комнате ожидания
или волнуются за него в другом месте. Мне даже кажется,
он бы сам захотел, чтобы его друзья пообедали в «Спаго»
вместо того, чтобы мариновать себя в душной комнате.
Как ты считаешь?

Алекс злилась на Купа. Хотя, с его точки зрения, он поступал совершенно разумно. Конечно, Алекс знала, что разные люди по-разному реагируют на стресс. И все равно ее
не обрадовало открытие, что Куп готов на все, лишь бы избежать неприятного, но необходимого шага. Так дети и
даже взрослые подчас малодушно откладывают визит к зуб-

ному врачу, пока боль не вынуждает их бежать к нему среди ночи.

В десять часов Алекс позвонила Марку на сотовый телефон, но он сказал, что никаких новостей нет, и добавил, что миссис О'Коннор, наверное, уже летит в Лос-Анджелес и что если все будет нормально, то часам к двенадцати она будет уже в больнице.

Когда в обеденный перерыв Алекс снова наведалась в отделение травматологии, чтобы навестить Джимми, Марк и Тайрин все еще были там. Выглядели они усталыми и измотанными, и Алекс почти пожалела, что они не могут или, вернее, не захотят пойти с Купом обедать. Она принесла им кофе из автомата, а сама поднялась к Джимми. Его поместили в отдельную палату и продолжали наблюдать за состоянием, но за прошедшие несколько часов оно не изменилось. Джимми оставался без сознания. Алекс поговорила с сиделками, и они сказали, что, по их мнению, он находится в еще более глубокой коме, чем когда его привезли.

Несколько минут Алекс стояла рядом с Джимми, потом протянула руку и осторожно коснулась пальцами его обнаженного плеча. К его коже были приклеены пластырем датчики, от которых тянулись к мониторам разноцветные провода. В обе руки были введены капельницы, через которые вливались в вены питательный раствор и плазма, компенсирующая внутреннее кровоизлияние. Травмы были очень серьезными, и хотя непосредственной опасности для жизни не было, предсказать ситуацию на будущее было бы трудно даже хорошему специалисту. Травмы головы могли иметь очень тяжелые последствия.

— Здравствуй, Джимми... — негромко сказала Алекс, когда сиделки вышли, оставив их одних. Они знали, что Алекс тоже врач; что касалось информации с датчиков, то она проецировалась и на компьютер центрального поста.

— Что же ты наделал, Джимми!.. — продолжала Алекс, чувствуя, как на глаза наворачиваются слезы. — Очнись, Джимми! Ты очень нужен всем нам. Не уходи. Борись, Джимми, не сдавайся!.. — Она продолжала звать его по имени, зная, как это важно. Он был славным человеком, и она не хотела, чтобы он умер. — Я знаю, Джимми, ты очень оскуешь по своей Маргарет. Ты любил ее, но мы тоже тебя любим. У тебя вся жизнь впереди. Если ты умрешь, Джейсон будет плакать, и Джессика тоже. Возвращайся, Джимми, ты должен!..

Она оставалась с ним целых полчаса и говорила с ним, не замечая, что слезы катятся и катятся по ее лицу. Алекс убеждала, просила, требовала, но Джимми так и не пришел в себя. Тогда она поцеловала его на прощание и, еще раз погладив по плечу, вернулась в комнату ожидания.

— Ну, как он? — спросил Марк, поднимая на нее взгляд. Тайрин дремала, откинувшись на спинку кресла, но, услышав голос Алекс, открыла глаза и выпрямилась.

— Все так же. Я пыталась говорить с Джимми, но все бесполезно — он меня не слышит. Быть может, что-то изменится, когда приедет его мать...

— Ты думаешь, на нее он отреагирует? — удивилась Тайрин. Ей приходилось слышать о подобных вещах, но она никогда особенно в них не верила.

— Не знаю, — честно сказала Алекс. — Известно много случаев, когда люди, лежавшие в коме, слышали, как к ним обращаются их близкие люди, хотя все считали, что это невозможно. И это заставляло их бороться... и спасало от смерти. В медицине случаются порой весьма странные вещи; в этом отношении она больше похожа на волшебство, чем на науку. В любом случае от того, что кто-то поговорит с Джимми, вреда не будет, а польза... Польза может быть. У меня самой бывают времена, когда я готова использовать все, что угодно, лишь бы помочь кому-то из моих малышей.

— Может быть, нам тоже стоит попробовать поговорить с ним, — сказал Марк. Он заметно нервничал. Встреча с матерью Джимми наводила на него ужас, а Алекс еще добавила ему тревоги. Марк не знал, сколько лет миссис О'Коннор, но боялся, что потрясение будет для нее непереносимым.

— Могут нас пропустить к нему?

Они уже один раз видели Джимми, но издалека, от дверей, когда вокруг него суетились врачи. Тогда их попросили уйти, но сейчас обстановка стала спокойнее. Алекс от-

правилась спросить разрешения, а вернувшись, поманил
их за собой.

Вид Джимми напугал обоих. Тайрин выдержала всего
несколько секунд и, разрыдавшись, выбежала вон. Марк
крепился изо всех сил. Он даже пытался разговаривать с
другом, как советовала Алекс, но голос его прерывался все
чаще, и в конце концов он совсем умолк. Джимми был так
бледен, что Марку казалось — он умирает. Алекс, более
опытная и привычная к подобным вещам, видела, что это
не так, однако оптимизма не было и у нее.

Вернувшись в комнату ожидания, все трое некоторое
время сидели, погрузившись в угрюмое молчание. Собственное бессилие угнетало их. Алекс пора было возвращаться к себе, но прежде, чем она ушла, Марк спросил, приедет
ли Куп.

— Наверное, нет, — негромко ответила Алекс. — У него
была назначена какая-то важная встреча. — О том, что Куп
встречался со своим тренером, она промолчала. Ей не хватило духа сказать об этом Марку и особенно Тайрин. Алекс
было ясно, что это просто предлог и что на самом деле Куп
просто боится приезжать.

До самого обеда Алекс звонила в травматологию через
каждый час и справлялась о состоянии Джимми. В половине первого Марк прислал ей на пейджер сообщение, в котором говорилось, что приехала миссис О'Коннор. Алекс
тут же перезвонила ему на мобильник, и он сказал — она
сразу же прошла к Джимми.

— Как она? — с тревогой спросила Алекс. Как и Марк,
Алекс боялась, что потрясение может оказаться для матери
Джимми чересчур сильным.

— Очень расстроена. Впрочем, как и все мы... — У Марка был такой голос, словно он едва сдерживает слезы, и
Алекс была очень тронута таким глубоким проявлением
дружеских чувств.

— Я постараюсь зайти на несколько минут, — пообещала
Алекс, но, когда она смогла освободиться, было уже почти
два часа. У одного из новорожденных случилась непредвиденная остановка сердца, и они буквально сбились с ног,
пытаясь вернуть его к жизни.

— Где миссис О'Коннор? — спросила Алекс, извинившись за опоздание.

— Она все еще с Джимми, — ответил Марк, но он не мог сказать, добрый это знак или нет, но Алекс поняла. Джимми оставался для миссис О'Коннор ее ребенком, и она переживала за него ничуть не меньше, чем когда он был мальчиком. В этом отношении вся ситуация была почти точной проекцией того, что происходило в отделении неонатальной терапии. Там тоже была комната ожидания, и чуть ли не каждый день она была полна матерей, которые в страшной тревоге ожидали новостей.

— Мне не хотелось бы ей мешать... — начала Алекс, но Марк и Тайрин уговорили ее подняться наверх и узнать, как Джимми. У самых дверей палаты Алекс решила, что не станет представляться миссис О'Коннор без особой нужды.

Алекс представляла себе мать Джимми сухонькой, седой старушкой, поэтому когда она ее увидела, то изумилась. Миссис О'Коннор была миниатюрной, очень привлекательной моложавой женщиной лет пятидесяти с небольшим. Без косметики и с волосами, собранными в простой «конский хвост», она выглядела даже моложе. Мать Джимми была одета в обтягивающие джинсы и черную водолазку с высоким воротом. Чертами лица и жестами она была очень похожа со своим сыном, только эти черты были смягчены, а глаза были не карими, а ярко-голубыми.

Стоя у изголовья кровати, миссис О'Коннор негромко разговаривала с Джимми — совсем как Алекс этим утром. Заметив, что в палату кто-то вошел, она подняла голову, но приняла Алекс за одну из врачей — благо та была в стандартной больничной униформе и со стетоскопом.

— Что-нибудь не так? — с тревогой спросила она, переводя взгляд с Алекс на экраны установленных возле кроватей мониторов.

— Нет-нет, не волнуйтесь, пожалуйста, — быстро сказала Алекс. — Все в порядке. Я знакомая Джимми и пришла проведать его. Я тоже работаю в этой больнице, только в детском отделении.

Валери О'Коннор несколько секунд разглядывала Алекс, потом чуть заметно кивнула и, отвернувшись, продолжила разговаривать с сыном.

Когда она вновь подняла голову, Алекс все еще была в палате.

— Спасибо вам, — сказала Валери негромко.

Вскоре Алекс вернулась к ожидавшим ее Марку и Тайрин. Она испытывала огромное облегчение от того, что мать Джимми оказалась нестарой женщиной с таким самообладанием. При взгляде на миссис О'Коннор даже не верилось, что у нее может быть такой сын.

— По-моему, она очень милая женщина, — сказала Алекс, падая в кресло рядом с Марком и чувствуя себя абсолютно обессиленной.

— Джимми обожал ее, — уныло ответил Марк. — Он говорил...

Алекс не понравилось, что он употребил прошедшее время, и она поспешила сменить тему.

— Вы что-нибудь ели? — спросила она.

Марк и Тайрин покачали головами.

— Вам обязательно нужно сходить в кафе и перекусить.

— Я не могу есть, — ответила Тайрин. — У меня кусок в горло не лезет.

— У меня тоже, — кивнул Марк. Он почти не чувствовал голода, хотя они с Тайрин просидели в комнате ожидания уже почти десять часов. И уходить он пока не собирался. На работе Марк взял отгул, что касалось детей, то он сообщил им о случившемся. Когда они вернутся из гостей, за ними присмотрит Палома.

— Куп не говорил, он сможет приехать? — снова спросил Марк. Он уже забыл, что говорила им Алекс по этому поводу, и был удивлен, что Купа до сих пор нет.

— Я не знаю, — честно ответила Алекс. — Я была занята и ему не звонила.

Ее смена заканчивалась через три с половиной часа, и она уже решила, что снова придет сюда после работы, чтобы побыть с Джимми. Кроме того, Алекс надеялась, что сумеет уговорить Марка и Тайрин съездить домой хотя бы ненадолго. Судя по их виду, им обоим необходим был отдых.

Вернувшись к себе в кабинет, Алекс сразу позвонила Купу. Он только что вернулся в дом, проспав два часа в тени у бассейна, и чувствовал себя отменно.

— Как делишки, доктор Мэдисон? — игриво поинтересовался он. Его беззаботный тон кольнул Алекс. Она чуть было не ответила резкостью и лишь в последний момент сдержалась, сообразив, что Куп просто не представляет, насколько серьезно положение Джимми. Поэтому она постаралась как можно яснее объяснить ему, чем все может закончиться, если в ближайшие несколько часов Джимми не выйдет из комы.

— Я все отлично понимаю, дорогая, — перебил Куп. — Но коль скоро я все равно ничем не могу помочь Джимми, рвать на себе волосы и посыпать голову пеплом было бы с моей стороны по меньшей мере глупо. Достаточно и того, что вы трое места себе не находите. Если еще и я начну беспокоиться... Ну скажи, разве Джимми станет лучше, если я устрою истерику?

Алекс слушала и не слышала его. Такой Куп был ей незнаком и неприятен. Возможно, подумала она, в возрасте Купа вопросы жизни и смерти теряют свою остроту. Когда один за другим умирают твои ровесники, друзья, которых знал сорок, пятьдесят лет, смерть в конце концов становится чем-то обыденным или, во всяком случае, перестает быть страшной. Но ей в это не очень-то верилось. Кроме того, она не могла сказать, что Куп отнесся к тому, что случилось с Джимми, равнодушно. Напротив, он очень активно уклонялся от любых действий и поступков, словно боясь причинить себе лишние неудобства или волнения.

— К тому же я уже говорил тебе — я терпеть не могу больниц, — добавил Куп. — Навестить тебя еще куда ни шло, но все эти медицинские разговоры... меня от них тошнит. Если бы ты знала, Алекс, как это все неприятно!

Но ведь жизнь не может состоять только из приятных вещей, хотелось сказать Алекс. Она знала, что Джимми никогда не боялся этих «неприятностей». Он рассказывал ей, что, когда Маргарет умирала, он сам ухаживал за ней до последнего дня. Джимми даже не захотел нанять сиделку, чтобы она помогала ему, не говоря уже о том, чтобы отправить жену в хоспис. Иначе он просто не мог поступить. Джимми чувствовал, что обязан сделать для Маргарет хотя бы это. Впрочем, тут же подумала Алекс, у каждого человека есть свои достоинства и свои недостатки, свои особенности восприятия мира. Куп больше всего любил покой,

красоту, порядок, а кома, автомобильные аварии, больницы, смерть искажали эту картину мира. Именно поэтому
Куп старательно закрывал глаза на все, что ему мешало наслаждаться жизнью.

— Когда ты вернешься? — спросил Куп, словно ничего
не случилось. — Ведь мы, кажется, собирались в кино, ты
не забыла?

Но когда он произнес эти слова, в Алекс как будто что-
то надломилось. Она просто не могла заставить себя пойти
в кино, хотя фильм, на который Куп заказал билеты, она
мечтала посмотреть уже давно.

— Я не забыла, — негромко ответила она, — но... Я, как
ты понимаешь, не смогу пойти. У меня голова занята совсем другим. Я еще побуду здесь. К Джимми приехала из
Бостона его мать, она здесь никого не знает, и ей может
понадобиться помощь. Марк и Тайрин совсем измотаны,
попытаюсь уговорить их поехать домой, а мне не хотелось
бы оставлять ее здесь одну.

— Как трогательно! — едко сказал Куп. — Послушай,
Алекс, тебе не кажется, что это, пожалуй, уже чересчур? Ведь
Джимми, в конце концов, тебе никто, просто совершенно
посторонний человек. Во всяком случае, я на это надеюсь...

Алекс не удостоила его ответом. Его замечание было не
просто бестактным, оно было по меньшей мере оскорби-
тельным. Алекс считала, что Куп выбрал не самый подходящий момент, чтобы устраивать ей сцену ревности, поэтому
она просто сказала:

— Я вернусь домой, как только смогу.

— В таком случае я пойду в кино с Тайрин, — раздраженно ответил Куп, и Алекс невольно вздрогнула. Куп вел себя
как капризный малыш, а не как взрослый человек и мужчина. Впрочем, иногда он действительно был похож на маленького ребенка — прямодушие и непосредственность
часто помогали ему очаровывать окружающих, и он умело
этим пользовался.

— Я не думаю, что она сможет пойти с тобой в кино, —
сказала она устало. — Впрочем, спроси у нее сам. До свидания.

И Алекс дала отбой. То, как Куп реагировал на ситуацию, расстроило ее едва ли не больше, чем случившееся с Джимми несчастье.

В шесть часов вечера Алекс сдала дежурство и сразу отправилась в отделение травматологии. Когда она добралась туда, Марк и Тайрин как раз собирались уходить. С ними в комнате ожидания была и мать Джимми. Она не плакала, но казалась сосредоточенной и печальной. Впрочем, выглядела она несколько лучше, чем Марк и Тайрин, — и это несмотря на пережитое ею потрясение и долгий перелет из Бостона до Лос-Анджелеса. Должно быть, в ее обманчиво хрупком теле хранился большой запас жизненной силы и стойкости, свойственных большинству ирландцев, и Алекс вздохнула свободнее. Она даже позволила себе надеяться, что, если хотя бы часть этой силы передалась Джимми, он обязательно выкарабкается.

Когда Марк и Тайрин ушли, она предложила миссис О'Коннор принести ей супа и сандвич или хотя бы чашечку кофе.

— Вы очень добры, — ответила Валери, поднимая на нее взгляд. — Но боюсь, я не смогу проглотить ни кусочка. Думаю, вы меня понимаете...

Но в конце концов она все же согласилась перекусить, и Алекс принесла ей немного сухих галет и чашку бульона, который купила в буфете для дежурного персонала.

— Как хорошо, что вы все здесь знаете, — с благодарностью сказала Валери, отпивая из чашки бульон. — Джимми очень повезло, что у него есть такие друзья. Бедный мой мальчик, в последнее время его буквально преследуют несчастья. Сначала Мэгги заболела и умерла, а теперь он сам едва не погиб. Как вы думаете, он поправится?

— Надеюсь, — ответила Алекс. Она не хотела расстраивать эту добрую женщину, но и лгать она тоже не могла.

— Как хорошо, что Джимми догадался дать Марку мой адрес и телефон, — продолжала Валери. — Если бы он не позвонил, я бы до сих пор ничего не знала. Разве только полиция в Калифорнии работает быстрее, чем у нас...

— Ну, это вряд ли. Полиция везде одинакова, — ответила Алекс, через силу улыбнувшись.

Некоторое время они беседовали о всяких посторонних вещах. В основном Валери расспрашивала Алекс о ее работе, но она знала и о Купе — как оказалось, от самого Джимми, который часто звонил ей и рассказывал о своем житье-бытье. Кроме того, Марк успел вкратце обрисовать Валери положение дел, поэтому она нисколько не заблуждалась насчет отношений, которые связывали Алекс и ее сына. Она знала, что Джимми до сих пор чурается женщин, и боялась, что эта ситуация затянется. Джимми и Маргарет были прекрасной парой, их отношениям можно было только позавидовать, однако она считала, что сын должен взять себя в руки и жить дальше. Она, впрочем, догадывалась, откуда у Джимми это благоговейное отношение к памяти Маргарет. Собственный брак Валери был очень удачным, но десять лет назад она овдовела и с тех пор никогда не встречалась ни с одним мужчиной. По ее мнению, никто из них не мог сравниться с Томом — отцом Джимми, которого она обожала. Они прожили вместе двадцать четыре счастливых года, и Валери свыклась с мыслью, что для одной человеческой жизни этого срока вполне достаточно. Никто не мог заменить ей мужа, да она и не испытывала никакого желания экспериментировать.

Обо всем этом она рассказала Алекс, когда та осторожно, боясь навести Валери на мысль о возможной попытке самоубийства, заметила, что Джимми очень тосковал по Маргарет. Потом миссис О'Коннор призналась, что очень боится подниматься в палату к сыну, и попросила Алекс проводить ее. Они ненадолго сходили к Джимми, но в его состоянии не произошло никаких изменений, и, вернувшись в комнату ожиданий, Валери неожиданно разрыдалась. Она не представляла, что с ней будет, если Джимми не выживет. Он был ее единственной радостью, хотя, судя по ее рассказу, миссис О'Коннор жила активной, наполненной жизнью и отличалась разнообразием интересов. В частности, она на добровольной основе работала в обществе, которое помогало бостонским слепым и бездомным. Эта работа отнимала у нее много времени и сил, однако Валери было достаточно знать, что ее сын жив и здоров, и это прибавляло ей энергии. Но теперь вся ее жизнь могла в одночасье рухнуть. Без Джимми она теряла для Валери всякий смысл.

Часов в десять вечера Алекс договорилась с одной из

сиделок, чтобы та уложила Валери спать в одном из свободных кабинетов. Уходить от сына та наотрез отказалась, хотя Алекс и предлагала устроить ее на ночь во флигеле, который снимал Джимми. Валери хотела быть как можно ближе к сыну на случай, если произойдет что-нибудь непредвиденное.

В половине десятого Алекс позвонила Купу, но Тайрин сказала, что он пошел в кино. Это показалось Алекс странным.

— Мне кажется, вся эта эпопея с Джимми выбила его из колеи, — сказала Тайрин, но Алекс давно это поняла. Ее раздражало то, что Куп даже не пытался вести себя подобающим образом.

— Передай ему, что сегодня я буду ночевать у себя дома, — сказала Алекс. — Завтра мне нужно быть в больнице к пяти, и мне не хотелось бы разбудить его, когда я буду вставать. К тому же, если я поеду из дома, я затрачу меньше времени на дорогу.

— Хорошо, — ответила Тайрин. — Я оставлю ему записку, а сама пойду спать. Не представляю, как ты еще держишься, я просто с ног валюсь. Как там Джимми? Никаких изменений?

— Никаких, — ответила Алекс. — Все по-прежнему.

— Позвони мне или Марку, если что-то произойдет, — попросила Тайрин.

Алекс обещала и пошла попрощаться с Валери. Но та уже спала, и она на цыпочках вышла из кабинета и бесшумно прикрыла за собой дверь. Через пятнадцать минут Алекс была уже в своей квартирке. Забравшись под одеяло, она еще некоторое время думала о Купе и пыталась представить себе, что он думает и что чувствует. Так она лежала довольно долго, хотя и сама смертельно устала. Уже засыпая, Алекс поняла, что на самом деле она вовсе не сердится на Купа. Просто он ее очень сильно разочаровал. Впервые за все время их знакомства она столкнулась с такой стороной его характера, которая была ей по-настоящему неприятна.

И это огорчило ее едва ли не сильнее, чем происшедшее с Джимми несчастье.

Глава 20

На следующее утро Алекс позвонила Купу с работы, и он довольно бодрым голосом сообщил ей, что она пропустила отличный фильм. Это заявление потрясло Алекс. Подобное отрицание очевидных и трагичных фактов просто не лезло ни в какие ворота. О Джимми Куп даже не спросил. Алекс сама сказала ему, что в его состоянии не произошло никаких изменений. Куп ответил, что ему очень жаль это слышать, и тут же попытался сменить тему.

— Ты все о том же... — пробормотал он недовольно, и Алекс захотелось схватить его за плечи и хорошенько встряхнуть. Неужели, думала она, он не понимает, что жизнь Джимми висит буквально на волоске? Или ему все равно? Но нет, похоже, до него просто не доходило, насколько на самом деле опасно положение. Ему казалось, с Джимми ничего особенно страшного не случилось. Ну подумаешь, ушиб человек голову, вероятно, рассуждал он. Пройдет. И нечего из-за этого шум поднимать.

Алекс так разволновалась, что поделилась своими мыслями с Тайрин, когда зашла в обеденный перерыв проведать Джимми. Марк и Валери были в палате, и Тайрин сидела в комнате ожидания одна.

— Боюсь, что в критических ситуациях отец совершенно теряется, — откровенно сказала Тайрин. — Подобные вещи просто не для него. Он не привык к ним и не знает, что делать.

На нее реакция Купа также произвела удручающее впечатление. Сегодня за завтраком он пробормотал что-то насчет «отрицательной энергии», которую необходимо заблокировать еще на подходе и ни в коем случае не позволять ей воздействовать на себя. Ей, впрочем, показалось, что Куп чувствует себя виноватым. Он как будто понимал, что, каким бы естественным ни казалось ему самому его поведение, оно плохо вписывается в общепринятые нормы. Несмотря на это он продолжал закрывать глаза на происходящее, и это, не нравилось Алекс больше всего. Ведь человек, который не замечает страданий других, не может быть ни хорошим другом, ни отцом, ни мужем. У нее было такое чувство, что Куп предал, обманул ее. Тщетно она убеждала себя, что на большее Куп просто не способен. Что, если когда-нибудь что-то плохое случится с ней, думала Алекс. Неужели и тогда Куп постарается отгородиться от «негативной энергии»? Попробует он ей помочь или преспокойно свернет в сторону? Она склонялась к последнему, и от этого ей делалось по-настоящему страшно. И как Алекс ни старалась, успокоить себя ей не удавалось.

После работы она поехала в «Версаль». Марк и Тайрин остались в больнице вместе с Валери. Алекс решила серьезно поговорить с Купом, но и перегибать палку ей тоже не хотелось.

Но когда она приехала, на лице Купа не было заметно никаких следов глубокого душевного волнения. Напротив, он был настроен весело и благодушно. Он заказал для них в «Спаго» роскошный ужин, и хотя утверждал, что соскучился по калифорнийской кухне, Алекс поняла — этим он пытается компенсировать то, что он не сделал.

А не делал Куп неприятных вещей. Он специализировался на дорогих подарках, походах в кино или в ресторан и других приятных сюрпризах. Каким-то образом ему удалось исключить из своей жизни практически все, что ему не нравилось или пугало. Куп признавал только такие вещи и ситуации, которые находил «забавными». Алекс хорошо знала, что настоящая жизнь совсем не такова и что состоит она не только из приятного, но и из трагического, но Купа это как будто не касалось. Ни одной темной тучке он не позволял омрачить свой горизонт, а если таковая появлялась, он спешил поскорее прогнать ее за границы искусственного рая, который сам для себя создал. И сделать это ему было очень легко. Купу достаточно было сказать себе, что никаких проблем просто не существует. Весьма наглядной в этом отношении была ситуация с его финансовыми делами. Куп был на грани банкротства, но не признавал этого, и уж тем более не стоило ожидать от него каких-то решительных шагов. Он продолжал жить, как жил, тратить, как тратил, и вспоминал о своих обстоятельствах, только когда ему об этом напоминали. Но ненадолго. Даже после очередного разговора с Эйбом Куп забывал обо всем через пять минут после того, как клал трубку, и продолжал наслаждаться жизнью, словно бабочка, живущая одним днем.

Чего у него нельзя было отнять, это того, что с ним человек — любой человек — тоже начинал чувствовать себя легко и приятно. Именно поэтому вечер, который они провели с Алекс, оказался совсем неплох, хотя по временам ей и казалось, что они оба играют роли в какой-то сюрреалистической пьесе.

Но она Джимми не забыла. Воспользовавшись тем, что Куп отправился в подвал за шампанским, она позвонила в клинику, но ей ответили, что никаких изменений нет. Алекс достаточно хорошо разбиралась в медицине, чтобы понимать — в данном случае отсутствие изменений есть перемена к худшему. Надежда на скорый выход Джимми из комы начинала таять. Он был без сознания уже почти двое суток, и каждый прошедший час уменьшал его шансы на полное выздоровление. У него оставались всего сутки, может быть, двое. После этого Джимми если и выживет, то уже никогда не будет таким, как прежде. Алекс оставалось только молиться, чтобы он пришел в себя как можно скорее.

В тот день она легла спать с тяжелым сердцем, и не только из-за Джимми, но и из-за Купа. Что-то неотвратимо менялось в их отношениях, и Алекс ничего не могла с этим поделать. Меньше всего ей хотелось перевоспитывать Купа, да в его семьдесят лет надеяться на это вряд ли возможно. Как и в случае с Джимми, Алекс могла надеяться только на чудо.

Следующий день был у нее выходным, но она поехала в больницу, чтобы быть с Джимми и Валери. Несмотря на то, что она даже не была в резерве, Алекс взяла с собой белый халат и пропуск, благодаря которым могла пройти в палату в любой момент.

— Спасибо вам за все, что вы делаете для Джимми и для меня, — сказала ей Валери. Сегодня они были в больнице вдвоем. Марк вернулся на работу. Тайрин тоже не смогла прийти — Куп, снимавшийся в рекламном ролике для национальной фармацевтической компании, настоял, чтобы она поехала с ним. Никаких изменений по-прежнему не было, и Алекс приготовилась к долгому и — может быть — бесплодному ожиданию.

Алекс и Валери провели в больнице уже несколько часов. Сменяя друг друга, они поднимались к Джимми и разговаривали с ним так, словно он мог их услышать. В одно из таких посещений, когда Валери, стоя у изголовья кровати, разговаривала с сыном, Алекс вдруг показалось, что правая нога Джимми чуть заметно дернулась. Сначала она решила, что это чисто рефлекторное сокращение мышц. Но уже в следующую секунду снова отчетливо пошевелилась вся ступня, и Алекс бросила взгляд на экран одного из мониторов, потом перевела взгляд на сиделку, которая все время сидела в углу. Та тоже это заметила и хотела что-то сказать, но не успела. Джимми снова пошевелился и — очень медленно, с трудом — поднял здоровую руку и сжал пальцы матери. Слезы покатились по щекам Валери, но она продолжала обращаться к сыну. Очень спокойно и уверенно она говорила Джимми, как сильно она его любит и как она счастлива, что ему лучше, хотя никаких признаков этого заметно пока не было. Джимми даже не открыл глаз, и все же в голосе его матери звучали уверенность и торжество, как будто он уже встал с больничной кровати.

Примерно через полчаса Джимми приоткрыл глаза и посмотрел на Валери.

— Мама... — прошептал он.

— Здравствуй, Джимми, мальчик мой... — Она улыбнулась сквозь слезы, а Алекс едва не задохнулась, пытаясь сдержать рвущееся из груди рыдание.

— Что... случилось? — Голос Джимми был хриплым после интубации, говорил он медленно, с трудом, но все же слова можно было разобрать.

— Ты отвратительно водишь машину, сынок, — ответила Валери, и Алекс с сиделкой улыбнулись.

— Машину?.. Что... с машиной?

— Боюсь, что ей досталось больше, чем тебе. Но не горюй — когда ты поправишься, я куплю тебе новую.

— Хорошо... — Джимми устало закрыл глаза, но тотчас снова открыл их и увидел Алекс.

— Алекс?! И ты здесь?!

— У меня свободный день, и я пришла тебя навестить.

— Спасибо, Алекс, — прошептал Джимми и закрыл глаза. Минуту спустя в палату зашел его лечащий врач, которого вызвала сиделка. Проверив рефлексы, он повернулся к Алекс и показал ей сложенные колечком большой и указательный пальцы.

— Есть! Теперь он выкарабкается! — Это была большая победа для всей бригады, и врач имел все основания быть довольным: еще одного человека они сумели вырвать из когтей смерти.

Пока врач осматривал Джимми, Валери рыдала в коридоре на груди Алекс. Оказывается, все это время она не верила, что ее сын выживет, и теперь, когда напряжение спало, совершенно расклеилась.

— Все хорошо, — успокаивала ее Алекс. — Не надо плакать, теперь все будет хорошо...

Она понимала, что Валери прошла через серьезное испытание, и чувствовала огромное облегчение и радость. Теперь ей необходим был отдых, и в конце концов Алекс удалось убедить Валери уехать из больницы. Она сама отвезла ее в «Версаль» и помогла устроиться во флигеле, запасные ключи от которого нашла в ящике стола на кухне. Куп еще не вернулся со съемок, но Алекс надеялась, что он не станет возражать.

— Вы были так добры ко мне, — со слезами на глазах сказала Валери, когда Алекс, убедившись, что в доме есть все необходимое, собралась уходить. — Как бы мне хотелось иметь такую дочь!

Два дня мать Джимми держалась, но теперь малейший пустяк мог заставить ее заплакать.

— А мне бы очень хотелось иметь такую мать! — совершенно серьезно ответила Алекс и, обняв Валери на прощание, вернулась в особняк. Она чувствовала огромное облегчение. Приняв ванну, Алекс вымыла и уложила волосы и немного поспала. Иначе она, наверное, могла бы свалиться.

Куп вернулся в одиннадцатом часу. У него тоже выдался нелегкий день.

— Господи, как же я вымотался! — простонал он, наливая себе, Алекс и Тайрин по бокалу шампанского. — Даже когда я играл на Бродвее, я не уставал так, как после съемок этой паршивой рекламы!

Он действительно выглядел осунувшимся, но довольным. Ему очень неплохо заплатили, к тому же Куп был рад, что Тайрин понравилось на съемках. Она так увлеклась, что едва не забыла про Джимми. Несколько раз Тайрин звонила в больницу, но это было до того, как Джимми пришел в себя, и она была не в курсе последних событий.

— Что новенького, Алекс? — спросила она. — Как дела у Джимми?

— Превосходно! — Алекс улыбнулась. — Он очнулся. Теперь все должно быть хорошо. Конечно, ему еще придется полежать в больнице, но теперь он точно поправится. — Голос ее невольно дрогнул, выдавая волнение.

— И после этого он жил долго и счастливо, — сказал Куп и покровительственно улыбнулся. — Я же говорил, что все обойдется. Право же, не стоит мешать богу исполнять его обязанности!

Но эти слова противоречили всему, что делала и во что верила Алекс. Она была не против вмешательства всевышнего, но считала, что каждый человек должен честно выполнять то, что диктуют ему совесть и элементарная порядочность.

— Это было бы слишком просто, — возразила она, но Куп предпочел ее не услышать.

— А как Валери? — спросила Тайрин.

— Разумеется, она счастлива, только очень устала. Я поселила ее во флигеле. Надеюсь, ты не против? — повернулась Алекс к Купу.

— Нисколько, — величественно ответил он. — Но не лучше ли ей было взять номер в отеле, где есть и ресторан, и коридорная служба? В ее возрасте, наверное, непросто себя обслуживать.

— Может быть, она не может позволить себе отель, — возразила Алекс. — К тому же Валери вовсе не старуха.

— Вот как? — переспросил Куп, впрочем, без особого интереса. Все волнения и тревоги прошедших двух дней надоели ему до крайности, и он желал только одного — чтобы все как можно скорее успокоилось и пришло в норму. — Сколько же ей?

— Ей лет пятьдесят с небольшим, но выглядит она на сорок — сорок два, максимум на сорок пять.

— Валери пятьдесят три года, — вставила Тайрин. — Я у нее спросила. Но выглядит она действительно потрясающе. Если не знать, что она мать Джимми, ее можно принять за его сестру.

— Что ж, по крайней мере можно не беспокоиться, что она упадет с крыльца и что-нибудь себе сломает. — Куп вздохнул с явным облегчением. Он был очень доволен, что все проблемы остались в прошлом. Кроме того, Куп был искренне рад за Джимми, просто ему претили мелодраматические эффекты. Главное, теперь ничто не мешало ему вернуться к привычному образу жизни.

— Что вы собираетесь делать завтра? — весело поинтересовался Куп. Ему удалось заработать приличную сумму, и у него было отличное настроение.

— Работать, что же еще! — ответила Алекс и рассмеялась.

— Опять?.. — Лицо Купа разочарованно вытянулось. — Как скучно! Может быть, ты все-таки постараешься взять выходной, и мы съездим на Родео-драйв, прошвырнемся по магазинам?

— Мне бы очень хотелось... — Алекс улыбнулась ему. Куп снова стал похож на влюбленного мальчишку, на которого невозможно сердиться.

— Боюсь только, — добавила она, — мое начальство будет очень недовольно, если я скажу, что не могу прийти на работу потому, что мне нужно пошататься по шикарным бутикам. Может быть, мне лучше просто выйти на работу? — улыбнулась Алекс.

В полночь они отправились спать. Алекс и Куп долго занимались любовью, и когда на следующее утро она уходила, он даже не проснулся. Алекс все же поцеловала его на прощание. Она простила ему и равнодушное отношение к судьбе Джимми, и недостаток мужества. Алекс знала — некоторые люди по-настоящему теряются, когда им приходится сталкиваться с тяжелой болезнью или несчастным случаем. Она сама знала нескольких мужчин, которые, порезав палец, падали в обморок. Возможно, что, любя Купа, она пыталась оправдать его — оправдать любой ценой. Наверное, иначе Алекс просто не могла поступить — в противном случае ее собственное душевное спокойствие могло оказаться под угрозой. По ее мнению, любовь означала в первую очередь понимание, готовность к компромиссу и способность прощать. Но если бы такой вопрос задали Купу, он бы скорее всего ответил, что любовь — это красота, секс, наслаждение и что она должна быть предельно простой. В этом-то и заключалось главное противоречие. Хотя Алекс и прожила на свете вдвое меньше Купа, она была во многих отношениях мудрее его и давно знала, что человеческие отношения, особенно такие, как любовь или дружба, по определению не могут быть простыми. Но Куп стремился именно к беспроблемности, ничем не осложненной чувственности.

В обеденный перерыв она поспешила в травматологию, чтобы повидать Джимми. Валери Алекс не застала — минут пять назад она ушла в кафе, чтобы перекусить, и несколько минут они с Джимми разговаривали о его матери. Алекс призналась, что Валери ей очень нравится, и Джимми ответил, что ничего другого он не ожидал. Для него мать была самым лучшим человеком на свете — правда, после Маргарет.

Потом он сообщил Алекс новость: его дела шли настолько хорошо, что уже завтра утром его собирались перевести из интенсивной терапии в обычную палату.

— Это все благодаря вам, — сказал Джимми и чуть заметно кивнул. — Кстати, спасибо, что побыла с мамой, пока я валялся в отключке. Она сказала, что вчера ты провела с ней почти весь день. Я очень благодарен тебе за это. Если бы не ты...

— Я просто не хотела, чтобы она оставалась одна, — перебила Алекс. — Больничная обстановка, особенно в отделении интенсивной терапии, может напугать человека, а я тут все знаю. Даже знаю, для чего используется большинство этих приборов и установок... — Она показала на громоздившиеся вдоль стены специальные медицинские приборы, большинство которых были уже отключены.

И Алекс снова улыбнулась Джимми. Он выглядел значительно лучше, чем вчера, и она решилась задать ему вопрос, который не давал ей покоя все эти дни.

— Как все это произошло? — спросила она доверительным тоном. — Твой врач сказал, что ты не был пьян. Что же случилось?

Она сидела совсем близко к его кровати, и Джимми машинально стиснул ее руку.

— Не знаю... Не помню... Машина вдруг потеряла управление. Старые покрышки. Неисправные тормоза. Масляное пятно на дороге... Я...

— Ты уверен, что не хотел этого сам? — осторожно спросила Алекс. — Ты сам направил машину к обрыву или... или просто не стал ничего предпринимать, когда тебя вдруг понесло к нему?

Она почти шептала, но Джимми ее услышал. Он долго молчал, потом заговорил:

— Честно говоря, Алекс, я не знаю. Я сам все время задаю себе тот же вопрос. Тогда... когда это произошло, я был как в тумане. Я думал о ней, о Маргарет... В воскресенье был ее день рождения. Наверное, в какую-то долю секунды я решил: пусть... пусть будет что будет. Машину стало заносить, но я ничего не предпринял. Потом я опомнился и начал выворачивать руль, но было поздно. Последнее, что я видел, это свет фар, которые освещали какой-то каменистый склон, потом — темнота...

Это было почти слово в слово то, что Алекс ожидала услышать, и все же она стояла, парализованная ужасом, не в силах ни пошевелиться, ни что-то сказать. Лицо Джимми отражало не меньший страх.

— Нелегко признаваться в этом, — добавил он чуть слышно, — но на какую-то долю секунды я решил положиться на судьбу. Все обошлось, но... это просто случайность. Все могло быть и по-другому, хотя я бы не сказал, что я сознательно к этому стремился...

— Я понимаю... Вернее, мне кажется, что я понимаю, — сказала Алекс. — Ты устал страдать и доверился высшим силам. И ты получил ответ. Что ж, теперь ты должен жить, а пока выздоравливать, — закончила она, улыбнувшись.

— Да. — Джимми осторожно кивнул в ответ. — Я выздоровею, кости растутся, и я буду крепко стоять на ногах. В последнее время я и сам думал о том, чтобы обратиться к хорошему психоаналитику. Я уже сам не мог выносить того, что со мной творилось. Мне казалось — я медленно тону и никак не могу выкарабкаться на поверхность. Теперь... — Он бросил взгляд на медицинское оборудование, на свои ноги в гипсе, и в лице его что-то неуловимо изменилось. — ...теперь я чувствую себя намного лучше, хотя это, наверное, звучит глупо.

— Я рада это слышать, — кивнула Алекс. Джимми действительно выглядел лучше, и она была рада этому. — Впредь я буду приглядывать за тобой. Вот увидишь — я от тебя не отстану, пока ты снова не начнешь смеяться, плавать, прыгать, играть в теннис.

— Ну, прыгать я не смогу еще очень долго, — улыбнулся Джимми. Действительно, сначала ему предстояло ездить в инвалидном кресле, потом ковылять на костылях, потом — понемногу ходить. На это могли потребоваться недели, но его мать уже сказала, что останется в Лос-Анджелесе и будет ухаживать за ним, пока он не окрепнет. А Джимми обещал готовить ей роскошные обеды и ужины, чего не делал с тех пор, как умерла Маргарет. Врачи сказали, что он сможет вернуться на работу не раньше чем через два месяца, но ему уже не терпелось снова оказаться в Уоттсе, среди своих маленьких друзей, и Алекс решила, что это добрый знак.

— Спасибо тебе за заботу, за все... — сказал Джимми. — Кстати, как ты догадалась?.. — Он имел в виду, как Алекс узнала о подлинных причинах аварии и о той роли, которую он сам сыграл в происшедшем с ним несчастье.

— Ведь я врач, или ты забыл? — Она улыбнулась.

— Не забыл, но ведь младенцы обычно не водят машины и не срываются с утесов.

Алекс слегка пожала плечами.

— Должно быть, это знаменитая женская интуиция, — сказала она шутливо, но тут же снова стала серьезной. — Я не знаю, как я догадалась. Но как только Марк сказал мне об аварии, я сразу подумала... нет, почувствовала: что-то не так.

— Ты очень проницательная женщина. — «Умная, заботливая, добрая, внимательная», — добавил он мысленно.

— Просто мне не все равно, что с тобой случится, — ответила она, и Джимми кивнул. Алекс тоже была ему небезразлична, но он побоялся сказать это вслух.

На ходу дожевывая сандвич, вернулась Валери. Обменявшись с ней приветствиями, Алекс отправилась к себе в неонатологию, а Валери, усевшись рядом с сыном, принялась возносить ее до небес.

— Марк говорит, Алекс — подружка Купера Уинслоу, — сказала она. — Как тебе кажется, он не слишком стар для нее? — Валери было очень любопытно, что могла найти Алекс в стареющем актере. Сама она еще ни разу не видела Купера и не знала, каким он умеет быть обаятельным. Впрочем, она много слышала о нем от сына и Марка.

— Если даже и так, то Алекс, по-видимому, придерживается другого мнения, — неохотно ответил Джимми. За последние два дня он узнал Алекс еще лучше и окончательно убедился, что Куп ее не заслуживает.

— Что он за человек, Купер Уинслоу? — спросила Валери.

Глядя на нее, Джимми почувствовал, что проголодался. Его все еще держали на жидкой диете, которую нельзя было назвать особенно питательной, но дело было не в этом. Просто он уже забыл, когда в последний раз испытывал голод. Может быть, подумал он, Алекс была права, и ему удалось изгнать всех демонов, владевших его разумом и душой? Он дошел до края и прыгнул вниз — и остался цел, хотя и не благодаря своим собственным усилиям. Что ж, быть может, эта авария и вернет его к жизни?

— Купер Уинслоу — это самый эгоистичный, самый очаровательный и самый безвольный мужчина из всех, каких я когда-либо знал, — ответил Джимми. — К сожалению, Алекс этого не видит, — добавил он раздраженно.

— Ну, я бы не стала утверждать этого так категорично, — возразила Валери. — Женщины намного проницательнее мужчин, они видят многое, просто по особому складу своего характера предпочитают не торопиться. Они собирают, накапливают сведения; они могут даже вовсе не воспользоваться ими, но это не значит, что они не замечают очевидного. А Алекс, насколько я могу судить, очень умная и проницательная молодая леди.

— О, она просто чудо! — не сдержавшись, выпалил Джимми и покраснел. В ответ Валери только кивнула, сделав вид, будто ничего не заметила, однако последние слова сына только укрепили ее подозрения. Она чувствовала, что Джимми относится к Алекс не только как к хорошей знакомой, хотя сам он, скорее всего, об этом даже не догадывался.

— Я так и поняла, — сказала она. — И я уверена, что Алекс не сделает неверного шага. Похоже, на данный момент Куп ее вполне устраивает, хотя их союз и мне показался странным. Я кое-что о нем слышала, и... Слишком они разные люди.

Однако на следующий день Валери была вынуждена изменить свое мнение о Купе, каким бы оно ни было. Джимми перевели в отдельную частную палату, и Куп прислал ему гигантский букет цветов. Сначала, правда, Валери подумала, что это дело рук Алекс, но потом убедилась в своей ошибке. Это был как раз такой букет, какой мог послать мужчина, причем мужчина, привыкший покорять женщин одним ударом. Купу даже не пришло в голову заказать для Джимми меньше пяти дюжин крупных красных роз.

— Как ты думаешь, он хочет сделать мне предложение? — шутливо спросил Джимми у матери.

— Надеюсь, что нет, — со смехом отвечала Валери. — У него есть Алекс.

Но в глубине души она надеялась, что Куп все-таки не женится на Алекс, которой, по мнению Валери, нужен был человек более молодой, надежный, заботливый и преданный, способный дать ей крепкое семейное счастье и, главное, детей. И таким человеком вполне мог стать Джимми, ее Джимми, которого она считала лучшим мужчиной на свете. К счастью, Валери была достаточно умна, чтобы не заговаривать об этом вслух. Джимми и Алекс были пока просто друзьями, им этого хватало, и Валери решила подождать, пока они оба прозреют.

Алекс продолжала навещать Джимми и когда была на работе, и в свои свободные дни. Она приносила ему книги, журналы, рассказывала ему смешные истории, а однажды даже купила «пукающую машинку» с дистанционным управлением, чтобы он мог вгонять в краску сестер и сиделок. Подобные розыгрыши она всегда считала довольно глупыми, но машинка Джимми неожиданно понравилась. Но больше всего времени они проводили, разговаривая обо всем на свете, в том числе о таких серьезных вещах, как о его родителях, о его жизни с Маргарет, о том, как сильно ему ее не хватало. Алекс в ответ рассказывала ему о своем несостоявшемся замужестве, об отце с матерью, об их отношениях — о том, какими бы ей хотелось их видеть и какими они были на самом деле. Открывая друг другу самые сокровенные тайны, они незаметно становились все более близкими друзьями. Во всяком случае, оба были уверены, что это не что иное, как дружба, но Валери, бывшая невольной свидетельницей того, как развивались их отношения, знала, что это не так. Вне зависимости от того, сознавали они, что происходит, или нет, в чаше, из которой они так жадно пили, зрел напиток куда более крепкий и хмельной, и Валери была только рада этому. И единственной мухой в этой чаше сладкого меда был Куп.

Когда настал уикенд, Валери представилась возможность увидеть «муху» своими глазами, и она вынуждена была признать, что Куп был именно таким, как его описывал Джимми. Эгоистичным, самовлюбленным, самоуверенным, с одной стороны, и обаятельным, непосредственным, веселым и щедрым — с другой. Его внешность произвела на Валери впечатление. Она и представить себе не могла, что мужчина в семьдесят лет может так выглядеть. Правда, Валери видела Купа в рекламах и эпизодических ролях в фильмах, но ей всегда казалось, что его блистательная внешность целиком создана трудом искусных голливудских гримеров и пластических хирургов. Теперь же она убедилась, что Куп и в самом деле таков, каким представал на телеэкранах.

Но было в нем и еще кое-что, чего Джимми по молодости лет не мог ни разглядеть, ни понять. Валери увидела в нем одинокое, ранимое, испуганное человеческое существо. Как бы хорошо он ни выглядел, каким бы количеством молодых девушек себя ни окружал, в глубине души Куп давно знал, что конец уже близок и занавес вот-вот опустится. И он боялся старости, болезней, боялся утратить свою моложавую внешность, боялся умереть. Это было ясно хотя бы по тому, как Куп реагировал на случившееся с Джимми. И по его глазам тоже. Даже когда он смеялся, его глаза оставались усталыми и печальными, и Валери пожалела его. Перед ней был человек, который боится своего собственного страха. Все остальное было просто маскировкой, за которую Куп отчаянно держался, боясь, как бы не остаться голым на слишком сильном ветру. Даже история с Шарлен при всем ее скандальном характере была нужна Купу, чтобы питать его «эго». Несмотря на неоднократные утверждения, будто все это ему крайне неприятно, Куп втайне гордился тем, что в семьдесят лет еще способен делать детей. Подсознательно он даже использовал беременность Шарлен в качестве оружия против Алекс. Он как бы напоминал ей, что на свете существуют и другие женщины, которые хотели бы иметь от него ребенка. Впрочем, Валери вовсе не была уверена, что Алекс по-настоящему любит Купа. Несмотря на связывавшие их близкие отношения, он был для нее не любовником, а скорее нежным, заботливым, внимательным отцом, которого ей всю жизнь так не хватало.

Объяснить все это сыну Валери бы не взялась — скорее всего, он бы ее просто не понял. Однако, несмотря на то, что она никогда не верила в возможности любительского психоанализа, отношения внутри небольшой группы людей, поселившихся в «Версале», представлялись ей весьма и весьма любопытными. Здесь было о чем подумать. Лишь в отношении Марка и Тайрин можно было сказать, что они определенно нравятся друг другу; все остальное было покрыто туманом.

Сложность и противоречивость характера Купа очень заинтересовали Валери; она же не произвела на актера особенного впечатления. Валери О'Коннор явно не принадлежала к категории женщин, благосклонности которых Куп привык добиваться. Даже по возрасту она годилась в матери тем сопливым девчонкам, которых Куп пачками укладывал к себе в постель. Несколько позднее он сказал Алекс, что в ней ему понравились приятные манеры, естественная и легкая грация движений, воспитанность и такт, но что она — «не в его вкусе». И действительно, в Валери не было ничего претенциозного. Одевалась она просто и не предпринимала никаких мер, чтобы казаться моложе, чем была на самом деле. Но минимум косметики на лице, темные джинсы и темная водолазка с тонкой ниточкой жемчуга как раз и придавали ей такой вид, словно ей было не за пятьдесят, а как минимум на десяток лет меньше. Вместе с тем в ней чувствовались безукоризненное воспитание и врожденное чувство такта.

— Жаль, что она стеснена в средствах, — с сочувствием сказала Куп Алекс. — Эта миссис О'Коннор выглядит как настоящая леди, и единственное, чего ей недостает, это небольшого состояния. Такая женщина, как она, просто обязана быть богатой — этого требует мое чувство гармонии. — Он рассмеялся. — Впрочем, то же самое я могу сказать и о себе.

Действительно, из всей компании, собравшейся в «Версале», только Алекс была по-настоящему богата, но на ней это никак не отражалось. И ей на самом деле было все равно, есть у нее деньги или нет. Как юноша не замечает своей молодости, так щедрый не замечает своего богатства. Куп считал, что деньги нужны только для того, чтобы тратить их на удовольствия. Алекс на свое наследство обращала внимания не больше, чем на склад нестираных халатов в своей квартире. Казалось, иногда оно ей просто мешает. Куп считал, что Алекс просто не умеет распоряжаться деньгами, и был готов научить ее этому, но ему продолжала мешать собственная совесть. Проклятая совесть! Он пытался справиться с ней, но пока тщетно. Что-то мешало ему поступить так, как требовали обстоятельства, хотя внешне ситуация казалась предельно простой. Алекс любила его, Куп любил ее, и им оставалось только пожениться, чтобы вместе жить в «Версале» на ее деньги. Но как раз на этот-то последний шаг Куп никак не мог решиться.

На следующий день Куп снова увидел Валери. Она отдыхала у бассейна, сидя в шезлонге в тени его любимого куста. Алекс убедила ее, что она непременно должна отдохнуть, и после долгих колебаний Валери решила не ездить к Джимми в первой половине дня. Но просто сидеть во флигеле и читать ей было скучно, поэтому она переоделась в черное бикини и отправилась к бассейну, чтобы поплавать и позагорать на жарком калифорнийском солнце.

У нее была безукоризненная фигура, и Алекс и Тайрин отчаянно ей завидовали — обе были бы просто счастливы к пятидесяти годам выглядеть так хорошо. Когда же они сказали Валери об этом, она ответила, что все дело в удачной наследственности и что ей не приходится предпринимать почти никаких усилий, чтобы поддерживать себя в форме, однако было заметно, что слова молодых женщин ей приятны.

Увидев, что его место занято, Куп не стал расстраиваться. Вместо этого он, проявив галантность, пригласил Валери в дом на бокал шампанского. Она ответила согласием — не столько из-за приличий, сколько из желания взглянуть на «Версаль» изнутри. Обстановка особняка поразила ее. В доме не было ничего показного или безвкусного, хотя Валери вполне способна была оценить, сколько на самом деле стоит эта золоченая антикварная мебель и затканные цветами шелковые обои. Как она впоследствии говорила Джимми, это был дом очень солидного человека. И вновь она подумала, что Алекс здесь не место, но она и Куп выглядели вполне счастливыми и довольными друг другом, и Валери в конце концов решила, что может и ошибаться. Быть может, рассуждала она, Куп действительно имеет в отношении Алекс самые серьезные намерения. Он был с ней так внимателен, нежен и заботлив, что сразу было ясно — он по уши влюблен. Другое дело, способен ли Куп на чувство по-настоящему глубокое. Насколько Валери могла судить, все его чувства были достаточно поверхностными. Он как будто не жил, а играл в жизнь, однако она допускала, что Куп вполне может жениться на Алекс — если не из мальчишеского желания доказать что-то окружающим, то хотя бы ради денег семьи Мэдисон. Валери от всего сердца надеялась, что это не так и что Купу нравятся в Алекс не только размеры ее банковского счета.

Саму Алекс подобные проблемы, похоже, не волновали. С Купом она чувствовала себя очень уютно и спокойно, к тому же ей явно нравился «Версаль», а в Тайрин она обрела добрую и искреннюю подругу.

— У тебя просто чудесные друзья, — сказала Валери сыну, когда приехала к нему вечером. Потом она рассказала ему, как Куп угостил ее шампанским, и поделилась впечатлениями от своей экскурсии по «Версалю».

— Это настоящий дворец, — закончила она. — Другого слова я не подберу. Но все равно флигель нравится мне больше. И я хорошо понимаю, почему ты там поселился. Там очень спокойно — словно живешь где-то на природе в нашей с тобой Ирландии.

— А наш роскошный мистер Уинслоу не пытался за тобой приударить? — поинтересовался Джимми.

— Разумеется, нет! — рассмеялась его мать. — Я лет на тридцать старше его идеала. Кроме того, Куп достаточно умен, чтобы понимать — в моем возрасте я вижу его насквозь. Правда, ему бы пошло только на пользу, если бы какая-нибудь женщина вроде меня взяла его в оборот, но мне жаль тратить на это время и силы. — Она улыбнулась. — Чтобы перевоспитать такого, как Куп, нужно очень много энергии, упорства и желание.

У нее действительно не было ни сил, ни желания флиртовать с Купом. Валери всегда говорила, что дни, когда ее интересовали мужчины, давно прошли. Ей нравилась жизнь, которую она вела, к тому же у нее был Джимми. Она уже пообещала, что не вернется в Бостон до тех пор, пока он не выздоровеет, и Джимми был очень этому рад. Вот уже несколько лет он общался с матерью в основном по телефону. Виделись они крайне редко, урывками, а с ней ему всегда было интересно и легко, ибо, кроме чисто родственных отношений, их связывала тесная дружба.

— Может, ты все-таки попытаешься? — шутливо предложил Джимми. — Хотя бы из спортивного интереса — пусть Алекс немного поволнуется за своего драгоценного Купа.

— Боюсь, ничего не выйдет. Ей достаточно пальцем пошевелить, и Куп снова будет принадлежать ей со всеми потрохами, — так же шутливо ответила Валери. Другое дело, подумала она, нужно ли это Алекс, но ответ на этот вопрос могло дать только время.

Глава 21

Наступил июнь. Роман между Марком и Тайрин набрал полную силу. Пока, впрочем, они встречались тайно — ни он, ни она не хотели посвящать Джейсона и Джессику. Дети успели полюбить Тайрин и запросто с нею общались, но в последнее время оба сильно нервничали из-за необходимости возвращаться в Нью-Йорк к матери. С тех пор как Джейсон и Джессика переехали в Лос-Анджелес, Дженнет

...иделась с ними только один раз, когда во время пасхаль-
ых каникул Марк и дети ненадолго прилетали в Нью-
Йорк. Кроме того, они звонили ей очень редко, а если зво-
ила она, то разговаривали крайне сдержанно, и Дженнет
была очень этим обеспокоена. В конце концов она сама позвонила Марку и потребовала, чтобы он немедленно отправил обоих к ней. Дженнет хотела, чтобы Джейсон и Джессика оставались с ней до ее свадьбы. Она и Эдам решили
пожениться в уикенд Четвертого июля[1], и Дженнет решила, что они обязательно должны присутствовать на церемонии. Марк не возражал, но дети неожиданно заупрямились.

— Никуда я не поеду! — заявила Джессика, когда Марк
попытался обсудить проблему с ними. Она все еще серди-
лась на мать. Джейсон не был столь категоричен, но
можно было не сомневаться: он поддержит сестру, как бы
она ни поступила.

— Но почему?! — воскликнул Марк.

— Потому что я не хочу идти на их дурацкую свадьбу, —
отрезала Джессика. — Я хочу остаться с тобой, с Тайрин и
со своими друзьями.

— Давай не будем мешать все в одну кучу, — рассудительно сказал Марк. — До свадьбы еще целый месяц. А вот то,
что ты не хочешь повидаться с родной матерью, мне не
нравится.

— Да, я не хочу ее видеть, — резко сказала Джессика. —
Не хочу. Она бросила тебя ради этого ублюдка!

— Это касается только меня и Дженнет, — возразил
Марк. — К вам это не имеет никакого отношения.

В ответ Джессика сверкнула глазами, и Марк только головой покачал. Он давно понял, что Дженнет сожгла за собой все мосты. Теперь она могла идти только вперед, но ей
было трудно, а Эдам не смог или не захотел ей помочь.
Вместо того чтобы завоевать доверие Джесс и Джейсона,
он попытался навязать им себя чуть ли не силой. Одно его
заявление, что он встречался с Дженнет, еще когда она
жила в Калифорнии, способно было сделать его для детей

---

[1] Четвертое июля — День независимости — главный госу-
дарственный праздник США, отмечаемый 4 июля в честь приня-
тия в 1776 г. Декларации независимости.

врагом номер один. Сама Дженнет только подлила масла [в] огонь, когда попыталась удержать их в Нью-Йорке, прибе[г]нув к запретам и ограничениям. Подобная тактика пред[?]ставлялась Марку по меньшей мере неразумной, и тепер[ь] Дженнет пожинала ее плоды. Оставалось только надеяться, что в конце концов дети все-таки поймут мать и постараю[т]ся простить, но Марк понимал, что это будет еще не скоро. Быть может, этого вообще никогда не случится, если Дже[н]нет и дальше будет вести себя по отношению к детям так, словно они — бесчувственные куклы, с которыми можно де[?]лать все, что угодно.

— В любом случае вы не должны обижать ее, — добави[л] Марк. — Ведь она вас любит!

— Я тоже ее люблю, — ответила Джессика со слезами н[а] глазах. — Но все равно я очень на нее сердита! Зачем он[а] выходит замуж за этого козла?!

Ей недавно исполнилось шестнадцать, а Марк где-то чи[?]тал, что для девочки в этом возрасте конфликт с матерь[ю] является почти естественным состоянием, однако не бес[?]покоиться он не мог. Джейсон выступал против матери н[е] так резко, как сестра, однако Марку было ясно — он тож[е] обижен и разочарован. С ним детям было очень хорошо [и] спокойно, и сознание этого приятно согревало самолюби[е] Марка, однако он понимал, что должен в первую очеред[ь] быть справедливым.

— И в эту кретинскую школу я тоже не хочу ходить! [—] добавила Джессика, хотя Марк об этом еще не заикался. Дженнет действительно хотела, чтобы осенью дети верну[?]лись в ту же школу в Нью-Йорке, но сказать об этом детям у него не повернулся язык.

Этот разговор так ни к чему и не привел, и в конце кон[?]цов Марк позвонил Дженнет, чтобы обсудить с ней поло[?]жение.

— Ничего не получается, Дженнет, — сказал он. — Я пы[?]тался поговорить с ними, но они и слушать ничего не жела[?]ют. Они не хотят ни возвращаться в Нью-Йорк, ни присут[?]ствовать на твоей свадьбе. — О том, что они не хотели ви[?]деть саму Дженнет, Марк умолчал. Он был уверен, что Джессика сказала это сгоряча.

— Как они могут?! — разрыдалась Дженнет. — Ты отец, ы должен их заставить!

— Не могу же я запаковать их в мешки и погрузить на амолет! — сухо сказал Марк. — Они тоже люди, и у них сть чувства, которые надо уважать. Вы с Эдамом этого не делали, и вот результат... — Марк крепко стиснул зубы. 'оль посредника-миротворца изрядно ему надоела. Джен-ет сама выбрала свой путь, а теперь жалуется, что тропа казалась слишком каменистой. Впрочем, злорадства он не спытывал. Им с Тайрин было настолько хорошо вместе, и Марк готов был любить весь белый свет, включая свою не-ерную женушку.

— Могу дать только один совет, — добавил он. — Ты олжна сама приехать в Лос-Анджелес и поговорить с деть-и. Я уверен, что так ты добьешься гораздо большего...

Но Дженнет даже слушать его не захотела.

— Вечно ты городишь какую-то чепуху! — вспыхнула на. — Спросил бы сначала, есть у меня время разъезжать уда-сюда или нет.

Они с Эдамом сняли на лето дом в Коннектикуте и го-овились к свадьбе, на которой должно было присутство-ать не меньше двухсот пятидесяти гостей.

— Что ж, если ты не хочешь ничего предпринять, в аком случае твои дети просто не придут к тебе на свадьбу, олько и всего, — отрезал Марк. — Так что тебе решать, сть у тебя время или нет.

— Заставь их! — Дженнет явно разозлилась. — Если ты е сделаешь этого, я обращусь в суд, и их доставят в Нью-Йорк силой.

«Только сделай это — и потеряешь их навсегда!» — отел ответить Марк, но сдержался. Он был уверен, что Дженнет и сама это поймет, когда немного остынет. Вмес-о этого он сказал:

— Джейсон и Джессика уже не младенцы — им четыр-надцать и шестнадцать. Конечно, они еще несовершенно-етние, но в таком возрасте суд может и учесть их жела-ие. Ты ничего не выиграешь, а потерять можешь многое.

— Суд не станет слушать малолетних преступников, а они ведут себя даже хуже.

— Нет, — тихо, но твердо возразил Марк. — Они не пре-

ступники, просто ты очень их обидела. Они считают, т
солгала им, когда сказала, что познакомилась с Эдамо
только недавно. И ты действительно обманула их, Дже
нет. А этот твой Эдам и вовсе сказал открытым тексто
что ты бросила меня ради него. Я думаю, в нем говори
обычное самолюбие, а не злой умысел — по крайней мер
я надеюсь на это, — но это мало что меняет. Дети услыш
ли его — и сделали свои выводы.

— Он просто не привык к детям — у него своих не б
ло... — Дженнет продолжала защищать Эдама, хотя и пон
мала, что Марк прав.

— Честность — лучшая политика, а с детьми — еще еди
ственно возможная, — сказал Марк. Он никогда не лг
детям, да и Дженнет до своего знакомства с Эдамом — т
же. Он словно околдовал ее, и теперь она делала все, чт
он пожелает.

— Извини, Дженнет, — добавил он, — но я ничем не м
гу тебе помочь, пока ты сидишь сложа руки. Приезжай
выходные, мы все обсудим спокойно, и, может быть, пр
блема решится.

В конце концов Дженнет все-таки приехала. Она ост
новилась в отеле «Бель-Эйр», и Марк сумел убедить дете
пожить с ней эти два дня. К сожалению, им так и не уд
лось решить все вопросы. Дети согласились поехать в Нь
Йорк, но только на три недели, то есть до конца июн
Идти на свадьбу они по-прежнему не хотели, и Дженне
пришлось пообещать, что она не будет их заставлят
Дженнет была уверена, что после того, как они окажутся
Нью-Йорке, она сумеет их уговорить, но Марк в это
очень сомневался. Кроме того, Джессика весьма недв
смысленно заявила матери, что в школу она будет ходит
только в Лос-Анджелесе, и Джейсон поддержал сестру. Чу
ствуя, что и в этом вопросе ей придется уступить, Дженне
нехотя согласилась и даже предложила Марку составит
что-то вроде расписания. Она хотела, чтобы в течени
учебного года дети приезжали к ней в Нью-Йорк два раза
месяц и на каждые каникулы, и Марк сказал, что попытае
ся их уговорить.

В целом Джессика и Джейсон остались очень доволь
тем, что мать позволила им остаться с отцом; они счита

то важной победой, и Марк не мог с ними не согласиться. Какой-никакой компромисс был найден, и он надеялся, что то — первый шаг. Уже через год, рассуждал он, дети станут старше и начнут лучше понимать собственную мать; быть может, тогда им будет проще простить ее.

В начале следующей недели Джессика и Джейсон улетели в Нью-Йорк в отличном настроении. Они были уверены, что через месяц вернутся к отцу в свой любимый Лос-Анджелес, а Марк и печалился, и радовался их отъезду. Печалился он потому, что — пусть недолгая — это все же была разлука; радовался же он по той простой причине, что теперь ничто не мешало Тайрин перебраться к нему в гостевое крыло. Впрочем, в последнее время они скрывали свои отношения от детей скорее по привычке, чем по необходимости. Тайрин и Джессика стали подружками, к тому же Тайрин не разрушала их семью и не «уводила» Марка, как это сделал Эдам. Таким образом, можно было надеяться, что, когда настанет решительный момент, ни Джессика, ни Джейсон не примут Тайрин в штыки.

Сама Тайрин тоже успела полюбить детей Марка. Ей еще никогда не приходилось так тесно общаться с подростками, и она была удивлена, насколько интересно и легко ей было с ними, несмотря на разницу в возрасте. Она находила Джессику и Джейсона немного забавными, но хорошо воспитанными, а главное — почтительными и любящими, и это ей ужасно нравилось.

— Если выйдет так, что Джесс и Джейсон в конце концов останутся со мной, — сказал Марк через несколько дней после их отъезда, — мне придется подыскивать подходящий дом. Не могу же я вечно снимать гостевое крыло у твоего отца! Это обходится недешево, к тому же нам нужно свое место.

Время у него еще было, но Марк решил, что начнет подыскивать постоянное жилье в самые ближайшие дни. Новый дом мог потребовать ремонта или даже частичной перестройки, но это его не пугало, так как по договору они могли жить в гостевом крыле до февраля. Уезжать из «Версаля» Марку было немного жаль — особняк очень ему нравился, однако он понимал, что Куп вряд ли продлит ему с детьми срок аренды.

Разговаривая с Тайрин о будущем, Марк коснулся и пе
спективы их отношений.

— Хотела бы ты жить с нами... со мной? — спросил о
серьезно. Для Марка это был очень важный вопрос. За пр
шедшие пять месяцев его жизнь круто изменилась; каз
лось, еще недавно он был раздавлен внезапным уходо
Дженнет, но сейчас ему уже казалось — он знает Тайри
всю жизнь. Она была чудесной женщиной и очень ему нр
вилась, к тому же дети, похоже, тоже были не против, чт
бы Тайрин стала их мачехой.

— Это очень интересное предложение! — рассмеялас
Тайрин, целуя его. — Думаю, что, если ты немного постар
ешься, тебе легко удастся меня уговорить.

Тайрин вовсе не торопилась снова выходить замуж, н
предложение Марка неожиданно пришлось ей по душ
Куп сказал ей, что, когда его жильцы съедут, она может п
селиться в гостевом крыле или во флигеле — где ей больш
понравится, но Тайрин уже поняла, что хочет жить с Ма
ком и его детьми.

— Ты уверен, что Джессика и Джейсон не будут пр
тив? — спросила она. — Мне бы не хотелось вызывать и
неприязненную реакцию.

— Не волнуйся, они тебя любят, — заверил ее Марк.
Ведь ты не Эдам Джойс! Это его они ненавидят.

Эти несколько недель, которые Марк и Тайрин прове
ли вдвоем, еще больше укрепили их отношения, и они об
готовы были оформить их официально. События развив
лись столь стремительно, что Тайрин решилась погово
рить с Купом. Он не удивился, но и не сумел скрыть своег
разочарования.

— Мне бы хотелось, чтобы ты нашла себе кого-нибуд
поинтереснее, — сказал он без обиняков. При этом тон
него был таким, словно это он вырастил свою драгоценну
дочь. Неожиданно для себя Куп почувствовал потребност
заботиться о дочери — опекать, баловать, оберегать от н
приятностей. За три месяца Тайрин настолько прочно во
шла в его жизнь и в его сердце, что он хотел во что бы т
ни стало оставить ее при себе, в «Версале».

— Я вовсе не уверена, что мне нужен кто-то поинтере
нее, — возразила Тайрин. — Больше того, я точно знаю, чт

этого не хочу. К тому же у меня очень интересный отец, поэтому мне вполне достаточно обычного мужа, — добавила она. — Мне нужен человек спокойный, верный, надежный. А Марк именно такой. К тому же он хороший человек, — с нажимом сказала она.

Этого даже Куп не мог отрицать, хотя всякое упоминание о налоговом законодательстве вызывало у него неудержимую зевоту.

— А как насчет его детей? Надеюсь, ты не забыла, что мы с тобой не воспринимаем молодое поколение, так сказать, на генетическом уровне. Сможешь ли ты жить в одном доме с этими юными хулиганами и вандалами? — сказав это, Куп немного покривил душой. Он ни за что бы не признался в этом, но в последнее время он стал относиться к Джейсону и Джессике гораздо терпимее. К своему громному изумлению, он обнаружил, что они вовсе не склонны ломать все, что попадет под руку; иногда (когда их не было поблизости) Куп даже находил их приятными. Ну, почти приятными...

— А мне они нравятся, — просто сказала Тайрин. — То есть нет, не так... Я полюбила их, папа.

— О господи, только не это! — Куп в показном отчаянии схватился за голову. — Какой кошмар! — Новая, ужасная мысль пришла ему в голову. — Но ведь если вы с Марком поженитесь, эти маленькие чудовища станут моими внуками! Клянусь, я своими руками убью обоих, если они вздумают хвастаться в школе, что я — их дед. Я не желаю быть ничьим дедом, Тайрин. Пусть называют меня «мистер Уинслоу», и никак иначе.

Тайрин от души расхохоталась; потом они еще немного поговорили о ее матримониальных планах. Они с Марком решили, что поженятся будущей зимой, если дети не будут возражать. Но в том, что все будет нормально, ни она, ни Марк почти не сомневались.

— А как насчет вас с Алекс? — спросила Тайрин, когда тема их с Марком отношений была исчерпана. — Вы уже что-нибудь решили?

— Пока нет. — Куп помрачнел. — Честно говоря, я просто не представляю, чем все это кончится. Дело в том, что родители Алекс звали ее в Ньюпорт, но она отказалась поехать! Мне казалось, ей следует принять это приглашен[ие], но... Самое главное, что я в любом случае не смогу поеха[ть] с ней. Кажется, ее отец не в особенном восторге от наш[их] отношений, и я догадываюсь — почему. Точнее, я зна[ю], знаю даже лучше, чем сама Алекс. Мне по-прежнему каж[ет]ся, я недостаточно честен с ней, и во всем виноваты э[ти] проклятые деньги! — Куп в сердцах хлопнул ладонью по [ко]лену. — Главное, раньше меня подобные вопросы ниско[ль]ко не беспокоили, но сейчас я почему-то никак не мо[гу] через себя перешагнуть. Должно быть, все дело в возрас[те] Тайрин. Я сам не заметил, как стал стариком, да к то[му] же — не самым мудрым.

— А мне кажется, ты просто вырос, — мягко ответи[ла] Тайрин. Она довольно хорошо изучила его слабости и [не]достатки, однако они не мешали ей любить его. Куп н[и]сколько не походил на ее первого отца — на человека, ко[то]рый вырастил и воспитал Тайрин, однако, как и он, К[уп] был очень порядочным и честным. Всю жизнь он провел [в] своем особом мире, был его центром, и в конце конц[ов] этот мир избаловал и испортил его. Какие-то стороны е[го] характера так и не развились, так как Куп просто не исп[ы]тывал в них нужды, и только встреча с Алекс заставила е[го] взглянуть на вещи под иным, новым для него углом. А сд[е]лав это, Куп невольно бросил вызов всем своим прежни[м] взглядам и ценностям. Не менее сильное влияние оказа[ла] на него и Тайрин, и в конце концов, хотел он того или не[т], Куп изменился — изменился настолько, что порой сам се[бя] не узнавал.

Куп все еще раздумывал об этом, когда ближе к вече[ру] отправился к бассейну. Марк и Тайрин куда-то уехал[и], Алекс, как всегда, была в клинике. Джимми только недав[но] переехал из больницы во флигель, но он еще не встава[л], Валери проводила с ним большую часть времени, и К[уп] предвкушал счастливую возможность немного посидеть [в] одиночестве. Но в бассейне он неожиданно увидел Валер[и], которая не спеша плавала от бортика к бортику. Ее волос[ы] были собраны на макушке в пучок, черный купальный ко[с]тюм выгодно подчеркивал стройную фигуру. На лице Вал[е]ри по обыкновению не было ни следа косметики, однак[о] Куп не мог не заметить, что она очень хороша собой, даж[е] красива. К сожалению, Валери была намного старше тех женщин, с которыми он привык иметь дело, зато с ней было приятно поговорить о множестве самых разных вещей. Куп уже несколько раз беседовал с ней и находил ее достаточно умной и разносторонне интересной; по временам же она буквально поражала его своей способностью смотреть прямо в корень любой сложной проблемы, которая сбивала с толку даже его.

— Добрый вечер, Купер! — приветствовала его Валери, когда Куп опустился в шезлонг. Купаться он раздумал. Гораздо приятнее было смотреть на Валери, хотя Куп немного сожалел о том, что теперь ему вряд ли удастся погрузиться в размышления. А поломать голову ему было над чем. Во-первых, Алекс. Во-вторых, Шарлен. До обследования, которое должно было расставить все точки над «и», оставалось еще больше трех недель, и Куп изнывал от неизвестности.

— Добрый вечер, Валери. Как там наш Джимми? — участливо спросил он.

— О, он чувствует себя превосходно и уже устал от безделья. Сейчас он спит. К сожалению, я не могу помочь ему, как бы мне хотелось — эти лубки очень тяжелые, — пожаловалась она. Впрочем, и без гипса Джимми был для нее слишком тяжел.

— Вам нужно нанять сиделку. Не можете же вы все делать одна! — сказал Куп. Подобное самопожертвование казалось ему глупым и одновременно восхищало.

— Мне нравится самой заботиться о нем, — покачала головой Валери. — Давненько я этого не делала. И, боюсь, другой возможности у меня уже не будет.

Только тут Куп сообразил, что сморозил глупость. Очевидно, Валери не могла себе позволить платить частной сиделке. Несмотря на свою аристократическую внешность, она, по-видимому, была не очень богата. Правда, Джимми платил за флигель по десять тысяч в месяц, но Куп подозревал, что эти деньги он брал из страховки Маргарет, которая рано или поздно должна была закончиться. Все остальное свидетельствовало о том, что и Джимми, и его мать жили, скорее всего, довольно скромно. Несколько секунд Куп раздумывал, не нанять ли ему сиделку для Джимми за свой счет, но потом отказался от этой мысли. Во-первых, этим он мог невольно оскорбить Валери, а во-вторых, Куп и сам вряд ли мог себе это позволить. Частная сиделка, в особенности хорошая сиделка, могла по нынешним временам обойтись в целое состояние.

— Алекс на работе? — спросила Валери, выбираясь и бассейна и усаживаясь в шезлонг рядом с Купом. Впрочем, особенно рассиживаться она не собиралась, не желая мешать Купу. Подобные деликатные ситуации она чувствовала очень тонко. У Купа был вид человека, погруженного собственные мысли, и Валери была уверена — ему сейчас не до нее, хотя он и старается быть вежливым.

— Как всегда. — Куп вздохнул. — Она слишком много работает, но ей это нравится.

Он не сказал, что восхищается ею. Алекс могла позволить себе вовсе не работать, и тем не менее она выкладывалась до последней капли ее сил и умения. Купу казалось, что это либо очень благородно, либо очень глупо — смотря с какой стороны посмотреть.

— А я вчера вечером видела один ваш старый фильм, — сказала Валери и назвала — какой. Его показывали поздно вечером, когда Джимми уже спал. Валери очень устала, ухаживая за сыном, но оторваться от экрана так и не смогла, хотя спать хотелось ужасно. — Знаете, Куп, вы очень хороший актер. И роль была просто превосходная... — Валери была приятно удивлена тем, как точно и ярко Куп сумел передать характер своего героя. — Теперь таких, как вы, больше не осталось, — добавила Валери серьезно. — Почему вы больше не снимаетесь, Куп? Вы могли бы до сих пор покорять зрителей своим мастерством.

— Я стал слишком ленив, — честно ответил Куп и устало улыбнулся. — И слишком стар. Чтобы роль была запоминающейся, приходится очень много работать, а мне... Должно быть, силы уже не те, — заключил он печально.

— Мне кажется, вы ошибаетесь, — негромко возразила Валери и пристально поглядела на него. Казалось, она верит в его силы гораздо больше, чем он сам. Вчерашний фильм буквально потряс ее. Валери не видела его раньше, и она была в полном восторге от игры Купа. Тогда ему было на

ерное, около пятидесяти, но он выглядел очень молодым
1 полным сил. Впрочем, и сейчас — двадцать лет спустя —
Куп все еще производил впечатление.

— Вам нравится ваша работа, Куп?

— Нравилась когда-то. Увы, то, чем я занимаюсь сейчас,
вряд ли можно назвать словом «работа». Это скорее халту-
ра... — В самом деле, съемки в рекламе и эпизодических ролях не требовали от него практически никаких усилий. Это
было быстро, просто и приносило кое-какие деньги, и Куп
не заметил, как эта трясина засосала его. Теперь он уже и
сам не помнил, когда в последний раз ему было интересно
сниматься.

— Понимаете, Валери, — попытался объяснить он, — вот
уже много лет я жду подходящей роли, но ее все нет и
нет... И мне иногда кажется — я ее уже не дождусь.

Его голос звучал устало и печально, и Валери стало его
жаль.

— Быть может, что-то еще и подвернется, — сказала она
ободряющим тоном. — Я уверена — зрители о вас помнят и
хотели бы снова увидеть вас в новом фильме. Только... под
лежачий камень вода не течет. Вам и самому нужно приложить какие-то усилия, что-то поискать... В том, что вы
справитесь, я не сомневаюсь. Этот фильм с вашим участием, который я смотрела, просто великолепен!

— Спасибо, я рад это слышать. — Куп улыбнулся, и некоторое время они сидели молча. Валери любовалась кружев-
ной тенью куста на кафельной плитке, Куп размышлял о
том, что он только что услышал. Валери была во многом
права, но Куп по-прежнему не представлял, что ему необходимо предпринять, чтобы изменить ситуацию. Валери сказала — под лежачий камень вода не течет, но ведь он и так
постоянно звонил знакомым продюсерам и режиссерам, да
и его агент тоже не дремал. Что же еще тут можно сделать?
Не мог же он сам ездить по студиям и предлагать себя на
главные роли!..

— Мне очень жаль, что Джимми... что с вашим сыном
случилось такое несчастье, — промолвил наконец Куп. —
Должно быть, это действительно страшно: вдруг узнать, что
ваш сын едва не погиб...

Глядя на нее, он почти осознал, насколько это стра[шно]. Вместе с тем в нем росло восхищение ею: поистине В[але]лери была преданной и любящей матерью.

— Да, — коротко подтвердила она. — Ведь, кроме Джим[ми], у меня больше никого нет. И если бы я его потеряла я... Не знаю, что бы тогда со мной было. Без него мо[я] жизнь не имеет никакого смысла.

Куп понимающе кивнул. Тайрин появилась в его жизн[и] совсем недавно, но он хорошо представлял, каково бы ем[у] было, потеряй он ее сейчас. А ведь он не растил ее, не вос[с]питывал... Да, боль, которую принесла бы Валери потер[я] единственного сына, должна была быть во много раз больше

Валери почувствовала, что он от души сочувствует ей, [и] благодарно улыбнулась.

— Спасибо, Куп...

Он пожал плечами.

— Позвольте спросить, как давно вы овдовели?

Валери неожиданно заинтересовала его. Безусловно она была во многих отношениях примечательным челове[к]ком. Таких, как она, Куп давно не встречал.

— Мой муж умер десять лет назад. — Она покачала голо[о]вой. — Но порой мне кажется — с тех пор прошла цела[я] вечность.

Ее голос был спокоен, и, поглядев на нее, Куп понял что Валери сумела примириться с судьбой. Она приняла то, что готовила ей жизнь, приняла спокойно, не жалуясь и... одержала неожиданную победу. Во всяком случае, он[а] не была сломлена, и Куп подумал — перед ним очень силь[ь]ная женщина.

— Но я привыкла, — добавила она, и Куп кивнул — е[е] ответ только подтверждал его догадку.

— И вы никогда не думали о том, чтобы выйти замуж в[о] второй раз? — спросил он, хотя и сознавал, что это глубок[о] личный вопрос. Вообще их разговор неожиданно сделался очень личным и откровенным, но Куп не жалел, что затея[л] его. У Валери был немалый жизненный опыт, и она могл[а] взглянуть на вещи с его точки зрения, и вместе с тем он[а] еще не утратила интерес к жизни. Должно быть, именно поэтому Куп не воспринимал Валери зрелой дамой, хот[я] многие ее высказывания говорили о глубине и мудрости свойственной людям, успевшим многое повидать на своем веку. Беседовать с ней ему было легко и интересно, и Купу казалось, что и Валери находит удовольствие в общении с ним.

— Я об этом даже ни разу не задумалась! — честно ответила Валери. — Я хочу сказать — я никого не искала специально. Мне казалось, что если где-то на свете есть для меня подходящий человек, то рано или поздно мы обязательно с ним встретимся. Этого так и не произошло, но... я не позволяю себе из-за этого расстраиваться. У меня уже был один хороший муж, и другой мне не нужен... — Она улыбнулась. — К тому же нельзя требовать от жизни многое!

— А мне кажется, — возразил Куп, — что вас еще ждут приятные сюрпризы.

— Может быть, — спокойно согласилась Валери, но Купу показалось — она не особенно огорчится, если этого не произойдет. Но и это ему тоже понравилось. Куп никогда не любил женщин, которые стремятся заарканить мужчину любой ценой.

— Я почему-то уверен, — сказал он, — что у вас сохранилось для этого достаточно сил.

— Для чего? — удивилась Валери.

— Для того, чтобы сделать какого-нибудь мужчину счастливым, — с улыбкой уточнил Куп.

Валери улыбнулась, вдруг подумав о том, что, если применить к ней такую же возрастную разницу, которая существовала между Купом и Алекс, она должна была бы встречаться с подростками в возрасте Джейсон. Но вслух Валери ничего не сказала.

— У вас есть какие-нибудь планы на сегодняшний вечер? — неожиданно спросил Куп. — Если нет, я с удовольствием пригласил бы вас поужинать.

Алекс работала, а Куп грустил в одиночестве, когда ее не было рядом. Кроме того, он не привык лишать себя маленьких удовольствий ни при каких обстоятельствах, тем более что его избранница — Алекс — бо́льшую часть вечеров проводила на работе. В прошлом Куп часто встречался с несколькими девушками одновременно, поэтому просто не умел быть в одиночестве. Но теперь многое изменилось, и если бы не дочь, Куп, наверное, совсем бы затосковал.

Каждый раз, когда Алекс дежурила, Тайрин делила с ним его целомудренно скучные вечера. Но это было до недавне го времени, пока Тайрин не переключила свое внимани на Марка.

— Честно говоря, мне еще нужно приготовить еду и по кормить Джимми, — ответила Валери. — Но, если хотите.. Почему бы вам не присоединиться к нам? Я уверена, Джим ми будет рад вас видеть.

С тех пор как Джимми выписался из больницы, Куп зашел к Джимми только один раз, да и то ненадолго. Как он потом объяснял Алекс, комната, где лежит больной че ловек, ничем не лучше больничной палаты.

— Хотите, я закажу для вас ужин из «Спаго»? — предло жил Куп. Он был искренне рад ее приглашению. Ему вдруг пришла в голову мысль, что Валери настолько близка ему по взглядам и складу характера, будто бы они росли вместе и она была его сестрой.

— Мои спагетти гораздо вкуснее, чем в вашем хваленом «Спаго»! — с гордостью заявила Валери.

— В таком случае я просто обязан их попробовать и сравнить! — рассмеялся Куп.

Когда вечером Куп неожиданно появился во флигеле, Джимми несказанно удивился. Валери не стала предупреж дать его заранее, чтобы Джимми не волновался — после аварии, загипсованный, он чувствовал себя не очень уютно в обществе посторонних людей.

Когда Алекс навещала его в больнице, Джимми много разговаривал с ней — в том числе и о вещах глубоко лич ных. Часто они делились друг с другом самым сокровен ным, и теперь он знал почти все ее тайны — в том числе и те, что были связаны с Купом. К тому же Джимми подозре вал, что Куп кое-что знает об этих визитах — знает и ревну ет Алекс. Джимми рассказал матери об этих доверительных беседах. Вот и теперь он думал, что Куп так или иначе вы кажет ему свое неудовольствие. Но, к изумлению Джимми, Купер был сама любезность. Он был прост и весел, шутил с Джимми и был внимателен к его матери. Валери интересу ет его куда больше всего остального, он расточал ей ком плимент за комплиментом и, не переставая, хвалил ее спа гетти.

— Замечательно приготовлено, — заявил Куп, накручивая спагетти на вилку и обмакивая в душистый грибной соус. — Вам следует открыть собственный ресторан, Валери. От клиентов бы отбоя не было... Впрочем, у меня есть идея получше: почему бы не превратить «Версаль» в курорт или гостиницу? Такие спагетти — это же три четверти успеха! Не пройдет и месяца, как «Версаль» начнет приносить прибыль, и мы все будем просто купаться в деньгах!

От мыслей о своих финансовых проблемах Куп, как ни старался, отделаться не мог. Несколько дней назад Эйб снова позвонил ему и предупредил, что, если в самое ближайшее время он не начнет зарабатывать настоящие деньги, «Версаль» придется продать. И тянуть дольше убийственно. Куп не стал спорить с Эйбом. Он уже не мог в сотый раз повторять одни и те же доводы о большой роли, которая обязательно подвернется ему в самое ближайшее время. Намекал Эйб и на миллионы Мэдисонов, но Куп по-прежнему не считал женитьбу на Алекс оптимальным выходом из положения.

Вскоре после ужина Джимми, который был еще очень слаб, задремал. Валери и Куп перешли в гостиную и проговорили несколько часов. Они разговаривали о Бостоне, о Европе, о фильмах, в которых Куп снимался много лет назад, о людях, с которыми ему приходилось встречаться. У них обнаружились даже общие знакомые, и Куп был весьма этим удивлен. Валери сама говорила ему, что живет тихо и скромно, а между тем среди ее знакомых было немало известных людей. Когда же он поинтересовался, как это вышло, Валери ответила, что в большинстве своем это друзья ее покойного мужа, который работал в банке. Она ничего больше не прибавила, а Куп не стал расспрашивать, боясь показаться неделикатным.

Когда они наконец разошлись, было уже два часа ночи. Куп устал, но, несмотря на это, к себе он вернулся в самом лучшем расположении духа. Куп неожиданно провел прекрасный вечер и жалел только о том, что он закончился. Ему было удивительно покойно и уютно в обществе этой женщины, они разговаривали так искренне и увлеченно, словно были давними друзьями, встретившимися после многих лет разлуки.

Между тем Алекс звонила ему уже несколько раз и был удивлена и даже раздосадована тем, что он не отвечает н вызовы. Куп не говорил ей, что куда-то собирается. Алекс в голову не могло прийти, что он пойдет ужинать к Джим ми и Валери О'Коннор, и она терялась в догадках. Она за метила, что последнее время Куп был чем-то озабочен, да же угнетен, но, в чем дело, она не знала. В их отношениях развивавшихся поначалу так стремительно, явно наметил ся некоторый застой, и Алекс начинало казаться, что о немного устал от нее.

А Куп в эту ночь долго лежал без сна. Сначала он вспо минал все, о чем они говорили с Валери, потом его мысл обратились к вещам менее приятным. Купу было о чем по думать — он знал, что в самое ближайшее время должен принять несколько важных решений. Когда же Куп нако нец заснул, ему приснились Шарлен и ее ребенок — крича щий маленький комочек с лицом Тайрин. Спал он в эту ноч беспокойно.

Глава 22

На следующий день после того, как Куп поужинал с Ва лери и Джимми, ему позвонил Эйб. Они встретились, бухгалтер сказал — если в ближайшие три месяца Куп н переломит ситуацию в свою пользу, с «Версалем» придется распрощаться. И, судя по выражению его лица, Эйб был се рьезен как никогда.

— Ты должен крупную сумму департаменту налогов, дол жен нескольким магазинам, должен отелям и даже своему лондонскому портному, — сказал Эйб. — Всего — чуть боль ше ста восьмидесяти тысяч долларов, и это только самые неотложные платежи. Кроме этого, ты должен ювелирным фирмам и... словом, кому ты только не должен! Наверное на всей земле не найдется человека, которому бы ты не за должал хотя бы полсотни долларов. Но тебя, как видно это мало волнует, поэтому я скажу тебе вот что: если до конца года ты не заплатишь налоги и не покроешь перерас ход на кредитных карточках, тебе даже не позволят про ать «Версаль» самому. Его у тебя просто конфискуют и выставят на аукционные торги. Ты этого добиваешься? Если а, в таком случае я умываю руки...

— Конечно, нет, Эйб, я... — Ничего подобного Куп не жидал. Положение оказалось поистине катастрофичесим, и впервые за много лет он наконец осознал всю катасрофичность ситуации. Кроме того, за полгода общения с лекс Куп стал другим и впервые набрался мужества помотреть в лицо фактам.

— Думаю, выбор у тебя невелик: тебе придется либо родать «Версаль», либо жениться на Алекс, — подвел итог йб, но Купа эти слова покоробили.

— Мои отношения с этой женщиной не имеют никакого тношения к моим финансовым проблемам, — с достоинтвом ответил он, но Эйб только головой покачал. Внезапая щепетильность Купа показалась ему глупой. В кои-то еки у него появилась великолепная возможность без осоых усилий поправить свои финансовые дела, и Эйб не поимал, почему Куп упорно не хочет воспользоваться случам. Женившись на Алекс, Куп стал бы богаче, чем был заю свою карьеру в кино.

На следующий вечер в «Версаль» вернулась Алекс. Она одменяла двух заболевших коллег и проработала подряд очти трое суток. И, как назло, эти семьдесят часов выдаись очень беспокойными. Семь срочных случаев, бьющиея в истерике матери, один погибший малыш и его отец, оторый угрожал перестрелять врачей из охотничьего ужья и которого пришлось выдворять из отделения с поощью наряда полиции... Алекс и сама не понимала, как на все это выдержала. К тому моменту, когда она подъехаа к «Версалю», она мечтала только об одном — о горячей анне и десяти часах сна. У нее даже не было сил расскаать Купу обо всем, через что ей пришлось пройти.

Куп встретил ее в прихожей. Он был в «Версале» один. жейсон и Джессика должны были вернуться еще не коро, и Тайрин уехала с Марком в Акапулько.

— У тебя был тяжелый день? — спросил Куп, и Алекс поачала головой. От усталости она готова была разреветься, ак самая заурядная истеричка. Ей хотелось навестить жимми, у которого от долгого лежания в помещении по-

явились синдромы «кабинной лихорадки»[1], но это был
выше ее сил, и она решила, что заглянет к нему утром. О
звонила ему из больницы, но разговор был коротким
Алекс была нужна каждую минуту.

— Три тяжелых дня, — ответила она, и Куп предложи
ей приготовить бутерброды и чай.

— Я, наверное, не смогу проглотить ни кусочка, н
столько я устала, — объяснила Алекс. — Сейчас приму ван
и завалюсь спать. Прости меня, ладно? Завтра я буду в п
рядке.

Но на следующее утро сам Куп был не в настроени
Когда они сели завтракать, он смотрел прямо перед собо
отвечал невпопад и был погружен в свои мысли. На з
втрак Алекс приготовила яичницу с беконом, но он к не
даже не притронулся — только выпил два стакана апельс
нового сока и съел два тоста.

— Что с тобой? — спросила Алекс. У Купа было тако
лицо, словно это он был вымотан до предела. Алекс же по
ле крепкого сна и плотного завтрака чувствовала себ
бодро, но, наверное, дело было в том, что она моложе
быстрее восстанавливала силы. Не могла она понять тол
ко одного — от чего Куп мог так устать.

— Я должен сказать тебе одну вещь, — ответил Куп,
его лицо помрачнело.

— Что случилось?! — испугалась Алекс. Куп не ответи
но ей показалось — она знает, что он собирается ей ск
зать.

— Я давно хотел тебе сказать, но... Я и так преподно
тебе неприятные сюрпризы, а ты молодец, все вытерпел
Но есть нечто, чего ты не знаешь. Обо мне. Я не хотел т
бе говорить, потому что это тоже не очень приятны
вещи... Да что там — ведь я и себе боялся в этом признат
ся!.. — Куп печально улыбнулся. — Я кругом в долгах. Когд
то у меня были большие деньги, но, подобно блудному с
ну, я расточил имение мое с блудницами. К сожалению,
меня нет отца, к которому я мог бы вернуться и покаять

---

[1] «Кабинная лихорадка» — сходное с клаустрофобие
пограничное состояние, развивающееся у заключенных в тюр
мах, подводников, прикованных к постели больных и др.

грехах. Мой отец давно умер, да у него и не было денег —
…е, чем он когда-то владел, он потерял во время Великой
…епрессии. В настоящее время мои дела из рук вон плохи.
…олги, налоги, текущие расходы... В ближайшие три меся-
…а мне необходимо заплатить по крайней мере двести ты-
…яч. В противном случае мне придется продать «Версаль».

Он ненадолго замолчал, чтобы перевести дух, а Алекс
…оказалось, что Куп собирается попросить у нее денег. То,
…то он только что ей сказал, не смутило и не расстроило
…е. Они были достаточно близки, чтобы не иметь друг от
…руга никаких тайн. Алекс всегда считала, что любая прав-
…а, даже самая неприятная, лучше недомолвок и умалчива-
…ия. Кроме того, о финансовом положении Купа она знала
…т отца.

— Это, конечно, неприятно, но это не конец света, —
…лыбнулась она. — Бывают вещи и похуже.

Болезнь, смерть, врожденное уродство, потеря любимо-
…о человека — вот что имела в виду Алекс. По ее глубокому
…беждению, все остальное не имело существенного значе-
…ия.

Куп покачал головой.

— Для меня все это очень серьезно, Алекс, — сказал
…н. — Всю жизнь я создавал определенный образ, и он для
…еня важен — важен настолько, что ради него я частенько
…оступался принципами: снимался в плохих фильмах, тра-
…ил деньги, которых у меня не было, и все ради того, что-
…ы и дальше оставаться тем самым Купером Уинслоу, кото-
…ого все знали... или думали, что знают. Разумеется, я не
…оржусь этим, но факт остается фактом: я совершил много
…шибок, а теперь пришла пора расплачиваться... — Это
…ыла почти исповедь, и иначе Куп не мог. Сейчас в нем го-
…орила долго молчавшая совесть, а вовсе не желание вы-
…вать в Алекс сочувствие. Самое странное, что Куп почти
…отов был смириться с потерей «Версаля», но он не хотел,
…тобы между ними что-то оставалось недосказанным.

Но она поняла его по-своему.

— Ты хочешь, чтобы я помогла тебе? — спросила Алекс. —
…I правильно тебя поняла? — Она любила Купа, и ее не оста-
…авливало даже то, что Куп не хотел иметь детей. Но даже

эту жертву Алекс готова была принести ради него — он был убеждена, что Куп стоит и большего.

Но его ответ удивил ее.

— Нет, не хочу. И именно поэтому я заговорил об этом Брак с тобой был бы для меня самым простым выходом и положения, но... это только кажущаяся простота. Если бы сейчас женился на тебе, я бы до конца дней своих гадал ради чего я это сделал — ради тебя самой или ради денег...

— А может быть, об этом не надо думать? Ведь я же не виновата, что родилась в богатой семье и что у меня есть деньги. Мой характер, мои деньги, моя работа — все это не может существовать одно без другого. И ты либо принимаешь меня такой, какая я есть, либо... не принимаешь.

— Я все понимаю, но... Честно говоря, я даже не уверен что люблю тебя — люблю настолько, чтобы на тебе женить ся. Мне нравится быть с тобой, нравится заниматься тобой сексом... Таких, как ты, я еще никогда не встречал. И вместе с тем ты — решение всех моих проблем, идеаль ный ответ на все мои молитвы и упования. Если я женюсь на тебе, весь мир назовет меня альфонсом, и это, навер ное, будет только справедливо. Твой отец наверняка уве рен, что мне нужны только твои деньги, и в конце концо ты сама, быть может, начнешь думать так же. И это буде конец того Купера Уинслоу, которого я так хотел сохра нить, так что куда ни кинь — всюду клин. Да, мой бухгалте считает, что я должен жениться на тебе; это, конечно, го раздо проще, чем работать и зарабатывать деньги на нало ги, на содержание особняка и на все остальное, но я так н могу поступить. Я не хочу быть альфонсом, Алекс! И я, воз можно, люблю тебя достаточно сильно, чтобы сказать: никогда на тебе не женюсь. Я просто не могу...

Алекс побледнела от ужаса.

— Ты... ты это серьезно? — спросила она помертвевши ми губами. — Я... я не понимаю!

На самом деле она все поняла, просто ей не хотелось это верить.

Куп пожал плечами.

— Да, Алекс, вполне серьезно. Кроме того, я слишком стар для тебя. И я не хочу иметь детей — ни от тебя, ни о Шарлен и вообще ни от кого. Благодаря судьбе у меня уж

...сть дочь, но она — взрослая женщина. Тайрин очень хоро́ший человек, но это не моя заслуга, ведь я не сделал для нее ровным счетом ничего. Да, Алекс, я слишком стар для тебя, слишком стар и слишком беден, к тому же я выдохся и устал. А ты... молода и богата. Именно поэтому я считаю, что мы должны прекратить наши отношения.

Алекс почувствовала в груди такую тяжесть, что ей захотелось кричать.

— Но... почему? — выдавила она с трудом. — Ведь я даже не просила тебя жениться на мне. Это вообще не обяза́тельно — мы прекрасно проживем и так. Что же касается моего богатства, то говорить мне о нем — это... С твоей стороны это просто нечестно!

Эти слова заставили Купа улыбнуться, но улыбка у него вышла печальная и усталая, и впервые Алекс заметила, как он немолод.

— Нет, Алекс, — мягко возразил Куп, и в его глазах заблестели слезы. — Ты должна выйти замуж и нарожать детей. Из тебя выйдет превосходная мать... и домашний доктор в одном лице. Что касается меня, то... Я уже по́нял — Шарлен намерена идти до конца. Она устроит гран́диозный скандал, она вытряхнет грязное белье на всеоб́щее обозрение, и я ничего не могу с этим поделать. Мне хотелось бы уберечь тебя от этого, и я вижу только один способ... Пойми, Алекс, я не могу использовать тебя в сво́их целях. Я не могу позволить тебе решать мои финансо́вые проблемы. Как я уже сказал, если я женюсь на тебе, мне будет очень трудно разобраться, почему я это сделал. И если быть откровенным до конца, то девять шансов из десяти будет за то, что я сделал это ради денег. Если бы не острая необходимость срочно рассчитаться со всеми долга́ми, я бы, наверное, даже не задумался о браке и продолжал жить, как жил.

Куп еще никогда не говорил с Алекс настолько откро́венно, но он знал — она заслуживает того, чтобы знать о нем правду. Всю правду.

— Значит, ты меня не любишь? — Голос Алекс дрожал, как у маленькой девочки, которую приемные родители только что вернули обратно в приют. Куп отверг ее — со́всем как ее собственные отец и мать. Как Картер. Никаких

надежд на то, что он просто неудачно шутит, у Алекс уже
не оставалось — слишком серьезным было его лицо.

— Честно говоря — я не знаю. Мне кажется, я даже не
знаю толком, что такое настоящая любовь. Я уверен только
в одном: настоящей любви между мужчиной в моем возрасте и женщиной в твоем не может... не должно быть. Это
как минимум неправильно, так как не соответствует естест-
венному порядку вещей. Грубо говоря, молодые женщины
должны рожать здоровых и крепких детей, а старые мужчины... Они годны только для удобрения почвы. Так уст-
роена жизнь, Алекс, и если я все-таки женюсь на тебе —
безразлично, по любви или только ради собственной выгоды, — это ничего не изменит. В итоге мы все равно придем
к краху; этого не избежать, хотя сначала нам и будет казаться, что мы обманули всех: окружающих, природу, себя...
Пойми меня правильно, Алекс: быть может, впервые в жизни мне представился шанс поступить достойно. Мне предстоит переступить через себя, через свои желания и привычки, и я обязан это сделать. Я должен поступить так, как
мне кажется правильным — правильным для нас обоих.
А самое правильное в данном случае — это отпустить тебя
на все четыре стороны и постараться самому исправить
собственные ошибки.

Чтобы сказать все это, Купу пришлось совершить не-
имоверное усилие. Несколько раз голос его прерывался, но
он находил в себе мужество продолжить. На Алекс он старался не смотреть. У нее был такой несчастный вид, что
Куп боялся — он не выдержит, крепко обнимет ее и пообе-
щает исполнить все, что бы она ни захотела. Только сейчас
Куп понял, как сильно он ее любит — любит настолько, что
готов пожертвовать собой и даже причинить ей боль, но
не искорежить, не сломать ей жизнь. А именно этим все
кончилось бы, если бы он поддался жалости и остался с
ней.

— Мне кажется, сейчас тебе лучше уехать, — грустно закончил он. — Я знаю, как тебе, должно быть, больно, но поверь мне — это единственный правильный выход для нас
обоих.

Алекс ничего не ответила. Медленно, словно во сне,
она поднялась из-за стола и, больше не сдерживая слез, ста-

ла убирать посуду, оставшуюся после завтрака. Потом она поднялась в спальню, чтобы собрать вещи. Когда Алекс снова спустилась вниз, Куп сидел в библиотеке, и вид у него был ужасный. Ему действительно было очень плохо, но он знал — они с Алекс должны расстаться.

— Страшная вещь — совесть, правда? — проговорил он, увидев Алекс, которая на секунду остановилась в дверях. Раньше Куп не знал, что такое угрызения совести — их разбудили в нем Алекс и Тайрин, и он никак не мог разобраться, благословение это или проклятье. Единственное, что ему было очевидно, это то, что теперь он вряд ли сумеет избавиться от внутреннего голоса, который настойчиво нашептывал ему, как надо поступить в том или ином случае.

— Я все равно люблю тебя, Куп, — проговорила Алекс. Она все еще надеялась, что он передумает и попросит ее остаться, но Куп ничего подобного не сделал.

— Я тоже люблю тебя, детка... Будь умницей, береги себя. — Куп даже не пошевелился, не поглядел в ее сторону, и Алекс, торопливо кивнув, вышла, боясь оглянуться. Она чувствовала себя Золушкой, которая задержалась на балу и узнала о наступлении полночи, только когда ее платье снова превратилось в грязные лохмотья. Только в отличие от сказочной героини у нее даже не было туфельки, по которой прекрасный принц мог бы отыскать ее и вернуть. Впереди Алекс ждали только одиночество, мрак и отчаяние. Самое главное — она не могла понять Купа. Быть может, спрашивала она себя, у него кто-то появился? Алекс и не подозревала, насколько она была близка к истине. У Купа наконец-то появились обычная мужская гордость и достоинство. Пусть и в довольно солидном возрасте, он все же сумел обрести то, чего ему недоставало всю жизнь, — обрести и стать настоящим человеком.

И мужчиной.

Подъезжая к воротам, Алекс снова сравнила себя с Золушкой. Волшебство рассеялось, с горечью думала она, и из прекрасной принцессы она превратилась в невзрачную замарашку. Но в глубине души Алекс понимала, что это не так. Просто сказка кончилась, и она осталась прежней, такой, как была всегда.

Глава 23

Джимми никак не мог понять, куда пропала Алекс. Она не звонила и не приходила его навестить. Валери тоже сказала, что не видела Алекс уже целую неделю. Впрочем, с Купом она тоже не сталкивалась, поскольку он отчего-то перестал выходить к бассейну. Когда же наконец она увидела его, Куп выглядел очень мрачным и подавленным. Валери даже не решилась заговорить с ним. Она тихо плавала от бортика к бортику, искоса поглядывая на него и гадая, что могло с ним случиться.

Куп первым заговорил с ней. Он спросил, как чувствует себя Джимми, и Валери ответила.

— Джимми поправляется, — сказала она. — Только все время ворчит. Ему надоело валяться в постели, да и я, наверное, его ужасно раздражаю. Скорее бы уж ему разрешили ходить на костылях — тогда ему будет повеселее.

Куп кивнул и снова надолго замолчал. Наконец Валери не выдержала и спросила, куда исчезла Алекс.

Куп ответил не сразу. Потом он поднял голову, и Валери увидела в его глазах нечто такое, чего не заметила раньше. В его взгляде были боль, отчаяние, горе. Это было настолько не похоже на всегда жизнерадостного и веселого Купа, что Валери решила — случилось что-то непоправимое. Раньше Куп всегда старался скрыть свои чувства — и в первую очередь от самого себя. Как правило, это ему блестяще удавалось, но сегодня что-то произошло. Перед Валери был не бог, а обычный смертный человек, который способен мучиться и страдать, как все.

— Мы больше не встречаемся, — глухо ответил он, и Валери, промокавшая волосы полотенцем, замерла на мгновение.

— О, мне очень жаль!.. — проговорила она наконец. Спросить, что случилось, Валери не осмелилась.

Валери была вторым человеком, которому Куп сообщил о своем разрыве с Алекс. Первой об этом узнала Тайрин. Ей Куп рассказал обо всем чуть ли не на следующий день после объяснения. Вскоре после этого Тайрин встретилась с Алекс; та была очень несчастна, однако, несмотря на то, что Тайрин бесконечно ей сочувствовала, она считала, что Куп поступил совершенно правильно и что Алекс со временем это поймет. Так она и сказала отцу, и Куп несколько приободрился. Он ценил мнение дочери, а сейчас ее поддержка была ему просто необходима.

— Мне тоже жаль, — ответил Куп Валери. — Но мне кажется, что так будет лучше для нас обоих. Я избавился от большинства моих иллюзий и научился смотреть на вещи трезво. Что ж, лучше поздно, чем никогда...

Он не стал рассказывать Валери про свои долги и объяснять, что не мог жениться на Алекс, потому что она была богата. Ему было достаточно того, что он сам знал это — знал, что поступил так, как подсказывала порядочность. И впервые в жизни Куп почувствовал, что добродетель может быть достаточной наградой сама по себе. Во всяком случае, ему больше не было стыдно смотреть на свое отражение в зеркале, хотя Алекс ему по-прежнему очень не хватало. Тем не менее он не испытывал никакого желания заменить ее другой женщиной, в особенности молодой, хотя и знал, что сделать это ему по-прежнему будет проще простого.

— Трудно быть взрослым, не так ли? — с сочувствием спросила Валери, и Куп кивнул.

— Да уж, — согласился он и улыбнулся печально. Валери была очень хорошей женщиной, как и Алекс. Именно по этой причине он и не захотел использовать ее, чтобы добиться каких-то выгод для себя. Наверное, впервые в жизни Куп полюбил по-настоящему, и вот чем это кончилось...

— Не хотите поужинать с нами сегодня? Я приготовлю спагетти с сыром, и вы с Джимми сможете пожаловаться друг другу на жизнь, — радушно предложила Валери, но Куп отрицательно покачал головой. Впервые в жизни ему никого не хотелось видеть, ни с кем не хотелось общаться.

— Нет, спасибо, — ответил он. — Хотя, должен признаться откровенно, предложение чертовски соблазнительное. Может быть, как-нибудь на днях... — Но его «на днях» прозвучало, как «через несколько лет». Или даже столетий. Куп и сам был удивлен, до какой степени недоставало Алекс. Она превратилась для него в привычку, в почти физиологическую потребность, в навязчивую идею, но Куп знал, что рано или поздно эта идея могла погубить его. Или наоборот — он сам мог сделать Алекс очень больно, а ни того, ни другого Куп не хотел.

Валери ничего не сказала сыну о том, что узнала от Купа. Она молчала почти неделю, но, когда Джимми снова начал раздражаться и злиться на Алекс за то, что она не заходит, Валери решилась.

— Не сердись на нее, сынок, — сказала она. — У Алекс сейчас хватает собственных проблем.

— И что это значит?! — огрызнулся Джимми. Он смертельно устал от лежания в постели и никак не мог дождаться, пока ему разрешат пересесть в инвалидное кресло. Ему казалось — Алекс совершенно забыла про него, и он по-настоящему на нее разозлился.

— Похоже, что они с Купом расстались, — ответила Валери. — Несколько дней назад я видела его у бассейна, и он все мне рассказал. Боюсь, что это серьезно; во всяком случае, Куп очень огорчен, и Алекс, я думаю, тоже.

Джимми задумался и ничего больше не прибавил. Два дня он размышлял о том, что сказала ему мать. На третий день, выбрав момент, когда Валери отправилась по магазинам, он позвонил Алекс в больницу, но ему сказали, что сегодня у нее выходной, а ее домашнего номера у него не было. Тогда Джимми позвонил ей на пейджер, но Алекс так и не перезвонила. Прошла еще неделя, прежде чем ему удалось застать ее на работе.

— Что с тобой? Куда ты пропала? — резко спросил Джимми. Всю неделю он часто раздражался по пустякам, изводил мать мелочными придирками, и все из-за того, что ему очень не хватало Алекс. Он очень хотел поговорить с ней хотя бы по телефону. Алекс была единственным человеком, которому он мог бы открыть душу.

— Я никуда не пропадала. Просто я была... занята, — ответила Алекс. Голос у нее был усталый и совсем тихий, но Джимми показалось — она каждую минуту готова заплакать.

— Я все знаю... — Джимми стало ее жаль, и он сменил тон. Теперь его голос звучал мягко и сочувственно. — Мама мне все рассказала.

— А откуда она знает? — удивилась Алекс.

— По-моему, от Купа. Они встретились у бассейна и поговорили... Мне очень жаль, Алекс, представляю, каково тебе сейчас.

На самом деле Джимми считал, что происшедшее было Алекс только на пользу, но не хотел огорчать ее еще больше.

— Я просто убита. Впрочем, мне кажется, я начинаю понимать, что произошло. У Купа проснулась совесть...

— Рад слышать, что она у него вообще есть. — Даже после того, как Алекс и Куп расстались, Джимми не стал относиться к актеру лучше. Теперь он сердился на Купа за то, что он причинил Алекс боль, хотя и понимал — в таких ситуациях без этого просто невозможно обойтись. За те несколько месяцев, что они встречались, их жизни и чувства успели накрепко переплестись, и разделять их заново было все равно что резать по живому.

— А мне на следующей неделе снимут гипс, — сообщил он. — Врач сказал, что наденет мне другие, легкие лубки, и я смогу ездить в инвалидном кресле, а потом и ходить на костылях. Можно мне навестить тебя, когда я начну передвигаться самостоятельно?

— Конечно. Я буду очень рада тебя видеть. — Самой Алекс было бы очень тяжело навещать Джимми в «Версале», где она прожила столько счастливых дней, к тому же здесь она могла случайно столкнуться с Купом. Подобной встречи Алекс не желала ни при каких обстоятельствах — и ей самой, и Купу она могла причинить только новую боль.

— А можно мне иногда тебе звонить? — снова спросил Джимми. — Я только не знаю, когда это лучше делать, чтобы наверняка тебя застать. Когда я звоню на работу, ты все время занята, а домашнего номера у меня нет.

— У меня вообще нет домашнего телефона. Я, кажется, уже рассказывала... Я сплю в бельевой корзине на куче нестираных халатов, — сказала Алекс и шмыгнула носом. Неожиданно ей стало очень жалко себя.

— Как это романтично! — улыбнулся Джимми.

— Вовсе нет. — Алекс снова негромко всхлипнула. — Господи, Джимми, как же мне плохо! Наверное, Куп был прав, но... Ведь я действительно его любила, но он сказал, что слишком стар для меня и не хочет заводить детей. Кроме этого... кроме этого, у него есть еще кое-какие проблемы.

Я могла бы помочь ему их решить, но он отказался. Куп поступил благородно, но мне показалось — это просто глупо, нелепо, смешно...

— Кажется, он порядочнее, чем я думал... — проговорил Джимми. — Во всяком случае, Куп совершенно прав. Для тебя он слишком стар — когда тебе будет пятьдесят, ему уже исполнится девяносто. А женщина обязательно должна иметь детей, особенно если она молода.

— Мне иногда кажется, все это не так уж важно — и дети, и разница в возрасте... — жалобно проговорила Алекс. Она все еще слишком остро переживала свою потерю. Куп был удивительным, ни на кого не похожим; таких, как он, ей еще не приходилось встречать.

— Боюсь, тебе это только кажется, — возразил Джимми. — Подумай как следует: неужели ты действительно готова отказаться от детей ради... — «Ради этой старой развалины», — хотел он сказать, но сдержался. — Даже если бы тебе удалось уговорить его, он все равно бы не принял в них никакого участия до тех пор, пока им не исполнилось бы по меньшей мере тридцать, — поспешно добавил он, боясь, что Алекс угадает его мысль. — Взгляни на Тайрин — вот тебе наглядный пример.

На взгляд Алекс, пример был не особенно удачным, но она понимала, что Джимми прав. Самой ей пришел на ум другой случай. Когда Джимми попал в аварию, Куп полностью самоустранился от всего, что было ему неприятно. Точно так же он мог повести себя и с собственными детьми, а Алекс знала, что хотела бы иметь мужа, на которого могла бы опереться в самых сложных ситуациях. От Купа ожидать этого — увы! — не приходилось.

— Не знаю, Джимми... — сказала она задумчиво. — Сейчас мне просто плохо — вот и все. Очень плохо...

Алекс чувствовала, что может говорить с ним откровенно, как с близким другом. Джимми и был ее другом, хотя из-за всего, что произошло, они некоторое время не виделись. Она была уверена — Джимми поймет ее правильно, поймет, посочувствует и, может быть, даже утешит. До сих пор единственным человеком, которому Алекс рассказала о случившемся, была Тайрин. Она хотя и сочувствовала Алекс, но считала, что отец поступил правильно. И хотя Алекс понимала ее доводы, однако от этого разговора у нее остался неприятный осадок.

— Алекс, милая, я понимаю тебя, — сказал Джимми. — Ты страдаешь, тебе больно, тебе кажется, что твоя жизнь разрушена... Но пройдет время, боль утихнет. Можешь мне верить — я испытал все это на собственной шкуре.

Действительно, в последнее время с Джимми произошли большие перемены. Автомобильная авария и балансирование на грани жизни и смерти явились для него своего рода катарсисом, после которого он как будто стал новым человеком. А может быть, дело было и в проснувшемся в нем интересе к жизни.

— Знаешь, Алекс, о чем я мечтаю все эти дни, лежа в этом дурацком гипсе? — спросил Джимми. — Когда снимут гипс, я приглашу тебя в ресторан и в кино. Надеюсь, ты не откажешь несчастному инвалиду?

— Боюсь, со мной тебе будет не очень весело. Я — плохая компания, — вздохнула Алекс.

— Честно говоря, я тоже. В последнее время мы с матерью грыземся чуть не каждый день. И как только она меня терпит!

— Я подозреваю — все дело в том, что она просто тебя любит. — Они оба знали это.

На следующий день Джимми снова позвонил Алекс и с облегчением услышал, что ее голос звучит бодрее. Он позвонил ей и на следующий день. Он звонил Алекс каждый день, пока ему не сняли гипс. Чтобы отпраздновать это событие, Джимми пригласил Алекс в ресторан. Валери подвезла сына к ресторану и заехала позже, чтобы вернуться с ним домой. Она была рада видеть Алекс. Валери переживала за нее, как женщина она понимала, какой удар нанес Куп Алекс. Но Валери была убеждена, что рано или поздно Алекс поймет — его поступок был вызван не жестокостью, не прихотью или капризом, а ответственностью Купа, хотя, может быть, и запоздалой.

И все же ей было жаль Алекс. Куп, с головой уйдя в съемки рекламных роликов, переносил разрыв, судя по всему, намного легче. К тому же ситуация с ребенком Шарлен окончательно лишила его привычного спокойствия. Что-то покажет сравнительный тест ДНК? Для полного счастья

Купу не хватало только судебного иска по взысканию с него алиментов на младенца. Куп нервничал и злился на Шарлен больше, чем когда бы то ни было.

— Клянусь тебе, Валери, — признался он матери Джимми, — больше я ни с одной женщиной встречаться не буду. Слишком дорого это обходится в конечном итоге. Еще ничего не известно, а я уже потерял, наверное, год жизни, если не больше.

Он буквально кипел, и Валери рассмеялась.

— Свежо предание, Куп... — сказала она. — Я, наверное, не поверила бы тебе, даже если бы ты был лет на двадцать старше и лежал на смертном одре. Ведь ты встречался с женщинами всю жизнь и вряд ли сможешь без них обойтись.

За последние недели они стали видеться чаще и даже перешли на «ты». Эти разговоры были для Купа своего рода отдушиной. Здравый смысл и спокойствие Валери, трезвость ее оценок словно прибавляли Купу сил и уверенности. Куп заметил, что после этих разговоров он стал нервничать и паниковать гораздо меньше.

— Наверное, ты права, — согласился он. — Увы, в большинстве случаев это были не те женщины, если ты понимаешь, что я хочу сказать. Только к Алекс это не относится. Она совершенно особенная, и если бы не моя затруднительная ситуация, кто знает — быть может, все сложилось бы совершенно иначе. К сожалению, о том, чья она дочь, мне стало известно в тот день, когда мы познакомились, и это обстоятельство держало меня в напряжении все время, пока мы встречались. Я совершенно запутался, Алекс была мне нужна и дорога, но я не мог не думать и о мэдисоновских капиталах. Я комплексовал, меня не покидало чувство вины перед Алекс. Это мучило меня... Дальше ты знаешь.

Валери кивнула. Куп довольно долго пытался проверять, взвешивать свое решение, но ему никак не удавалось убедить себя в том, что он был прав на все сто процентов. Мысль о том, что существовал другой выход, но он его не нашел, не заметил, превратилась для него в навязчивый кошмар. Лишь в последнее время Куп пришел к выводу, что поступил правильно. Как-то он признался Валери, что в качестве жены Алекс действительно была бы для него слишком молода.

— Я-то уверена, что ты сделал все правильно, — сказала Валери. — Но если бы ты все-таки женился на ней, я бы тебя поняла. Алекс — чудесная девушка, и она любила тебя.

— Я тоже любил ее и люблю, — ответил Куп. — Но вряд ли я бы все-таки женился на ней. Я никогда не хотел иметь детей, а Алекс ведь еще так молода... Мне казалось — я должен... нет, мне придется жениться на Алекс из-за денег. — Он усмехнулся. — То же самое, кстати, советовал мне и Эйб — мой бухгалтер. Но это могло кончиться большим скандалом, и хуже всего было бы в этой ситуации самой Алекс. И я боялся за нее — ведь ее семья никогда не одобрила бы этот брак.

— И что ты собираешься делать теперь? — спросила Валери. — Ведь твои проблемы, они... никуда не исчезли.

— Надеюсь сняться в одном хорошем фильме, — ответил Куп задумчиво. — Или в нескольких дюжинах очень плохих реклам. — Он уже сообщил своему агенту, что готов взяться за роли, отличные от тех, которые играл всю жизнь. Куп решил — ничто не мешает ему представить на экране пожилого героя или отца героя. Он больше не претендовал на роль первого любовника, и агент был поражен, когда услышал это. Сам Куп тоже претерпел немалые муки, прежде чем решился сказать нечто подобное, но обратного пути у него не было. Да и агент, справившись с первоначальным шоком, заметно оживился и пообещал, что постарается в самое ближайшее время прислать ему несколько сценариев.

«Только это должна быть очень хорошая, значительная роль, — предупредил Куп агента. — Правда, я пока не собираюсь умирать, но кто знает... Не исключено, что это будет мой последний фильм, и я хочу, чтобы он вошел в историю Голливуда».

К первому июля Куп почти пришел в норму. Алекс, казалось, тоже немного успокоилась. Валери несколько раз привозила Джимми в больницу, чтобы он мог повидаться с ней, а в одно из воскресений, когда Куп был на съемках, Алекс сама приехала в «Версаль», и они все вместе поужинали с Тайрин и Марком. Джессика и Джейсон должны были вернуться в Лос-Анджелес только после Четвертого июля. В конце концов они все же согласились присутствовать на свадьбе матери, хотя и продолжали винить во всем

Эдама. Они никак не могли ему простить того, что из-за него разрушилась их семья.

— А мы собираемся объявить о помолвке, — сказал Марк, с нежностью глядя на Тайрин. Они оба были смущены и стеснялись своего нового статуса жениха и невесты. Но их лица светились такой радостью, что даже посторонний человек понял бы, эти двое влюблены друг в друга.

— Поздравляю! — сказала Алекс и почувствовала, как в сердце снова шевельнулась уснувшая было боль. Она все еще вспоминала счастливое время, когда они с Купом были вместе. Алекс не была готова к тому, что счастье будет так недолговечно.

Джимми ковылял по комнате, опираясь на палочку, а Валери уговаривала его провести остаток лета в их доме на мысе Код.

— Я не могу оставить работу, ты знаешь ведь, мама, — возразил Джимми. — Одно дело, если бы я клепал грузовики на заводе, и совсем другое — дети, в особенности — дети из Уоттса... Нет, я должен вернуться как можно скорее.

Он уже обещал, что выйдет на работу на будущей неделе, хотя передвигаться ему было еще довольно тяжело. Впрочем, Джимми рассчитывал начать с бумажной работы; кроме того, он мог принимать посетителей в своем кабинете. Валери знала о его планах и вызвалась каждый день возить его на работу и обратно, пока он не выздоровеет окончательно.

— С ней я чувствую себя мальчишкой, которого никуда не пускают одного и заставляют мыть руки перед едой, — со смехом пожаловался Джимми Алекс, когда Валери ненадолго вышла в кухню.

— На твоем месте я бы благодарила бога, что у меня такая мать! — осадила его Алекс. — Что бы сейчас с тобой было, если бы не она?

— И если бы не ты, — тихо сказал Джимми. Алекс удивленно посмотрела на него.

Разошлись они в тот вечер поздно. По дороге домой Алекс попыталась себе представить, что может делать сейчас Куп. От Тайрин она знала — он улетел на пару дней во Флориду на съемки в рекламном ролике. На этот раз Куп рекламировал английский чай, и съемки должны были пройти на борту большой океанской яхты, закамуфлированной под «Катти Сарк»[1]. Алекс беспокоилась о том, как он себя чувствует, — она знала, что Куп был подвержен морской болезни, но позвонить ему она не решалась. Куп ведь сам сказал ей, что будет лучше, если некоторое время они не будут встречаться. Впрочем, Куп тут же добавил — он надеется, что когда-нибудь в будущем они станут добрыми друзьями, однако сейчас эта перспектива Алекс совсем не обрадовала. Она все еще любила его, и их отношения все еще не перешли для нее в категорию «прошлое».

После Четвертого июля из Нью-Йорка вернулись дети Марка. А еще три дня спустя Алекс, взглянув на свой настольный календарь, увидела: на сегодня были назначены анализы Шарлен. Результатов следовало ждать не раньше чем через десять дней, и Алекс невольно задумалась, что покажет тест ДНК и узнает ли она об этом.

Куп позвонил ей сам через две недели. Он спешил поделиться с Алекс радостной новостью.

— Это не мой ребенок! — с торжеством объявил он, как только услышал в трубке ее голос. — Мне казалось — тебе это тоже не безразлично, вот я и позвонил. Скажи, ты рада за меня? Шарлен села в лужу, и я спасен. Теперь мне не придется платить алименты ни ей, ни этому ее ублюдку.

— В таком случае чей же это ребенок? Ты случайно не знаешь?.. — Алекс была рада за Купа, хотя один звук его голоса заставил ее сердце сжаться от боли.

— Не знаю и знать не хочу! — со злостью сказал Куп. — Единственное, что меня волнует, так это то, что он не мой. Это неопровержимо доказано, и я ужасно рад! В моем возрасте противопоказано иметь детей, как законных, так и незаконнорожденных, — добавил он специально для Алекс. Куп хотел на всякий случай напомнить, что он был бы для нее неподходящим мужем, полагая, что этим он может как-то облегчить ее терзания. В том, что она страдает, он не сомневался. Куп и сам временами тосковал по Алекс, хотя с каждым днем все больше осознавал, что поступил правильно.

— Представляю, как Шарлен разочарована,— автомати-

---

[1] «Катти Сарк» — самый быстроходный в истории чайный клипер, обладатель «Голубой ленты».

чески заметила Алекс. Она не могла не радоваться за Купа, но каждое его слово буквально рвало ей сердце.

— Пусть она теперь хоть повесится, — с неприкрытой злостью ответил Куп. — Скорее всего ей сделал ребенка какой-нибудь шофер грузовика или заправщик с бензоколонки, так что теперь ей не видать алиментов как своих ушей. И квартиры в Бель-Эйр тоже. И поделом ей, этой стерве!

Куп рассмеялся весело и беззаботно, а Алекс поспешила закончить разговор — радоваться вместе с Купом, изображая беззаботность, у нее уже не было сил.

На следующей неделе она увидела в одной из газет крупный заголовок на первой странице: «Купер Уинслоу — НЕ отец внебрачного ребенка!» — и поняла, что эту информацию сообщил репортерам его агент. Куп был публично оправдан. Теперь у него стало по крайней мере одной заботой меньше, и этого было достаточно, чтобы Куп чувствовал себя свободным и беззаботным, как ветер.

Что ж, в этом был весь Куп — легкомысленный, эгоистичный и... неотразимый. Но это не отменяло того факта, что ей мучительно его не хватало.

Так она честно и сказала Джимми, когда он позвонил ей на следующий день:

— Я все еще скучаю по нему. Таких, как он, встретишь не часто.

— А вот это как раз хорошо, — рассмеялся Джимми. — Во что бы превратилась наша жизнь, если бы мы на каждом шагу сталкивались с такими Куперами Уинслоу?

Джимми уже вернулся на работу и чувствовал себя неплохо. К нему вернулся крепкий сон и аппетит. Он даже жаловался, что начинает толстеть от материнской стряпни. Правда, Джимми все еще ходил с палочкой; кроме того, ему предстояло еще полтора месяца посещать физиотерапевтический кабинет, однако это были сущие пустяки по сравнению с тем, через что он прошел.

Алекс постепенно тоже стала возвращаться к жизни. Во всяком случае, она снова стала собой, и когда в один из дней Джимми пригласил ее в ресторан, Алекс с удовольствием согласилась.

— Знаешь, — сказал Джимми, когда они с аппетитом поедали вкуснейшее китайское блюдо с непроизносимым

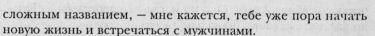

сложным названием, — мне кажется, тебе уже пора начать новую жизнь и встречаться с мужчинами.

— В самом деле? — переспросила Алекс удивленно. — Хотелось бы мне знать, с чего ты взял, что можешь давать мне подобные советы?

— Разве не для этого существуют друзья? — Джимми огорчила ее реакция. Сегодня они были вдвоем: Валери, которая повсюду возила Джимми на своей новой машине, встречалась с какими-то знакомыми, и он приехал в ресторан на такси. — Кроме того, мне кажется, ты слишком молода, чтобы вечно оплакивать парня, с которым встречалась всего пять месяцев твоей жизни. Нет, Алекс, ты должна вернуться к нормальной жизни со всеми вытекающими отсюда последствиями...

Его интонация была по-отечески покровительственной, и Алекс чувствовала, что за его не слишком деликатными советами стоит самая искренняя дружеская забота. Уже давно в их разговорах не было запретных тем; они были друг с другом предельно откровенны, и это произошло так естественно, что Алекс легко прощала Джимми невольную бестактность.

— Что ж, спасибо за заботу, — сказала Алекс. — Но... я не чувствую себя готовой. Кроме того, я слишком занята для серьезных отношений. Если помнишь, я пока еще врач-резидент, и у меня очень много работы.

— Ты просто боишься; когда ты встречалась с Купом, работы у тебя было не меньше.

— Все дело во мне. Мои раны все еще болят, особенно к дождю, — с печальной улыбкой пошутила Алекс.

У нее не возникало ни малейшего желания искать Купу замену. Да она и понимала, что вряд ли встретит мужчину, способного разбудить вновь ее чувства. Ни один мужчина не мог даже сравниться с Купом, с его обаянием, мужской неотразимостью, с его отношением к ней. Алекс так не хватало его ласк, его внимания и заботы, хотя, может быть, только теперь она начала понимать, что их отношения с Купом с самого начала были обречены.

— Мне так не кажется. Просто ты все еще боишься обжечься, — уверенно возразил Джимми.

— А как насчет вас, мистер О'Коннор? — парировала

Алекс. — Что мешает вам встречаться с женщинами? Только не говорите, что ваша мама вам не разрешает. — Она облизала палочки и отодвинула пустую тарелку.

— Это совсем другое дело, — возразил Джимми. — Во-первых, я в трауре. Кроме того, моя трагедия куда серьезнее, чем твоя...

Он сказал это вполне серьезным тоном, но Алекс видела — в его темно-карих глазах поблескивают живые, лукавые огоньки.

— Что касается мамы, — добавил Джимми, — то мы с ней обсудили этот вопрос и решили, что мне надо начинать встречаться с женщинами в самое ближайшее время. Нет, я не шучу!.. — добавил он, заметив, что Алекс готова улыбнуться. — Мать сказала мне, что сама пережила что-то подобное, когда умер отец, и теперь жалеет о том, что не вернулась к полноценной жизни. Она говорит — это была большая ошибка, и она не хочет, чтобы я ее повторил.

— Твоя мать — удивительная женщина! — не скрывая восхищения, сказала Алекс. — И большая умница.

— Да, я знаю. Но, несмотря на это, ей бывает очень одиноко. Я, конечно, очень благодарен ей за все, что она сделала для меня после... после моей болезни, но у меня создалось впечатление, что, кроме всего прочего, ей просто нравится жить со мной, заботится обо мне. Я уже предложил маме переехать ко мне...

— И как тебе кажется — она решится? — с интересом спросила Алекс.

— Честно говоря — вряд ли. Она любит Бостон, там живут все ее друзья, кроме того, маме нравится наш летний дом на мысе Код. Это потрясающее место. Обычно она проводит там все лето, и я думаю, что, как только я снова смогу водить машину, она уедет туда. Мама просто обожает приводить его в порядок после зимы — она сама забивает гвозди и завинчивает шурупы, у нее ко всему прочему золотые руки.

— А ты сам хотел бы туда поехать? — поинтересовалась Алекс.

— Иногда... — Для Джимми в этом доме слишком многое было связано с Маргарет, с памятью о ней, и он знал, что жить там ему будет нелегко. Именно поэтому он пообещал матери, что навестит ее только на будущий год, и Валери поняла его и не стала настаивать.

— А я не люблю наш дом в Ньюпорте, — задумчиво сказала Алекс. — Он очень похож на «Версаль», только гораздо больше, а мне всегда казалось, что летний дом должен быть маленьким и уютным. Помню, в детстве я очень хотела, чтобы наш дом был попроще, как у других детей, с которыми я встречалась. Увы, я всегда получала все самое лучшее и дорогое. Конечно, родители желали мне только добра, но мне каждый раз становилось неловко перед друзьями за то, что у меня сарафанчик за триста долларов и туфельки за шестьсот.

Особняк Мэдисонов в Палм-Бич был еще больше, и Алекс тоже терпеть его не могла.

— Бедняжка ты моя, у тебя было такое тяжелое детство, — поддел ее Джимми. — Я уверен, все дело именно в этом. Посмотри на себя: ты одеваешься просто... просто неприлично. Я, например, уверен, что у тебя нет ни одной пары джинсов, которые бы не были обтрепаны и застираны. Ты ездишь на машине, которая выглядит так, словно ты подобрала ее на помойке, а твоя квартира без телефона похожа на свинарник... извини, на бельевую корзину. Совершенно очевидно, что у тебя развилась фобия — фобия богатства. Ты просто боишься хороших и дорогих вещей! — Он продолжал шутить, и ему даже не пришло в голову, что те же слова он мог бы сказать и Маргарет. Она тоже старалась не брать у него ни цента и покупала самые дешевые вещи.

— Тебе не нравится, как я выгляжу? — с вызовом спросила Алекс, которую речь Джимми удивила.

— Ты выглядишь очень хорошо даже в больничной униформе, в которой ты проводишь девяносто процентов своего времени. В остальные десять процентов времени ты выглядишь просто потрясающе. Нет, Алекс, твоя одежда меня не касается — мне не нравится только машина, на которой ты ездишь, и квартира, в которой ты живешь. Это, знаешь ли, уже попахивает патологией!

— Кроме этого, тебе не нравится моя личная жизнь, точнее — отсутствие таковой! — Алекс слегка прищурилась. — Что-нибудь еще, мистер О'Коннор, или вы все сказали?

— Нет, не все, — сказал он и посмотрел на нее в упор. — Ты не воспринимаешь меня всерьез, Алекс, и это не нравится мне больше всего.

Его голос прозвучал как-то странно, и Алекс напряглась. Ей показалось, что она невольно чем-то обидела его.

— А что именно я должна воспринимать всерьез? — спросила она.

— Меня. Мне кажется, я в тебя влюбляюсь, — проговорил он негромко и посмотрел на нее вопросительно, словно не зная, какой реакции ожидать. Больше всего он боялся, что Алекс может его возненавидеть. Если бы не Валери, с которой вчера вечером у него состоялся серьезный разговор, Джимми ни за что бы не решился сказать ей такое.

— Ты... что?! Ты с ума сошел, Джимми! — Алекс выглядела по-настоящему потрясенной, и Джимми даже отпрянул.

— Не на такой ответ я надеялся. Но не исключено, что ты права, — вздохнул он. — Честно говоря, Алекс, мне всегда не нравилось, что ты встречаешься с Купом — я считал, что... он тебе не подходит. Но тогда сам я еще не мог стать для тебя подходящим парнем, — прибавил он откровенно, и Алекс воззрилась на него в немом изумлении.

Джимми кивнул.

— Я и сейчас не уверен, что готов... встречаться с тобой, но... Во всяком случае, мне хотелось, чтобы ты знала о моих намерениях. Сначала, конечно, мне будет тяжело... из-за Маргарет. Но теперь я надеюсь, что я справлюсь. Примерно то же самое я испытал, когда мне сняли гипс и мне пришлось учиться ходить на костылях. Это было тяжело, но и... приятно. А ты — единственная женщина в мире, которой я дорожу так же, как дорожил Маргарет. Она была удивительной женщиной, и ты... ты тоже, Алекс! — Он смолк на мгновение. — Прямо не знаю, что еще сказать, — промолвил Джимми после паузы. — Пожалуй, только одно: если я тебе не совсем безразличен, я хочу... я прошу тебя: не отвечай сразу, сгоряча. Давай хотя бы попробуем и посмотрим, что из этого выйдет. — Он внимательно посмотрел на нее. — Вот теперь ты решила, что я действительно псих...

Голос его задрожал, и Алекс потянулась через стол и взяла его за руку.

— Все в порядке, Джимми... — негромко сказала она. — Просто я, как и ты, немного боюсь... Но ты мне тоже нравишься. Когда после аварии я подумала, что ты можешь умереть, мне стало очень страшно. Я так хотела, чтобы ты вышел из комы, и ты вернулся... Теперь Купа нет — вернее, он нам не мешает, и я прошу только об одном: давай не будем торопиться, хорошо? А там, как ты сказал, посмотрим, что из этого выйдет. Быть может, я тебя еще разочарую.

Джимми улыбнулся растерянно. Он не верил, что все-таки сказал это, и не знал, что он сейчас чувствует. Алекс была примерно в таком же состоянии. Единственное, что было очевидно для обоих, это то, что они нравились друг другу. Возможно, этого было достаточно. Они оба заслуживали того, чтобы найти для себя подходящего... нет, не просто подходящего человека, а того самого, единственного... Впрочем, до этого было еще далеко, пока же они сделали навстречу друг другу только первый шаг, и их ждал еще долгий путь. И все равно оба чувствовали, что стоят на пороге чего-то нового и неведомого. И это давало надежду, пусть пока и смутную... И сейчас этого было достаточно обоим, ибо к чему-то большему ни Алекс, ни Джимми пока не были готовы.

Когда после ужина Алекс везла его на своей развалюхе обратно, оба испытывали некоторую неловкость и страх... У крыльца она помогла Джимми выбраться из «Фольксвагена» и подняться на ступеньки. Уже у самой двери он повернулся и, улыбнувшись, поцеловал ее. При этом он едва не оступился, и Алекс, провожая его до спальни, сурово выговаривала ему:

— Нашел где целоваться! Ты же мог упасть и угробить меня!..

В ответ Джимми только рассмеялся. Ему нравилось в Алекс абсолютно все, даже то, как она ворчит.

— Хватит меня пилить — ведь мы еще даже не поженились, — добродушно огрызнулся он.

— И не поженимся, если ты и дальше будешь делать глупости, — рассмеялась Алекс, а Джимми поцеловал ее снова.

Потом она помогла ему сесть на кровать и спустилась вниз. Уже из гостиной она крикнула ему в лестничный пролет:

— Передай Валери от меня привет. И... большое спасибо!

За что она благодарит Валери, Алекс и сама не знала. Быть может, за все, что она сделала для них обоих: за то, что выходила Джимми и дала ему мужество жить дальше. Они с Джимми ничего не обещали друг другу, но теперь у обоих появилась надежда. И Джимми, и Алекс были молоды, и у них впереди была еще целая жизнь.

Возвращаясь к себе, Алекс думала о Джимми и улыбалась. И Джимми у себя в спальне улыбался тоже. Он уже хорошо знал, как подчас опасна и трудна бывает жизнь, и все же — его мать была права — нельзя опускать руки. Нужно бороться, не бояться начать все сначала, чего бы это ни стоило.

И, кажется, он сумел сделать это, сумел хоть немного сдвинуться с того места, где, как ему часто думалось, он застрял глубоко и безнадежно...

Глава 24

В тот вечер, когда Алекс и Джимми сидели в китайском ресторанчике, Куп встречался с Валери. Он давно собирался повести ее в «Оранжерею» и теперь исполнил свое намерение. Она выхаживала Джимми уже почти два месяца, и Куп считал, что Валери заслужила по крайней мере один выходной день. Кроме того, теперь они были приятелями, а с тех пор как Куп расстался с Алекс, ему часто бывало очень одиноко. В прошлом ему легко удавалось утешиться с помощью нового увлечения, однако на сей раз Куп решил, что ему не следует спешить. Он вообще не собирался возвращаться к прежнему образу жизни и, хотя знал, что это будет нелегко, был полон решимости начать новую жизнь.

Куп выбрался в ресторан впервые за целый месяц — встречи с агентом и продюсером были не в счет. И он не был разочарован. Валери оказалась чудесной собеседницей. Куп и так знал, что они придерживаются сходных мнений по самым разным вопросам, но на протяжении сегодняшнего вечера им удалось существенно расширить круг этих самых вопросов. Например, им нравились одни и те же оперы, одна и та же музыка, одни и те же города. Куп знал Бостон так же хорошо, как она, и им обоим нравился Нью-Йорк и не нравился Новый Орлеан. Обсуждая старушку Европу, они единодушно решили, что самый лучший — и самый американский — из городов Старого Света — это, как ни странно, Лондон, где Валери жила с мужем еще до рождения Джимми, а Куп часто бывал во время съемок. Кроме всего прочего, им нравилась одна и та же кухня и одни и те же рестораны.

За десертом речь пошла о Тайрин и Марке. Куп рассказал Валери, как появилась в его жизни сорокалетняя дочь. Валери много говорила о своем покойном муже и о том, как Джимми похож на отца.

Потом они заговорили об Алекс. Точнее, заговорил Куп, поскольку Валери никогда бы не позволила себе первой коснуться такой деликатной темы.

— Честно говоря, Валери, я был без ума от нее, — сказал Куп. — Но теперь мне кажется, что даже это было неправильно. Боюсь, сама Алекс этого еще не понимает, но я почти уверен: если бы мы остались вместе, в конце концов мы бы сделали друг друга очень несчастными. Весь последний месяц я думал об этом, и хотя логика подсказывает мне, что я скорее всего прав, иногда мне бы все-таки хотелось, чтобы она вернулась. Это, конечно, чистой воды эгоизм, но... — Он обворожительно улыбнулся. — Удивительно трудно, оказывается, бороться с собственными желаниями! Я просто измучился!

Валери понимающе кивнула. Она знала, что Куп гордится собой, гордится тем, что — пусть и в конце жизни — сумел одолеть собственный эгоизм, поступиться своими желаниями и прихотями ради другого человека.

Поговорили они и о Шарлен — о том, какую ошибку Куп сделал, когда связался с ней. Куп ничего не скрывал от Валери — этому научила его Алекс. Она с самого начала сказала ему, что если они хотят быть вместе, то между ними не должно быть никаких тайн, никаких запретных тем. Искренность давалась ему легко, в этом была немалая заслуга самой Валери — умела хорошо слушать. Куп чувствовал, что может рассказать ей все; он поделился с нею даже своими финансовыми проблемами. Буквально неделю назад Куп продал один из своих «Роллс-Ройсов», что было для него еще одной победой над собственными привычками, и, хотя вырученных денег едва хватило, чтобы заплатить налоги, он был ужасно собой доволен. Куп думал — Лиз могла бы гордиться им, и Эйб тоже. Впервые в жизни он не прятался от трудностей, а смотрел им в лицо. И хотя «Версалю» все еще угрожала опасность быть проданным с молотка, Куп чувствовал себя значительно увереннее. Он больше не чувствовал себя щепкой, которую несет бурная вода; теперь он сам мог влиять на ситуацию, изменять ход событий, и это было очень приятное чувство. К тому же его агент недавно сообщил Купу, что на горизонте появилась интересная роль и сейчас он обрабатывает продюсеров.

— Знаешь, мне начинает казаться, что быть взрослым совсем не так плохо, — доверительно сказал он Валери. — Для меня, во всяком случае, это ново и... интересно. И мне это даже нравится.

Другое дело, размышлял Куп, что его безответственность и ветреность, давно уже ставшие притчей во языцех, были частью его образа, и он никак не мог решиться расстаться с ними окончательно. Да и с долгами Куп все еще не расплатился, но теперь ему почему-то казалось — он сумеет перебороть ситуацию.

— Этим летом я хотел побывать в Европе, — признался он. Куп собирался поехать с Алекс, но она была слишком занята и не могла оставить работу даже на неделю, да и он сам, честно говоря, не мог себе этого позволить. — Но не получилось, а теперь я бы и сам не поехал. Лучше я останусь в Лос-Анджелесе и постараюсь побольше заработать денег. Кто знает — может быть, мне все-таки повезет с ролью...

— А ты не хотел бы отдохнуть хотя бы несколько дней у нас на мысе Код? — неожиданно предложила Валери. — Мне пора туда наведаться, и мы могли бы поехать вместе. У нас очень уютный, хотя и небольшой дом; правда, в последние годы он несколько обветшал. Этот дом принадлежал еще моей бабушке, и она очень внимательно за ним следила. У меня так не получается, к тому же сейчас ремонтировать его стало намного сложнее. К счастью, дом пока еще стоит крепко. Я очень люблю его — с детства я отдыхала там каждое лето. Место это удивительное!

Дом на мысе Код действительно много значил для Валери, и ей вдруг захотелось показать его Купу. Она была уверена — он сумеет оценить его по достоинству.

— Что ж, буду очень рад, — ответил Куп и улыбнулся. В обществе Валери он чувствовал себя очень комфортно. Если бы еще недавно Купу сказали, что он будет находить удовольствие в обществе пятидесятилетней женщины, а, как он догадывался, Валери было больше пятидесяти, и Джимми был живым тому доказательством, он бы расхохотался. Но теперь он мог убежденно оценить все преимущества этого знакомства. Ему хотелось рассказывать Валери о себе, хотелось знать о ее жизни. Она была умна, интеллигентна и в то же время относилась к жизни с мудростью, не обремененной трагизмом или пафосом. Естественность — вот что было главным достоинством. Куп мог вообразить, что в будущем их взаимная симпатия может стать чем-то большим. Еще никогда в жизни Купа не было опыта отношений с женщинами ее возраста, однако теперь Куп ясно видел все достоинства и преимущества подобного союза. Отношения с Шарлен излечили его от увлечения молодыми женщинами.

Кроме того, глядя на Валери, Куп находил, что она в свои пятьдесят с небольшим продолжала выглядеть молодо и привлекательно. Ее обаяние не имело возраста.

— А никто из твоих друзей не станет возражать, если ты приведешь с собой на Кейп-Код гостя? — осторожно спросил Куп. Он хотел быть уверен, что никто не ждет ее в Бостоне или в доме на мысе Код, прежде чем решаться на эту поездку.

В ответ Валери покачала головой и улыбнулась:

— Нет, Куп. Некому возражать. С тех пор, как умер Том, десять лет назад, я не искала ему замену. Мне просто... не хотелось.

Брови Купа удивленно поползли вверх.

— Вот как?! И напрасно! — Валери была красивой женщиной, она заслуживала того, чтобы в ее жизни был кто-то, кто бы о ней заботился.

— Теперь я тоже начинаю об этом жалеть, — честно призналась Валери. — Похоже, что это была моя большая ошибка. Я окончательно поняла это, когда умерла Маргарет, а Джимми... Я боялась, что он будет оплакивать Мэгги до конца жизни. Конечно, чтобы преодолеть такое, нужно время, но сейчас он почти оправился. К счастью... Наконец-то Джимми стало понятно, что Маргарет не вернуть и что нет никакого смысла хоронить себя заживо... особенно в таком возрасте. Мне удалось убедить его, что Маргарет, будь она жива, сказала бы ему то же самое. Ну и, конечно, эта катастрофа... Она тоже его изменила.

— Я почти уверен, что рано или поздно Джимми снова начнет заглядываться на женщин, — уверенно заявил Куп. — Прости за банальность, но против природы не попрешь. — Он рассмеялся. — Я знаю это на собственном опыте, а опыт у меня богатый... Впрочем, — добавил он, снова становясь серьезным, — в моей жизни не было такого горя, как у тебя или у Джимми.

Куп был вполне искренен. Он чувствовал огромное уважение и к Валери, и к ее сыну. Они оба сумели справиться с таким горем, глубину которого он даже не мог себе представить.

Расставаться после ужина не хотелось ни Купу, ни Валери, поэтому, вернувшись в «Версаль», они еще немного погуляли в саду.

Были тихие и теплые летние сумерки. В воздухе пахло цветами. Крупные ночные бабочки, трепеща крыльями, бесшумно порхали над дорожкой, по которой медленно шли Куп и Валери. Время от времени до них доносились из гостевого крыла взрывы смеха. Куп понял, что это Тайрин зашла к Марку и его детям. Теперь, когда Джессика и Джейсон вернулись из Нью-Йорка, она снова стала ночевать в своей спальне в главной части дома, однако свободное время Тайрин по-прежнему проводила с Марком.

— Кажется, им всем хорошо вместе, — сказал Куп задумчиво.

Валери молча кивнула.

— Странная вещь жизнь... — философски заметил Куп. — Бывает, в ней все складывается так, что лучше не придумаешь. Я уверен, что когда его жена ушла от него, Марк ужасно переживал... И вот теперь у него есть Тайрин, и его дети хотят жить с ним. Пожалуй, всего полгода назад он ничего подобного не ожидал и даже не думал, что такое возможно. Что ж, значит, такая у него судьба! Ему повезло.

— То же самое я говорила Джимми буквально вчера, — откликнулась Валери. — Я сказала ему: он должен верить, что рано или поздно все образуется и что все еще может повернуться совсем не так, как он предполагал.

— А как насчет тебя, Валери? Как все обернулось для тебя? — спросил Куп, когда они подошли к бассейну и сели в шезлонги. На поверхности воды отражалось звездное небо, и лунный свет блестел в голубых глазах и темных волосах Валери.

— У меня есть все, что мне нужно, — ответила она. Да иначе, наверное, и быть не могло: Куп уже понял, что Валери никогда не требовала от жизни многого и ничего не ожидала. У нее был Джимми, с ним случилась беда, но он выжил — и Валери было достаточно этого, чтобы чувствовать себя счастливой.

— Правда? Что ж, это большая редкость... — заметил он. — Ни один из людей, которых я знаю, не скажет, что у него есть все необходимое и ему больше ничего не нужно. Или ты не замахиваешься на многое?

— Наверное, — легко согласилась Валери. — Но я просто не знаю, чего бы я еще могла желать. Быть может, человека, с которым я могла бы разделить жизнь, если мне посчастливится еще пожить? Это действительно было бы неплохо, но если такой человек так и не появится, что ж... Во всяком случае, от этого я несчастней не стану.

— Я бы очень хотел посмотреть на твой дом в Кейп-Коде, если ты не передумала меня приглашать, — негромко сказал Куп.

— Я тебя приглашаю, — так же негромко ответила Валери.

— Мне очень нравятся старые дома, — признался Куп. — И мне всегда нравился мыс Кейп-Код — там какая-то особенная атмосфера: немного старомодная, но очень уютная. Быть может, кто-то скажет: тамошним домам далеко до великолепных ньюпортских особняков, но я так не считаю. Наоборот — эти дворцы выглядят довольно нелепо... — Тут он подумал об особняке Мэдисонов, который как раз стоял в Ньюпорте. Купу очень хотелось как-нибудь взглянуть на него хоть одним глазком, но это, скорее всего, было уже невозможно. То, что предлагала Валери, выглядело гораздо более реально, и это ему нравилось. Куп вдруг ощутил острую потребность пожить в простом, по-домашнему уютном месте, и чтобы рядом был человек, который бы ему нравился и с которым можно было бы просто поговорить. Валери подходила для этого идеально. Никакой неловкости или смущения Куп не испытывал, поскольку от нее ему ничего не было нужно. Как и ей от него. Все, что они могли дать друг другу, шло от чистого сердца. У Купа не было скрытых целей, которые он бы преследовал, и он знал, что и Валери не пытается ничего достичь своим предложением. Все здесь было ясно и просто, и Куп понял, что ему не хватает именно такой простоты и искренности отношений.

Они еще некоторое время посидели у бассейна, потом Куп проводил Валери до флигеля. Остановившись на крыльце, он поглядел на нее и улыбнулся.

— Спасибо за прекрасный вечер, Валери, — сказал Куп. — Мне было очень хорошо.

— Мне тоже, — ответила Валери, и ему показалось, что эти слова не были простой формулой вежливости. За ними стояло что-то большее, и Куп почувствовал, что ему очень приятно это сознавать.

— Спокойной ночи, — сказал он наконец. — Я позвоню тебе завтра, хорошо?

— Хорошо. Спокойной ночи, Куп. — Она помахала ему рукой на прощание и скрылась за дверью. Валери тоже была взволнована, хотя ничем не выдала себя. Дружба с Купом, кажется, превращалась в нечто более серьезное, и это застало ее врасплох. Но Валери ни о чем не жалела и даже была благодарна судьбе за то, что она позаботилась о ней таким образом. Если бы ее спросили, Валери ответила бы совершенно определенно, что ни к чему подобному не стремилась, однако теперь она бы не стала убегать от судьбы. Должно быть, подумалось ей, это свойство зрелого возраста: с благодарностью принимать все, что тебе дается, и никогда не требовать большего.

Глава 25

Как и обещал, Куп собирался позвонить Валери уже на следующее утро, но ему помешал агент. Он позвонил Купу в девять утра и сказал — ему необходимо как можно скорее приехать в офис. Никаких объяснений агент давать не стал, и Куп — одновременно и заинтригованный, и рассерженный подобной таинственностью — сказал, что сейчас выезжает. В контору агента он, однако, попал только к одиннадцати. Там, ни слова не говоря, агент вручил ему толстую папку со сценарием.

— Что это такое? — спросил Куп все еще раздраженно. За последнее время он видел много сценариев, но ни один из них ему не подошел.

— Прочтите и скажите мне, что вы думаете, — ответил агент. — На мой взгляд, это лучший сценарий из всех, что я когда-либо читал.

Куп только хмыкнул. Он был уверен, что ему снова хотят предложить очередную эпизодическую роль.

— Что, очередной эпизод, написанный специально для меня? — буркнул он.

— Ничего подобного, — отозвался агент. — Не эпизод. Весь этот сценарий написан как будто специально для вас.

— И сколько мне предлагают за роль?

— Давайте обсудим это, когда вы прочтете сценарий, — уклончиво ответил агент. — Но это нужно сделать как можно скорее. К вечеру вы управитесь?

— А кого я буду играть? — осведомился Куп, и агент улыбнулся.

— Отца, — ответил он.

Куп только кивнул. Он и так догадался, что роль не была заглавной, но в его положении выбирать не приходилось.

Вернувшись домой, Куп сразу засел за сценарий и был поражен. Сюжет, характеры были великолепны. Роль, которую ему предлагали, действительно была интересной, но многое зависело и от того, кто ее сыграет и сколько денег создатели фильма намерены вложить в свой проект.

Перевернув последнюю страницу, Куп позвонил агенту.

— О'кей, я его прочел, — сказал он. В голосе его слышалась заинтересованность, Куп был далек от того, чтобы прыгать от радости. Для этого он еще слишком мало знал. — А теперь расскажи-ка мне остальное.

Агент начал называть имена.

— Продюсером будет Гейбриел Шеффер, режиссером — Люксенберг. Главную мужскую роль исполняет Том Стоун, а главную женскую — Ванда Фокс или Джейн Франк. Им нужен отец героини, и, на мой взгляд, ты подходишь просто идеально. Да с таким составом фильм соберет всех «Оскаров»!..

— И сколько они предлагают? — спросил Куп, стараясь говорить спокойно. В такой звездной компании он не играл уже больше десяти лет. Если он согласится, то эта роль может стать лучшей за всю его карьеру. Куп, однако, был уверен, что много ему не заплатят. Его приглашали скорее ради имени и ради пресловутой «преемственности поколений», однако он рассудил, что в любом случае получит больше, чем за рекламные ролики. Съемки должны были пройти в Лос-Анджелесе и в Нью-Йорке, и, учитывая формат роли, Куп быстро подсчитал, что фильм отнимет у него от трех до шести месяцев. Что ж, решил он, лучше сняться в одном хорошем фильме, чем в десятке набивших оскомину реклам.

— Так сколько же? — повторил он свой вопрос.

— Пять миллионов долларов и пять процентов от сбора. Ну как, это вам, надеюсь, подходит?! — В голосе агента звучало нескрываемое торжество.

Куп потрясенно молчал.

— Ты серьезно? — промолвил он наконец.

— Совершенно серьезно. Я уже не думал, что когда-нибудь смогу предложить вам такую роль. Но представитель студии сказал: руководство хочет, чтобы отца героини сыграли именно вы, так что, если вы согласны, роль ваша. Только одно условие — они хотели, чтобы вы ответили им сегодня же.

— В таком случае можешь позвонить на студию и сказать, что я готов подписать контракт сегодня же вечером. Я не хочу, чтобы эта роль от меня ушла. — Куп все еще не мог прийти в себя. Наконец-то ему повезло!

— Никуда она не денется. Мне кажется, вы им очень нужны. Вы прекрасно подходите для этой роли, и продюсер это понимает.

— Боже мой!.. — выдохнул Куп, опуская трубку на рычаги. Руки его дрожали. Ему не терпелось поделиться с кем-нибудь своей радостью, и он бросился искать Тайрин.

— Ты понимаешь, что это значит? — спросил он, на одном дыхании выложив ей новости. — Я смогу сохранить «Версаль», заплатить все долги и даже отложить кое-что на старость!

Он радовался как мальчишка и не скрывал своего восторга. Его мечта наконец-то сбылась, сбылась, когда он уже почти потерял надежду. Это был его последний шанс, и удача улыбнулась ему. Он снова был независим и богат!

Внезапно Куп замолчал. Ему вдруг пришло в голову, что благодаря этому неожиданно свалившемуся на него богатству он может вернуть Алекс, жениться на ней, не мучаясь угрызениями совести. Но, как ни странно, Куп не торопился сообщить ей эту новость. Вместо этого он ринулся к выходу, бросив на ходу:

— Я сейчас!..

— Поздравляю, папа! — крикнула ему вслед Тайрин. — Постой! Да куда же ты?!.

Но Куп не ответил. Выскочив из дома, Куп быстро зашагал по направлению к флигелю у северных ворот.

Джимми еще не вернулся с работы, но Валери была дома. Открыв дверь на настойчивый стук, она так и замерла на пороге, глядя на Купа во все глаза. Куп напоминал безумца: взгляд его горел, волосы — впервые в жизни! — были растрепаны, и он попытался пригладить их рукой. Валери еще никогда не видела его таким — да и никто другой, наверное, тоже, — но сейчас Купу было наплевать на то, как он выглядит. Больше всего на свете ему хотелось как можно скорее сказать Валери о своем успехе.

— Я только что получил великолепную роль в фильме, который снимает сам Гейбриел Шеффер! — выпалил он с порога. — Сценарий просто великолепный, в будущем году эта лента соберет всех «Оскаров», сколько их есть в Киноакадемии. Но даже если этого не произойдет — не беда; мне заплатят столько, что я смогу решить все свои проблемы. Это самое настоящее чудо, Валери! Мне и самому до сих пор не верится, хотя через полчаса я еду к своему агенту подписывать контракт.

— Господи, Куп, вот это новость, — Валери смеялась от радости за него. — Ты заслужил этот успех.

— Может быть, и нет, — честно признался Куп, — но сейчас это уже неважно. Помнишь, вчера ты говорила: рано или поздно все образуется?.. Вот мне и повезло, и я рад, что это случилось так скоро. Правда, у меня не главная роль, но...

— Я уверена — ты справишься с ней великолепно, — перебила Валери, которой передалось его волнение. — Такой актер, как ты, сумеет превосходно сыграть даже роль второго плана! Тебя оценят!

— Спасибо! — от души поблагодарил Куп. — Давай отпразднуем это событие? Приглашаю тебя сегодня вечером на ужин!

Он хотел пригласить также Джимми, Тайрин и Марка, без детей, разумеется. Куп готов был позвать и Алекс, но это было бы, пожалуй, неуместно. Но он твердо решил, что обязательно позвонит ей и все расскажет.

— Ты уверен, что снова хочешь поужинать со мной? Ведь мы только вчера ходили в «Оранжерею», — напомнила ему Валери и улыбнулась. — Я боюсь тебе надоесть!

— У тебя просто нет другого выхода, — сказал Куп нарочито суровым тоном, но не выдержал и улыбнулся.

— О'кей, я буду очень рада, — ответила Валери.

— И прихвати с собой Джимми.

— Боюсь, ничего не выйдет. Он сегодня занят. — Валери знала, что сегодня Джимми снова встречается с Алекс. Они, несомненно, были увлечены друг другом — во всяком случае, им ужасно нравилось исследовать свои новые отношения. Но привести ее с собой Джимми, безусловно, не мог — это было бы бестактно, да и самой Алекс, наверное, было все еще тяжело с ним встречаться.

— Впрочем, я передам ему твое приглашение, — добавила Валери, хотя точно знала — Джимми все равно откажется. И упрекнуть сына она не могла: было бы только естественно, если бы он предпочел Алекс Купу.

— Когда я вернусь, я позвоню тебе и скажу, куда мы пойдем, — пообещал Куп. — Впрочем, если ты не имеешь ничего против, я бы предпочел «Спаго».

— Договорились. — Валери кивнула, и Куп чуть не бегом бросился обратно к дому.

Через десять минут он уже ехал в контору своего агента. Контракт был уже готов, и ему оставалось только поставить свою подпись на всех пяти экземплярах документа. Час спустя Куп был уже дома. Он заказал столик в «Спаго» на восемь часов; сообщив об этом Тайрин и Валери, Куп позвонил Алекс в больницу.

Она сама взяла трубку, что бывало нечасто. Куп, во всяком случае, такого не помнил. Ему было невдомек, что Алекс ждала звонка Джимми и почти не отходила от столика дежурной сестры, благо смена выдалась спокойной. Но, услышав голос Купа, она насторожилась. С тех пор, как он позвонил ей, чтобы рассказать о результатах анализа ДНК, прошел почти месяц; за это время они не разговаривали больше ни разу, и Алекс сразу поняла — произошло что-то важное. Неудивительно поэтому, что рука, в которой она держала трубку, слегка дрожала, однако ее голос звучал спокойно.

Куп рассказал ей, что произошло, и Алекс сказала, что очень за него рада. Потом последовала долгая пауза. Куп знал, о чем она думает, о чем хочет спросить, а главное — он знал ответ. Он думал об этом по дороге домой и принял окончательное решение, хотя соблазн вернуться к тому, что было когда-то, был достаточно велик.

— То, что ты только что мне рассказал, это что-нибудь меняет? Ты позвонил мне только затем, чтобы сообщить мне эту новость?— спросила наконец Алекс — спросила и затаила дыхание от волнения и страха. Она и сама не знала, чего она теперь хочет, но не задать этот вопрос она не могла.

— Я много об этом думал, Алекс, — ответил Куп. — И я был бы рад ответить «да», но... это было бы неправильно. Я уже говорил, я для тебя слишком стар. Что касается второй проблемы, то... Даже если я расплачусь с долгами самостоятельно, люди все равно решат, что это были твои деньги. — Он немного помолчал и добавил: — Поверь мне, Алекс, я не тот мужчина, который сделает тебя счастливой.

Ты молода, тебе нужен молодой муж, дети — одним словом, нормальная жизнь с человеком твоего круга, может быть, даже с кем-то, кто работает в той же области, что и ты. Мне было очень хорошо с тобой, но я уверен, что, если бы мы попытались сделать наши отношения постоянными, в конце концов нас обоих ожидало бы серьезное разочарование. Прости, что я причинил тебе боль, Алекс, девочка моя, но иначе я не мог. Я многому у тебя научился, и за это я тебе благодарен, но... Мы должны были расстаться, и дело здесь, наверное, даже не в деньгах, а в нашей разнице в возрасте. Я старше, я понимал это, и вся ответственность за наше будущее лежала на мне. И я принял решение... Ты мне очень дорога, я страдаю из-за того, что сделал тебе больно, но дальше было бы все сложнее.

И еще одно... Я хотел бы сказать тебе, что ты забрала с собой частичку моего сердца, которая всегда будет принадлежать тебе, что бы со мной ни случилось. Может быть, когда-нибудь мы сможем стать друзьями... Я, во всяком случае, очень на это надеюсь. Только давай не будем возвращаться к тому, что было, чтобы не совершить еще большей ошибки, о которой мы ₽последствии обязательно пожалеем. Ты умница, ты должна меня понять, может быть, не сейчас, но в будущем...

Алекс ожидала от него совсем других слов, но что-то подсказывало ей — в том, что она только что выслушала, есть здравый смысл. Все два месяца, прошедшие с того рокового дня, когда они расстались, Алекс продолжала упрямо надеяться, что все вернется, но, возможно, она просто не любила проигрывать и пыталась любой ценой спасти свою любовь, как спасала от смерти больных детей. Вместе с тем она не могла не анализировать ситуацию, и выводы, к которым она пришла, не слишком отличались от того, что ей только что сказал Куп. Да, когда-то Алекс была счастлива с ним; она любила Купа и до сих пор по нему тосковала, но что-то мешало ей попытаться уговорить его изменить свое решение, хотя она и была уверена, что смогла бы это сделать, если бы очень постаралась. И все же, когда он позвонил, она не удержалась от вопроса о его намерениях. Это было и понятно, и объяснимо. Хотя теперь жизнь

Алекс начинала меняться, присутствие Джимми в ней становилось все более заметным и необходимым.

С Джимми у Алекс было значительно больше общего. Другое дело, что они пока не знали, как сложатся их отношения. Но кто может предсказать наперед собственную жизнь? Маги, гадалки, волшебники?

Да, подумала Алекс, наверное, Куп все-таки прав. Надо двигаться вперед, а не цепляться за прошлое.

— Я понимаю, — тихо сказала она. — И как ни трудно мне с тобой соглашаться, возможно, ты и прав. Во всяком случае, умом я это понимаю... уже поняла, а вот сердцем... Надеюсь, впрочем, в конце концов все образуется.

Ей по-прежнему было больно, она теряла его и страдала, но никаких попыток удержать его она не делала.

— Ты очень сильная женщина, Алекс, — серьезно сказал Куп.

— Спасибо, — ответила она и, чтобы снять напряжение в разговоре, спросила: — А ты пригласишь меня на премьеру?

— Я даже приглашу тебя на церемонию вручения «Оскаров», когда буду получать награду, — без колебаний заявил Куп.

— Договорились!

Когда она вешала трубку, в глазах у нее стояли слезы, но потом Алекс словно ожила. Казалось, изменившиеся финансовые обстоятельства Купа освободили обоих. Алекс прекрасно понимала, насколько сильно он нуждался в чем-то подобном, и не столько для того, чтобы расквитаться с долгами, сколько для того, чтобы вернуть себе покой, самоуважение и достоинство. Теперь Куп снова мог жить, не зная ни тревог, ни забот, и Алекс оставалось только поздравить его с удачей.

Она продолжала испытывать душевный подъем до самого вчера, когда Джимми приехал за ней в клинику на такси. Они собирались поужинать и сходить в кино, и Алекс ждала его на автостоянке для обслуживающего персонала, чтобы помочь пересесть в свою машину. Едва выбравшись из такси, Джимми сразу заметил, что с ней что-то происходит.

— Ты выглядишь почти счастливой, — сказал он. — Произошло что-нибудь приятное?

— Да, — ответила Алекс. — Сегодня я разговаривала с Купом. Он получил хорошую роль в новом фильме и сумел разобраться со своими проблемами.

Это заявление напугало Джимми, хотя он уже знал, что сегодня вечером Куп снова пригласил его мать в ресторан.

— С какими проблемами? — спросил он настороженно. — Это... не насчет вас?

— Да, и насчет нас тоже, — кивнула Алекс. Ей не хотелось рассказывать Джимми о долгах Купа — с ее стороны это было бы просто непорядочно, да и не это было главным. — Мне кажется, — сказала она задумчиво, — мы оба наконец убедились: то, что между нами было, не могло иметь продолжения. Нам было хорошо вместе, но в конце концов каждый из нас непременно должен был понять, что на самом деле ему нужно что-то совсем другое.

Теперь Алекс могла говорить об этом спокойно, хотя еще несколько дней назад она способна была разрыдаться при одной мысли о Купе.

— Что значит «другое»? — удивился Джимми. — Что ты имеешь в виду?

— Тебя, глупый! — с улыбкой ответила Алекс.

— Это... это Куп тебе сказал? Он сказал, что тебе нужен я?..

— Нет, разумеется. Куп не имел в виду конкретно тебя. О том, что мне нужен ты, я догадалась сама. Я ведь, как ты помнишь, врач, — сказала она, и Джимми заметно расслабился. Последние две или три минуты он пребывал в страшном напряжении. Куп был грозным соперником для любого мужчины, и Джимми чувствовал, что тягаться с ним ему будет нелегко. Он был готов объективно признать, что Куп гораздо ближе к идеалу мужчины, чем он сам. Однако у Джимми было нечто такое, чего недоставало Купу, и для Алекс это нечто казалось куда более драгоценным. Ее покорила не его ирландская внешность и не крепкие мускулы, и даже не молодость — все это было только приправой к главному блюду — приятным, но не обязательным дополнением. Алекс влекла к Джимми мягкость души в сочетании с твердостью духа. (Куп, по большому счету, был его антиподом: дух его порой оказывался вялым, а душа — черствой.) И Куп был совершенно прав, когда утверждал, что ей нужен человек, который был бы больше похож на нее.

В каком-то смысле Алекс и Джимми были ответом на молитвы, чаяния, мечты друг друга.

Тем же вечером Куп, Валери, Тайрин и Марк ужинали в «Спаго». Настроение у всех было приподнятое, но больше всех радовался сам Куп. Он пребывал в состоянии, граничащим с блаженной эйфорией, и был веселее, обаятельнее, очаровательнее, чем когда-либо. Впервые за много-много лет Куп снова почувствовал себя в привычной среде. Новости о подписанном им контракте уже успели распространиться, и те из посетителей, кто имел отношение к кино (а таковых в «Спаго» всегда было немало), подходили к их столику, чтобы поздравить его с удачей. Уже назавтра в профессиональных изданиях должны были появиться статьи, посвященные новому проекту и занятым в нем актерам, среди которых Куп, несомненно, был звездой первой величины.

— Когда начнутся съемки? — с интересом спросил Марк.

— В октябре мы отправляемся в Нью-Йорк на натуру. А к Рождеству съемочная группа должна вернуться в Лос-Анджелес. Здесь будут проходить съемки в студии, — объяснил Куп, отпивая шампанское. Перед началом работы у него оставалось почти два месяца полной свободы, и он пока не знал, как он ею распорядится.

— Перед началом съемок мне бы хотелось съездить в Европу, — сказал он, многозначительно глядя на Валери. Куп надеялся, что после того, как он погостит у нее на мысе Код, она захочет поехать с ним куда-нибудь на Ривьеру. Теперь он мог себе это позволить, и ему не терпелось показать Валери свои излюбленные места.

— Как ты посмотришь, если я приглашу тебя поехать со мной? — негромко спросил он, наклоняясь к Валери, пока Марк и Тайрин разговаривали между собой.

— Это очень интересное предложение, — ответила та и улыбнулась улыбкой Моны Лизы. — Но я не хотела бы спешить с ответом. Сначала съездим на мыс Код, а там посмотрим.

В глубине души Куп вынужден был признать, что Валери и на этот раз права.

— Благоразумие — добродетель молоденьких девочек, — поддразнил он ее, но на самом деле Валери была не благоразумна, а просто умна, и с каждой проведенной с ней минутой Куп все больше убеждался в том, что он наконец-то встретил женщину своей мечты.

— Давай лучше сразу отправимся в «Отель дю Кап»! — добавил он.

Валери изобразила на лице внутреннюю борьбу, и оба рассмеялись. И Куп, и Валери давно чувствовали, как сильно их тянет друг к другу, но торопиться не хотели. Они считали, что если это взаимное влечение не прихоть и не каприз, оно все равно пробьет себе дорогу без какой бы то ни было помощи с их стороны. В любом случае им совершенно некуда было спешить, и когда поздно вечером они снова вышли погулять в парк «Версаля», Валери сказала ему об этом. И Куп согласился. В последнее время произошло слишком много всего, и он чувствовал себя мальчишкой в кондитерской лавке, которому хочется и того, и другого, и третьего, и всего этого — сразу. Радость буквально распирала его, и он спешил поделиться ею с Валери.

Еще раньше Куп рассказал ей о своем разговоре с Алекс и сказал, что в каком-то смысле этот разговор окончательно освободил его. Валери выслушала его, не перебивая. Они оба понимали — Куп поступил правильно, поставив в своих отношениях с Алекс эту последнюю точку.

— У меня есть подозрение, что Алекс встречается с Джимми, — осторожно заметила Валери после долгого молчания. Она решила — теперь Купу можно сказать об этом, не боясь задеть его самолюбие. Кроме того, Валери не хотела, чтобы между ее сыном и Купом сохранялась какая-то неловкость — особенно теперь, в свете последних событий.

Куп ответил не сразу. На несколько секунд в нем проснулись ревность и чувство собственника, но он постарался побороть их.

— Что ж, я рад за них, — сдержанно проговорил он. — Это самое лучшее, что могло с ними случиться. И с нами тоже. — Он улыбнулся и взял Валери за руку. Когда Куп и Валери прощались на крыльце флигеля, он впервые решился поцеловать ее. А Валери ответила на его поцелуй. Их больше ничто не сдерживало и не смущало. Жизнь как будто начиналась для них сначала — жизнь, полная чудес и удивительных событий, и Куп подумал, что, если умеешь ждать, все в конце концов устраивается наилучшим образом. Он нашел Валери, а его самого нашла хорошая роль, и теперь он снова мог не думать о деньгах.

Это судьба, подумал Куп. А Валери думала о Купе, поднимаясь к себе в спальню. О том, что он совсем не похож на человека, которого она ждала. Но судьба оказалась к ней куда щедрее, чем она рассчитывала. Но, несмотря на это, Валери отнюдь не чувствовала себя Золушкой, на которую обратил свое благосклонное внимание прекрасный принц. Она чувствовала себя... просто собой — женщиной, которая вдруг влюбилась в своего друга.

А Куп, шагавший в это время по дорожке к своему дому, испытывал радостное предвкушение поездки с женщиной, к которой его тянуло с каждым днем все больше. Скорее бы оказаться на мысе Код, подумал он. Там все должно решиться окончательно...

Глава 26

В начале августа Джимми смог наконец ходить без палочки. К этому времени все газеты трубили о будущем фильме, и Куп стал настоящим героем. Десятки старых друзей и коллег звонили и поздравляли его с удачей. Одновременно он стал получать новые интересные предложения, но большинство были рассчитаны на самое ближайшее время, и Куп решительно от них отказывался. Он уже твердо решил, что уедет из Лос-Анджелеса сначала на мыс Код, потом, если удастся, в Европу. Валери, правда, ничего ему не обещала, сказав, что должна подумать, но Куп почему-то был уверен: после каникул в ее доме они станут еще ближе друг другу.

И вот настали последние дни перед отъездом. К этому времени Джимми уже работал в полную силу и встречался с Алекс так часто, как только позволяло ее расписание. Их отношения развивались быстрее, чем они рассчитывали, и несколько раз Алекс пыталась — не столько из осторожности, сколько из суеверного страха — сменить темп на более спокойный, но стоило ей увидеть Джимми, как ее страхи тотчас улетучивались, и она снова начинала чувствовать себя беззаботной и счастливой. Марк и Тайрин планировали поехать с детьми на озеро Тахо, чтобы отдохнуть там до начала школьных занятий.

Накануне отъезда на мыс Код Валери устроила что-то вроде прощального ужина, приготовив свои знаменитые спагетти с луком и грибами. Алекс от приглашения отказалась — во-первых, в обществе Купа она чувствовала бы себя скованно, а во-вторых, она все равно должна была в этот день работать. Узнав об этом, Валери поехала к ней в больницу, чтобы попрощаться. Они даже перекусили в ближайшем итальянском ресторане и расстались еще большими друзьями, чем прежде.

Но Тайрин и Марк на ужин пришли. Марк привел с собой и детей, и Куп весь вечер притворялся очень сердитым. Грозно сдвинув брови, он с пристрастием допрашивал Джейсона, сколько стекол он разбил за последние две недели и не он ли разворотил своим скейтбордом тротуар на северной стороне Родео-драйв. Джейсон сначала робел, но потом поддержал игру. В конце концов Куп обещал, что пригласит его на площадку, когда они будут снимать в Лос Анджелесе («Чтобы ты покатался там на скейте, сынок!») и Джейсон был очень доволен. Джессика отважно спросила, можно ли и ей пойти с братом, и Куп добродушно кивнул. Почему-то дети Марка больше не казались ему сорвиголовами.

— Конечно, приходи, — сказал он, покосившись на Марка и Тайрин. — Можешь даже захватить с собой подруг или кавалера, если таковой у тебя имеется. Я бы, конечно, предпочел, чтобы всякая мелюзга вроде вас не путалась у меня под ногами, но, похоже, у меня нет выбора. Что-то подсказывает мне, что в недалеком будущем мы станем родственниками, а родственникам нельзя отказывать. Я, во всяком случае, готов делать для вас все, что вы попросите, но при одном условии... — Он состроил свирепую гримасу и многозначительно поднял палец. — Никогда не смейте называть меня дедушкой! Моя репутация выдержала немало покушений — особенно в последние полгода, но это уже чересчур. Как только разнесется слух, что кто-то зовет меня дедушкой, мне начнут предлагать роли девяностолетних старцев или только что умерших родственников.

— Как это? — не поняла Джессика.

— Я буду лежать в гробу в гостиной, а главные герои будут шепотом сообщать друг другу и своим детям: «Это ваш троюродный дедушка. Он скончался в возрасте ста одного года и оставил вам очень приличное состояние».

Джессика фыркнула, Джейсон тоже засмеялся, но на самом деле они еще не привыкли к Купу. Им обоим очень нравилась Тайрин, и они были готовы принять ее в свою семью, но мысль о том, что Купер Уинслоу тоже станет их родственником, как-то не приходила им в голову. Впрочем, ради той же Тайрин они готовы были смириться с этим, к тому же в том, чтобы быть родственником настоящей кинозвезды, определенно что-то было. Да и Куп оказался не таким уж страшным.

А Куп думал о том, что по прошествии какого-то времени все они могут оказаться друг с другом в довольно сложных родственных отношениях. Например, если вдруг они с Валери поженятся, а Алекс выйдет замуж за Джимми, она будет приходиться ему... приемной снохой? Или невесткой?.. При мысли об этом Куп невольно поежился. Все это слишком напоминало небольшое кровосмешение, однако коль скоро каждый из них — даже Марковы дети — что-то от этого получал... почему бы нет?

— Надеюсь, что, когда в этом году вы с Купом попадете в «Марисол», туалет будет работать нормально, — шутливо сказал Джимми матери, и Куп озадаченно посмотрел на него.

— В какой такой «Марисол»? — подозрительно спросил он. — Это что — отель?.. Но ведь мы собирались...

— Это не отель, — поправил Джимми. — Так называется мамин дом на мысе Код. Его построил еще мой прадед. Это название образовано от двух имен: Марианна и Соломон. Вот и получилось «Марисол»...

Куп неожиданно побледнел.

— «Марисол»... — повторил он, и лицо его вытянулось. — «Марисол»... Почему ты ничего мне не сказала? — Он повернулся к Валери с таким видом, будто только что узнал: последние десять лет она провела в тюрьме по обвинению в торговле наркотиками. Впрочем, даже такое известие Куп воспринял бы легче. Сейчас же у него было такое лицо, словно его вот-вот хватит удар.

— Что я должна была тебе сказать? — с самым невинным видом осведомилась Валери. Ужин, который она устроила для них на веранде флигеля, был поистине великолепным, но сейчас Куп и думать забыл о еде.

— Ты прекрасно знаешь, что я имею в виду, Валери, — отчеканил он. В его голосе слышался металл. Тайрин и Джимми удивленно переглянулись. Марк сидел, ничего не понимая, лицо его вытянулось. Между Купом и Валери что-то происходило, но что? Похоже, только сама Валери знала, в чем дело.

— Я не лгала тебе, Куп, — спокойно ответила она. — Я просто... не стала вдаваться в подробности. Я не знала, что для тебя это так важно!

Но она знала, что это важно, знала и боялась, что может все испортить.

— А твоя девичья фамилия случайно не Уэстерфилд? — спросил Куп.

Валери склонила голову набок, потом кивнула.

— Ах ты, обманщица! — воскликнул Куп. — Позор! Ты притворилась бедной, а оказывается... — Куп не договорил. Он был ошеломлен, растерян, оглушен. Состояние Уэстерфилдов было одним из самых больших в мире, не говоря уже о Соединенных Штатах.

— Я никого не вводила в заблуждение, — возразила Валери. Она старалась говорить спокойно, но по лицу ее было видно, что она нервничает. Валери давно хотела сказать Купу правду, но не знала, как он отреагирует. Такая новость могла оглушить кого угодно.

— Однажды я был в «Марисоле», — сказал Куп мрачно. — Я снимался неподалеку, и твоя мать пригласила меня в гости. Этот твой так называемый «маленький домик у моря» на самом деле больше, чем «Отель дю Кап». И если бы ты действительно превратила его в отель, то у тебя останавливались бы только президенты и главы иностранных государств. — Он покачал головой. — Нет, Валери, ты можешь оправдываться сколько угодно, но все равно ты поступила... нечестно.

Но он выглядел уже не таким сердитым, и у Валери немного отлегло от сердца. Уэстерфилды были крупнейшими банкирами восточной части страны — своего рода американскими Ротшильдами. Сложные родственные отношения связывали их с Асторами, Вандербильтами, Рокфеллерами и еще многими известными семейными кланами — и не только в Штатах, но и по всему миру. Рядом с Уэстерфилдами даже Мэдисоны выглядели как жалкие нищие, и Куп испугался, что попал в ловушку еще более страшную, чем с Алекс. Впрочем, он тут же подумал, что Валери сама распоряжалась своими капиталами и не должна была ни перед кем отчитываться. Кроме того, его собственные финансовые дела наконец-то пришли в порядок, поэтому со стороны их союз вряд ли мог быть расценен как охота за деньгами.

И все-таки он был до глубины души потрясен тем, что Валери ни слова ему не сказала, а он ни о чем не догадался. Впрочем, догадаться было довольно трудно — другой такой скромной и непритязательной женщины Куп не встречал. Да и любой на его месте решил бы, что перед ним — вдова, которая живет на небольшую ренту, оставшуюся от мужа. Куп, правда, знал, сколько Джимми платил ему за аренду флигеля, однако это его не насторожило. Джимми — это Джимми, рассуждал он, а Валери — это Валери, и у них могли быть разные источники дохода.

Но теперь Куп многое понял. Он понял, откуда у Джимми деньги, понял, как вышло, что Валери коротко знакома со многими знаменитыми людьми и сильными мира сего. А ведь когда-то он удивлялся тому, что Валери побывала в Лондоне, в Париже и других городах Европы!.. Ни словом, ни одним своим поступком она не дала понять, что не стеснена в средствах.

Но, тотчас подумал Куп, это было еще до того, как он начал за ней ухаживать, а значит, она не обманывала его сознательно. Просто Валери привыкла довольствоваться малым и никогда не требовала ничего сверх необходимого — это-то и ввело его в заблуждение!

Куп долго сидел неподвижно и смотрел на Валери, пытаясь переварить потрясающую новость. Потом он откинулся на спинку стула и расхохотался.

— Знаешь, что я тебе скажу?! — воскликнул он. — Даю

тебе честное слово, что больше никогда не буду тебя жалеть!.. Я видел, что тебе тяжело ухаживать за Джимми, и хотел нанять для него сиделку за свои деньги, потому что думал — ты не можешь себе этого позволить! А на самом деле... На самом деле ты могла нанять для него целый полк сиделок, медсестер, знаменитых врачей, поместить его в лучшую частную палату!.. Да что я говорю — палату. Ты могла выстроить для него целую больницу, где было бы все необходимое!

Но, говоря все это, Куп подумал, что, если они поженятся, он не может позволить себе жить на ее деньги. Это он должен содержать ее, а не наоборот. Разумеется, Валери может тратить свои миллионы как ей вздумается, но Куп твердо решил, что все развлечения, путешествия, рестораны и драгоценности он будет оплачивать из своих доходов. Не хватало еще делать женщине подарки на ее же деньги! Пусть другие поступают так, но с ним этого не будет.

— Если в «Марисоле» опять не будет работать унитаз, — закончил он решительно, — я вызову водопроводчика за свой счет. Не представляю, что бы ты делала, если бы мне не подвернулась эта роль?

Все рассмеялись, и только Валери поняла, что он имел в виду. Куп очень не хотел оказаться в таком же положении, в какое он попал с Алекс. Впрочем, с Алекс дело было не только в деньгах, но и в их разнице в возрасте, в нежелании Купа иметь детей, в его страхе выставить себя перед всем миром заурядным альфонсом, а также в отрицательном отношении к нему Артура Мэдисона. Но все это к Валери было неприложимо — они были почти ровесниками и не собирались заводить ребенка. Что же касалось денег, то Куп снова твердо стоял на своих собственных ногах и был совершенно независим с финансовой точки зрения.

— Если вы вызовете водопроводчика, с мамой будет припадок, — расхохотался Джимми. — Она считает, что неработающий унитаз придает «Марисолу» совершенно особое романтическое очарование — равно как и протекающая крыша и сломанные жалюзи. В прошлом году я едва не сломал ногу, когда подо мной провалилось южное крыльцо. Но маме нравится самой устранять неполадки, так что...

— Как ты думаешь, вернусь я оттуда живым? — простонал Куп, но на самом деле он был почти счастлив. Он влюбился в «Марисол» еще много лет назад, когда мать Валери пригласила его к себе в гости. Это было поистине бескрайнее поместье, на территории которого были и конюшни, и эллинги, и гостевые домики, и поля для гольфа, и огромный сарай из толстых почерневших бревен, в котором Куп проторчал чуть не все выходные, потому что там стояло с полдюжины редчайших антикварных автомобилей. Но и это было еще не все. «Марисол» был известен на всю страну, потому что там часто бывали члены клана Кеннеди и даже сам президент, чья летняя резиденция находилась неподалеку.

Когда ужин закончился и все разошлись, Куп все еще не мог опомниться.

— Больше никогда не обманывай меня, — сказал он строго.

— Я тебя не обманывала. Я просто... молчала, — ответила Валери.

— Не молчала, а умалчивала, — поправил Куп. — Это совсем разные вещи.

— Умалчивать о чем-то можно в корыстных целях. А я именно молчала. Скромно молчала, — заметила Валери. — Мог бы и оценить хотя бы эти мои достоинства.

Куп кивнул. Ее скромность тоже ему нравилась — как и ее изящество, остроумие и строгая простота. Именно эти качества выделяли Валери среди других женщин. Даже в джинсах и светлой блузке она выглядела настоящей аристократкой.

Куп уже спокойно подумал об Алекс. Пожалуй, и у нее все складывается довольно удачно. На взгляд Купа, Джимми идеально ей подходил. С одной стороны, он принадлежал к тому же миру, что и Алекс, с другой — так же, как и она, ненавидел самодовольный снобизм, равнодушие, эгоизм так называемого «высшего общества». Впрочем, Куп был уверен, что против союза с ним Артур Мэдисон возражать не станет. Не беда, что Джимми всего лишь социальный работник; главное, он наследник уэстерфилдовского состояния — еще более крупного, чем состояние Мэдисонов. Вся ревность, которую он испытывал к Джимми, куда-то испарилась. Теперь он желал ему только счастья — ему и

Алекс тоже. Она была на правильном пути, хотя сама, возможно, об этом еще не подозревала.

— А Алекс знает? — спросил он у Валери, которая собирала со стола посуду.

— Скорее всего, нет, — ответила она. — У Джимми мой характер, деньги для него значат еще меньше, чем для меня.

Куп кивнул. Он понимал, почему так происходит. Джимми и его матери не приходилось зарабатывать деньги или приобретать их еще каким-то способом; они родились богатыми, деньги были для них чем-то само собой разумеющимся, и они привыкли тратить их по мере необходимости. Или не тратить. Они могли жить, как хотели — купаться в роскоши или чинить унитаз в летнем доме, принимать у себя президентов или работать с сиротами в Уоттсе. Алекс была слеплена из того же теста. То, что она жила на одну зарплату врача-резидента, было для нее выбором, а не необходимостью.

— Ну и как я... вписываюсь? — спросил Куп, беря Валери за руки и усаживая к себе на колени. Она была настоящей женщиной его мечты, и он был намерен убедить ее в этом. Не из-за денег, нет — из-за нее самой. Он был бы последним глупцом, если бы выпустил из рук такое сокровище, как Валери. Не Валери Уэстерфилд и даже не Валери О'Коннор — просто Валери...

— Или с твоей стороны это будет мезальянс?

— По-моему, ты вписываешься прекрасно, — ответила она спокойно. — Напротив, по сравнению с тобой мы с Джимми выглядим несколько... неотесанными. За последнее время мы немного одичали — пора возвращаться к тому, что в газетах называют «светской жизнью».

Она шутила, но Куп все равно задумался. Он долгое время жил в самой настоящей роскоши, ни в чем себе не отказывал и, говоря откровенно, изрядно избаловался. Теперь, когда у него снова появились большие деньги, он мог продолжать баловать не только себя, но и Валери. И именно это он и собирался делать.

— Да, я сумею приспособиться, — со смехом сказал он. — И знаешь, я уже решил, на что я потрачу все свои деньги. Я приведу в порядок этот твой «маленький домик у моря»!

— Не надо. — Валери улыбнулась. — Мне нравится он

таким, каков он есть сейчас, пусть он и разваливается на части буквально под руками. Как сказал Джимми, в этом есть что-то романтическое.

— В тебе тоже, — ответил Куп, крепче прижимая ее к себе. — Хотя ты и не разваливаешься...

Но Куп знал, что, даже когда такое время наступит, он все равно будет любить ее. Кроме того, он подозревал, что начнет разваливаться на части первым — как-никак она была на семнадцать лет младше его. Молодая, богатая... к счастью, не слишком молодая. Что же касалось богатства, то Куп больше об этом не думал — ведь у него были свои деньги. Теперь он почти гордился тем, что для того, чтобы очаровать, покорить и женить его, понадобилась не сопливая актрисочка с сиськами и километровыми ногами, а женщина из семейства Уэстерфилд — не больше и не меньше. И он был рад, что это наконец произошло.

— Ты выйдешь за меня замуж? — спросил он шепотом.

— Вероятно, да... в конце концов, — ответила Валери и улыбнулась.

Они еще немного поболтали, потом Куп попрощался и ушел к себе. Утром они улетали в Бостон, и он хотел, чтобы Валери хорошо отдохнула.

В аэропорт их отвез наемный автомобиль. У Купа набралось четыре огромных чемодана вещей, хотя ему пришлось приложить значительные усилия, чтобы их не было вдвое больше. Но он собирался лететь в Европу прямо из Бостона, не заезжая домой, поэтому ему пришлось взять с собой несколько костюмов, которые вряд ли могли пригодиться в доме на мысе Код с его неработающим туалетом и протекающей крышей. У Валери же были только небольшой саквояж и сумка, с которыми она прилетела в Лос-Анджелес, когда с Джимми случилась беда.

Их никто не провожал. Куп попрощался с Тайрин еще в «Версале», а Валери крепко обняла Джимми и велела ему быть осторожным.

В самолете Куп и Валери немного подремали, наверстывая упущенное — все-таки вчера они разошлись довольно поздно. Когда они проснулись, самолет уже подлетал к Бостону, и Валери рассказала Купу несколько примечательных фактов из истории «Марисола», о которых, кроме нее и Джимми, мало кто знал. Ее рассказ привел Купа в восторг, и ему захотелось увидеть знаменитый дом как можно скорее. Он хорошо помнил, каким он был лет сорок назад, — роскошный старый особняк в романтическом средиземноморском стиле, окруженный со всех сторон садами, парками, ухоженными лужайками.

В бостонском аэропорту они взяли напрокат автомобиль и не спеша двинулись к Кейп-Коду. Когда же они добрались до места, «Марисол» оказался именно таким, каким Куп его запомнил. Даже лучше, потому что теперь он был вместе с Валери.

В следующие три недели Куп работал, как не работал, наверное, никогда в жизни. Он приколачивал отставшие доски и деревянные панели, вешал новые жалюзи, чинил плетеную мебель. И все же Куп был очень доволен, потому что делал все это не один, а с Валери, которая работала наравне с ним. У нее в кармане всегда были молоток, гвозди или отвертка, а на щеке красовался мазок сажи или свежей краски. Куп целовал ее в перемазанное место и думал, что никогда еще мир не видел человека счастливее, чем он.

В День труда[1] они улетели в Лондон и провели там еще три недели. Прямо из Лондона Куп отправился в Нью-Йорк, где начинались съемки, а Валери вернулась в Бостон. Там она оставалась всего несколько дней, а потом присоединилась к Купу. Пока шли натурные съемки, они вместе жили в «Плазе». Незадолго до Дня благодарения[2] работа была закончена, и они вылетели в Лос-Анджелес, в свой «Версаль».

Тайрин и Марк к этому времени уже были женаты. Они зарегистрировали свой брак еще на озере Тахо, причем единственными гостями на их скромной свадьбе были Джессика и Джейсон. Отметить это событие как следует они решили позже — когда Куп и Валери вернутся из Нью-Йорка. Отношения Джимми и Алекс еще не зашли так далеко, однако они уже жили вместе во флигеле. Алекс продала свою крошечную однокомнатную квартирку и пересе-

---

[1] День труда — отмечается в первый понедельник сентября. После него во многих штатах начинается учебный год.

[2] День благодарения — национальный праздник, ежегодно отмечаемый в четвертый четверг ноября. Считается семейным праздником и отмечается традиционным обедом с индейкой, клюквенным вареньем и тыквенным пирогом.

...илась к Джимму всего полтора месяца назад, однако фли-гель уже начинал напоминать бельевую корзину. Впрочем, Джимми не особенно беспокоился по этому поводу: Алекс оставалось резидентствовать совсем немного. Ей уже предложили место неонатолога-консультанта при клинике, однако она еще не решила, следует ли ей соглашаться или лучше подыскать работу поспокойнее. Они с Джимми собирались как можно скорее пожениться и завести ребенка, и Алекс боялась, что не будет справляться со своими служебными обязанностями. Впрочем, она еще не разговаривала с отцом и не знала, как отреагирует Артур Мэдисон на ее планы.

На День благодарения Куп пригласил всех к себе на праздничный ужин. Алекс тоже пришла, и он был рад видеть, что она очень счастлива с Джимми. Вольфганг Пак прислал им огромную индейку, а подавала к столу Палома, облаченная в ярко-розовую форму и леопардовые тапочки. По случаю скорого наступления зимы ее темные очки с поддельными камнями отправились в отпуск, но Куп радовался не столько этому, сколько тому, что его строптивой горничной Валери явно пришлась по душе.

Финал этой истории сочли нужным осветить не только второсортные издания, но и «Пипл», «Тайм», «Ньюсуик», Си-эн-эн и другие солидные средства массовой информации, но заголовки и там и там были почти одинаковыми. «НАСЛЕДНИЦА СОСТОЯНИЯ УЭСТЕРФИЛДОВ ВЫХОДИТ ЗАМУЖ ЗА КИНОЗВЕЗДУ», — сообщали одни. «КУПЕР УИНСЛОУ ЖЕНИТСЯ НА ВДОВЕ УЭСТЕРФИЛД!» — восклицали другие, но и в том и в другом случае на первых полосах красовались фотографии с приема, который Куп и Валери устроили по случаю своего бракосочетания. Эти снимки разослал по газетам пресс-атташе Купа.

На следующее утро после свадьбы Валери спустилась в гостиною с охапкой льняных полотенец, которые она нашла в бельевом шкафу.

— Как удачно, подумать только!.. — рассеянно проговорила она, кладя полотенца на стол, за которым Куп просматривал изменения в сценарии. У него была свободная неделя перед началом съемок в Лос-Анджелесе, и он пытался уговорить Валери слетать на несколько дней в Сент-Мориц, однако ее эта идея не особенно прельщала. Она была счастлива с ним в «Версале».

— Что это такое? — спросил Куп, не отрываясь от что ния. Съемки шли без сучка без задоринки, и он был очень доволен. Он уже получил несколько новых интересны предложений и даже подписал контракт на весну с крупно нью-йоркской киностудией. Деньги текли к нему рекой, Эйб Бронстайн высказал Купу свое восхищение. «Если так и дальше пойдет, я начну гордиться таким клиентом», - сказал старый бухгалтер. В его устах это была высшая по хвала.

— Это полотенца с твоей монограммой, — ответила Ва лери. — Мне кажется, ты ими не пользуешься, а поскольку теперь снова «У.», я намерена отправить их в «Марисол» Там не осталось ни одного приличного полотенца.

— Теперь я знаю, зачем ты вышла за меня замуж! Чтобы пользоваться моими полотенцами и носовыми платками! - Куп ухмыльнулся. — Выброси ты эту рухлядь и купи для «Марисола» новые полотенца. А хочешь, я закажу для тебя дюжину в качестве свадебного подарка?

— Разумеется, нет! И незачем выкидывать совершенно новые полотенца, — возмутилась Валери. — Они прекрасно займут свое место на той полочке в ванной, которую ты по весил.

Куп отложил сценарий и посмотрел на нее.

— Я люблю тебя, Валери, — с улыбкой сказал он и, под нявшись из-за стола, шагнул к ней. — Возьми эти полотен ца, возьми все, что хочешь, — ведь тебе принадлежит мо сердце, а все остальное неважно.

— Спасибо, Куп, — ответила Валери, целуя его. Для не это был действительно очень счастливый год, и она наде лась, что таких лет впереди будет еще много. — Кстати, н найдется ли у тебя для «Марисола» каких-нибудь стары простыней?

— Поищи, — ответил Куп. — Если не найдешь, мы купи столько простыней, сколько ты захочешь, дорогая. Тольк на них будет вышито не просто «У.», а «В. К. У.» . Ты зна ешь, что это значит?

— Разумеется, дорогой, — улыбнулась она. — Валер Купер Уинслоу, что же еще?!.

Литературно-художественное издание

Даниэла Стил
ВЕРСАЛЬСКАЯ ИСТОРИЯ

Ответственный редактор *Н. Крылова*
Художественный редактор *Е. Савченко*
Технический редактор *Н. Носова*
Компьютерная верстка *Л. Панина*
Корректор *Г. Титова*

Подписано в печать с готовых монтажей 22.11.2002.
Формат 84×108 ^{1}/$_{32}$. Гарнитура «Нью-Баскервиль».
Печать офсетная. Бум. газ. Усл. печ. л. 21,84. Уч.-изд. л. 22,7.
Доп. тираж 10 000 экз. Заказ № 1909.

ООО «Издательство «Эксмо».
107078, Москва, Орликов пер., д. 6.
Интернет/Home page — www.eksmo.ru
Электронная почта (E-mail) — info@eksmo.ru

Отпечатано с готовых диапозитивов
в полиграфической фирме «КРАСНЫЙ ПРОЛЕТАРИЙ»
127473, Москва, Краснопролетарская, 16